A Deusa Interior

Um guia sobre os eternos mitos
femininos que moldam nossas vidas

Jennifer Barker Woolger
Roger J. Woolger

A Deusa Interior

*Um guia sobre os eternos mitos
femininos que moldam nossas vidas*

Tradução:
CARLOS AFONSO MALFERRARI

Editora
Cultrix
SÃO PAULO

Título original: *The Goddess Within – A Guide to the Eternal Myths That Shape Women's Lives*.

Copyright © 1987, 1989 Roger J. Woolger e Jennifer Barker Woolger.

Copyright da edição brasileira © 1993 Editora Pensamento-Cultrix Ltda.

9ª reimpressão da 1ª edição de 1993 – catalogação na fonte 2007.
19ª reimpressão 2021.

Todos os direitos reservados. Nenhuma parte deste livro pode ser reproduzida ou usada de qualquer forma ou por qualquer meio, eletrônico ou mecânico, inclusive fotocópias, gravações ou sistema de armazenamento em banco de dados, sem permissão por escrito, exceto nos casos de trechos curtos citados em resenhas críticas ou artigos de revistas.

Dados Internacionais de Catalogação na Publicação (CIP)
(Câmara Brasileira do Livro, SP, Brasil)

Woolger, Jennifer Barker
A deusa interior : um guia sobre os eternos mitos femininos que moldam nossas vidas / Jennifer Barker Woolger, Roger J. Woolger ; tradução Carlos Afonso Malferrari. -- São Paulo : Cultrix, 2007.

Título original : The goddess within.
9ª reimpr. da 1ª ed. de 1993.
Bibliografia
ISBN 978-85-316-0051-7

1. Deusas 2. Feminismo 3. Mulheres 4. Mulheres - Psicologia 5. Psicologia religiosa I. Woolger, Roger J., II. Título.

07-1651   CDD-305.42

Índices para catálogo sistemático:
1. Mitos femininos : Aspectos sociais : Sociologia 305.42
2. Psique feminina : Deusas : Aspectos sociais : Sociologia 305.42

Direitos de tradução para o Brasil adquiridos com exclusividade pela
EDITORA PENSAMENTO-CULTRIX LTDA, que se reserva a
propriedade literária desta tradução.
Rua Dr. Mário Vicente, 368 – 04270-000 – São Paulo, SP – Fone: (11) 2066-9000
http://www.editoracultrix.com.br
E-mail: atendimento@editoracultrix.com.br
Foi feito o depósito legal.

A todas as deusas,
nascidas e por nascer

Sumário

Prefácio 9

Introdução   O que é o estudo da psique feminina por meio das deusas? . 11

Parte um: A Roda das Deusas

    Um: A Roda das Deusas: panorama 35
    Dois: Atena: mulher guerreira no mundo 41
    Três: Ártemis: o coração da caçadora solitária 77
    Quatro: Afrodite: áurea deusa do amor 109
    Cinco: Hera: rainha e companheira no poder 141
    Seis: Perséfone: médium, mística e soberana dos mortos 178
    Sete: Deméter: mãe de todos nós 209

Parte dois: Integrando as Deusas

    Oito: Por qual deusa você é regida? Como usar o questionário
           da Roda das Deusas 247
    Nove: Para conciliar suas deusas interiores (para mulheres) 260
    Dez: Vivendo com as deusas (principalmente para os homens) . . 282

Parte três: Algumas conclusões

    Onze: As transformações das deusas 305

Apêndice A Os jogos das deusas 322

Apêndice B Uma breve história do estudo da psique feminina
            através das deusas 328

            Bibliografia selecionada 332

            Videografia e filmografia 339

Prefácio

Nossas meditações sobre as deusas já vêm de muitos anos. Para Roger, elas tiveram início em Oxford, no final dos anos 60, com um sonho perturbador sobre porcos e labirintos – que levou John Layard a emprestar-lhe sua cópia pessoal, repleta de anotações intrigantes, de *The Great Mother*, de Erich Neumann. Para Jennifer, o começo foi a fermentação feminista do início dos anos 70 e a descoberta inesperada dos excelentes ensaios de Jung e Kerényi sobre Coré e as deusas. Desde então, nossas leituras, nossos encontros pessoais e nossos sonhos têm sido numerosos demais para podermos citá-los com exatidão; porém, algumas seleções tiradas de nossas fontes prediletas foram incluídas, separadas do corpo do texto por molduras, e muitas outras são mencionadas na bibliografia. Para aqueles que desejarem uma visão erudita e panorâmica deste campo, apresentamos "Uma breve história do estudo da psique feminina por meio das deusas" no apêndice B.

Porém aprendemos mais profundamente sobre as deusas com todas as mulheres, nossas clientes e alunas, que com tanta generosidade partilharam conosco seus sonhos, diários, pinturas, esculturas, obras de tecelagem e músicas. Foi também através delas que vislumbramos o poder transformador da energia das deusas em momentos memoráveis de integração com a Roda das Deusas. Muitas haverão de reconhecer trechos de suas histórias pessoais nas narrativas que reconstruímos ao longo deste livro.

Queremos expressar nossa gratidão a muitas pessoas e grupos que patrocinaram e incentivaram nosso trabalho durante todos esses anos: a Tom Verner, do Burlington College, de Vermont; a Paul Kugler e à Buffalo Analytical Psychology Society; a Patricia King-Edwards e à Ottawa Jung Society; a Alice Johnstone e à Montreal Jung Society; a Rebecca Browning e à Tara Foundation, de Boulder; a Sue e Larry Anderson, de Chapel Hill; a Mary Leue e ao pessoal da Rainbow Camp Association, de Albany; a Sean McEvenue, do Lonergan College da Universidade Concórdia, de Montreal; a Marilyn Taylor, também da Universidade Concórdia; a Beth Darlington, do Vassar College.

Um agradecimento muito especial pelo apoio e ajuda que recebemos de Rosemarie Delahaye e Jannis Toussulis, em San Francisco, e de Rebecca Browning, em Boulder; de Carol Steiner e (em espírito) de Connie Stafford, em Buffalo, quando, junto com nossa filhinha Claire, pusemos o pé na estrada para divulgar nossas descobertas. E também muitos agradecimentos pelo estímulo, inspiração e idéias nas conversas curtas e longas que mantivemos com Brewster e Sandy Beach, Mary e Ted Brenneman, Hyla Cass, Norma Churchill, Guy Corneau, Irene Friel, Alice O. Howell, Mary Jaquier, David Joy, Robin e Steven Larsen, Rux e Luther Martin, David Miller, Ginette Paris, Sylvia Brinton Perara, Charles Ponce, Laura Simms, June Singer, Cheryl Southworth, Pat Taylor, Suzanne Toomy, Jim e Alison van Dyck, Edith Wallace, Leslie Wheelock e Alice Wright.

Há que se reservar um lugar de honra especial à memória de duas mulheres maravilhosas que passaram para o domínio de Perséfone antes do término do livro, mas que viveram e personificaram seu espírito: Katherine Whiteside Taylor e Connie Stafford. *Ave et vale!*

Agradecemos ainda às nossas editoras da Ballantine, Michelle Russell, Jane Bess e Virginia Faber, por terem nos incentivado a deixar que as deusas realmente se manifestassem, ampliando assim o livro até ele adquirir sua forma atual; a Leslie English pela sua leitura atenta e meticulosa das provas; e, por fim, a John Brockman e Katinka Matson por seu entusiasmo inicial e por todo o apoio que nos deram ao longo de todo o caminho

Jennifer e Roger Woolger

Introdução

O que é o estudo da psique feminina por meio das deusas?

O tema do retorno da Grande Deusa e de seu consorte é encontrado repetidamente nos sonhos e fantasias inconscientes daqueles que buscam ajuda psicológica para superar o entorpecimento de sua vida. A arte, o cinema, a literatura e as agitações políticas também refletem cada vez mais essa mesma dinâmica. As mudanças que ela exige implicam um novo entendimento da masculinidade e da feminilidade – no homem, na mulher e nas relações entre os sexos – bem como novas concepções de realidade.

Edward C. Whitmont, *Return of the Goddess*

Em todo o mundo, porém de modo mais proeminente nos países ocidentalizados, estamos testemunhando um redespertar do feminino, uma sublevação profunda no âmago da consciência das mulheres. Muitos homens temem e contestam isso; outros sentem-se desafiados e estimulados. Observadores radicais chamaram metaforicamente o movimento de um "retorno da Deusa", porque ele parece sugerir a própria antítese da sociedade patriarcal.

Lenta mas irrevogavelmente, essa efervescência interna das mulheres – e as reações que provocam nos homens – começa a afetar todos os aspectos de nossa vida e de nossas idéias. Todos os nossos pressupostos sobre nós mesmos, nossos valores, nossa política, nossos relacionamentos sexuais, nosso lugar no universo, estão sendo contestados por esse despertar.

Diante disso, começam a surgir em nossa sociedade maneiras radicalmente novas de se entender o feminino. Escritos e livros feministas – como o popular *Goddesses in Everywoman*, de Jean Shinoda Bolen, e *The Great Cosmic Mother*, de Monica Sjöö – oferecem-nos percepções, novas e antigas, para saciar a tremenda sede espiritual que sentimos. Também acreditamos que é hora de se começar a escrever uma nova psicologia do feminino, uma psicologia que faça as mulheres retornarem às suas raízes últimas, uma psicologia da psique feminina vista por meio das deusas.

Há muitos anos, quando começamos a organizar seminários sobre o retorno da Deusa em suas diversas formas, não estávamos preparados para a variedade e a intensidade de reações das mulheres e dos homens que íamos conhecendo em toda parte. Depois de assistir a uma palestra com *slides*, muitas mulheres diziam ter ficado acordadas noite adentro conversando apaixonadamente sobre sua vida amorosa, sobre o significado de se ter um filho, sobre suas frustrações profissionais. "Vocês me proporcionaram uma maneira inteiramente nova de falar sobre mim mesma", comentavam elas conosco. "Nunca me senti tão lúcida e tão íntegra."

Uma de nossas alunas, depois de ouvir o que tínhamos a dizer sobre a Lua e a menstruação no início de um período de doze semanas, procurou-nos no final para contar humildemente que suas regras, outrora tão penosas, haviam se regularizado completamente e se harmonizado com o ciclo lunar.

Um homem que nunca compreendera sua atração por certas mulheres e seu fracasso com elas disse-nos que nossa tipologia das deusas permitira que ele deixasse de fazer escolhas erradas e revolucionara sua vida amorosa.

Diversas mulheres vivenciaram importantes alterações em sua carreira profissional, mudando de uma cidade para outra, ao compreender alguns pontos fundamentais que serão explicados nas páginas seguintes. Outras modificaram radicalmente sua vida com relação a ter ou não filhos, a casar-se ou divorciar-se, quando compreenderam como as energias das deusas atuavam dentro de si.

Entretanto, não queremos dar a impressão de que trabalhar com essa nova linguagem do feminino implica apenas novas percepções intelectuais, pois na realidade significa muito mais: um envolvimento profundo e corajoso com essas forças femininas que vivem em nós e por nosso intermédio. Temos de aprender a conhecê-las como presenças espirituais e psicológicas – o que o psicólogo Carl Jung chamou de *arquétipos*, o que vale dizer, transformadores vivos da nossa vida e da nossa consciência.

No decorrer da preparação deste livro, nós dois sentimos as energias bem distintas de cada uma das seis principais deusas – todas elas aspectos da Deusa-Mãe suprema, como explicaremos mais adiante – adentrando nossa vida com grande força e, às vezes, provocando rupturas. Não é fácil escrever sobre a deusa Atena apenas como o princípio da sabedoria, por exemplo. Verificamos que entrávamos em infindáveis discussões sobre o texto até nos darmos conta de que Atena é uma deusa *guerreira* que adora lutar e competir. Quando chegamos a Hera, a matriarca dentre as deusas, nossas disputas tendiam a "quem sabe mais" e a "qual de nós dois manda mesmo aqui"!

Ao escrevermos sobre Deméter, a Deusa-Mãe, nos achamos muito mais plácidos e tranqüilos – mas verificamos que tendíamos a comer em excesso. Quanto a evocar Afrodite, a deusa do amor, deixamos que o leitor deduza como e onde nossas energias criativas muitas vezes se distraíam.

Estamos, porém, nos adiantando. Para entender a revolução que vemos acontecendo diante de nós, temos de conhecer os pontos fundamentais de uma nova linguagem psicológica e alguns fatos históricos do desenvolvimento de nossa cultura. É isso que visa oferecer o restante deste capítulo.

Um despertar interior

Se olharmos à nossa volta, veremos muitos sinais evidentes do surgimento de uma nova consciência e de uma nova lucidez feminina. Seja o feminismo, ou o movimento Deep Ecology nos Estados Unidos e na Europa, ou Las Madres de la Plaza de Mayo protestando contra a ditadura na Argentina, ou o desabrochar político das mulheres do oeste da África, ou as artistas visionárias na China e na Rússia, são muitas as mulheres que estão manifestando forças profundas e urgentes que existem em seu interior.

Mas quais são as origens desse despertar do feminino? Como se iniciou essa revolução na consciência? Trata-se de algo predominantemente político?

O feminismo é, por certo, uma das principais fontes contemporâneas dessas momentosas transformações. Todavia, a esmagadora maioria das mulheres não é tão intelectualizada ou politizada quanto a maior parte das feministas. Como este livro tenta mostrar, a perspectiva feminista é voz apenas de um grupo proporcionalmente pequeno, ainda que significativo, das mulheres como um todo. A maioria delas, trabalhem ou não fora de casa, sente-se mais plenamente realizada nos papéis primordiais de esposa, companheira e mãe.

Entretanto, há um outro segmento extremamente importante da população feminina: as muitas mulheres que vivem (inúmeras vezes sozinhas) em semi-anonimato como poetisas ou artistas, escritoras ou musicistas – além daquelas que se mantêm discretamente em segundo plano como curandeiras, terapeutas, mães-de-santo de comunidade ou místicas. Também elas têm sentido os rumores internos dessa revolução e, mesmo que não sejam tão eloqüentes quanto suas irmãs feministas, suas contribuições são de imensa importância. Um estudo da psique feminina por meio das deusas tem de incluir todas essas mulheres.

Dada a rica variedade de experiências desses tantos tipos diferentes de mulheres, fica difícil determinar com precisão as origens dessas transformações na consciência feminina. Muitos fatores contribuíram para a nova lucidez da mulher em relação a ela mesma e para sua crescente auto-estima, sobretudo nas sociedades ocidentais onde as mudanças são mais relevantes. O controle da natalidade, por exemplo, libertou muitas mulheres da restritiva sucessão de gravidezes. Um melhor sistema de saúde e a abertura dos mercados de trabalho urbanos para as mulheres significaram independência, carreiras profissionais de verdade e uma certa divisão do poder naquilo que era outrora um mundo apenas dos homens. Uma legislação mais liberal para o divórcio permitiu que as mulheres saíssem de casamentos destrutivos sem um estigma social extremo.

Nem todas essas mudanças foram um mar de rosas, como todos nós estamos mais do que cientes; entretanto, o fato é que alteraram a face do mundo moderno. Algumas delas – o direito das mulheres ao voto, por exemplo – foram conquistadas mediante luta política feminista. Porém, não foi nem de longe o caso de todas. Algumas, como o controle da natalidade, ocorreram graças aos avanços da ciência. Outras, como a exigência cada vez maior para que haja mulheres no sacerdócio das igrejas cristãs, refletem uma modificação sem precedentes nas estruturas psíquicas mais profundas de nossa cultura, naquilo que Jung denominou o inconsciente coletivo.

Nossas novas atitudes diante da sexualidade são um outro exemplo. As mudanças que vivenciamos nos últimos cem anos – o freudianismo, o amor livre, os casamentos abertos, a epidemia pornográfica, as exigências para se facilitar o divórcio – não podem ser atribuídas a um único evento, e são difíceis de explicar ou justificar: são ao mesmo tempo sintomas e causas da contínua transformação de nossos hábitos e tradições sexuais.

Por que, então, é tão confusa a maneira como hoje vivenciamos a sexualidade? Do ponto de vista dos autores deste livro, estamos testemunhando o retorno de um aspecto crucial porém esquecido do feminino, de um poder transcendente que outrora era chamado, em linguagem simbólica, deusa do amor. Banida há muitos séculos, essa deusa e seus irresistíveis encantos podem ser discernidos num contexto muito mais amplo da nova consciência feminina emergente.

Os anseios espirituais e sexuais que nos levam a questionar nossas instituições religiosas e nossos padrões de relacionamento não são impostos de fora. Essa agitação que as mulheres – e, de maneira diferente, também os homens – vêm sentindo tão intensamente nasce, por certo, dentro de cada um de nós. Pode um dia levar a movimentos sociais e políticos, mas é inicialmente vivenciada como pressões internas compulsivas. Na realidade, os sonhos e as experiências interiores de mulheres e homens em psicoterapia, e os temas tratados pelos romancistas, redatores de mídia e artistas do mundo inteiro, ressaltam imagens ao mesmo tempo antigas e radicalmente novas do feminino que vão chegando à consciência. É isso que observou o psicoterapeuta junguiano Edward C. Whitmont (veja a citação no início deste capítulo). E, como tentamos mostrar neste livro, essas forças estão em fermentação dentro de nós, sendo capazes de transformar os modos mais fundamentais de pensarmos sobre nós mesmos.

Essas poderosas forças interiores e as imagens e mudanças que provocam são denominadas de "deusas".

O que é uma "deusa"?

Com "deusa" queremos exprimir a descrição psicológica de um tipo complexo de personalidade feminina que reconhecemos intuitivamente em nós, nas mulheres a nossa volta, e também nas imagens e ícones que estão em toda parte em nossa cultura. Por exemplo, a jovem executiva, inteligente e bem vestida, tão presente em nossas grandes cidades, é a personificação viva de um tipo de deusa que chamamos *mulher-Atena*, em homenagem à deusa grega padroeira da antiga cidade de Atenas. Hoje em dia, por ser ela tão prevalecente, as revistas, os filmes e os romances reproduzem-na como um estereótipo.

No entanto, o tipo de uma deusa como Atena é muito mais do que um mero estereótipo ou clichê da mídia. Atena também representa uma espécie complexa e altamente evoluída de consciência que caracteriza tudo o que esse tipo de mulher pensa, sente e faz. Os traços mais proeminentes da mulher-Atena são sua dedicação ao trabalho, sua vontade de realizar-se profissionalmente, sua independência e sua intelectualidade. Ela dá grande valor à educação, possui um alto grau de consciência sócio-política e geralmente coloca sua carreira à frente dos filhos e do marido.

Há uma *dinâmica* fundamental por trás das atitudes de uma mulher como essa que a torna singular enquanto tipo. Parte é adquirida socialmente e parte parece ser inata. Quando a mesma dinâmica psicológica é constatada num grupo de pessoas, temos o que Jung denominou arquétipo. Ele foi o primeiro a observar que tipos dinâmicos dessa espécie podem ser encontrados em sua forma mais pura na mitologia e na literatura, e que também estão presentes, disfarçados, nos sonhos e nas fantasias de todos nós. Podem ser hoje facilmente observados nos filmes, nas novelas de televisão e no modo como a mídia trata a vida de pessoas famosas. Marilyn Monroe tornou-se uma trágica deusa do amor, na tela e fora dela; Oliver North representou o herói patriótico frustrado nas audiências perante o Congresso. O conhecido livro *Man and His Symbols*, editado por Jung, fornece centenas de exemplos contemporâneos e históricos.

Uma *deusa* é, portanto, a forma que um arquétipo feminino pode assumir no contexto de uma narrativa ou epopéia mitológica. Num conto de fadas, esse arquétipo pode aparecer como princesa, rainha ou bruxa. Quando sonhamos ou fantasiamos, nossa mente inconsciente pode recorrer às imagens arquetípicas comuns a nossa cultura, ao que Jung chamou de *inconsciente coletivo*. Assim, em vez de sonhar com uma rainha ou deusa como Hera, da mitologia grega, para representar o arquétipo feminino de poder, podemos fazê-lo com Margaret Thatcher ou com uma matriarca das novelas como Jane Wyman.

Quando a deusa Atena aparece na *Ilíada*, de Homero, ela é protetora e companheira divina dos jovens heróis guerreiros; mas, como mostraremos mais adiante, ela também tinha muitas outras funções para os gregos. Na realidade, sua imagem representa uma dinâmica energética feminina altamente complexa que surge no seio de populações agressivas, ambiciosas e altamente civilizadas – os gregos da Antiguidade, por exemplo, ou as modernas mulheres urbanas. Nesse sentido, acreditamos que Atena está viva, bem viva, nos dias de hoje: enquanto deusa, ela é a encarnação do campo de energia psíquica que inspira e informa as atitudes cotidianas, o comportamento e os ideais de muitas mulheres da sociedade contemporânea.

Os principais tipos de deusas

Neste livro, selecionamos seis dos principais arquétipos gregos de deusas que, a nosso ver, parecem ser os mais ativos na vida das mulheres modernas e na sociedade contemporânea. As características básicas dos seis tipos podem ser assim resumidas:

● A *mulher-Atena* é regida pela deusa da sabedoria e da civilização; ela busca a realização profissional numa carreira, envolvendo-se com educação, cultura intelectual, justiça social e com política.

● A *mulher-Afrodite* é regida pela deusa do amor, e está voltada principalmente para relacionamentos humanos, sexualidade, intriga, romance, beleza e inspiração das artes.

● A *mulher-Perséfone* é regida pela deusa do mundo avernal; ela é mediúnica e atraída pelo mundo espiritual, pelo oculto, pelas experiências místicas e visionárias, e pelas questões ligadas à morte.

● A *mulher-Ártemis* é regida pela deusa das selvas; ela é prática, atlética, aventureira; aprecia a cultura física, a solidão, a vida ao ar livre e os animais; dedica-se à proteção do meio ambiente, aos estilos de vida alternativos e às comunidades de mulheres.

● A *mulher-Deméter* é regida pela deusa das colheitas; ela é uma verdadeira mãe-terra que gosta de estar grávida, de amamentar e de cuidar de crianças; está envolvida com todos os aspectos do nascimento e com os ciclos reprodutivos da mulher.

● A *mulher-Hera* é regida pela deusa dos céus; ela se ocupa do casamento, da convivência com o homem e, sempre que as mulheres são líderes ou governantes, de questões ligadas ao poder.

Para melhor identificar e guardar na memória essa tipologia das deusas, recomendamos que se estude o diagrama que chamamos de *Roda das Deusas*, onde estão resumidas as explanações detalhadas contidas nos capítulos dedicados a cada uma delas. Esse diagrama também ajuda a ilustrar aspectos da dinâmica *entre* as várias deusas, conforme explicaremos mais adiante. Há ainda um minucioso questionário na parte 3 que visa permitir que as mulheres descubram como estão distribuídos em sua personalidade os tipos das deusas e que os homens entendam por quais deusas eles são naturalmente atraídos em seus relacionamentos.

O que queremos enfatizar neste livro é que não apenas uma, mas várias das deusas, em diversas combinações, estão por trás do comportamento e da configuração psicológica de toda mulher. Ao contrário da astrologia dos signos solares, em que o indivíduo é definido como sendo Peixes ou Leão, aqui cada mulher é uma mistura complexa de todas as deusas. Conhecer-se a si mesma mais plenamente como mulher é conhecer por quais deusas se é primordialmente governada. E é estar ciente de como cada uma delas influencia as diversas fases e os diversos pontos de mutação de nossa vida.

Os homens também são influenciados pelas várias deusas, pois estas quase certamente espelham as energias femininas na psique masculina – embora, via de regra, os homens vivenciem-nas como exteriores a si próprios, ou seja, como mulheres pelas quais são atraídos ou pelas quais se sentem fortemente provocados. Em termos psicológicos, diríamos que os homens vivenciam as deusas *projetando-as* nas mulheres de sua vida e nas imagens específicas da mídia que lhes causam deleite ou aversão.

Todas as relações dos homens com as mulheres são, a nosso ver, determinadas por uma ou mais energias das deusas e pelos padrões arquetípicos específicos que pertencem a cada uma delas. Um homem poderá inconscientemente buscar Deméter numa mulher; aquele outro talvez queira que Hera seja poderosa no relacionamento entre ambos; e assim por diante.

Num grau limitado, iremos naturalmente mencionar os arquétipos complementares dos deuses e heróis que interagem com cada uma das deusas. Todavia, a ênfase principal do livro são as deusas, pois elas receberam muito menos atenção na literatura da psicologia. Para que os homens possam compreender seus imemoriais problemas de relacionamento com as mulheres da perspectiva da psicologia das deusas, um capítulo inteiro é dedicado a essas questões (veja capítulo 10).

O poder da linguagem das deusas

De acordo com a teoria junguiana, as deusas são arquétipos, o que vale dizer, fontes derradeiras daqueles padrões emocionais de nossos pensamentos, sentimentos, instintos e comportamento que poderíamos chamar de "femininos" na acepção mais ampla da palavra. Tudo o que pensamos com criatividade e inspiração, tudo o que acalentamos, que amamentamos, que gostamos, toda a paixão, desejo e sexualidade, tudo o que nos impele à união, à coesão social, à comunhão e à proximidade humana, todas as alianças e fusões, e também todos os impulsos de absorver, destruir, reproduzir e duplicar, pertencem ao arquétipo universal do feminino. Entretanto, a psicologia acadêmica moderna, com seu amor pelas abstrações masculinas, prefere usar a linguagem racional e espiritualmente insensibilizante dos "instintos", "impulsos" e "padrões de comportamento" – palavras que não geram imagens na imaginação, nem provocam lampejos de reconhecimento na alma. Como disse certa vez James Hillman, o psicólogo dos arquétipos, "a linguagem da psicologia é um insulto à alma".

No entanto, os gregos, e todas as culturas antigas, percebiam essas energias não como abstrações destituídas de alma, mas sim como forças espiritualmente vitais – forças ou energias que estão exercendo continuamente influências poderosas sobre nossos processos psicológicos. Quando conseguiam reconhecer as forças espirituais que ativavam e esclareciam determinados aspectos do comportamento e da experiência humana, chamavam esses fenômenos de "compulsão dos deuses e das deusas". É por esse motivo que Jung foi levado a comentar que "há um deus ou uma deusa no âmago de todo complexo". Os nomes e as histórias que os antigos atribuíam a essas forças – Afrodite, Atena, Deméter – refletiam, portanto, o modo de vê-las como formas vivas e personificadas daquilo que hoje chamamos complexos. As deusas personificam em seus mitos as muitas e variadas, mas, não obstante, *típicas* maneiras que uma mulher pode ser levada a adotar e a sentir quando apaixonada (Afrodite), ou quando inspirada por um ideal (Atena) ou quando absorta em seu papel de mãe (Deméter), por exemplo.

Quando a energia de uma deusa desponta em nossa vida, é comum acontecer que tudo o que vínhamos fazendo vire de pernas para o ar; de repente, estamos loucamente apaixonados, lutando passionalmente por alguma causa, pensando sem parar em nosso filho que vai nascer, e assim por diante. Essa turbulenta excitação, essa alteração radical de comportamento foi observada por Jung e levou-o a comentar que os arquétipos não apenas moldam o comportamento, mas também o *transformam*. O poeta Robert Bly, parafraseando Jung, chama arquétipos como os das deusas de *transformadores*, porque tendem a surgir em momentos de mudança importante em nossa vida – adolescência, casamento, morte de alguém querido – modificando totalmente nossos sentimentos, percepções e comportamentos.

Devido à inclinação fortemente racionalista de nosso sistema educacional, nós, em nossa superioridade, tendemos a considerar os mitos antigos – as histórias dos deuses, deusas e heróis – como bobagens supersticiosas. Na realidade, porém, eles representam uma psicologia altamente sofisticada que simplesmente não é expressa nos termos das abstrações mecanicistas da psicologia acadêmica, e sim numa linguagem poética de imagens e narrativas dramáticas. Foi-nos impingida uma distinção arbitrária entre a linguagem "dura" da ciência (masculina) e a linguagem "suave" da literatura, das artes e da religião (feminina).

Tomemos a sexualidade como exemplo. Quando os psicólogos do comportamento descrevem os padrões sexuais de seres humanos e animais, eles usam termos como "rituais de requesta", "mecanismos inatos de liberação", e assim por diante. Os freudianos, que deveriam ser mais sensatos, recorrem a expressões canhestras como "zonas erógenas", "perversidade polimorfa" e outras. Os antigos, em contraste, narrariam uma história modelar do que aconteceu quando "Afrodite, a deusa do amor, desceu certa vez à terra..."

Em vez de reduzir o amor e a paixão inteiramente à influência prosaica de hormônios ou à "escolha narcisística do objeto", os antigos contariam uma história de como o espírito de Afrodite transtornou o estado de espírito, o sono, os sonhos e possivelmente a sanidade mental essencial de alguém. A história ilustraria como as pessoas apaixonadas ficam com o "olhar perdido" e se tornam esquecidas, insones e obcecadas por uma única coisa; narraria como seus sonhos são eróticos e sensuais; contaria como a paixão pode inspirá-las a ter atitudes criativas ou patentemente absurdas; e mostraria como, na realidade, elas podem parecer perfeitamente loucas para alguém que as observe e como essa loucura é capaz de afetar aqueles que as cercam.

Às vezes, quando duas pessoas se apaixonam, instituições consagradas – casamento, governos, até reinos – são subvertidas. Lunáticos, amantes e poetas, como observou Shakespeare em *Sonho de uma noite de verão*, são todos possuídos pela mesma imaginação febricitante do ser amado. Acabam agindo como "asnos", como Nick Bottom e a rainha Titânia na hilariante história shakespeariana do caos provocado por uma afrodisíaca poção de amor.

Alguns termos "masculinos" podem ser proveitosos, desde que não sejam alienantes nem aviltem a verdadeira sabedoria arquetípica da imagem poética ou mítica. Seria errado, por exemplo, chamar Afrodite, que ama embelezar-se diante de um espelho de "narcisista". Para começar, isso atribuiria incorretamente a ela o comportamento de outro personagem arquetípico, Narciso, que foi tolo o bastante para cair na água e afogar-se enquanto se admirava. Afrodite tem uma consciência de si muito mais lúcida; ela se ocupa em preparar sua *persona* para oferecê-la ao prazer de *outros*, e não para seu próprio deleite.

É inevitável que venhamos às vezes a recorrer à terminologia usada por freudianos, junguianos e reichianos para descrever as deusas. Mas com parcimônia, esperamos, e sempre conjugada a histórias, casos reais, exemplos vivos, poemas e, é claro, aos próprios mitos em si, que são os "casos reais" das deusas.

Deusas, politeísmo e cristianismo

Por que usamos as deusas gregas e não as figuras arquetípicas da tradição celta, ou hebraica, ou africana, ou dos índios americanos?

Sobretudo porque as imagens dos arquétipos gregos já são bastante familiares através da literatura, da arte e da astrologia. As "personalidades" de Marte, Vênus, Mercúrio e outros sobreviveram durante a Idade Média como uma espécie de estenografia psicológica porque os árabes, que haviam preservado grande parte da cultura grega, mais tarde levaram a astrologia para a Europa. Em seguida, durante a Renascença, houve uma recuperação do saber clássico e a redescoberta de inúmeros mitos e imagens religiosas dos gregos e de suas versões romanizadas. Histórias contidas em livros, como a influente coletânea de Ovídio, *Metamorfoses*, e as traduções de Plutarco e de Homero, passaram a fazer parte da cultura instruída da época. Shakespeare, por exemplo, valeu-se de todos esses autores, o mesmo acontecendo com diversos músicos e pintores – Monteverdi e Botticelli, por exemplo.

A maioria de nós conhece ao menos superficialmente os temas e personagens míticos, como o nascimento de Vênus, os trabalhos de Hércules, a guerra que se lutou por Helena de Tróia, as orgias de Baco ou a lenda de Orfeu e Eurídice. Essas histórias chegaram até nós numa variedade de formas, desde a pintura e a ópera até as histórias em quadrinhos e os filmes de Hollywood. A julgar pela ininterrupta publicação de coletâneas ilustradas de mitos gregos e de livros sobre a mitologia em geral escritos por estudiosos como Joseph Campbell, há uma demanda insaciável por histórias de heróis, heroínas, deuses e deusas.

Além dos mitos, as civilizações da Grécia e de Roma nunca cessaram de fornecer modelos para a cultura secular do Ocidente. Superficialmente, muitas de nossas instituições, nosso estilo de governo, imperialismo e arquitetura, nossas formas de arte, teatro e filosofia, e até nossa ciência, trazem o selo do gênio das antigas civilizações grega e romana.

Todavia, a cultura clássica caminhou emparelhada com outra grande corrente cultural que moldou espiritualmente o Ocidente, a saber, a tradição judeu-cristã. Na realidade, poderíamos dizer, em termos bem amplos, que a civilização ocidental surgiu de uma dialética tremendamente complexa entre os modelos e os valores *seculares* da Grécia clássica e de Roma, e os valores *religiosos* do judaísmo e de sua progênie, o cristianismo.

Essa é por certo uma divisão um tanto tosca e rudimentar. Todavia, define com precisão a maneira significativa como a mente moderna esclarecida encara a mitologia. Embora a mitologia trate de deuses, deusas, histórias da criação, destino, justiça universal, entre outras coisas, a maioria de nós não a considera como sendo religiosa ou espiritual, em absoluto. O mestre da mitografia, Joseph Campbell, escreveu sardonicamente, certa vez: "Mitos são as religiões dos *outros povos*" [grifo nosso].

O fato é que os deuses e deusas da Grécia já foram há muito tempo despojados de seu poder espiritual original e de todo significado transcendente, sendo reduzidos a estereótipos literários e a personagens da arte e do teatro palacianos. Graças ao cristianismo, segundo a versão oficial, o homem (e a mulher) do Ocidente superaram o politeísmo pueril de gregos e romanos ao descobrir um monoteísmo maduro na crença em um só Deus.

Todavia, não é de modo algum certo que o monoteísmo seja assim tão "saudável". Críticas feministas como Mary Daly e Naomi Goldenburg observam que uma grande perda que sofremos foi o cristianismo ter restringido nossa imagem da divindade máxima a um *pai*; pois, ao fazê-lo, reforçou e contribuiu para legitimar a dominação patriarcal que já grassava entre os gregos e os hebreus.

Outra grave perda, na concepção de Jung e do psicólogo de arquétipos James Hillman, foi termos negado à psique seu anseio por uma salutar variedade em sua vida espiritual, um anseio outrora fartamente satisfeito pelo *politeísmo*, com seus muitos deuses, deusas, ninfas, fadas, demônios, gênios das águas e espíritos locais. Jung chegou a comentar que quando a multiplicidade de deuses nos é negada, "eles se tornam doenças".[1]

O retorno da deusa

Quando nos referimos aos arquétipos das deusas gregas como pedras angulares de uma nova psicologia do feminino, nas linhas traçadas por Jung e pelas feministas, estamos ressuscitando mais do que um simples conjunto pitoresco e vagamente familiar de nomes e narrativas míticas. Como ficará evidente nos capítulos dedicados a cada uma das deusas, estamos levantando a questão de todo o *desequilíbrio psico-espiritual* de nossa cultura, da profunda desarmonia que nós e muitos outros não podemos deixar de perceber entre as forças vitais masculinas e femininas – essas energias arquetípicas fundamentais que nutrem e inspiram cada um de nós.

Jung certa vez descreveu o indivíduo neurótico como unilateral, querendo exemplificar alguém que enfatiza excessivamente um lado de sua personalidade

---

1. Veja um estudo desse tema por um historiador da religião e da cultura em *The New Polytheism*, de David Miller, que também inclui a discussão original de James Hillman, "Psychology: Monotheistic or Polytheistic". Há uma análise feminista de Hillman e Jung em *The Changing of the Gods: Feminism and the End of Traditional Religions*, de Naomi Goldenburg.

a fim de evitar seu outro lado, menos agradável. O que é verdade para um indivíduo neurótico também vale para uma cultura como um todo. E aqui convergem o raciocínio arquetípico e o pensamento feminista. Ambos concordam que nossa cultura – com sua violência incessante, os sem-casa povoando nossas ruas, os colossais arsenais nucleares e a poluição global – está doente. Doente porque está em desarmonia consigo mesma; ela sofre do que os índios Hopi chamam *koyaanisqatsi*, que quer dizer "vida enlouquecida, vida em tumulto, vida em desequilíbrio".[2] Falta em nossa vida espiritual e psicológica a dimensão feminina, aquele sentido místico e profundo da terra e de seus ciclos, e do próprio cosmos enquanto mistério vivente. Perdemos nossa ligação interior com aquele poder momentoso que era outrora conhecido como a Grande Mãe de todos nós.

Historiadores da religião concordam que nas épocas da história da humanidade em que a Grande Mãe era adorada, os seres humanos viviam em maior harmonia consigo mesmos e com a própria força vital. Na Mesopotâmia da Antiguidade, por exemplo, onde a Deusa Mãe era conhecida como Inana (e na Assíria como Istar), ela era adorada como a própria fonte da vida. Ela era o poder manifesto em toda a fertilidade e em todas as suas formas – humana, animal ou vegetal. Anualmente, ela se unia ao deus-pastor Dumuzi (ou Tamuz), que encarnava os poderes criativos da primavera. A morte dele no outono simbolizava o declínio das estações, e a reunião de ambos na primavera representava a renovação da terra. Mas o jovem deus era apenas agente da renovação, sendo a própria Deusa Mãe quem o ressuscitava. Segundo E. O. James, "ela era a personificação do poder criativo em toda a sua plenitude" e, enquanto princípio divino, passou também a presidir sobre "todas as mortes e ressurreições, em quaisquer planos que porventura ocorressem".

O que constatamos ao investigar os cultos matriarcais é uma certa harmonia e uma profunda segurança na união sagrada entre a Mãe e seu filho Amante. Relíquias arqueológicas dos cultos matriarcais, que remontam a milhares de anos até o período neolítico, sugerem séculos de mudanças ininterruptas em muitos povoados. Hoje é difícil estimar o profundo grau de confiança na vida que esses povos antigos devem ter sentido.

Apesar da ascensão das culturas guerreiras, que prosperavam mais com a conquista e a escravização, sabemos que os cultos da Deusa Mãe sobreviveram e floresceram até a época dos romanos. As deusas locais eram facilmente assimiladas à adoração da Deusa Mãe – Cibele na Ásia Menor; Ísis, primeiro no Egito depois em Roma; Gaia na Grécia – por serem essencialmente a mesma divindade, "a deusa dos muitos nomes". Porém, cada vez mais, como mostramos em detalhe mais adiante neste capítulo, o conflito entre os deuses guerreiros patriarcais e a Deusa foi se intensificando. O triunfo dos tempos modernos tornou-se o triunfo do cristianismo e de um Deus Pai supremo. No final do Império Romano do Ocidente, os cultos à Mãe haviam se tornado dispersos, suprimidos, assimilados, distorcidos: deixara de haver a sensação profunda de confiança e de a ela pertencer que haviam outrora existido.

Vistas da perspectiva maior da religião mundial, as culturas da civilização ocidental são como os filhos de uma família abalada por um terrível divórcio: vivem agora apenas com o pai, e estão proibidos de mencionar o nome da mãe ou de

---

2. Tomamos esse conceito do filme estonteantemente belo de Godrey Reggio, *Koyaanisqatsi*.

lembrar aquelas épocas cálidas e alegres em que viveram sob seus abraços. Tendo apenas o pai a nos orientar, nós, a despeito do seu amor, tornamo-nos endurecidos, implacavelmente heróicos e severamente puritanos ao tentar esquecer a segurança perdida e a confiança sensual na terra que outrora a Mãe nos proporcionara. Conseguimos vagamente pressentir que houve há muito tempo uma unidade primordial, quando uma Mãe Terra e um Pai Espírito desfrutavam de uma união feliz e harmoniosa. Mas esse paraíso foi perdido e, afastados e alienados, fomos forçados a engolir a amargosa propaganda de um Pai culpado, porém todo-poderoso. A Mãe foi destituída de seus poderes; seus cultos foram dispersados, divididos, abandonados, perseguidos.

A deusa ferida em todos nós

Quando Mary Daly descreve em *Beyond God the Father* como a "imagem do pai" do cristianismo distorceu e tiranizou nossa visão das mulheres no Ocidente, ela está também descrevendo o que Jung chamaria de poder desvirtuante de um arquétipo isolado. Os arquétipos podem chegar a possuir culturas inteiras, tornando-as neuróticas da mesma maneira que um "complexo de pai" pode levar uma pessoa a ser neuroticamente submissa à autoridade, por exemplo.

O que Daly e outras autoras feministas denunciam como o mal do "patriarcado" é precisamente o que os junguianos criticam como sendo o modo pelo qual a civilização ocidental acabou sendo unilateralmente ofuscada pelo arquétipo do Pai, à exclusão do arquétipo da Mãe. Em nossa reverência exclusiva ao princípio paterno, em que suprimimos ou menosprezamos o feminino, acabamos provocando graves danos à nossa saúde psíquica individual e coletiva. Isso sem mencionar a saúde física de nosso corpo e a do próprio planeta Terra.

Mas há sinais indicando que, espontânea e conscientemente, o pêndulo começa efetivamente a oscilar. A supremacia patriarcal vai manifestando sintomas de falência espiritual, e em toda parte – nas artes, na literatura, na política, nas igrejas – há sinais de um enorme ressurgimento do feminino, da consciência matriarcal. Um auspicioso "retorno da Deusa" está certamente ocorrendo.

É urgente, portanto, que compreendamos a natureza e a condição dos arquétipos femininos que estão despontando do inconsciente coletivo da nossa cultura. A primeira coisa que notamos é que, como qualquer pessoa que foi encarcerada, exilada, vituperada e caluniada, as deusas, ao serem restauradas na consciência como princípios psicoespirituais, freqüentemente parecem fracas, confusas, magoadas, feridas. Esses ferimentos se devem ao tratamento áspero e cruel que receberam nas mãos da repressão patriarcal: Afrodite envergonha-se de sua sexualidade; Atena questiona sua capacidade de pensar; Hera duvida do seu próprio poder; Deméter desconfia de sua fertilidade; Perséfone nega suas visões; Ártemis não sabe interpretar sua sabedoria corporal instintiva. Isso, e muito, muito mais, é o legado do exílio psíquico do feminino.

Quando começarmos a examinar em detalhe a psicologia de cada uma das deusas nos capítulos a elas dedicados, deveremos prestar atenção especial ao que chamamos *chagas das deusas*: as mágoas profundas que todas elas sofreram, ferimentos que lhes foram infligidos durante a longa história da batalha psicológica pela supremacia empreendida pelas forças masculinas na cultura ocidental. Não importa se essas chagas surgiram pela primeira vez com a hegemonia guerreira dos gregos antigos, com o imperialismo dos romanos ou com o medo puritano do feminino e do corpo entre certas facções do cristianismo; a nós urge perguntar por que toda mulher moderna carrega dentro de si resquícios da chaga de uma deusa específica que vem apostemando-se há quase três milênios.

Deusas em conflito, na antiguidade e hoje

As chagas das deusas não são novas, em absoluto. Surgiram há quase três mil anos, no período em que as culturas patriarcais começaram pela primeira vez a arrancar o controle das culturas "matriarcais" mais antigas.[3] De fato, quando examinamos de perto as origens das chagas de cada uma das deusas, conforme é revelado em suas biografias míticas na Grécia antiga, constatamos exatamente os mesmos conflitos por trás das atitudes, valores e prioridades que debilitam o poder e a confiança das mulheres de hoje.

Há, por exemplo, certas oposições psicossociais entre as deusas que parece quase impossível conciliar. Se Hera for totalmente identificada com o casamento e com seu poderoso consorte, ela sempre ficará escandalizada com os constantes casos amorosos de Afrodite. Da mesma forma, a mulher-Atena profissional executiva ficará agoniada só de pensar em engravidar e ficar presa ao lar cuidando de crianças. Esses conflitos já estavam presentes na vida social dos gregos ou no inconsciente coletivo da época conforme está projetado nos mitos.

É bastante esclarecedor encarar a Grécia antiga como uma espécie de "espelho distante", para usarmos a expressão da historiadora Barbara Tuchman. Nesse espelho, podemos discernir bem claramente quantos de nossos conflitos atuais surgiram da necessidade cada vez maior de aquela civilização impor valores patriarcais. Mas também podemos ver como as soluções lá encontradas diferem das nossas. Pois, apesar da ascensão do patriarcado, a maioria dos cultos originais às deusas sobreviveu, juntamente com uma coletânea não conspurcada de mitos. Como resultado, num grau considerável, a consciência matriarcal foi mantida viva na Grécia antiga.

Quando comparamos a evolução da mitologia a da religião gregas com a do cristianismo ou do judaísmo e seu sobranceiro Deus Pai, verificamos uma situação bastante diferente. A religião grega preserva tanto as divindades paternas quanto as maternas, além de toda uma hoste de outros deuses e deusas. Ainda que Zeus governasse o Olimpo como Pai Celeste supremo, mesmo assim ele consentia em partilhar seu monte sagrado com Atena, Apolo, Ártemis, Hermes, Deméter, Hefaístos, Possêidon, Héstia, Afrodite, Ares e, é claro, Hera. Na realidade, tratava-se de uma distribuição equitativa de deuses e deusas. Quanto aos heróis dos mitos, também eles tinham intercurso constante, no sentido literal e figurado, com os deuses.

Parece que na ausência inicial de qualquer religião estatal unificada ou monoteísno tribal, as divindades masculinas e femininas tinham de forçosamente coexistir no universo religioso dos gregos. É verdade que, com freqüência, seu relacionamento nada tinha de amistoso, como exemplifica o tormentoso casamento

---

3.   Aqui, e no decorrer de todo o livro, não usamos *matriarcal* no sentido de "poder exercido por mulheres". Não acreditamos que haja qualquer prova concreta de alguma época em que as mulheres tenham sido as únicas governantes de uma cultura, a despeito do desejo histórico de muitos. Quando dizemos *matriarcal*, estamos nos referindo a culturas que reverenciavam a Deusa Mãe, em uma ou mais de suas formas, como divindade suprema. A religião matriarcal nos parece perfeitamente compatível com o politeísmo.

de Zeus e Hera no Olimpo. Não obstante, era possível aos primeiros gregos conviver com essas tensões contínuas sem reprimi-las por completo, como aprendemos a fazer. Hoje nós só podemos conjecturar a respeito de o quanto as narrativas oníricas de seus mitos ou a higiene mágico-espiritual de seus cultos ajudaram a aliviar ao menos uma parte das pressões decorrentes do conflito entre as linhagens matriarcal e patriarcal de sua cultura.

Porém, apesar da acomodação do feminino no Olimpo, a vida na Grécia antiga estava longe de ser maravilhosa para as mulheres; havia pouca escolha, afora ser uma matrona doméstica, uma hetera ou prostituta de alta classe, ou uma escrava. Todavia, a simples existência de vários cultos a deusas tão individualizadas como Afrodite, Ártemis, Deméter e Atena oferecia inúmeras e ricas possibilidades para a vida psíquica e espiritual das mulheres – bem mais do que as que foram posteriormente preservadas no cristianismo ou no judaísmo. Os grandes templos em honra a Ártemis, em Éfeso, a Hera, em Samos, e a Afrodite, em Pafos, por exemplo, eram tremendamente populares e foram usados sem interrupção durante toda a Antiguidade. Mas os mais famosos de todos eram os Mistérios de Deméter e sua filha Perséfone, celebrados na pequena cidade de Elêusis, nos arredores de Atenas. Esses ritos, que foram a manifestação tardia mais completa dos antigos cultos à Deusa-Mãe, dominaram por quase dois mil anos, permanecendo durante a época clássica tão influentes quanto o cristianismo.

Em seus mitos, teatro e dramas épicos, podemos ver que os gregos agonizavam, às vezes sangrentamente, com o atroz cabo-de-guerra interior entre lealdades patriarcais e matriarcais – vêm-nos à mente o matricídio cheio de culpa de Orestes ou o envolvimento incestuoso regressivo de Édipo com a mãe. Mas pelo menos os gregos não tentavam pôr uma pedra em cima do problema todo, como faria o cristianismo tempos depois. Eles pareciam cientes, ainda que vagamente, dos perigos de se negar o feminino e também do fato de que, quando estão presentes os dois lados de um problema, existe no mínimo uma possibilidade de se chegar a alguma resolução criativa.

Em contraste, quando os primeiros padres da Igreja cristã, reagindo à decadência sexual da Roma imperial, tentaram expurgar tudo o que a deusa do amor Vênus-Afrodite representava, eles fecharam essa possibilidade para a consciência. Seguiram-se quase dois mil anos de culpa e repressão em torno das funções do corpo humano, uma repressão coletiva que nos levou diretamente ao triste caos em que paira hoje nossa sexualidade.

A deusa dividida

Quando examinamos mais de perto a história global de cada um dos cultos às deusas, como faremos nos capítulos dedicados a elas, começamos a ver com clareza como as chagas que cada deusa sofreu no embate com o patriarcado refletem-se diretamente em seus mitos. Na realidade, poderíamos talvez *interpretar os mitos como "casos clínicos" arquetípicos de cada deusa*. Toda coleção de mitos, quando estudada junto com o que se sabe sobre os cultos de cada deusa, contém não só resquícios sugestivos das religiões matriarcais mais antigas como também indícios claros da oposição às deusas e a manipulação delas por parte dos deuses masculinos mais favorecidos.

O casamento forçado de Zeus com Hera é um exemplo óbvio. Hera é um dos nomes da Deusa-Mãe original na Grécia pré-helênica, e seu templo na ilha de

Samos é um dos templos gregos mais antigos dedicados a uma divindade. Invasores patriarcais vindos do norte tomaram conta de seus lugares sagrados e impuseram a ela um marido, o deus celeste deles, Zeus. Os mitos nos contam que o "casamento" não foi feliz, mas que claramente simboliza essa fusão incômoda e constrangedora de culturas matriarcais e patriarcais.

Estamos convencidos de que tais "casos clínicos" míticos possuem ramificações psicológicas, sociais e políticas com as quais ainda hoje nos debatemos. A história da religião grega mostra bem nitidamente como uma sociedade matriarcal (isto é, que reverencia a Deusa-Mãe) foi lentamente anuindo e entrando em acordo com os padrões das tribos guerreiras patriarcais que a conquistaram. Mostra, também, como as deusas – o que vale dizer, a plenitude da autoconsciência lúcida feminina – foram sendo adaptadas e profundamente feridas no processo. Todavia, quando estudamos a evolução dos mitos das deusas, podemos ainda discernir algo do poder e da glória originais da Grande Mãe que foi outrora adorada em todos os confins da terra.

Robert Graves, que refletiu profundamente sobre essas questões, diz o seguinte na introdução de *The Greek Myths*:

> Um estudo da mitologia grega deve começar com uma consideração a respeito de quais sistemas políticos e religiosos existiam na Europa antes da chegada dos invasores arianos vindos do norte e do leste. Toda a Europa neolítica, a julgar pelos artefatos e mitos que sobreviveram, possuía um sistema notavelmente homogêneo de idéias religiosas, baseado na adoração da Deusa-Mãe de muitos nomes, que era também conhecida na Síria e na Líbia (p. 13).

Pesquisas sobre a pré-história da Europa levadas recentemente a cabo por arqueólogos como Marija Gimbutas mostram que a Deusa-Mãe era adorada em toda parte há vários milhares de anos. A forma mais desenvolvida de reverenciá-la ocorreu aproximadamente entre 3000 e 1200 a.C., na Suméria, no Egito e na bacia do Mediterrâneo, onde era conhecida como Inana e Ísis, entre outros nomes. Reinando suprema como a Grande-Mãe, ela era homenageada com uma gloriosa profusão de epítetos: "Senhora das Plantas", "Senhora das Feras", "Mãe de Tudo", "Deusa do Amor", "A Protetora", e inúmeros outros. É por isso que Graves referiu-se a ela como "Deusa-Mãe de muitos nomes". Essas designações reverentes dizem-nos que ela, enquanto divindade suprema, continha em si todas as possibilidades da existência: vida, morte, poder, juventude, velhice, sabedoria – e também o masculino e o feminino.

Embora os vestígios de seu culto tenham desaparecido há muito na Grécia, podemos ter alguma idéia de como ela era concebida no seguinte *Hino à Deusa*, do culto matriarcal do tantrismo que sobreviveu na Índia:

> "Aquela que é Pura
> Essência de Tudo
> Conhecimento
> Ação
> Deusa Suprema
> Doadora de Buddhi [iluminação]
> Aquela que é Tudo
> Cujo Amor é Infindo

A unidade e universalidade da Deusa

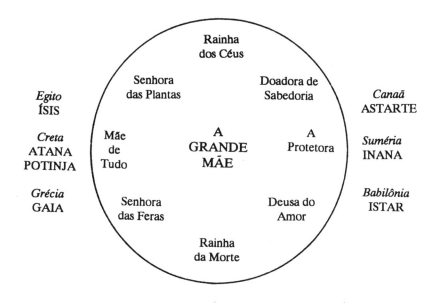

1. Religião matriarcal no mundo antigo (cerca de 3000-1000 a.C.)

    Existência
    Portadora de Muitas Armas
    Virgem
    Donzela
    Jovem
    Asceta dentre Ascetas
    Velha Mãe
    Doadora de Força..."

    A estarrecedora totalidade e oniabrangência da Deusa cósmica evocada aqui, aquela que é virgem e mãe, parece-nos hoje bastante estranha (exceto, talvez, se lembrarmos que na teologia cristã é permitido pensar em Deus como Pai e Filho), mas era assim que todas as Deusas Mães do apogeu do período matriarcal eram consideradas. E apesar do fato de ter muitos nomes – Ísis, Ashtoreth, Inana, Gaia, Atana Potinja – ela era essencialmente a mesma deusa em toda parte (veja figura 1).
    Na Grécia, a deusa mais antiga era Gaia, cujo nome significa "terra". Com exceção dos mitos reunidos na *Teogonia*, de Hesíodo, que fala de seu casamento

com o deus do céu, Ouranos, e de sua enorme progênie (os deuses posteriores), nós nada sabemos sobre ela ser cultuada como a Grande Mãe. Esse nível unitivo da religião grega desapareceu sem deixar traços; podemos apenas supor o que tenha sido, examinando o que restou do culto a Ísis no Egito, da adoração de Inana na Suméria ou de Cibele na Ásia Menor, além de alguns outros itens que sobreviveram.

Mas a história complexa da religião grega (que esboçaremos abaixo) mostra-nos um outro processo, extremamente importante em termos psicossociais, a saber, *a divisão da deusa*, ou seja, quando as diversas tribos nórdicas e arianas impuseram seus deuses mais patriarcais sobre as religiões mais antigas que cultuavam a Mãe, a Grande Deusa, e seus poderes foram desintegrados. Esse processo, que deve ter durado quase mil anos (aproximadamente entre 1600 e 700 a.C.), permitiu que se preservasse a deusa, *mas numa forma enfraquecida*. A Grande Deusa se tornou, nas palavras da grande estudiosa clássica Jane E. Harrison, *deusas departamentais*. E assim, Afrodite se tornou apenas uma deusa do amor; Ártemis foi restringida aos animais e à caça; Hera, circunscrita ao matrimônio; e assim por diante (veja figura 2).

Embora essa divisão confira personalidades arquetípicas bastante interessantes a essas deusas mais recentes e mais individualizadas, ela tem uma conseqüência psicológica de extremo longo alcance para o feminino: *cada uma das deusas departamentais foi deserdada da Mãe original e, a partir desse instante, tornaram-se antagonicamente divididas entre si*. Aqui, de maneira muito dramática, está a origem histórica do aspecto mais grave das chagas das deusas. É evidente que a incursão das tribos patriarcais e a decorrente supressão dos cultos à Mãe não foram um estratagema premeditado; não obstante, representou, em última análise, a imposição *de fato* de uma política religiosa de "dividir para governar". As deusas individualizadas se tornaram toleráveis na medida em que atuam isoladamente e até competem umas com as outras. De modo que, por exemplo, um traço do caráter de Afrodite, a promiscuidade, é contraposto ao patrocínio do matrimônio por parte de Hera. O resultado é que as soluções mais completas e mais antigas para as relações conjugais e sexuais que faziam parte da consciência matriarcal, a saber, a poliandria e a poligamia, perderam-se, e o impulso feminino dividiu-se contra si mesmo.

Religião grega na antiguidade: uma sinopse

Pouco se sabe ao certo sobre os egeus neolíticos, os primeiros habitantes da península grega, exceto que entre 2500 e cerca de 1600 a.C. eles viveram em proximidade com a terra e foram essencialmente uma cultura campesina, provavelmente matriarcal, a julgar pelo que podemos inferir de seus artefatos. Na ilha de Creta, uma cultura mais avançada – a chamada civilização minoana – floresceu por quase dois mil anos, de aproximadamente 3000 a 1000 a.C. Na opinião da maioria dos especialistas, algumas estatuetas de sacerdotisas (ou seriam deusas?) que sobreviveram refletem aspectos de uma forma altamente evoluída de uma religião de adoração à Mãe.

No período entre 2000 e 1600 a.C., inúmeras tribos guerreiras indo-européias – os povos arianos, como são hoje coletivamente conhecidos – migraram para o sul, entrando na península egeana, trazendo consigo seus deuses nórdicos da caça e do

A divisão e a dispersão da Deusa

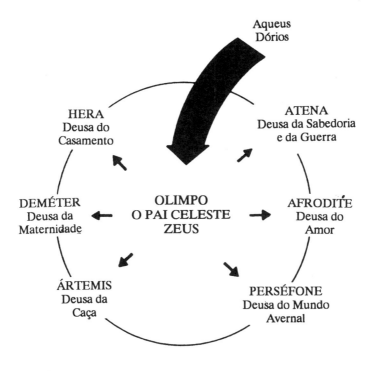

2. *Conquista patriarcal da Grécia por tribos nórdicas (1200-800 a.C.)*

céu. O renomado historiador da religião E. O. James descreve assim a chegada dessas tribos:

> "Por volta de 2000 a.C., quando os indo-europeus chegaram às pastagens da Tessália provenientes do sul da Rússia e dos Balcãs e se fixaram sob a sombra do monte Olimpo, eles trouxeram consigo suas próprias tradições sagradas e seus próprios deuses, instalando-os nas névoas olimpianas, sob a liderança de Zeus. Tendo fixado residência na península, travaram contato com os povos que ali já habitavam e que há muito tinham se estabelecido não apenas na Grécia, mas em todo o litoral do mar Egeu e nas ilhas do leste do Mediterrâneo" (*The Ancient Gods*, p. 41).

Depois de um período de integração relativamente pacífica com os povos nativos, as tribos indo-européias acabaram por atingir um estado de coexistência com eles. Uma fusão complexa de ambas as culturas parece ter ocorrido, durante a qual os costumes e práticas matriarcais foram incorporados em essência aos modos patriarcais dos arianos, embora não tenham sido inteiramente suprimidos por estes. Graves acredita que os mitos em que Zeus seduz variadas ninfas referem-se aos casamentos entre os chefes indo-europeus e as sacerdotisas lunares locais.

Dessa mistura de arianos e egeus surgiu uma poderosa cultura guerreira centrada na antiga cidade fortificada de Micenas, que floresceu entre 1600 e 1150 a.C. Foram esses sobranceiros reis navegantes e suas conquistas que talvez tenham sido a inspiração para a *Ilíada* e a *Odisséia* de Homero. Homero chamou esses povos de aqueus. Sabemos com certeza que rivalizavam com os minoanos em poder marítimo.

O grande palácio minoano de Cnossos foi destruído num terremoto por volta de 1400 a.C. Este fato ou invasões subseqüentes puseram um fim à cultura minoana – e, com ela, a todas as formas mais desenvolvidas de civilização matriarcal. Muitos elementos da cultura religiosa dessa civilização acabaram mais tarde chegando à Grécia clássica, provavelmente exportados pelos micenianos. O classicista Carl Kerényi acredita que Dioniso provém de Creta e, de acordo com Martin Nilsson, o protótipo de Atena talvez também seja cretense.

Graves acredita que os aqueus (isto é, os micenianos) debilitaram seriamente a tradição matrilinear pela qual a sucessão passava de *mãe* para filha. Mas, para ele, o golpe de misericórdia foi dado por volta de 1200 a.C. com os dórios, os novos invasores vindos do noroeste, que insistiam na sucessão patrilinear e assim instituíram firmemente o patriarcado. Os dórios, que eram superiores em termos militares, expulsaram os aqueus para as remotas ilhas jônicas e além. Eles possuíam armas de ferro, e seus guerreiros lutavam montados em cavalos contra os aurigas aqueus armados apenas com armas de bronze. Apesar disso, deixaram a cultura social e religiosa essencialmente intacta – exceto, é claro, por terem reforçado a supremacia do legado patriarcal.

O modo como os dórios e, antes deles, os aqueus suprimiram e despotencializaram os antigos cultos da Deusa-Mãe é refletido em inúmeros detalhes das aventuras míticas dos deuses e deusas, conforme mostra Graves em suas copiosas notas em *The Greek Myths*. Por exemplo, o mito em que Apolo mata Píton, a serpente monstruosa, é patentemente uma referência à captura do relicário da deusa da terra de Creta. E quando Perseu mata a Medusa, aquela cujos fios de cabelos eram serpentes, Graves vê por trás desse mito a destruição de um antigo culto à deusa em que se vestia uma monstruosa máscara de Górgona para assustar e manter afastados os não-iniciados.

Politeísmo grego posterior

De um modo geral, os estudiosos hoje concordam que os deuses e heróis masculinos – Zeus, Apolo, Perseu, Teseu –, que pertenciam à tradição dos primeiros invasores da Grécia, acabaram suplantando muitos dos antigos cultos à Deusa-Mãe em eminência e autoridade. Não obstante, as práticas religiosas matriarcais nunca foram inteiramente suprimidas, como já observamos. Jamais se proclamou um edito comparável ao "Não terás outros deuses diante de mim" de Iahweh, pelo qual os primeiros patriarcas israelistas estabeleceram seu monoteísmo exclusivo. Ártemis, Deméter, Afrodite e as outras descendentes da Deusa-Mãe continuaram vivendo em saudável profusão, livres dos injuriosos ataques morais que os profetas hebreus reservavam para a "Meretriz da Babilônia", o nome que davam a Istar. O casamento de Hera com Zeus bem pode ter simbolizado a capitulação humilhante da Deusa-Mãe primordial ante o intruso deus celeste. Mas *foi* um casamento, ainda que violento e tempestuoso.

Durante os muitos séculos entre as primeiras invasões nórdicas e o surgimento das cidades-estado de Esparta e Atenas nos séculos VI e V a.C., os aspectos díspares e separados da antiga Deusa-Mãe transformaram-se lentamente nos diferentes cultos que hoje associamos aos das deusas mais preeminentes. E, à medida que a cultura grega foi se tornando mais complexa e diversificada, o mesmo aparentemente também aconteceu com suas divindades. Foi no decorrer dessa época essencialmente tolerante e pluralista que as deusas se tornaram "departamentalizadas" de variadas maneiras.

Visto que foi mediante a bravura militar e a colonização que a cidade-estado de Atenas alcançou sua grandeza, os atenienses idealizaram os aspectos marciais de sua deusa, Atena. Sendo ela a Deusa-Mãe daquela poderosa cidade, enfatizou-se sua proteção, sua força, sua brilhante inventividade e seu amor pelos heróis guerreiros. A figura de Atena, trajando uma armadura e portando todas as armas, foi a guardiã espiritual e a inspiração da cultura ateniense. Sob diversos aspectos, ela era mais a consorte de Zeus do que sua esposa oficial, Hera.

Porém, se os habitantes da cidade eram devotados a uma donzela guerreira, sempre armada e pronta para o combate, os camponeses das regiões vizinhas continuaram reverenciando Deméter, pois inquestionavelmente era ela a descendente espiritual direta da Mãe-Terra, Gaia – sendo, portanto, indispensável a suas vidas o santificar os mistérios e ciclos da terra e da natureza dos quais tanto dependia sua agricultura. O culto a Deméter é bastante separado e distinto do culto a Atena. Mas como regiam setores diferentes da vida numa Grécia cada vez mais complexa e desenvolvida, ambas as deusas precisavam uma da outra. A cidade de Atenas precisava dos alimentos cultivados na terra, enquanto a economia campesina precisava de proteção militar e dos alimentos suplementares importados pelos mercadores marítimos atenienses, em razão de o solo grego ser bastante estéril nos arredores de Atenas.

Contudo, apesar de se complementarem, o modo como cada uma das principais deusas gregas efetivamente sobreviveu até o presente revela que todas elas, de uma maneira ou de outra, foram despojadas de seu poder primordial, o que vale dizer, de seu poder oniabrangente como Grande Mãe. E assim, a Ártemis do épico homérico torna-se uma deusa adolescente da caça, bastante graciosa e encantadora, por certo, mas que, como Atena, deixou de ser mãe e tornou-se relativamente impotente no governo-fantoche do Olimpo. Perséfone, como benigna soberana dos mortos, nada possui do estarrecedor poder de Inana e de Ereshkigal, suas predecessoras sumerianas. As funções campestres de Deméter e seu domínio sobre os ciclos de vida e morte são, sob vários aspectos, suplantadas pelo patronato – ou melhor, matronato – de Atena sobre o estado guerreiro ateniense. Para os atenienses, a donzela guerreira Atena era *he thea*, o que quer dizer *a* deusa; a maternidade enquanto função feminina desaparecera da imagem de Atena porque passara a significar cada vez menos para uma cultura urbana militarizada.

Em suma, embora a Deusa-Mãe tenha sido preservada pelos belicosos gregos, a "departamentalização" de suas funções deixou-a enfraquecida e com poderes gravemente desequilibrados e tendenciosos. Ela jamais voltou a ser verdadeiramente o que havia sido. Porém, de uma maneira ou de outra, a integridade psico-espiritual dessas deusas, ainda que não seus cultos, sobreviveu em toda a civilização ocidental. A Renascença fez reviver muitos de seus ícones e histórias em incontáveis pinturas, como a Vênus, de Botticelli, e elas próprias eram constantemente invocadas por Shakespeare e por outros poetas posteriores. Com uma persistência extraordinária, o espírito de Atena reencarna-se mudando seu nome para Britânia ou Liberdade, e prossegue mantendo guarda sobre as cidadelas das nações poderosas. Embora Afrodite seja constantemente denegrida, seu espírito de amor e beleza continua ressurgindo; se hoje possuísse um templo, seria provavelmente em Hollywood. Hera também vive entre nós em espírito; é ela quem administra hoje o clube de campo, a firma de investimento e a rede de hotéis. Na realidade, com variadas aparências, as deusas continuam bastante presentes, exercendo sua poderosa influência na vida de todos nós.

Todavia, nenhuma das deusas, ao ser redescoberta na vida interior e exterior das mulheres modernas, sente-se inteiramente feliz. Nenhuma delas é completa em si mesma; todas trazem em si as chagas que indicamos acima. A religião unificada da Deusa-Mãe já desapareceu há muito tempo, mas no íntimo de cada mulher (e de muitos homens) há um anseio insaciável de recuperar a visão transcendente de inteireza, potência e amor representada outrora pela Grande Mãe.

Em busca da integridade das Deusas fraturadas

Obviamente, não há muita chance de se restaurar a Grande Mãe ao seu estado unificado primordial. Na realidade, é bastante discutível se a consciência moderna poderia suportar tamanha inteireza. A compartimentalização da Grande Deusa-Mãe é, sob diversos aspectos, adequada à complexidade de nossa cultura, como foi para a civilização da Grécia antiga. Mas isso não significa que as funções separadas que cada uma das deusas representa precisem permanecer para sempre alienadas umas das outras, seja nas estruturas sociais coletivas seja em nossas psiques individuais. Certamente é chegada a hora de abandonar o esquema dividir-para-governar que se adequou tão bem à Grécia patriarcal.

A primeira coisa que talvez seja notada neste livro é quanto são diferentes os estilos e os conteúdos dos capítulos dedicados a cada uma das deusas. Não que tenhamos planejado que saíssem assim; na realidade, tentamos impor uma uniformidade – mas não funcionou! *Era como se o espírito de cada deusa quisesse contar a história de seu ponto de vista*. Uma vez respeitado isso, verificamos que cada capítulo adquiriu um tom singular e uma estrutura diferente. Afrodite, por exemplo, tinha muito a dizer sobre os relacionamentos humanos, ao passo que Atena dedicou a eles muito menos espaço. Hera insistiu em falar demoradamente sobre o mundo dos homens e sobre o poder, enquanto Deméter ignorou isso por completo, preferindo a maternidade e os filhos. Isso nos pareceu apropriado, de modo que deixamos que as coisas acontecessem. Quem ler este livro talvez note em si um processo semelhante. Quando se estuda uma deusa a fundo, começa-se a ver e a sentir com ela e por meio dela. É uma maneira intensa e vigorosa de aprender.

A fim de resumir as características e as áreas de influência de todas as seis deusas, recorremos a um diagrama que denominamos *Roda das Deusas*. E, no capítulo 8, há um *questionário* que certamente terá serventia para se explorar e identificar como as diferentes energias das deusas se misturam na psique individual de cada um de nós.

Quando tivermos uma noção clara de quais deusas são dominantes nas mulheres, e quais influenciam vigorosamente a vida dos homens, teremos pela frente uma tarefa mais difícil: dedicar nossa atenção às deusas que se mostrarem frágeis em nós, ou que houverem sido por nós negligenciadas ou profundamente feridas. Sentindo-nos ou não propensos a isso, teremos então de ler os capítulos das deusas que apenas relanceamos ou que evitamos. (Não há nenhuma ordem especial para se ler os seis capítulos-chave, embora estejam dispostos numa seqüência capaz de oferecer um quadro cumulativo da divisão arquetípica entre as consciências matriarcal e patriarcal.) Ao lermos aqueles capítulos que pareceram mais alheios a nós, talvez percebamos que existem ainda outras áreas em nossa vida que também foram feridas. E naturalmente iremos reconhecer, nas descrições das deusas, nossa mãe, nossas irmãs, nosso cônjuge e as pessoas que amamos ou não.

Ao tomar consciência das duas ou três deusas que atuam em nós, mulheres, ou pelas quais os homens são atraídos, talvez queiramos experimentar observar nossos diálogos internos ou até promover alguns. O capítulo 9, "Para reconciliar suas deusas interiores", foi concebido primordialmente para as mulheres e dá exemplos tirados de nossos seminários de como seriam esses diálogos. Ao lê-los, provavelmente nos veremos tomando partido – o que é um bom ponto de partida para criar nossos próprios diálogos. Para os homens, há um capítulo que trata especificamente dos relacionamentos com os diversos tipos de deusas (capítulo 10); este, é claro, pode ser útil também às mulheres.

Dialogar, seja com amigos ou num diário pessoal, é o primeiro passo para se curarem as chagas das deusas. Se não conseguirmos que a Atena em nós no mínimo reconheça sua alienação de nossa Deméter interior, que esperança haverá de resolver problemas que envolvem filhos e/ou a carreira profissional? Depois de encorajar as deusas em conflito a interagir conscientemente umas com as outras no interior de nossa psique ou em nosso círculo de amizades, poderemos estimular uma energia colossal. Essa energia é capaz de fazer as deusas saírem daqueles lugares estagnados, desesperançados ou isolados em que as trazemos. E é capaz de criar tremendas oportunidades para rever e mudar nossa vida. (No apêndice A, há várias sugestões de como iniciar isso, todas baseadas na experiência de seminários, dinâmica de grupo e celebrações comunitárias.)

É por demais fácil desenvolver somente uma das deusas em nós e viver de acordo com seus ditames. Porém, tornamo-nos assim "unilaterais", ou, como Jung diria, neuróticos. E o "divisionismo" compulsivo do complexo arquetípico, que parece ser o que nós herdamos coletivamente dos gregos, acaba nos envolvendo.

Uma mulher pode então acabar se tornando apenas a matriarca de uma família (Hera), sem jamais trabalhar (negligenciando Atena) e sem jamais dedicar-se à sua sexualidade (ignorando Afrodite) ou seu mundo interior (Perséfone). Isso favorece o comportamento e o temperamento instáveis e neuróticos de uma deusa unilateral, de um mero estereótipo de Hera. Igualmente, o homem que se esquiva das mulheres intelectuais (Atena), evita as mulheres maternais (Deméter) ou as mulheres fortes (Hera) e busca somente parceiras sexuais que o excitem, está na realidade preso numa ligação neurótica com Afrodite.

Todos nós precisamos desesperadamente dar ouvidos a nossas deusas interiores e aprender a reconhecê-las nos outros. Precisamos trocar histórias, risos, lágrimas, brincadeiras e celebrações das deusas. Todas as deusas têm histórias a contar, contribuições a fazer, uma sabedoria a partilhar: se Afrodite arrisca tudo pelo amor, Hera teme que o casamento se rompa; se Deméter deleita-se com seus filhos, Perséfone acalenta sua interioridade e suas visões; se Atena busca ascender profissionalmente, Ártemis anseia por uma cabana na floresta. No entanto, cada uma sabe algo que as outras desconhecem. Interior ou exterior, as energias das deusas podem favorecer uma comunhão rica e satisfatória no intercâmbio entre mulheres e homens.

À medida que as diversas histórias das deusas vão adquirindo vida ao meditarmos sobre elas, veremos que diferentes aspectos de nossa vida são afetados e ativados. Por exemplo, se tentarmos conversar em nosso círculo de amizades sobre a consciência que se tem das diferentes deusas, poderemos subitamente resgatar e iluminar diversas áreas problemáticas de nossa vida se aprendermos a ver nosso mundo pelos olhos de uma outra deusa, agora encarnada em alguém de nosso círculo de amizades ou em alguém que acabamos de conhecer.

Dessa e de muitas outras maneiras podemos dar vida às deusas e à linguagem da psicologia delas entre nossos amigos, nossa família e nossos colegas de trabalho. Se assim fizermos, talvez constatemos que uma forte dinâmica energética vai lentamente se formando a nossa volta e que os mais variados tipos de mudanças sutis começam a ocorrer. Isso é motivo de júbilo: as deusas perdidas estão retornando à nossa vida!

Parte Um
A Roda das Deusas

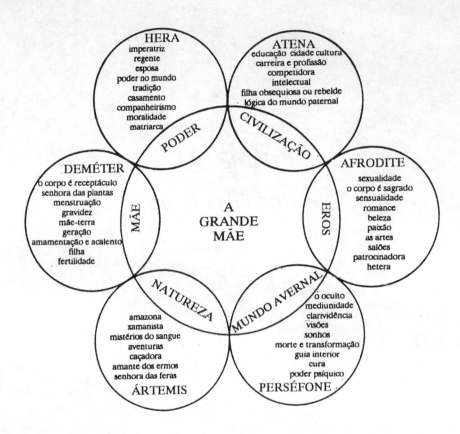

A Roda das Deusas

Um

A Roda das Deusas: panorama

No decorrer de todo este livro, iremos aludir repetidamente às diversas deusas, o que talvez seja um pouco confuso antes de serem estudados os capítulos dedicados a cada uma delas. Para conhecer melhor as seis deusas e as inter-relações entre elas, sugerimos que se observe atentamente a *Roda das Deusas*, que oferece um panorama geral dos temas mais importantes. O propósito deste capítulo introdutório é justamente esboçar uma visão panorâmica do assunto e explicar os diversos conceitos e termos utilizados.

As seis principais deusas

Cada setor da roda resume os atributos de uma deusa e indica seu principal âmbito de influência, sua *regência*. Eis a seguir as seis deusas, descritas em termos de suas principais esferas de ação e dos estilos de vida que elas implicam:

Atena rege tudo o que se relaciona com a *civilização*, o que vale dizer, todos os aspectos da vida urbana, das cidades e daquilo que chamamos ocupações "civilizadas" – o que pode incluir tudo o que serve para manter a cidade ou nação-estado que comanda. Atena rege a tecnologia, a ciência e todos os ofícios práticos, e também as artes literárias, a educação e a vida intelectual em todas as suas formas. Para a mulher moderna que mora na cidade, Atena guia todos os aspectos de sua carreira, de sua profissão e de como ela se relaciona com o mundo patriarcal dos tronos da cidade.

Afrodite rege o *amor* e a *eroticidade*, ou seja, todos os aspectos da sexualidade, da vida íntima e das relações pessoais. Como a ela pertence o poder de incitar e seduzir os sentidos, Afrodite é a deusa da beleza e, portanto, das artes visuais – pintura, escultura, arquitetura – e também da poesia e da música. Ela é uma deusa "cultivada" como Atena, visto que a influência se dá no âmbito privado, embora seja mais "pessoal" do que pública ou coletiva. Conseqüentemente, ela rege os salões, a inspiração artística e todo contato criativo entre os sexos.

Como rainha dos mortos, *Perséfone* rege todos os aspectos do contato com o *mundo avernal* – o mundo espiritual ou domínio dos mortos. Consciente ou inconscientemente, ela está em contato com os poderes transpessoais superiores da psique, tradicionalmente denominados espíritos e que Jung chamou de arquétipos. Nos termos da psicologia moderna, diríamos que Perséfone rege a mente inconsciente mais profunda, o mundo onírico e tudo o que se relaciona com os fenômenos psíquicos ou paranormais e com o misticismo. Portanto, está envolvida com a mediunidade ou canalização [*channeling*] de espíritos, com a capacidade visionária, com os assuntos e com as áreas da cura mental abrangidas por certas formas de psicoterapia. Por ser a deusa dos mortos, ela estará presente em todo acontecimento ou circunstância em que ocorrer morte ou perda trágica, e também nas perdas menores, nas separações e nos traumas.

Como regente das selvas e dos ermos, *Ártemis* é uma deusa da *natureza* em sua forma virgem ou indomada. Ela estabelece um nítido contraste com Atena, que representa a natureza domada e civilizada. Ártemis está particularmente próxima dos animais, da caça e daqueles ciclos da natureza que regem igualmente o mundo animal e o humano; ela também é a deusa da parturição. Sendo uma deusa lunar, rege toda a vida dos instintos, enfatizando (ao contrário de Atena) mais o corpo do que a cabeça e voltando-se para todas as atividades físicas, práticas e ao ar livre – o que hoje incluiria o atletismo e a dança. Como está envolvida com a natureza instintiva e a caça, é ela quem rege as matanças e os sacrifícios sangrentos. Ela complementa e ajuda Perséfone no que tange à morte: Ártemis compreende a morte do corpo; Perséfone, a transição do espírito. Está ligada às práticas antigas do xamanismo, que incorporam ambos os aspectos.

Sendo a descendente mais direta da antiga Mãe-Terra, *Deméter* é a deusa da *maternidade* e de tudo o que se refere às funções reprodutoras – particularmente a experiência interior dos ciclos da menstruação e da gravidez. Por reger a semente e o fruto, é às vezes chamada Senhora das Plantas, simbolizando sua profunda ligação com todos os aspectos da alimentação, do crescimento, dos ciclos das safras, e da colheita e preservação dos alimentos. É profundamente dedicada a alimentar e a cuidar do crescimento orgânico do corpo. A maior parte de sua energia é dirigida ao sustento e à proteção de todos os bebês, crianças e criaturas em crescimento.

Hera é a rainha dos céus, ou Olimpo, e ocupa-se do *poder* e da *governança*. Como esposa do deus Zeus, ela rege o casamento, o companheirismo e todas as funções públicas em que uma mulher exerce o poder, responsabilidade ou liderança. Extremamente preocupada com a moralidade social e com a preservação da integridade da família, ela também supervisiona todos os aspectos da tradição e da coesão de uma comunidade. Nesse sentido, partilha com Atena a visão de uma vida civilizada e da manutenção dos valores patriarcais simbolizados por seu marido, Zeus. Quando seu poder é restrito ao cenário familiar, ela se torna a indiscutível matriarca da família.

Contrastes e pontos comuns: as Díades de Deusas

Um bom começo para se conhecer as perspectivas básicas das seis deusas é observar que elas podem ser facilmente dispostas em pares de apostos na roda, sugerindo pictoricamente certas esferas comuns e também alguns importantes contrastes. Demos a esses três pares o nome de *Díades de Deusas*. À medida que se vai conhecendo melhor as deusas, verifica-se que esses pares possuem qualidades complementares bem distintas.

Uma díade que já mencionamos é o par *Ártemis-Atena*. Tendo de um lado a deusa das selvas e, de outro, a deusa da civilização, esta díade apresenta um forte contraste. Porém, as duas partilham importantes qualidades comuns: ambas portam armas à maneira masculina dos guerreiros, e nenhuma tem companheiro ou amante homem. Demos a este par de opostos na Roda das Deusas o nome de *díade da independência*, pois ambas as deusas têm um temperamento mais propenso a viver e trabalhar em solidão do que ao lado de um companheiro. Mesmo quando casadas, precisam de um estilo de relacionamento muito independente, sem grilhões. No mundo antigo, elas eram as deusas "virgens", o que significa simplesmente *não casadas*. (A castidade como componente da virgindade é basicamente um valor patriarcal sobreposto, como explicaremos nos capítulos específicos de Ártemis e Afrodite.)

Seus mundos diferentes também refletem estilos diferentes de companheirismo. Atena é mais extrovertida, e gosta de atuar como parte de um grupo de colegas no clima tumultuado e competitivo das cidades; Ártemis é mais introvertida, preferindo trabalhar sozinha, longe das multidões aloucadas, talvez com uma ou duas amizades íntimas, ou numa comunidade muito especial de pessoas igualmente amantes da solidão.

Porém, por terem um temperamento tão semelhante na mesma independência de espírito, os dois aspectos da díade Atena-Ártemis podem se manifestar numa mulher. Não é incomum encontrar uma jovem mudando-se da cidade para o campo, ou vice-versa, em diferentes fases de sua vida. Por outro lado, no caso de apenas um pólo da díade estar desenvolvido, muitas mulheres acham relativamente fácil desenvolver o outro.

Um segundo par de opostos contrastantes pode ser discernido em *Hera e Perséfone*, embora este talvez seja menos imediatamente óbvio. A diferença mais extrema é o modo como as duas se relacionam com o mundo interior e o mundo exterior. É como se Hera, a suprema extrovertida, optasse por ocupar-se apenas do mundo externo, enquanto Perséfone, introvertida, rejeita o mundo exterior em favor do espaço psíquico interior dos espíritos. Entretanto, como rainhas dos céus e do mundo avernal, ambas almejam controlar seus respectivos mundos. Por isso demos a esta o nome de *díade do poder*.

Por serem suas visões de mundo tão diferentes e a formação de seus egos tão oposta – o ego de Hera é extremamente forte, o de Perséfone, frágil, a ponto de permear-se por seus espíritos – é difícil para as duas se apreciar e se entender. Todavia, terão muito a aprender uma da outra se conseguirem deixar de lado seus preconceitos individuais. Hera muitas vezes precisa voltar-se para dentro, e Perséfone sair de sua casca.

O último par de opostos é o de *Deméter e Afrodite*. Como ambas estão voltadas para o amor de maneiras diferentes, demos a esta díade o nome de *díade do amor*. Há nelas um contraste sutil no modo como expressam o amor e como vivenciam seu corpo. Deméter reserva seu amor para os filhos, contendo em si mesma, com abnegação e generosidade, todos aqueles que ama física e espiritualmente. Afrodite dá sustento espiritual e físico, mas não pretende conter em si nem proteger maternalmente aqueles que ama; o que ela oferece aos seres amados é sua plena maturidade e diversidade. Ela ama o adulto, não a criança. O estilo de Deméter amar é mais introvertido, trazendo os que ama sempre no coração, não importa onde estejam, ao passo que Afrodite, uma extrovertida, só se sente plena com a presença física daqueles que ama.

Para Deméter, o corpo é um receptáculo sagrado; para Afrodite, um objeto sagrado de amor, uma coisa de beleza. Muitas vezes é difícil para uma mulher-Afrodite apreciar plenamente sua primeira gravidez ou para uma mulher-Deméter apreciar inteiramente a estética de seu corpo, pois cada uma vivencia e trata o corpo e suas funções de maneiras radicalmente diferentes. Ainda assim, ambas podem aprender com o estilo de amar e vivenciar o corpo da outra.

As três díades se organizam *grosso modo* em torno das orientações temperamentais de introversão e extroversão:

Díade:	Independência	Poder	Amor
Extroversão:	Atena	Hera	Afrodite
Introversão:	Ártemis	Perséfone	Deméter

Desse ponto de vista, a roda divide-se ao meio em diagonal, com as três deusas mais voltadas para as realidades externas na parte superior à direita, e as três deusas mais inclinadas para a interioridade na parte inferior à esquerda. Somente Deméter não se encaixa perfeitamente nesse esquema, tendo sido abençoada com uma salutar mistura de amor introvertido e energia extrovertida para cuidar de seus filhos e de sua família. E é preciso acrescentar que Afrodite também é tremendamente pessoal e reclusa em sua intimidade, pois costuma explorar uma forma de auto-análise da alma ou de mútua introversão com seus amantes.

As deusas e seus complementos masculinos: o animus

Cada deusa mantém um relacionamento distintamente diferente com o masculino, seja em termos dos tipos de figuras masculinas que aparecem em seus mitos, seja em termos da forma específica de energia psíquica masculina que cada uma armazenou dentro de si. Hera e Perséfone têm maridos ou consortes que, idealmente, sugerem algum tipo de divisão equitativa de poder. Afrodite e Deméter mantêm relações definidas mais por seus estilos de amar. E, embora Ártemis e Atena sejam deusas "virgens" que não têm relacionamentos conjugais ou íntimos constantes, ambas ostentam qualidades masculinas na mulher caçadora e na mulher guerreira.

Nos próximos capítulos, iremos explorar o modo como cada uma das deusas se relaciona em maior ou menor grau com os homens e com a masculinidade enquanto energia interior. Há, porém, mais coisas a serem ditas sobre algumas das deusas – Afrodite, por exemplo – do que sobre outras – Atena é um bom exemplo –, de modo que é de se esperar que essas seções dos capítulos seguintes sejam um tanto desproporcionais. Os feitios das seis deusas estão resumidos no capítulo 10, "Vivendo com as deusas".

A Roda das Deusas se refere sumariamente aos estilos mais típicos de relacionamento de cada deusa com o sexo oposto. O equivalente masculino das deusas é aqui chamado de *animus*, o termo usado por Jung para denotar o elemento masculino existente na psique de toda mulher e que determina como ela será atraída ou repelida por determinados tipos de homens. Cada uma das deusas é atraída por homens que complementam seu estilo de feminilidade.

Eis aqui, resumidos, os animus, isto é, as facetas masculinas correspondentes das seis principais deusas.

Atena relaciona-se com homens que forem heróicos "companheiros de armas" e com quem possa compartilhar ideais, ambições, metas profissionais e lutas. Freqüentemente serão colegas intelectuais ou rivais amigáveis. Atena não irá necessariamente casar-se com um homem assim, preferindo talvez mantê-lo como uma amizade íntima e duradoura. Mas ela é também atraída por figuras paternas e, via de regra, mantém laços fortes com a autoridade impessoal que se encontra investida nas instituições do patriarcado ou nos ideais espirituais. Poderá ainda entrar em conflito com o mundo paternal [*fatherworld*]. Os dois principais animus que lhe correspondem são, portanto, o herói companheiro e o pai.

Afrodite admira a virilidade em um homem. Ela cativa e se serve do poder fálico do homem que se mostrar *amante* ou *guerreiro*. Admira ainda o sucesso e o espírito de combate em seus homens, mas, ao contrário de Atena, não tem grande interesse em lutar ao lado deles, visto que sua principal área de compromisso é o *boudoir* ou o salão. Ela se sente feliz com relacionamentos múltiplos ou com casos extraconjugais, mas irá casar-se (e divorciar-se) conforme lhe aprouver ou for conveniente. Também atrai *homens criativos* e geralmente age como patrona ou inspiradora das obras artísticas destes.

Perséfone fascina-se mais pelo espírito do que por homens encarnados, e freqüentemente terá *guias espirituais* do sexo masculino em suas práticas místicas ou mediúnicas. Seu envolvimento profundo e fatalista com os aspectos mais obscuros da vida significa que irá inadvertidamente atrair homens destrutivos – *senhores das trevas* – chegando às vezes a casar-se com eles, com resultados desastrosos. A fim de proteger-se disso, costuma optar por uma alternativa segura, porém insatisfatória: homens mais jovens, mais brandos e não ameaçadores, com o lado masculino pouco desenvolvido, que ela poderá cuidar maternalmente e manipular sem medo. O animus correspondente de Perséfone poderia ser melhor descrito como *filho amante*.

Ártemis, em sua independência, já possui tanta energia masculina integrada à estrutura de sua personalidade que não tem grande necessidade de um homem que a complemente. Ainda assim, ela, como também Atena, aprecia um homem companheiro que trabalhe a seu lado nas coisas práticas da vida. O casamento não é, via de regra, algo que busque, mas será tolerado se sua liberdade for respeitada. A sexualidade ficará muitas vezes encoberta e, como ela pode ser bastante acanhada, apreciará reserva e modéstia em um homem. Seu irmão mítico, Apolo, talvez seja um modelo da amizade distante que deseja de um homem. Seu animus correspondente poderia ser descrito como *amigo, companheiro* ou *irmão*.

Deméter não se interessa particularmente pela sexualidade ou pelos relacionamentos intelectuais, mas precisa de alguém que saiba trazer para casa o leite das crianças. Seu companheiro deve ser, preferivelmente, um *pai-terra*, forte e confiável. Porém, como possui uma energia material muito abundante, sentirá a irresistível tendência de cuidar maternalmente de todos os homens a sua volta, não importa a idade deles, transformando-os em filhos para idealizá-los como heróis. Seu outro animus poderia ser descrito como *filho herói*.

Hera quer que seu homem seja *sócio e companheiro*, e, de preferência, que divida eqüitativamente seu poder com ela. Ela só quer homens fortes e bem-sucedidos, que sejam líderes ou, se possível, governantes, como Zeus, seu marido mítico. Companheirismo, a seu ver, significa casamento, de modo que geralmente ela só se relacionará intimamente com um homem, seu marido, sendo nisso basicamente monogâmica. Ela sempre tenderá a casar-se com um homem poderoso e de prestígio social, pois quer transmitir o bom nome do marido para seus filhos. Como se sente atraída pela energia masculina da governança, tenderá a querer dirigir alguma instituição ou tornar-se a matriarca da família.

A roda das deusas como uma dinâmica viva

Essa orientação geral deve ser útil para se compreender as idas e vindas das deusas em nossa vida, aquilo que chamamos de *dinâmica* da Roda das Deusas, ou seja, a energia viva proveniente da tensão dos opostos que todos trazemos dentro de nós em infinitas combinações peculiares. À medida que nos abrimos mais a essas energias em nossa vida, verificamos que é possível "domá-las", por assim dizer, sem sermos dilacerados por elas. A parte 3 deste livro contém diálogos entre as deusas que mostram como essas tensões dinâmicas podem ser usadas de maneira criativa.

A roda é desenhada como uma flor. As seis deusas, como pétalas, irradiam-se da Grande Mãe para o centro, que simboliza a unidade transcendente de todas as deusas pertencentes a um plano transpessoal, mais amplo da existência que chamamos de arquetípico ou universal. Embora essa seja uma unidade que o indivíduo em si raramente consegue atingir, de vez em quando podemos vislumbrá-la. Ademais, precisamos da diversidade de experiência que as diferentes deusas podem nos trazer em nossa vida comum.

Conforme sugerimos na introdução, cada uma das formas gregas da deusa se emanou originalmente da Grande Deusa Mãe de tempos ainda mais antigos. Qualquer atividade psicológica empreendida para se conhecer uma ou outra deusa em especial poderá levar-nos mais a fundo nesta deusa e *mais próximo do centro da roda*. E poderemos então constatar que esses níveis mais profundos – correspondentes às formas mais antigas da Deusa – tendem a se sobrepor e a se fundir uns com os outros.

De modo que, por exemplo, em suas formas mais profundas e mais antigas, Ártemis e Deméter compartilhavam o poder regenerador da terra sobre todas as coisas vivas – animais, plantas ou seres humanos. Ou, se nos aprofundarmos na ligação de Perséfone com o domínio da morte e no lado selvagem de Ártemis, a caçadora, encontraremos em ambas as imagens da antiga deusa da morte a Mãe Terrível que destrói e exige sacrifícios sangrentos. Atena e Ártemis também partilham os aspectos de vingança e proteção da Mãe Terrível, pois, afinal, as duas portam armas como deusas. E se observamos Hera e Afrodite, verificaremos que também elas partilham um mesmo motivo, a saber, a união das energias masculina e feminina, uma no matrimônio, outra na união sexual. Em suas formas mais antigas, estavam ambas unidas nessas funções.

Dois

Atena: mulher guerreira no mundo

> *Não há, em parte alguma, mãe que tenha me dado à luz, e, não fora o casamento, estaria sempre com o homem de todo o meu coração, e incisivamente, do lado do meu pai.*
>
> Ésquilo, *As Eumênides*

Para reconhecer Atena hoje

É fácil identificar Atena no mundo moderno, pois, em todos os sentidos da palavra, *ela está no mundo*: editorando revistas, dirigindo os departamentos de estudos femininos nas universidades, entrevistando personalidades na televisão, organizando viagens para averiguar o que de fato está acontecendo na Nicarágua, produzindo filmes, contestando os legisladores de sua cidade.

A mulher-Atena está sempre em evidência por ser extrovertida, prática e inteligente. A princípio ós homens geralmente ficam um tanto intimidados com ela, visto que ela não reage aos lances sexuais normais e é capaz de colocá-los contra a parede em qualquer discussão intelectual. Mas quando conquistam seu respeito, a mulher-Atena pode ser a mais leal das companheiras, uma amiga para o resto da vida e uma fonte generosa de inspiração. Compreensivelmente, os gregos chamavam Atena de "companheira dos heróis".

Que diferença de Ártemis, uma deusa igualmente independente mas muito mais acanhada, que rejeita o mundo buliçoso da cidade em prol dos lugares silvestres e naturais: os bosques, as montanhas ou o mar! Sendo a energia de Atena praticamente toda extrovertida, suas preocupações envolvem basicamente o mundo: pessoas e idéias, o burburinho dos mercados, a arena do debate político, a criação e implementação de reformas sociais. Como é companheira dos heróis, tende a ser sensível às relações entre os homens e é capaz de ajudar a tornar os grupos coesos. O espírito de camaradagem que os guerreiros gregos fantasiavam em seus mitos é hoje uma realidade em carne e osso, com Atena trabalhando ao lado dos homens nos negócios, na política ou na educação.

Na realidade, a antiga capacidade de Atena manter coesa a *polis* ateniense sob uma causa ou ideal comum manifesta-se hoje de uma maneira inteiramente nova, que vai lentamente transformando a sociedade contemporânea. Não mais apenas um símbolo de criatividade intelectual e social, seu espírito encarna-se em toda parte nos milhões de mulheres que hoje trabalham em todos os níveis da sociedade. Até recentemente, nossa sociedade patriarcal oferecia poucas oportunidades para Atena se desenvolver e se manifestar por inteiro. Houve casos notáveis, mas bastante raros, de mulheres que encarnaram Atena em sua totalidade – Joana D'Arc, a rainha Elizabeth I, Eleanor de Aquitânia – embora estas duas últimas tenham sido assistidas pela energia poderosa de Hera. E até os séculos XVIII e XIX, quando surgiram algumas escritoras e reformadoras, Atena raramente podia ser mais do que um emblema militar, como a Britânia da Inglaterra ou a Liberdade dos Estados Unidos ou a Marianne da França.

Todavia, mesmo que as mulheres não pudessem vir à tona para assumir seu lugar ao lado dos heróis na Grécia antiga, como a Atena dos mitos, o anseio para que isso acontecesse deve ter existido. O mito das amazonas, uma sociedade de ferozes mulheres guerreiras vivendo quase que inteiramente sem homens, pode ser reconhecido como uma expressão dos anseios frustrados da energia de Atena – uma energia que, nas amazonas, fundiu-se com o espírito de sua irmã independente, Ártemis, que personifica o amor pela vida silvestre. Entretanto, o desabrochar político e intelectual das mulheres vem sendo tal desde o começo do século XX, que pode bem representar o renascimento de Atena, há tanto tempo impedido pelo patriarcado.

A consciência de Atena hoje

Embora a batalha não tenha sido vencida em nenhum *front*, hoje Atena é muito menos uma voz solitária clamando no deserto do que foi uma solitária George Eliot ou uma sufragista contestadora como a senhora Pankhurst. Já não é preciso uma fortuna pessoal nem uma fortitude incomum para uma mulher publicar um livro ou influenciar a política exterior. Os dias de mulheres-Atena extenuando-se sem reconhecimento nos subúrbios ou nos sertões, ocupadas em escrever romances que jamais serão publicados e sendo tiranizadas como as heroínas de Balzac, de Ibsen e de Henry James estão finalmente chegando ao fim.

O tremendo aumento da população alfabetizada e a criação de escolas mistas permitiram que qualquer mulher-Atena que assim o desejar ingresse no "sistema" e o modifique. Tantas mulheres estão de fato aceitando esse desafio heróico que toda uma nova psicologia da mulher inteligente e criativa que atua no mundo precisa ser escrita. Estamos convencidos de que a inspiração para essa psicologia pode ser encontrada numa reflexão sobre as imagens de sabedoria, coragem heróica e criatividade prática que a feminilidade transcendente de Atena nos proporciona.

A mulher-Atena de hoje já demonstrou amplamente que é capaz de ser uma excelente política, organizadora social, administradora ou pesquisadora. Seu espírito de luta permite que esteja na vanguarda das novas iniciativas, seja no mundo dos negócios, da educação ou da assistência social. Ela é incansável, corajosa e prática. Partilha com os homens as virtudes heróicas da lealdade, da perseverança e da sinceridade de propósito; para usar termos modernos, ela é uma profissional bem-sucedida e empreendedora. Os homens naturalmente ficam um pouco pasmados com sua competência e com a agudeza de sua mente; acostumados a ser procurados para dar conselhos, estão sendo obrigados a reconhecer a independência e, muitas vezes, a superioridade da mulher-Atena contemporânea. Pois, embora trabalhe junto com eles, não é uma mera auxiliar fiel; ela pode e deve exigir respeito, igual responsabilidade e autonomia.

A independência da mulher-Atena em relação aos homens é uma qualidade que ela partilha com sua irmã, Ártemis. No mito grego, as duas deusas portam armas e nenhuma delas tem um amante ou consorte. Na realidade, ambas eram consideradas deusas virgens, o que no mundo antigo significava simplesmente não casadas, e ambas personificavam atributos masculinos e femininos em suas personalidades arquetípicas. O fato de nem Atena nem Ártemis terem se casado significa, em termos psicológicos, que integraram o masculino dentro de si mesmas e que não precisam de um homem como parceiro ou consorte para refletir ou apresentar qualidades do sexo masculino como agressividade, racionalidade ou autoridade (veja quadro, "Jean Shinoda Bolen fala sobre Atena"). No mundo moderno, visto que ambas já resolveram tantas coisas por si mesmas, depender de um homem seria quase incompreensível. Os motivos de Hera precisar de um companheiro ou de Afrodite tolerar um amante imaturo tendem a ser um mistério para Atena.

Se Atena vier a ter um companheiro, terá de ser um homem que reflita sua própria independência andrógina, um homem com um componente feminino vigorosamente integrado, capaz de cuidar emocionalmente de si e que prefira desenvolver projetos junto com ela ou relacionar-se com ela num plano intelectual. Precisará, sobretudo, ter a autoconfiança necessária para não ameaçar a autonomia e as ambições dela.

Todavia, apesar de sua força, de seu brilho e de sua independência, há um paradoxo na imagem tradicional de Atena, a de uma donzela vestindo uma armadura. Parece-nos que quanto mais energia a mulher-Atena dedica a desenvolver-se como alguém bem-sucedido no mundo graças a uma couraça protetora, mais ela oculta sua vulnerabilidade de menina. De modo que, em sua androginia, Atena esconde um conflito, uma tensão não resolvida entre seu eu exterior "duro" e aquela parte de si que permanece oculta e impossibilitada de se expressar – podendo tornar-se fonte de grande insegurança no que tange a encontrar sua identidade feminina integral. Isso foi algo que constatamos em praticamente todas as mulheres-Atena que conhecemos e com quem trabalhamos: é o que chamamos "chaga de Atena". É uma questão complexa a que voltaremos mais adiante neste capítulo.

Atena na mitologia e na religião da Grécia antiga

Quem era Atena para os gregos antigos?

Por sua proximidade com o deus supremo – seu pai, Zeus – a deusa Atena ocupa um lugar de eminência no panteão grego. Como Palas Atena, a Donzela Guerreira e padroeira da cidade de Atenas, ela veio a representar os mais elevados ideais espirituais e as mais sublimes criações do patriarcado grego do século V a.C. Seu templo, o Partenon ("*parthenos*" significa "virgem"), ainda domina a Acrópole ateniense, embora sua gigantesca estátua com dardo, lança e elmo tenha há muito desaparecido. Os estudiosos discordam quanto a suas origens; a maioria acredita que ela descenda de uma deusa marcial miceniana, cuja função era defender as

JEAN SHINODA BOLEN FALA SOBRE ATENA

Em sua importante investigação psicológica *Goddesses in Everywoman*, Jean Bolen contesta o pressuposto junguiano de que o pensamento na mulher é de algum modo uma atividade inferior que pertence a seu lado masculino, o que os junguianos chamam de *animus*. Para Bolen, Atena é um exemplo poderoso do pensamento feminino autônomo:

> Atena é um arquétipo feminino: ela mostra que pensar bem, manter a cabeça no auge de uma situação emocional e elaborar boas táticas em meio ao conflito são atributos naturais de algumas mulheres. Uma mulher que aja assim está fazendo como Atena, não "como um homem". Não é seu aspecto masculino, ou *animus*, que está pensando por ela; ela está pensando com clareza, e bem, por si mesma. A concepção de Atena como um arquétipo do pensamento lógico contesta a premissa junguiana de que o pensamento nas mulheres é feito por seu *animus* masculino, que se presume distinto de seu ego feminino. Quando uma mulher reconhece a perspicácia e a agudeza de sua mente como uma qualidade feminina ligada a Atena, está apta a desenvolver uma imagem positiva de si mesma, em vez de temer que está se masculinizando (isto é, sendo inadequada).
>
> Quanto Atena representa apenas um dentre vários arquétipos ativos numa mulher – não o único padrão dominante –, então esse arquétipo poderá ser um aliado das outras deusas. Por exemplo, se uma mulher for motivada por Hera a necessitar de um companheiro para se sentir completa, Atena poderá ajudá-la a avaliar a situação e desenvolver uma estratégia para conseguir seu homem. Ou se Ártemis for a inspiração norteadora para uma organização feminina de saúde ou um centro de estudos femininos, o sucesso do projeto poderá depender da sagacidade política de Atena. Ou ainda, no meio de uma crise emocional, se a mulher puder recorrer a Atena como um arquétipo de si mesma, a racionalidade irá ajudá-la a encontrar ou manter seu equilíbrio.
>
> *Goddesses in Everywoman*, pp. 78-79

cidadelas em tempo de guerra, embora outros afirmem que seu nome significa etimologicamente "vulva", sugerindo que houve época em que Atena não era outra senão a própria Grande Mãe.

No entanto, o mito mais popular de seu nascimento deixa claro que Atena foi mais tarde considerada verdadeiramente filha de seu pai. Uma das deusas maternais mais antigas, a Titã Métis, ficou prenhe de Zeus, e este, temendo ter um filho que viesse a depô-lo, engoliu essa potestade por inteiro. Posteriormente, uma deusa guerreira já adulta e inteiramente armada foi tirada da cabeça de Zeus (veja quadro "O mito do nascimento de Atena").

Nesse mito, há por certo uma alegoria política do modo como as tribos invasoras mais patriarcais, que adoravam o Deus Pai, Zeus, assimilaram os cultos matriarcais que os precederam. Mas o nome dessa deusa anterior, Métis, também é bastante sugestivo, em razão do modo como os homens assumem para si certos poderes que não são necessariamente seus por direito de nascença. A palavra *"metis"* significa "sábio aconselhamento", o atributo pelo qual Atena é tida em maior apreço no Olimpo. Ela confidencia a Ulisses: "Dentre todos os deuses, sou afamada por minha inteligência [*metis*] e sagacidade (*Odisséia*, livro 13). Hesíodo chega a considerá-la "igual ao pai no vigor e prudência da sabedoria" (*Teogonia*, 896).

Atena, na verdade, foi a única habitante do Olimpo sem uma verdadeira mãe; assim, ela permanece como representante suprema da sabedoria do pai, tendo nascido simbolicamente do cabeça de Estado do Olimpo. Nesse sentido, é a restauradora da sabedoria (*metis*) que Zeus digerira e transformara, mas que, não obstante, precisava manifestar externamente sob a forma feminina. Atena é o que Jung chamaria de *anima* de Zeus, seu aspecto criativo feminino. E, como tal, simboliza a inspiração sublime da tremenda fecundidade intelectual e espiritual que produziu o teatro, a filosofia, as instituições políticas e as artes excelsas que associamos à Idade de Ouro de Atenas.

Se a relação de Atena com a vida da cabeça é enfatizada, a sua ligação com seu corpo feminino recebe o tratamento oposto. Tudo o que houver de meigo e feminino em sua feminilidade de donzela permanece oculto sob várias camadas de couraças protetoras; e, quase como para ter a certeza de que os homens entenderão a mensagem de "manter distância", ela traz junto a seu peitoral a hedionda cabeça esfolada da Górgona, a Medusa. Essa medonha relíquia coberta de serpentes veio de uma aventura que ela inspirou em Perseu, um de seus heróis protegidos, incumbido da tarefa de matar essa monstruosidade feminina que homem algum podia vislumbrar sem se transformar em pedra.

Dada sua preferência pela companhia de jovens heróis e guerreiros ocupados em guerrear e conquistar, Atena seria uma verdadeira moleca se fosse mortal. Porém, na realidade, é o heroísmo e não a índole bélica que ela de fato admira, como evidencia sua aversão por Ares, o deus da guerra da *Ilíada*. Perseu e Heraclês (Hércules) lhe são particularmente queridos, mas é Ulisses, o homem "de muitos aconselhamentos" (*polymetis*), que ela mais ama. Ama, isto é, no sentido de uma amizade fraternal intensa, pois a deusa Atena rejeita o casamento e qualquer forma de sexualidade. A deusa do amor, Afrodite, não tinha poder sobre ela, diz um hino homérico a Afrodite. De modo que, nos épicos de Homero, encontramos Atena como a leal, sempre presente e inspiradora companheira espiritual dos grandes heróis, instando-os à argúcia e aguçando-lhes a inteligência prática.

O MITO DO NASCIMENTO DE ATENA

Um *Hino Homérico* narra a história do nascimento de Atena, ressaltando sua íntima ligação com o Pai Zeus:

"Canto aqui sobre Palas Atena, deusa célebre de olhos radiantes, mente ágil e coração inflexível, virgem casta e poderosa, protetora da cidade, Tritogenéia. Zeus, ele mesmo, em sua sabedoria fê-la nascer de sua santa cabeça, e ei-la já ataviada em armadura de guerra, reluzindo a ouro, enquanto todos os imortais, reverentes e aterrorizados, contemplavam-na. Saltou logo da cabeça imortal em frente ao Zeus porta-égide, brandindo sua afiada lança. E o sublime Olimpo estremeceu terrivelmente diante do poderio da deusa dos olhos radiantes. E as terras ao redor soltaram um gemido de pavor enquanto as ondas negras das profundezas fervilhavam. Mas, subitamente, o mar serenou; o glorioso filho de Hipérion fez estacar seus cavalos céleres e a donzela Palas retirou a armadura divina de seus ombros imortais. Zeus, em sua sabedoria, rejubilava-se. Salve, ó filha de Zeus, o porta-égide! Eu me lembrarei de ti, e também de outro cântico."

Hino homérico a Atena (da tradução de Lang)

Uma versão ainda mais antiga do mito, a de Hesíodo, acrescenta uma dimensão importante: Atena fora originalmente gerada numa deusa maternal, Métis:

Zeus engravidara Métis, a Titã. Temendo um oráculo que decretara ser um menino que iria depô-lo, Zeus engodou Métis e a engoliu. Mas a criança continuou a crescer dentro de Zeus até que, por fim, ele veio a sofrer de dores de cabeça tão atrozes que convocou Hefaístos, o ferreiro, para rachar-lhe o crânio com um machado. Com um grito de batalha selvagem, Atena saltou para fora, inteiramente armada.

Hesíodo, *Teogonia*, 887-902

Assim como na guerra, também na paz é a inventividade prática que ela mais inspira. Em Atenas, ela tornou-se a padroeira dos tecelões, dos artífices metalúrgicos e dos carpinteiros – na realidade, de todos os artesãos. À medida que a cidade e seus domínios e colônias iam se tornando mais poderosos, Atena passou a ser cada vez mais uma força espiritual, ao lado de seu pai Zeus, por trás da expansão dos primórdios da civilização grega (veja quadro "Atena, padroeira da cidade-estado ateniense").

Atena e a civilização urbana

Narrativas populares de como Atena patrocinou a inquieta energia masculina e as atividades dos primeiros atenienses, além do inconfundível símbolo de ela haver nascido da cabeça do pai, claramente forneceram um valioso expediente político para o incipiente e ainda precário patriarcado que se esforçava para incorporar a tradição matriarcal mais antiga e mais dispersa. Também era inevitável que a concentração de poderio militar que criou Atenas, fazendo-a passar de uma sociedade campesina para uma urbana, produzisse um novo tipo de *esprit de corps*, ou sentimento de grupo, no seio dessa nova sociedade. Assim, Atena foi uma personificação arquetípica do orgulho cívico daquele estado guerreiro citadino. A vigorosa ascensão da cidade de Atenas, diz-nos a história, deveu-se não às terras que a circundavam, mas sim à sua destreza militar na conquista e na colonização.

Deméter, a Deusa-Mãe agrária, viu sua importância social e psicológica se reduzir entre os cidadãos atenienses à medida que a cultura agressiva e mentalmente hiperativa deles continuava a se expandir. ("Eles são ousados muito além de suas forças, aventurosos muito além de sua capacidade de reflexão [...] poder-se-ia dizer que não nasceram para ter paz nem para deixar que os outros a tenham", escreveu Tucídides sobre os atenienses em *História da Guerra do Peloponeso*, I,701). Como, de algum modo, Atena concentrava e sublimava para eles essa poderosa energia, os atenienses instituíram o maior de seus cultos, o Festival Panatênico, para celebrar o poder da deusa virgem. Com o tempo, milhares de pessoas passaram a afluir a cada quatro anos ao Partenon, vindas de todas as regiões circunvizinhas.

Até então, o mais importante festival religioso havia sido na cidade interiorana de Elêusis, celebrado em honra a Deméter e sua filha, Coré-Perséfone. Nessas ocasiões solenes, a população inteira caminharia em procissão para fora da cidade a fim de se juntar a milhares de camponeses na fonte sagrada do pequenino vilarejo onde a deusa revelara seus mistérios à humanidade (veja capítulo sobre Deméter). Essa reversão gradual na importância dos ritos sagrados, particularmente na psique ateniense, pode ser interpretada como uma metáfora altamente significativa de como a consciência grega principiava a deslocar-se para a vida urbana. Tradicionalmente, sempre fora costume afastar-se da cidade para celebrar a terra como Mãe; mas agora o movimento se dava cada vez mais em direção à cidade, cada vez mais *para longe* da terra e de seu valor enquanto Mãe.

O Festival Panatênico em honra a Atena e os Mistérios de Elêusis em honra a Deméter eram, portanto, expressões reverenciais das necessidades psíquicas que as pessoas tinham de tipos radicalmente diferentes de deusas, o primeiro sendo um culto do que o antropólogo John Layard chamou *mãe cultural*, e o segundo um culto

ATENA, PADROEIRA DA CIDADE-ESTADO ATENIENSE

Carl Kerényi oferece-nos um magnífico resumo das muitas funções e benefícios de Atena, a deusa mais preeminente entre os habitantes da Atenas da Antiguidade:

> [Atena] é aquela que liberta de toda ameaça e perigo, conselheira em qualquer dificuldade, e a mais sublime sabedoria. Os dirigentes e líderes do povo, e também a população inteira, são por ela aconselhados; é ela quem preside a todos os encontros locais, tribais e nacionais, e quem preserva a vida e a saúde. Ela é a ama meiga e graciosa que assume para si os filhos da humanidade, que torna as mães férteis e faz as crianças crescer e se desenvolver, que multiplica a raça com uma juventude forte. É ela quem conserva a ordem divina na natureza, quem impede que brotos, sementes e frutos sofram danos, quem semeia e cultiva as nobres e alimentícias oliveiras. Ela ensina os homens a manufaturar e a arar, a cangar os bois, a revolver o solo endurecido com um ancinho. Dela a humanidade recebe os materiais para todas as artes que embelezam a vida, e também as habilidades e o talento. Ela ofertou a rédea à humanidade a fim de que esta dominasse o cavalo para seu próprio uso. Construtores de barcos trabalham sob sua inspiração. Seu trono permanece protegido no promontório, e de lá Atena provoca e amaina tormentas. A ela o marinheiro oferece graças ao pisar na terra firme do seu destino. Sobre o mar ou sobre a terra, é ela quem orienta e oferece segurança ao forasteiro e ao andarilho errante, e é ela quem acompanha os heróis em suas aventuras, insuflando-lhes coragem e salvando-os do perigo. Mas ela é também Providência estrita e justiceira: sentada ao lado de Zeus, é a única a saber onde jazem ocultos os raios das tempestades, a deter pleno direito e poder para usá-los e a utilizar a égide, o terrível escudo de seu pai, Zeus, com quem tem inúmeros traços e epítetos em comum e com quem é muitas vezes adorada em conjunto, nos locais mais antigos de seu culto.
>
> *Athene: Virgin and Mother* [Athene: virgem e mãe], p. 8-9

da *mãe natural*. Se Deméter satisfazia a profunda necessidade que a consciência matriarcal tinha de se unir aos mistérios cíclicos da terra e da regeneração, Atena, enquanto mãe cultural, servia para unir os habitantes atenienses nas provações e nos triunfos da paz e da guerra. Em épocas de paz, seu "sábio aconselhamento" os ajudava a desenvolver as instituições sociais, artísticas e intelectuais que tornaram Atenas única no mundo antigo; na guerra, sua virgindade e força simbolizavam a impenetrabilidade e a pureza espiritual da própria cidade diante de todo e qualquer ataque:

> "Amada cidade de homens sem amo ou senhor.
> Formosa fortaleza e fortaleza de filhos nascidos livres.
> Que se mostram a ela e a vós, ó Sol.
> Escravos de homem nenhum, súditos de ninguém."
>
> Swinburne, *Erectheus*

Embora, como lamentou a classicista Jane E. Harrison, Atena tenha se tornado "uma espécie de abstração, de irrealidade", seu poder unificador como mãe do Estado (*metropolis* = *mater-polis*) criou uma personificação arquetípica de imenso carisma que tem influenciado a imaginação de homens e mulheres, desde então.

Sempre que surgem cidades-estado poderosas e, conseqüentemente, a "civilização" (*"cives"* é "aquele que habita a cidade"), tende a haver um ressurgimento do espírito de Atena nos mitos e nas lendas, ou, ainda, uma de suas raras encarnações. Em Joana D'Arc, Atena tornou-se mártir. A deusa também esteve presente quando milhares de marinheiros ingleses aclamaram a jovem rainha Elizabeth I, que, vestindo uma armadura, foi até as docas de Tilbury para incentivar a marinha inglesa. E Atena não estava muito longe da consciência da primeira-ministra Margaret Thatcher em sua aventura nas Ilhas Malvinas, há alguns anos. Embora o uso de armadura tenha saído de moda para essas ocasiões, a imprensa não hesitou em apelidá-la de "a Dama de Ferro" desde o início!

Sempre que a unidade nacional ou imperial se faz premente ou que sentimentos patrióticos precisam ser despertados, Atena aparecerá em canções propagandísticas pouco refinadas, como *Britannia rules the waves*, ou em cartazes políticos como o de Marianne liderando a Revolução Francesa. O ícone dos Estados Unidos é um pouco enganador: embora os americanos tenham rejeitado a paternidade européia em prol de um ideal de *motherland* ["terra materna"], a célebre estátua, com sua verve sentimental, parece proclamar uma Deméter capaz de prover o sustento de todos os que ali chegarem. Todavia, ela é chamada de Liberdade, um epíteto distintamente condizente com Atena – tendo, além disso, na pessoa do Tio Sam um auxiliar militarizado para ajudá-la no recrutamento de soldados, sempre que necessário.

Atena, antiga e moderna

Encarnações humanas do espírito de Atena, como Joana D'Arc ou a rainha Elizabeth I, têm sido um evento raro na história ocidental (veja quadro, "Extraordinárias mulheres-Atena na História"). Até recentemente, era mais fácil encontrar ícones patrióticos ou heroínas fictícias, como Rosalind, de Shakespeare, ou Moll Flanders, de Defoe, do que encarnações reais de seu arquétipo. Fica evidente o quanto isso é extraordinário quando refletimos que, ao longo da história, as mulheres puderam conhecer diretamente em sua vida várias outras deusas, ainda que não todas. A maioria delas vivenciou o poder de Deméter ao se tornarem mães, assim como muitas conheceram a paixão de Afrodite ao se apaixonarem. Mas vivenciar o poder de Atena foi, até recentemente, algo muito raro. Por mais que os cidadãos atenienses confiassem nela como mãe cultural suprema, Atena era mantida firmemente em seu lugar no Olimpo e jamais era apresentada como modelo para as mulheres da época. Mesmo em seu templo havia sacerdotes mas não sacerdotisas. Como mostra o psicólogo Philip Slater em *The Glory of Hera*, as mulheres da sociedade ateniense eram mães, escravas ou prostitutas, nunca líderes nem intelectuais. A poetisa Sapho foi uma exceção significativa a essa regra.[1]

Praticamente, o único momento na história do Ocidente em que as mulheres personificaram algo semelhante ao espírito de Atena com o pleno apoio da sociedade foi o século XII, na época da chamada cultura provençal dos trovadores do sul da França. Eleanor de Aquitânia e Marie de Champagne foram as líderes inspiradas de uma cultura em que as mulheres eram iguais, livres, instruídas e poderosas. As mulheres eram idealizadas e diversas célebres trovadoras aristocratas escreveram e governaram. Lá, o amor de Atena pelo saber e o espírito uniram-se ao deleite erótico de Afrodite na beleza do feminino, e Hera reinou como rainha. Embora tenha durado pouco, algo desse período perdura no espírito do romance – e no feminismo moderno (veja capítulo de Afrodite).

Porém, mesmo que a mulher não pudesse emergir na Grécia antiga e assumir seu lugar ao lado dos heróis, como a Atena dos mitos, esse anseio deve ter existido. O mito das amazonas, uma sociedade de ferozes mulheres guerreiras que viviam quase inteiramente sem homens, pode ser visto como uma expressão desse anseio, nascido da frustração da energia de Atena de se criar uma comunidade verdadeiramente feminina e um companheirismo ativo entre mulheres – algo que começa finalmente a surgir no sentimento de irmandade do feminismo moderno.

Atena anseia por nascer – não como uma menina inocente, mas como uma mulher adulta já inteiramente amadurecida, capaz de lutar e de criar num mundo há tanto tempo dominado pelos pais. O desabrochar político e intelectual das mulheres, que vem ocorrendo com intensidade crescente durante todo o século XX, pode bem representar este nascimento derradeiro de Atena, há tanto tempo frustrado, há tanto tempo uma dor de cabeça para o patriarca Zeus.

É impossível dizer se os patriarcas do Ocidente se sentem mais profundamente perturbados pela idéia de um levante e assunção do poder por parte de Atena ou de Perséfone, rainha do mundo avernal, e seu espírito guardião, Hécate. Será que temem mais uma invasão externa dessas viragos, as amazonas, ou uma invasão interna pelas supostas forças negras da feitiçaria? As inomináveis baixezas em que os homens caíram durante a caça às bruxas da Idade Média tendem a sugerir a segunda hipótese. Porém, sob alguns aspectos, a vaidade com que os homens se consideram os únicos detentores e atribuidores de uma razão dita divina é ainda

---

1. Obras feministas mais recentes confirmaram o quadro perspicaz traçado por Slater em 1968 do quão desditosa era a vida das mulheres na Grécia antiga. Dentre essas, vale ressaltar *Goddesses, Whores, Wives and Slaves* [Deusas, prostitutas, esposas e escravas] (1975), de Sarah B. Pomeroy, e *Pandora's Daughters* [Filhas de Pandora] (1981), de Eva Cantarella, em que ela conclui: "A verdadeira condição da mulher em Homero era esta: total exclusão do poder político e da participação na vida pública; subordinação ao chefe da família e submissão a suas punições; e, finalmente, isolamento ideológico. Proibida de pensar sobre tudo que não fosse questão doméstica, a mulher não podia sequer falar sobre assuntos masculinos. Desleal, fraca e volúvel, ela era vista com grande desconfiança" (p. 33).

EXTRAORDINÁRIAS MULHERES-ATENA NA HISTÓRIA

Apesar da relutância dos homens em permitir que a mulher-Atena dotada de intelecto criativo e visão política se expresse ou exerça poder, algumas mulheres notáveis deixaram marcas indeléveis em nossa história e em nossa consciência. Eis aqui algumas delas, nem todas muito renomadas.

Hrotsvit de Gandersheim (c. 932-1000) foi uma freira que, da biblioteca de seu convento na Alemanha, escreveu prolificamente e contribuiu amplamente para a vida intelectual e espiritual do seu tempo. Foi a primeira pessoa a se dedicar à dramaturgia desde a época clássica e, pelo que se sabe, ninguém antes dela escreveu poesias na Alemanha. De sua pena saíram lendas em versos, prefácios em prosa, épicos históricos e nada menos do que seis peças teatrais. Seus retratos literários de mulheres são originais e vibrantes, jamais recorrendo a meros estereótipos alegóricos.

Sem a proteção de um convento ou do casamento, pouco havia que uma mulher pudesse fazer para manter-se por conta própria no final da Idade Média. Entretanto, Christine de Pisan (c. 1364-1430) se tornou a primeira mulher na França a viver da literatura. Tendo nascido em Veneza, deixou a Itália quando seu pai ingressou na corte francesa. Lá conheceu e se casou com um francês que morreu quando ela tinha apenas vinte e cinco anos, deixando-a com três filhos e praticamente sem nenhuma herança. Christine passou então a escrever todo tipo de poesia e prosa, produzindo quinze obras importantes entre 1399 e 1405, incluindo um clássico periodicamente redescoberto, *The Book of the City of Ladies*, famoso por defender a dignidade das mulheres, e atacando, por exemplo, a visão cínica das mulheres implícita no papel de Jean de Meung, em *Roman de la Rose*, uma peça épica do amor cortesão.

A rainha Elizabeth I (1533-1603), a Rainha Virgem, associava muitas das virtudes de Atena ao poder efetivo de Hera. Ela inspirou a fase mais grandiosa da história inglesa com sua astúcia e discernimento políticos e visionária liderança nacional. Assim como Atena, adorava a companhia de heróis, rodeando-se de exploradores-aventureiros famosos como Sir Walter Raleigh, Sir Francis Drake e o conde de Essex. Todo um culto literário se formou a sua volta, instigado por *Faerie Queene*, de Edmund Spenser e por diversas passagens patrióticas nas peças de Shakespeare. Erudita e tremendamente lida, Elizabeth I era também poetisa. Seus feitos políticos e culturais levando a Inglaterra à condição de grandeza foram inestimáveis.

Os quadros da artista Sofonisba Anguissola (1532-1625) revelam tal maestria técnica que foram confundidos com os de Ticiano. Desprezada até recentemente pelos historiadores da arte, Sofonisba foi uma pintora altamente respeitada no final da Renascença, tendo sido orientada na juventude por Michelangelo. Durante vinte anos, trabalhou como pintora de retratos para o rei Felipe II, da Espanha, estabelecendo uma reputação internacional com suas obras intimistas e originais. Quando já estava com noventa e dois anos, recebeu o jovem Anthony van Dyke para estudar sua brilhante técnica.

Se houve alguma vez um manifesto escrito por uma Atena radical, foi *A Vindication of the Rights of Women*, de Mary Wollstonecraft (1759-1797). Embora fosse íntima de muitos líderes revolucionários na França, logo percebeu que a Revolução Francesa não estava promovendo a liberação das mulheres, como ela e seu círculo esperavam. Essa desilusão a inspirou a publicar seu famoso tratado em 1792, uma obra acertadamente chamada de "o primeiro grande documento feminista", em que escreveu: "Lanço aqui um desafio. É hora de devolver às mulheres sua dignidade perdida e de torná-las parte da espécie humana". Esse grande repto de Atena ainda continua válido.

Instada por vozes interiores a pregar a emancipação dos escravos e o direito das mulheres, Sojourner Truth (1797-1883) deixou seu emprego doméstico para viajar por todo o norte dos Estados Unidos. Embora fosse analfabeta, ela era uma oradora notável e destemida. Viajava a pé, falando dos abusos e das indignidades da escravidão que ela e seus parentes conheciam. Trabalhou incansavelmente para obter empregos para escravos libertados depois da guerra civil e, em 1850, publicou sua autobiografia, que a ajudou a manter-se financeiramente.

---

mais incisivamente ameaçada pela imagem da deusa da sabedoria encarnada. Pois o que pode perturbar mais o ego masculino do que uma mulher inteligente que não só enxerga as falhas que ele cometeu como também se recusa a desculpá-las pelo simples fato de ele ser homem? Conhecimento – e, anterior mesmo a ele, educação – é poder. De modo que, desde a Academia de Platão, os homens têm mantido as mulheres na ignorância por temer que elas possam retrucar e fazer os mais grandiosos projetos masculinos parecerem mera mistificação.

Atena cresce

Apesar da determinação de nossa cultura em programar papéis sexuais estereotipados nas crianças – bonecas para meninas, revólveres para meninos –, os principais traços de Atena, e particularmente sua qualidade andrógina, podem ser observados quando seu arquétipo se manifesta com intensidade em meninas ainda pequenas. Jovens e inteligentes meninas-Atena logo aprendem a dominar a linguagem – e a argumentar: Seu ego forte as torna tão briguentas e combativas quanto os meninos. Na realidade, podemos esperar que Atena, quando garotinha, prefira brincar com os meninos, aceitando suas brigas e brincadeiras violentas tanto física quanto verbalmente. Assim como sua irmã igualmente andrógina, Ártemis, ela se orgulha de seus modos de rapaz. Porém, sendo mais competitiva e mais argumentativa do que Ártemis, seu modo bem poderia ser: "Tudo o que você consegue fazer eu consigo realizar melhor."

Competições e disputas tornam-na apenas mais rija e obstinada; ela logo supera qualquer senso de inferioridade que possa ter diante dos meninos, firmando já a autoconfiança que lhe será tão útil e proveitosa na fase adulta. E, embora aprecie vencer tanto quanto qualquer garoto, não sente necessidade de dominar pelo simples prazer de dominar; o papel de líder é cobiçado por sua irmã ainda mais rija e obstinada, Hera. Em pleno controle de seus sentimentos, a jovem Atena hesitará em chorar para conseguir o que quer e, a menos que haja uma presença igualmente poderosa de Afrodite em sua psique, jamais recorrerá à sedução para atingir seus objetivos.

A excepcional inteligência da jovem Atena muitas vezes se fará notar em seu extraordinário ouvido para a língua, e ela absorverá um vocabulário muito além do normal para sua idade. Ela adora palavras, jogos de palavras e discussões. Na realidade, adora sempre ter a última palavra. Mais tarde, irá perceber que a capacidade de brandir palavras pode ser um de seus instrumentos mais poderosos, capaz de ser usado como uma verdadeira arma de combate em profissões como direito, jornalismo e advocacia política.

Às vezes, a precocidade da jovem Atena chega a ser apaziguadora, aplacando animosidades, pois a deusa da sabedoria pode emergir na consciência de uma menina muito pequena, produzindo um efeito extraordinário. Há um delicioso livro de memórias intitulado *Mister God, This Is Anna*, escrito por um irlandês de nome Fynn radicado em Londres, em que ele descreve as coisas que uma garotinha por ele adotada costumava dizer. Anna parecia ser uma verdadeira santa, no sentido mágico da palavra: uma menina espiritualmente iluminada, que claramente encontrara Deus aos quatro anos de idade. Eis como ela reagiu quando lhe apresentaram uma Bíblia:

> Ler a Bíblia não foi um grande sucesso. Ela pareceu considerá-la uma mera cartilha, estritamente para bebês. A mensagem da Bíblia era simples, e qualquer simplório poderia compreendê-la em trinta minutos, no máximo! Religião é para se fazer coisas, não para se ler sobre fazer coisas. Tendo entendido essa mensagem, não há muito sentido em ficar cobrindo o mesmo terreno. Nosso pároco ficou perplexo quando a interrogou sobre Deus. A conversa foi mais ou menos assim:
> – Você acredita em Deus?
> – Acredito.
> – E sabe o que Deus é?
> – Sei.
> – Bem, o que é Deus, então?
> – Ele é Deus!
> – Você vai à igreja?
> – Não.
> – Por que não?
> – Porque eu já sei tudo a esse respeito!
> – O que é que você sabe?
> – Eu sei amar o Senhor Deus e amar as pessoas e os gatos e os cachorros e as aranhas e as flores e as árvores – e a catalogação prosseguiu – com todas as minhas forças.
> [...] Anna havia evitado tudo o que não era essencial e destilara séculos de erudição em uma sentença: "E Deus disse para amar os homens, e para amar amá-los, e para a gente não se esquecer de amar a nós mesmos também" (p. 19).

Mas Atena, à medida que vai crescendo, logo aprende a conter sua frustração diante da estupidez e da inépcia dos homens. Mesmo quando criança, ela não demora a aprender que em nossa sociedade os pais e professores geralmente preferem os meninos às meninas por sua capacidade mental, de modo que recorrerá a livros e quaisquer outros meios que puder a fim de ver sua destreza intelectual igualmente reconhecida. E, a menos que sua mãe tenha realizado grandes negócios na capacidade de Hera, ou então que tenha grandes aspirações intelectuais ou algum outro meio criativo de expressão, ela tenderá a zombar da filha – levando muitas vezes a jovem Atena a buscar a aprovação do pai.

Embora possa apreciar as emoções e a energia dos esportes competitivos durante a adolescência, a mulher-Atena se dedica a eles apenas como um escoadouro limitado para sua crescente ambição. É aqui que ela se diferencia nitidamente de sua irmã independente, Ártemis: a competição física lhe interessa muito menos do que a realização intelectual. De modo que é bem mais provável que desenvolva suas habilidades musicais ou artísticas nessa fase, ou que venha a descobrir que tem jeito para escrever e debater: o jornal da faculdade, a oratória engajada ou os grupos de atividade política poderão atraí-la. Mas, sobretudo, irá se sobressair nas tarefas acadêmicas mais tradicionais; com sua mente clara e talento para a organização e articulação lógicas, ela se sairá igualmente bem nas artes e nas ciências. Poderá até mesmo ver se descortinar diante de si uma carreira promissora em profissões tradicionalmente dominadas pelos homens, como medicina ou direito.

Amor e casamento

A adolescência e o início da fase adulta podem ser momentos de considerável caos e confusão no que tange à identidade sexual de Atena. Ela já está caminhando rumo ao mundo paternal (*fatherworld*) em que terá um dia de sobreviver, de modo que talvez se sinta mais em sintonia com a mentalidade do pai e dos irmãos do que com as artimanhas do namoro ou as últimas novidades da moda que tanto fascinam Afrodite. Como é capaz de vencer facilmente um homem no plano intelectual, ela muitas vezes subestimará as formas mais tradicionais de namoro, surpreendendo-se quando a paixão mental de seu acompanhante se tornar de repente física. A sexualidade da mulher-Atena pode ser bastante espontânea e natural, mas é igualmente provável que mantenha uma certa inconsciência de seu próprio corpo. A despeito de todas as couraças de seu ego, de sua afinidade com os homens e de suas idéias libertárias, ela pode ser extremamente acanhada até adquirir mais experiência. Essa é a "donzela" que ela carrega dentro de si.

Por toda a vida, haverá sempre um certo grau de reserva na sexualidade da mulher-Atena (vale lembrar que estamos falando do tipo Atena "puro", não da mulher que também se move à vontade no mundo de Afrodite). Atena, arquetipicamente falando, é uma virgem. Apesar de toda a sua experiência de mundo e *savoir faire*, sua sexualidade enquanto mulher permanece relativamente indistinta. Tanto de sua libido foi dedicado à atividade mental e à extroversão que o corpo e as necessidades mais profundas do corpo receberam menos do que lhes seria devido. Ela pode achar que tudo vai indo muito bem na cama, mas às vezes haverá uma falta de verdadeira satisfação orgásmica, ou talvez venha a padecer de penosas infecções, tumores ou problemas menstruais – que tratará como problemas estritamente físicos.

Para quem a conhece, é evidente que a mulher-Atena quer ser bem sucedida no mundo; afinal, seu espírito de luta preparou-a para vencer sempre que possível. Portanto, ela deixará muitas vezes o mundo maternal de Deméter em banho-maria por tanto tempo quanto julgar ginecologicamente seguro, ou talvez para sempre. O mundo conjugal de Hera só irá atraí-la na medida em que facilitar, promover ou fundamentar suas operações no mundo. Seja como for, sua impetuosa independência exigirá que companheiro nenhum venha limitá-la em qualquer aspecto ou querer dela um compromisso maior com a carreira ou a personalidade *dele*. É mais provável que *ela* venha a exigir algo nesse sentido ou, na melhor das hipóteses, um acordo detalhado entre ambos que garanta sua tremenda necessidade de liberdade e autonomia.

O casamento de uma mulher-Atena será freqüentemente tempestuoso enquanto ela não resolver o que realmente deseja da vida e não parar de descarregar suas incertezas e vulnerabilidades secretas (a donzela oculta sob a armadura) sobre o companheiro. Ela irá digladiar-se com ele, competir com ele e muitas vezes desprezá-lo por não ser tão rijo e obstinado quanto ela. Ficará enfurecida com o fato de ele receber todos os lauréis tradicionais e ainda querer suas congratulações e solidariedade. Visto que se exigiu que o homem seja um super-herói entre os vinte e os quarenta anos, ele também espera ser maternalmente consolado e mimado pela esposa quando seu ego se fere. Mas nenhuma outra atitude seria capaz de despertar uma fúria tão homicida numa esposa-Atena, que desejava um companheiro-de-armas, um parceiro de treino para mantê-la em boa forma para a luta, alguém como seus irmãos quando era garota. Em vez disso, ela se vê diante de um choramingas que se retrai na terapia, foge para religiões orientais ou busca refúgio em relações extraconjugais lamuriando-se: "Minha esposa não me entende."

Atena e o mundo paternal

O mito grego nos diz que Atena nasceu da cabeça de Zeus e, segundo Ésquilo, ela teria dito: "Estou incisivamente do lado do meu pai." É praticamente impossível falar sobre Atena no mundo moderno sem tratar de seu relacionamento com os pais e com o mundo paternal. Mas essa não é uma tarefa fácil, pois a mulher-Atena hoje se orgulha de ser independente das estruturas da sociedade patriarcal e tende a se sentir insultada com a simples idéia de que talvez traga dentro de si algo de um sistema tão degenerado. É isso que acontece com muitas mulheres-Atena feministas.

Mas se tentarmos examinar com isenção o arquétipo de Atena, ficaremos impressionados com duas facetas distintamente masculinas de sua personalidade: o amor do pai e o amor dos heróis, que ela traz dentro de si como partes fundamentais da sua psicologia. Se os entendermos simbólica e não literalmente, esses amores nos dizem muito a respeito dela: o pai representa seus esforços mais elevados em busca da realização intelectual e espiritual, o ideal que ela busca em seu mundo, enquanto a consciência "heróica" representa a maneira de agir pela qual ela busca atingir essa meta.

O que Atena busca aprender e imitar não é apenas o comportamento de seu pai biológico, por mais importante que possa ser o papel dele, mas sim o *princípio paterno*. É do "bom pai" arquetípico que ela busca ser filha, daquelas qualidades de Zeus que o rei dos deuses representava quando agia da maneira mais sublime: sabedoria, justiça, governança responsável, justo aconselhamento, bondade, proteção, magnanimidade, orgulho natural e dignidade. Essas são todas qualidades "superiores" e, portanto, espirituais e intelectuais – sendo coerente que provenham da cabeça do deus dos céus. (As qualidades "inferiores" de Zeus Pai, evidentes nos mitos que falam de suas aventuras amorosas, nunca são incluídas no relacionamento de Atena com ele, sendo transferidas para uma outra relação pai-filha, a que existe entre Ouranos e Afrodite, em que esta última nasce diretamente dos órgãos genitais do pai. Veja o capítulo sobre Afrodite.)

Só quando afastamos do plano biológico o amor de Atena pelo pai é que começamos a reconhecer partes essenciais de seu tipo de personalidade. Isso não significa negar que Atena possa ter uma admiração fortíssima por seu pai carnal; mas será algo incidental, não uma causa direta de seu idealismo. Muitas mulheres-Atena nascem com um pai fraco ou inexistente, incapaz de lhes satisfazer as expectativas arquetípicas, mas tão grande é o anseio delas que tão logo a educação lhes descortine novos horizontes intelectuais elas se fixarão em algum pai cultural, como Gandhi, Marx ou Jesus.

Como seria de se esperar, encontramos a mulher-Atena mais à vontade em cenários em que se sente capaz de usar sua mente ativa e criativa da maneira mais proveitosa e de buscar e moldar seus próprios ideais. Negócios, governo, educação, ciência, medicina, direito – tudo isso é terreno fértil para ela no mundo moderno, já que as restrições patriarcais estão finalmente se dissolvendo.

Não é por acidente que todas essas profissões têm sido tradicionalmente chamadas de *fatherworld* [mundo paternal]. Os homens são culpados de interpretar literalmente o arquétipo, de o restringir a seu próprio sexo, insistindo em que somente um homem pode manifestar o princípio paterno – confundindo um ato biológico com uma responsabilidade social. Mas, como têm mostrado mulheres-Atena em todo o mundo, a mulher é igualmente capaz de exercer uma liderança criativa e de demonstrar capacidade de decisão em todos os escalões da antiga pirâmide de poder estabelecida pelos homens. Essa é uma revolução social sem precedentes na história ocidental.

Portanto, não chega a surpreender que os homens se sintam tão ameaçados por essa incursão num mundo que sempre acreditaram lhes pertencer por posse e direito. Hoje eles não podem mais recorrer aos clichês já desgastados da prerrogativa masculina, aos pressupostos de uma fraternidade machista ou às planitudes do autoritarismo. Atena vê tudo com novos olhos; afinal, hoje ela está ingressando na diretoria das empresas, no tribunal e no centro cirúrgico pela primeira vez como profissional. E, dada sua preocupação visceral com a verdade, certamente não estará tão disposta quanto seus colegas homens a aceitar discrepâncias entre os ideais expressos nos livros e a prática cotidiana efetiva.

Tudo isso provém do fato de o arquétipo de Atena ser essencialmente *juvenil*, e com a juventude vem o idealismo. Atena é impelida por um senso de compromisso com um propósito maior, por uma preocupação efetiva pelo bem-estar da comunidade em que mora ou da humanidade como um todo. Ela não ingressa na medicina do modo como muitos de seus irmãos cínicos hoje o fazem, correndo atrás do dinheiro, mas porque genuinamente quer curar os doentes. Pelos mesmos motivos, é muito menos provável que ela se corrompa exercendo a lei ou a política.

Bem instruída e armada com um intelecto penetrante e a determinação que acompanha um senso de propósito e ordem, ela é uma força poderosa a ser considerada em qualquer setor do mundo paternal que escolher ingressar. Para alguém do lado de fora, particularmente da perspectiva de seus inimigos, Atena pode parecer estridente e destituída de humor. Mas o fato é que ela ouve dentro de si um incessante rufar de tambores conclamando-a a erguer a espada contra a injustiça e contra o sofrimento que sente e vê tão agudamente a seu redor.

Atena, a heroína

A primeira coisa que notamos no mito do nascimento de Atena é que ela nasce da cabeça de Zeus; a segunda, é que surge inteiramente armada, pronta para agir. Ela não é nenhuma estudiosa reclusa numa torre de marfim; pelo contrário, quer estar bem no âmago da batalha – seja política, social ou intelectual. Ela concordaria com o poeta W.H. Auden, para quem "a ação deve logo seguir-se ao pensamento; ou para que serviria?"

Hollywood, a televisão e os produtores de filmes, com o seu sexto sentido para arquétipos emergentes, foram recentemente atraídos pela poderosa e fascinante imagem de Atena. No final dos anos 70, Vanessa Redgrave e Jane Fonda, duas atrizes carismáticas intensamente envolvidas em questões políticas, criaram um novo tipo de heroína na tela. Em *Júlia*, que se baseia numa história de Lillian Hellman, Redgrave interpreta uma mulher de forte consciência política que abandona uma vida segura para lutar contra o fascismo na Europa dos anos 30; Fonda interpreta a escritora que acompanha o progresso dela. Numa ambientação mais contemporânea, em *Síndrome da China*, Jane Fonda é uma repórter inquiridora que ajuda a expor uma tentativa de encobrir graves acontecimentos numa usina de energia nuclear.

Ambas, Redgrave e Fonda, contribuíram para firmar a presença de um tipo de heroína que é uma verdadeira Atena contemporânea: engajada politicamente, visceralmente preocupada em expor a corrupção e a injustiça, e preparada para sacrificar a própria vida em prol dos carentes e oprimidos. Variações mais recentes sobre esse tema podem ser vistas em outros filmes, como *Norma Rae*, com Sally Field, *Silkwood*, com Meryl Streep e *Marie*, com Sissy Spacek.

A imagem de uma heroína esperta, íntegra e sem frescuras chegou também às séries policiais e às novelas de TV. Até a heroína de um filme antiquadamente machista como *Caçadores da arca perdida* possui uma certa obstinação de Atena, dirigindo seu próprio bar nos Himalaias e enfrentando desordeiros e bandidos. Desapareceram aquelas desfalecentes e indefesas Afrodites da "mística feminina" que Betty Friedan descreveu com tanto brilho. A nova espécie de heroína é perfeitamente capaz de enfrentar qualquer homem valentão ou beber com ele até vê-lo escarrapachar-se embriagado no chão.

Filmes de inclinação mais psicológica também têm explorado não só as qualidades heróicas de Atena, mas também seu lado ferido e vulnerável. Vale ressaltar a bela interpretação de Jill Clayburgh em *An Unmarried Woman* [Uma mulher descasada] e também diversos filmes com Meryl Streep, notadamente *Plenty*, uma crônica inglesa das progressivas decepções de uma jovem e heróica Atena à medida que seus ideais vão se esfacelando na Inglaterra após a Segunda Guerra.

Citamos essas figuras de Hollywood porque são estereótipos que todos nós conhecemos. Irreais em sua grandiosidade, por certo, mas valiosas por nos mostrar ampliadas as qualidades heróicas de Atena e por corresponder a aspectos da nova feminilidade que despontam nas massas que sonham com elas. É desnecessário dizer que, para a vasta maioria de mulheres que se deparam com

Atena pela primeira vez, a experiência está longe de ser glamourosa. Assim como os antigos heróis da mitologia, o caminho da mulher até atingir um alvo distante – obter um diploma ou uma promoção, publicar um livro, ser eleita ou vender seus quadros – é muitas vezes lento, árduo e dolorosamente solitário, particularmente se estiver tentando desincumbir-se de suas obrigações como Deméter, tendo filhos para criar e querendo parecer tão encantadora quanto Afrodite para seu amante.

As exigências feitas à mulher-Atena pelo inóspito e hostil mundo paternal realmente colocam-na em circunstâncias difíceis. Podemos agora compreender um pouco melhor o simbolismo da armadura da deusa grega. As mulheres-Atena de hoje têm que ser duras, obstinadas; têm que ser capazes de suportar as mesmas quedas que os homens – e mais algumas; e, como qualquer minoria oprimida, têm que ser duas vezes melhores do que os guardiães da estrutura com quem competem, qualquer que seja o campo em que atuem.

A armadura é a metáfora que descreve psicologicamente um ego bem-defendido, sendo aplicável a quem, qualquer que seja seu sexo, não for facilmente derrubado por críticas ou ataques a seu caráter ou a sua competência. A personalidade-Atena é sempre capaz de encontrar uma resposta à altura e de transformar um confronto em algo vantajoso. Mas não é apenas defensiva; ela é agressivamente autoconfiante. Os homens sempre receberam mais láureas graças à facilidade de recuperação dessa sua *persona*; entretanto, agora que mais e mais mulheres vão descobrindo quanto a mesma *persona* também lhes pode ser útil, uma nova estrutura de personalidade, incomparavelmente concebida na deusa guerreira, começa a surgir.

O progresso da heroína

Assim como todo garoto adolescente atravessa uma fase em que ridiculariza tudo o que sua mãe diz ou faz, exibindo-se com as palavras chulas do linguajar masculino, recusando-se a tomar banho ou a realizar qualquer tarefa doméstica, também a jovem em quem Atena começa a despontar atravessará um período semelhante em que discordará de praticamente tudo o que sua mãe disser ou fizer. Sua mãe será tida como tola, antiquada, pudica e restritiva.

A última coisa que uma jovem Atena quer é parecer-se com a mãe, que para ela representa a insensatez da domesticidade e da maternidade – qualidades de Deméter, que levam exatamente à direção oposta à que toda sua educação e independência financeira começam a impeli-la. Evidentemente, ela poderá, anos mais tarde, completar o círculo e retornar à Deméter que rejeitou; mas, por ora, o mundo de sua mãe é o contraste de que necessita para definir seu ingresso no universo mais amplo das oportunidades, da independência e do progresso profissional do mundo paternal.

Uma vez no mundo, depois de haver saído de casa e partido, digamos, para uma cidade grande ou para a universidade – ambos domínios de Atena (Ártemis partiria para uma comunidade agrícola ou se juntaria à tripulação de um iate dando a volta ao mundo) – ela se vê diante de novos desafios a seu crescente senso de independência e identidade pessoal: encontrar emprego, pagar o aluguel, manter um carro, administrar uma conta bancária e, é claro, descobrir como continuar avançando. Assim como os jovens rapazes de outrora iam tradicionalmente para a cidade grande tentar a sorte, também ela acaba aprendendo toda espécie de truques para sobreviver e descobrindo como o sistema funciona.

Hoje em dia, revistas como *Working Woman*, *Ms* e *Cosmopolitan* conspiram para ajudá-la a vestir-se da maneira mais condizente com a moda que prevalece nas grandes empresas, a saber até que ponto alardear ou não sua sensualidade, a discernir quais drinques revelariam uma personalidade mais firme e positiva e a administrar seus novos rendimentos. Com isso, ela está adquirindo uma *persona* que se adapta ao mundo patriarcal, no qual ainda possui muito pouco poder mas onde, se souber agir com acerto e valer-se das situações, poderá ascender. Em suma, ela está, como Atena, aprendendo o papel de filha *obsequiosa*.

Estamos aqui caricaturando o desabrochar do heroísmo de Atena como sendo o de uma jovem que deixa a casa dos pais com vinte anos, mas um processo idêntico pode ocorrer em qualquer época da vida da mulher que deixa o aconchego do lar em busca de sua independência financeira no mundo. Isso pode ocorrer subitamente e por necessidade, como quando um casamento se desfaz e a mulher é obrigada a se sustentar, ou pode ocorrer por opção, quando seus filhos já cresceram e saíram de casa. Essas épocas tendem a ser extremamente criativas e excitantes, mas são também assustadoras e cheias de desafios para a mulher mais velha que pela primeira vez está pisando no território de Atena. Mas ela nada deve temer, pois uma das grandes qualidades redentoras da energia de Atena é sua juventude; a idade biológica se revela de pouquíssima importância quando o espírito criativo da deusa é evocado. Pois Atena está sempre presente quando uma mulher é instigada a ousar algo novo; a deusa ama a coragem e a inventividade, e recompensa generosamente as que manifestarem essas qualidades. Felizmente, no mundo a nossa volta, há muitos exemplos de Atena emergindo em mulheres mais velhas, de modo que nenhuma mulher que seja iniciada mais tardiamente em sua consciência aventureira precisa se sentir sozinha ou sem inspiração.

De acordo com a psicologia junguiana, depois de o ego que aspira ao heroísmo romper com a mãe e com o lar, tornando-se capaz de atuar sozinho no mundo paternal, surge um outro desafio, ainda mais difícil, uma situação que Jung identificou como a matança do pai. Na psicologia de um jovem rapaz, isso muitas vezes pode se caracterizar na decisão de deixar um emprego seguro numa grande empresa e iniciar seu próprio negócio, ou na decisão de tentar chegar a uma posição gerencial mais elevada quando o cargo vagar. É evidente que a mulher-Atena que também estiver ascendendo em alguma hierarquia empresarial ou política acabará por se ver diante de uma escolha semelhante. Mas o desafio pode se apresentar igualmente no âmbito intelectual; por exemplo, a publicação de um livro radical que lhe custará o apoio acadêmico mas transformará seu nome numa voz própria por legítimo direito. Essas, além de desafios políticos mais diretos a um sistema, a uma hierarquia ou a uma visão de mundo já sedimentada, são todas versões do processo simbólico de matar o pai para ela se tornar plenamente ela mesma.

Da mesma forma que seus heróicos colegas do sexo masculino, é precisamente aqui que muitas mulheres-Atena podem titubear ao refletir na tremenda diminuição de seus rendimentos, no possível fracasso de um negócio pessoal ou nos riscos de se pôr a perder uma reputação cuidadosamente estabelecida. Respeitabilidade e renda assegurada subitamente passam a parecer muito mais atraentes do que dez anos antes, quando a retórica feminista ainda ecoava em seus ouvidos e ela não tinha filho para sustentar nem várias outras responsabilidades. Talvez decida fazer concessões, aceitando seu lugar dentro da hierarquia maior das coisas, ainda intelectualmente alerta e em contato com tudo, porém em termos de sua independência, caminhando para tornar-se uma filha obsequiosa, obediente à organização ou ao sistema que incorpora valores que ela aprendeu a respeitar e possivelmente até acabe ajudando a criar. Talvez também queira se assentar de maneira mais definitiva, e, ao envelhecer, ir lentamente amadurecendo numa figura de Hera, uma vigorosa defensora e promotora do novo sistema – deixando seus dias mais revolucionários para trás.

Atena, filha obsequiosa...

Matar o pai ou se submeter a ele? No que se refere à ordem instituída ou *status quo*, essa é a questão com que Atena – e todo e qualquer homem – inevitavelmente se depara. Mais cedo ou mais tarde, ela será forçada a definir sua posição dentro daquela escala política abstrata, porém inexorável, que vai da extrema esquerda à extrema direita. Pois, goste ou não, está agora no mundo e tem agora poder e princípios, o que significa que precisa definir seu posicionamento dentro da realidade política.

Se vier de um ambiente político mais conservador, com um pai forte sustentando a família, a mulher-Atena tenderá a tornar-se uma filha obsequiosa, dedicando sua infatigável energia à preservação e promoção do mundo paternal como verdadeiro *status quo*. A empresa em que trabalha, o governo e as celebridades da mídia provavelmente serão vistos como entidades benevolentes e protetoras. Embora possa desejar reformar e aperfeiçoar partes do sistema, ela tentará consertá-lo estando dentro dele, deixando os alicerces da estrutura basicamente intactos. Afinal de contas, os patriarcas que mais admira enriqueceram e se tornaram influentes graças aos próprios esforços heróicos no início de suas carreiras; por que não sucederia o mesmo com ela? A mensagem que recebeu deles é que aqueles que perseverarem serão recompensados no final. De modo que ela irá se tornar uma boa aluna, uma partidária leal, uma funcionária exemplar. Com seu inegável talento para compreender os aspectos práticos das coisas e para pensar como os homens sem ameaçá-los, irá ascender ininterruptamente na hierarquia – seja num banco, numa empresa, na política, no mundo acadêmico ou mesmo em Hollywood, como nos mostrou Sherry Lansing.

Um modelo quase exemplar da carreira de Atena como filha obsequiosa é a enfermagem, em que a obediência a um modo paternal rigidamente autoritário é levada a extremos quase subserviente em troca de um bem-merecido respeito e um alto grau de responsabilidade. Não chega a surpreender que muitas enfermeiras venham de famílias nas quais o pai era médico – assim como um estudo recente, *The Managerial Woman*, de Margaret Hennig e Anne Jardim, constatou que todas as empresárias e executivas bem-sucedidas pesquisadas tinham pais em altos cargos administrativos que lhes serviram de modelo profissional. Esse mesmo estudo confirma também que esses pais tiveram um papel atuante na vida de suas filhas, incentivando-as a desenvolver o que chamamos de qualidades "heróicas" de Atena e fazendo-as sentir-se à vontade e em pé de igualdade no mundo dos homens. Eis como as autoras resumiram seu estudo:

> Todas [as mulheres estudadas] haviam tido um relacionamento muito próximo com o pai e participado, na companhia dele, de uma variedade incomum de atividades tradicionalmente masculinas – e isso desde quando ainda eram bem pequenas. Elas acreditam ter recebido um tremendo apoio

de suas famílias para seguir seus próprios interesses, independentemente do papel sexual que normalmente lhes é atribuído. Finalmente, acham que desde muito jovens passaram a preferir a companhia de homens à das mulheres (p. 76).

Segue-se abaixo parte de uma entrevista citada pelas autoras, que é típica por enfatizar o papel desempenhado pelo pai na vida dessas mulheres que viriam a ocupar cargos de considerável poder no mundo da administração:

> Minhas lembranças são de que papai foi realmente algo especial. Desde que posso me recordar, eu era sua garotinha preferida. Havia sempre momentos especiais reservados para nós dois ficarmos a sós. Quando eu era ainda bem pequena, ele sempre me levava para passear nas tardes de sábado. Ele era um homem muito ativo e esperava que eu fosse ativa como ele. No inverno, íamos andar de trenó e patinar no gelo. Ele me ensinou a patinar quando eu tinha apenas quatro anos de idade e costumava me exibir para todos os seus amigos que tinham filhos mais velhos do que eu. "Vejam só", dizia ele, "vocês podem pensar que ela é apenas uma garota, mas reparem como patina muito melhor que qualquer um de seus rapazes" (p. 78).

Essa menina já estava aprendendo a ser uma companheira para seu pai, e se esperava que ela fosse igual ou melhor que os garotos. Toda a moldagem de sua identidade sexual é claramente andrógina desde o início, tendo um sentido muito mais amplo do significado de ser menina do que se fosse uma filha atraída apenas pelo mundo maternal [*motherworld*] de Deméter. De acordo com as mulheres estudadas, o pai "contribuiu para sua definição como pessoa", e não apenas como menina.

Com o pai lhe dando tanto apoio e incentivo, seria desnecessário dizer que as atitudes políticas e a visão de mundo da Atena obsequiosa tendem ao conservadorismo. Pois ou ela internalizou o profissionalismo do pai ou encontrou na organização em que ingressou um pai coletivo que possa admirar. Seja como for, profundo será seu respeito pela autoridade e pelo poder instituído. Seus superiores, os "pais", serão vistos basicamente como seres benevolentes e protetores. Não importa que ela tenda para a extrema direita, como a organização conservadora Daughters of the American Revolution, ou que siga uma linha partidária tradicional como Phyllis Schaffly ou Anita Bryant, ou que crie uma imagem mais provocativamente moderna de como vencer no mundo dos homens, como Helen Gurley Brown e a revista *Cosmopolitan*: esta obediente Atena não pretende jamais, nem por um instante, balançar o coreto.

Inevitavelmente, o mundo acadêmico atraiu muitas Atenas obsequiosas que, não obstante, tendem politicamente mais para a esquerda. Há uma geração atrás, o velho estereótipo da "intelectual de óculos", mas também muitas verdadeiras escritoras, artistas e intelectuais independentes, foram exemplos desse tipo de mulher-Atena (veja quadro "Atenas de outra geração").

...ou eterna revolucionária?

Todavia, apesar de todas as realizações – louvadas ou esquecidas – de obsequiosas legiões de Atenas hoje infiltradas em cada canto da sociedade

ATENAS DE OUTRA GERAÇÃO

Nós sabíamos como eram aquelas mulheres. Usavam ternos de *tweed*, sapatos de saltos baixos, e eram altamente respeitadas. Deixáramos de usar as palavras "solteironas" ou "velha niquenta", exceto no baralho [*old maid* = jogo de mico], nos contos de fadas [*spinster* = fiandeira] ou para descrever os piruás no fundo de um balcão de pipoca. Essas mulheres viviam em isolamento em lugares como a Suíça ou Nova York, onde moravam em casa própria, em quartos ou sobrados, caminhando pelas calçadas no inverno e pisando em folhas de pinheiro no verão. Não tinham filhos (achávamos nós), mas escreviam livros, e sua vida amorosa (se é que a tinha) era envolta em uma névoa azulada que nos fazia pensar em espiritualidade. Eram francas e diretas, razoáveis e imparciais, perspicazes em sua visão cristalina, pelo menos até a névoa azulada da catarata lhes turvar a vista no final da vida. Mas isso dava apenas a impressão de que sua visão interior se fortalecera.

Eram emissárias da psique. Vestais que haviam optado por permanecer dentro do templo. Conheciam as catacumbas, o labirinto, tinham percorrido a via sacra; mas transpunham facilmente a ponte para o mundo moderno, onde davam cursos na A.C.M. dos anos 30 sobre assuntos como "Disposições psicológicas para a mulher trabalhadora". Fizeram amizades duradouras com mulheres que partilhavam a mesma meta de "tornar o inconsciente consciente". Pensamos inicialmente, durante o anuviamento erradicador de distinções dos anos 60, que tal meta seria como a ioga, uma outra disciplina para elevar a consciência.

Mas (em nossa imaginação) essas mulheres não tinham o tipo de corpo de quem praticava ioga. Seu porte robusto e resoluto se adequava mais a cavalgar em trilhas, usando culote, ou a carregar pesadas bandejas de chá, livros e lenha para a lareira. O fogo mantido aceso nas lareiras (e aqui surge, enfim, um pouco de rubor num quadro até então dominado pelo azul-pálido do *tweed*) não era o fogo das mulheres pioneiras americanas aquecendo a água da família na soleira do fogão, nem era o fogo das lanternas penduradas bem alto nas cumeeiras pelas mulheres da época colonial que todas as noites vigiavam o negrume do mar. Seu fogo era *inspirado*. Iluminações intelectuais acesas pela pederneira de conexões estabelecidas. Oliver Schreiner *em Dreams, Woman and Labor* descreveu assim sua mãe: à luz tremeluzente de velas na sala de sua fazenda na África do Sul. Depois que os filhos iam dormir, ela ficava caminhando pela sala com um livro aberto, sedenta de palavras; impelida, como aquelas outras mulheres, pela Busca do Significado. Era disciplinada, entusiasta, heróica: mulheres assim é que se tornariam as padroeiras da nova ordem psicológica.

Nor Hall, *Those Women*, pp. 9-10

patriarcal, as mulheres-Atena mais evidentes e eloqüentes em nosso meio são, de longe, as participantes do que se costuma chamar "movimento das mulheres". A última coisa que uma Atena feminista concebe acerca da estrutura das empresas, do governo e das universidades é que essas instituições sejam dirigidas por patriarcas benevolentes e protetores. Muito pelo contrário, consideram todas essas instituições – Igreja, Estado, escola, empresa – profundamente contaminadas por mais de dois mil anos de tiranias, hipocrisias e abusos patriarcais acumulados.

É evidente que a Atena radical relaciona-se com o princípio paterno de maneira muito diferente que a sua obsequiosa meia-irmã. Teria ela tido um pai tirânico contra quem se rebelou, ou um pai fraco que a desapontou? Infelizmente, não conhecemos nenhum estudo sobre a formação familiar de mulheres-Atena radicais comparável a *The Managerial Woman* mostrando padrões claros de relacionamento com o pai. (Além disso, é preciso levar em conta que mesmo *The Managerial Woman* investigou apenas as executivas *bem-sucedidas*, deixando de lado mulheres que rejeitaram o pai como modelo ou que seguiram seu próprio caminho.)

Há inequívocos indícios de que as mulheres levadas a trabalhar com vítimas de estupro ou de outros tipos de violências foram elas próprias vítimas de pais abusivos. Mas isso de maneira alguma explica a grande proporção de feministas hostis às instituições patriarcais da sociedade. Pelo contrário, em nossa prática psicoterapêutica, verificamos que muitas Atenas radicais se enfurecem igualmente com seus pais por sua passividade e por não lhes terem oferecido exatamente o mesmo tipo de apoio que as mulheres executivas com pais fortes obtiveram tão facilmente.

Às vezes, a mulher-Atena se sente profundamente traída pelo pai quando um irmão é lautamente recompensado por coisas que ela vinha fazendo tão bem ou melhor. Mais freqüente, no entanto, é a possessividade *inconsciente* de um pai inseguro em relação à filha adolescente, que abala a confiança dela para sair e enfrentar o mundo paternal. Por mais que seus dotes inatos de Atena a incitem a sair e a enfrentar o mundo, ela irá sentir-se contida pelos medos e ambivalências *dele* que traz dentro de si. Irá sentir-se sufocada, presa e limitada por dúvidas pessoais que, afinal, são parte da constituição psíquica do pai, e não da sua. Sua frustração diante da falta de apoio paterno será causa de muita raiva e ressentimento, não sendo difícil para ela projetar esses sentimentos de opressão, hipocrisia e autoritarismo arbitrário sobre o mundo paternal em geral – e não sem considerável justificação.

Entretanto, casos como esse explicam a fúria de apenas uma pequena proporção de Atenas radicais. Somos céticos quanto a qualquer explicação reducionista que atribuía tudo à influência exclusiva do pai biológico. O estudo da psique feminina por meio das deusas é uma psicologia sócio-cultural que não se restringe às influências familiares. Concordamos com as feministas que o patriarcado, enquanto instituição social profundamente entranhada, gera na psique da mulher desequilíbrios e perturbações que são transmitidos e herdados num nível muito mais profundo – o nível que Jung denominou inconsciente coletivo. A raiva interior das mulheres, acumulada há várias gerações, é a energia que serve para estimular o surgimento de Atenas radicais. Trata-se, a nosso ver, de uma parte essencial da poderosa dinâmica das deusas que está atualmente modificando as próprias raízes arquetípicas de nossa cultura.

O fato de uma encarnação radical de Atena estar irrompendo com tanta força na sociedade ocidental (para não se falar de certos países do Terceiro Mundo; veja "Las Madres de la Plaza de Mayo", na Argentina) pode significar que pela primeira vez é a filha, e não o filho, que irá derrubar o princípio paterno, sinalizando o fim do patriarcado. O que o poeta Tennyson disse de um rei Artur agonizante pode bem aplicar-se à ruína da cultura patriarcal: "Muda a velha ordem, cedendo lugar à nova. Deus consuma-se a si mesmo de diversas maneiras, para que um bom costume não corrompa o mundo." A Atena radical acrescentaria apenas que tal mudança já vem tarde e que a Deusa ainda está por consumar-se a si mesma!

Não é por acidente que a grande maioria das mulheres, que de uma forma ou de outra se identificam com o movimento das mulheres, participaram dos movimentos sociais e políticos dos anos 60 na Europa e nos Estados Unidos. Consciência dos danos ao ecossistema do planeta, contato com o pensamento marxista e um reconhecimento das realidades da vida no Terceiro Mundo destruíram de uma vez por todas a visão aconchegante de uma realidade classe média em que quase toda a geração da "contracultura" cresceu. Viu-se pela primeira vez, por exemplo, que o paternalismo das grandes empresas escondia uma hedionda exploração e corrupção dos países do Terceiro Mundo. Tornou-se igualmente claro que a escravidão, o colonialismo, a opressão racial e a subjugação das mulheres eram parte do quadro mais amplo do desenvolvimento histórico do Ocidente; e que, nesse quadro, o que estava ocorrendo no nível mais profundo era a *supressão do princípio feminino do próprio âmago de nossa cultura*. Essa é a conclusão da obra visionária de Susan Griffin, *Woman and Nature*, que evoca paralelos terríveis entre a exploração da Mãe-Terra pelos homens (em latim, *mater*, "mãe", é equivalente a *materia*) e a brutalização dos corpos das mulheres em nome da religião e da ciência.

"A humanidade está enfurecida em mim e comigo", escreveu George Sand sobre a tirania de sua época, o século XIX. "Não devemos dissimular nem tentar esquecer essa indignação, que é uma das formas mais apaixonadas de amor." Ela falava e ainda fala por todas as Atenas radicais atormentadas pelo sofrimento e pela injustiça que não podem deixar de ver quando afastam um pouco os olhos das preocupações narcisísticas de uma visão classe média de mundo. Algumas das grandes escritoras e ativistas políticas de nosso século, consumidas por uma indignação semelhante e por um desejo ardente de justiça, foram também mulheres-Atena impelidas por essa mesma grande visão humanitária: Rosa Luxemburgo, Simone de Beauvoir, Dorothy Day, Angela Davis, Simone Weil.

O dilema de Atena: civilização é repressão

Sob muitos aspectos, o caso mais extremo e mais incomum de todas as mulheres mencionadas acima, foi o de Simone Weil (1909-1943), intelectual, socialista e mística francesa, que pareceu concentrar aquilo que há de mais forte e de mais dolorosamente fraco numa vida quase inteiramente inspirada pela deusa Atena (veja o quadro "Simone Weil: Uma Atena radical de nossa época"). Simone reunia em si os aspectos radicais e obsequiosos de Atena, pois não só observou uma obediência interior total a um Deus transcendente conhecido mediante a oração e a meditação, como também considerou seu dever atacar toda manifestação de injustiça social, onde quer que ocorresse. Aparentemente, aque-

SIMONE WEIL: UMA ATENA RADICAL DE NOSSA ÉPOCA

A intelectual francesa Simone Weil (1909-1943) viveu uma vida que em muitos aspectos exemplifica a consciência de Atena num grau extremamente desenvolvido, ainda que se possa pressentir nela o forte contraponto de Perséfone. Nascida na Alsácia, numa família judaica de livres-pensadores instruídos, tendo um pai médico, sua mente precoce foi logo reconhecida, como também a de seu irmão André, um prodígio matemático.

A visão burguesa de mundo transmitida a Simone estilhaçou-se definitivamente quando ela, aos oito anos de idade, viu prisioneiros de guerra alemães aparentemente morrendo de fome a caminho de um campo de prisioneiros. Na adolescência, essa menina tão grave e séria decidiu que dedicaria sua vida a serviço da humanidade; como parte dessa decisão, prestou um voto particular de castidade. Apaixonadamente envolvida com o marxismo enquanto estudava filosofia na Universidade Sorbonne, em Paris, ela passou a ser conhecida pelos colegas (entre os quais incluía-se Simone de Beauvoir) como a Virgem Vermelha. Mas ela demonstrou que realmente pretendia viver conforme seus princípios trabalhando em fábricas e organizando programas educativos para os trabalhadores, ao mesmo tempo que fazia campanha e escrevia para a Esquerda. Horrorizada com o que testemunhou do totalitarismo de Hitler e de Franco, Simone defendeu incansavelmente a santidade do indivíduo que, a seu ver, era constantemente desprezada pelo marxismo, pelos movimentos de massa e pelas abstrações da política. Durante um certo tempo, atuou na Resistência contra a ocupação nazista da França. Seu manifesto publicado postumamente, *The Need for Roots* (1952), vai de encontro a quase todo o pensamento político vigente por rejeitar os direitos humanos como base da filosofia política, afirmando, em vez disso, que "as necessidades da alma" é que são verdadeiramente fundamentais.

Nos últimos cinco anos de vida, Simone sofreu um despertar místico para Cristo, compartilhado apenas com alguns amigos mais íntimos. Sua sede de sabedoria espiritual, tão característica de Atena, foi por fim abundantemente saciada, como seus extraordinários *Notebooks* [Cadernos] (1956) místicos atestam. Uma coletânea mais acessível de seus escritos espirituais, *Waiting for God* (1951), também foi publicada postumamente. Ela morreu tragicamente aos trinta e quatro anos de uma tuberculose não diagnosticada, agravada pela greve de fome que fazia em solidariedade aos prisioneiros de guerra franceses. Na época, ela trabalhava para o governo em exílio de De Gaulle em Londres.

les que a conheciam achavam-na arredia, ainda que apaixonadamente dedicada a sua busca da verdade intelectual e espiritual. Diz-se que certa vez deixou Trótski sem argumentos numa discussão quando o socialista russo estava exilado em Paris. A morte prematura de Simone, em razão da tuberculose, aos trinta e quatro anos deu-se durante uma de suas várias greves de fome em solidariedade aos prisioneiros de guerra franceses na Alemanha. Ela sempre fora franzina, negligenciando deliberadamente o corpo com base em princípios claramente ascéticos. Também sofreu de enxaquecas durante grande parte da vida. Sua vida notável e a maneira não menos notável de sua morte levantam uma série de questões cruciais da perspectiva de Atena e das outras deusas complementares. Não há dúvida de que sua firmeza em busca da verdade política e espiritual, que seu infatigável ativismo social nos palanques e nas fábricas, e que sua disposição em sacrificar a vida em prol dos oprimidos são expressões do que há de melhor e mais nobre em Atena. Porém, o modo como morreu e como sempre negligenciou o corpo ressalta enfaticamente um perigo que surge sempre que permitimos que uma única deusa domine nossa personalidade: *a identificação inconsciente exclusiva com um único arquétipo de deusa, em detrimento ou negação das energias das outras deusas, pode levar a uma unilateralidade que tem todas as características da neurose*.

Em Atena encontramos repetidamente aquela que provavelmente é a mais dolorosa chaga dentre as que todas as seis deusas foram obrigadas a sofrer para acomodar a supremacia do espírito patriarcal. Pois Atena está condenada a ser crucificada em pares de opostos: mente-corpo, espírito-matéria, cultura-natureza. Nascida do intelecto paterno para o mundo, toda a sua energia deve volver-se infindavelmente na cabeça. Assim, no caso de Simone Weil, toda uma intensa concentração em idéias místicas e filosóficas que superlotam seus volumosos cadernos e anotações, por mais magníficas que sejam, quase certamente a levaram a padecer daquelas terríveis enxaquecas. Ao mesmo tempo, uma tal ênfase excessiva nas coisas da mente significava para ela uma negação profunda da realidade corporal; Simone deliberadamente descuidava de sua aparência e de sua necessidade de alimentar-se. Curiosamente, seus escritos estão repletos da metáfora da fome do espírito. Seu poema favorito, por exemplo, "Love", do poeta místico George Herbert, termina com o verso: "E assim me sentei e comi." Simone considerava ainda o Pai-Nosso como "alimento espiritual".

Nessa fome pelo espírito e pelo que Jung chamou, mais genericamente, de logos – aquilo que emana do pai espiritual, Deus – não podemos senão ver em Simone Weil uma tremenda reação compensatória decorrente de sua negação do corpo. Negar o corpo é, num sentido mais amplo, negar a matéria ou a realidade material. Falando mais simplesmente, uma consciência de Atena superdesenvolvida caminha lado a lado com uma consciência material-maternal (*mater = materia*) atrofiada.

A chaga de Atena: a negação do corpo

Se vivesse hoje, Simone Weil seria certamente diagnosticada como sofrendo de anorexia nervosa, um mal que acomete muitas jovens mulheres urbanas de vida ativa e ambiciosa, bem como meninas adolescentes que não sabem o que fazer com sua sexualidade e com seu corpo. Com freqüência, o mundo paternal as alimenta com admiração, avanço profissional e reconhecimento intelectual, enquanto o

TESTAMENTO DE SIMONE WEIL A UMA VERDADE SUPERIOR

Quando ciência, arte, literatura e filosofia são apenas uma manifestação da personalidade, estão num plano onde feitos deslumbrantes e gloriosos são possíveis, podendo fazer o nome de um homem perdurar por milhares de anos. Porém, acima desse plano, muito acima, separado por um abismo, está o plano onde as coisas mais sublimes são atingidas. Essas coisas são essencialmente anônimas.

Será puro acaso se os nomes daqueles que atingem esse plano forem preservados ou perdidos; e mesmo quando há recordação deles, já se tornaram anônimos. Sua personalidade desapareceu.

A verdade e a beleza habitam esse plano do impessoal e do anônimo. Aqui é o domínio do sagrado; no outro plano, nada é sagrado, exceto talvez no sentido de afirmarmos isso de um toque de cor num quadro que represente a eucaristia.

O que é sagrado na ciência é a verdade; o que é sagrado na arte é a beleza. Verdade e beleza são impessoais. Isso tudo é muito óbvio.

Se uma criança fizer uma soma e errar, o erro traz a marca de sua personalidade. Se efetuar a soma exatamente certa, sua personalidade não é incluída, em absoluto.

A perfeição é impessoal. Nossa personalidade é a parte de nós que pertence ao erro e ao pecado. Todos os esforços do místico sempre foram no sentido de ele se tornar de tal forma que não reste parte alguma em sua alma que possa dizer "eu".

O ser humano só pode escapar do coletivo elevando-se acima do pessoal e ingressando no impessoal. No momento em que faz isso, há algo nele, uma pequena parcela de sua alma, sobre a qual nada do coletivo pode lançar mão. Se conseguir enraizar-se no bem impessoal de maneira a sorver energia dele, estará em condições, sempre que sentir obrigação para isso, de reunir e aplicar, sem qualquer ajuda externa ou contra qualquer coletividade, uma força pequena mas real.

Todo homem que alguma vez atingiu o plano do impessoal assume uma responsabilidade perante todos os seres humanos: a de proteger, não suas pessoas, mas quaisquer frágeis potencialidades ocultas que nelas houver, capaz de transpô-las para o impessoal.

Trechos de "A personalidade humana" em *Selected Essays*, 1934-43,
pp. 13-16

corpo é esquecido e se definha. É como se ele dissesse: "Não sou importante, ignore-me"; e, ao mesmo tempo: "Por favor, me alimente, tenho fome." Mesmo quando essa mulher se preocupa com sua aparência e suas roupas – interesses de Afrodite – verificaremos muitas vezes que, na realidade, a imagem que ela tem de seu corpo é puramente mental e não sensual, totalmente carente de substância ou corporalidade.

O que, então, aconteceu ao elo que havia entre Atena e seu corpo? Entre ela e sua mãe? E Deméter? E Afrodite?

O mito grego do nascimento de Atena nos diz que sua verdadeira mãe foi Métis, uma Titã pertencente à raça pré-olimpiana de divindades que foram posteriormente suprimidas pelo patriarcado. O ato de engoli-la foi a maneira astuta de Zeus se assegurar de que não teria um filho para destroná-lo (um constante pesadelo patriarcal) e, ao mesmo tempo, de incorporar em si a "sabedoria" dela – pois é isso que significa a palavra grega *"metis"*. Se Métis era uma Titã, então era uma deusa do período matriarcal que descrevemos no capítulo introdutório e, portanto, sua "sabedoria" é nada mais nada menos do que a própria consciência matriarcal proclamando o eterno ciclo místico de nascimento e morte, mudança e transformação. Como Deméter foi a única deusa que sobreviveu intacta com o conhecimento iniciático desses mistérios, é lícito afirmar que, na qualidade de Deusa-Mãe em nossa sêxtupla tipologia, ela é a que mais se aproxima de Métis.

Psicologicamente falando, Métis/Deméter representa a função maternal que foi separada em Atena. Essa função ausente nela foi substituída por um acalentar *espiritual* do pai – mas de um pai em guerra psíquica com o princípio materno. Aquilo de que Atena está mais distante e de que ela mais necessita são, justamente, a natural meiguice protetora da mãe, uma maior atenção às necessidades básicas do corpo e um amor incondicional. Todas essas funções brotam espontaneamente em Deméter e, é de se presumir, na sabedoria há tanto esquecida de Métis. Mas será o destino de Atena ter que se identificar com o pai para firmar sua própria identidade no mundo? Sua tragédia é que, quanto mais agir assim, mais inevitavelmente incorporará em si a negação *dele* do princípio materno, amarguradamente alienando-se dos aspectos maternais de sua própria identidade.

Jung descreveu em termos vívidos a que extremos dolorosos a rejeição inconsciente da mãe pode levar a mulher-Atena. Suas palavras merecem ser citadas, pois resumem as diversas manifestações arquetípicas que a supressão de tudo aquilo que é instintivo e corporal pode provocar quando a mulher despreza os aspectos de Deméter e/ou Afrodite de sua natureza. Ele chama essa negação de "exemplo supremo do complexo materno negativo", dizendo o seguinte:

> O lema desse tipo é "qualquer coisa, desde que não seja como mamãe". [...] Essa espécie de filha sabe o que *não* quer, mas em geral está completamente desnorteada quanto ao destino que escolheria para si. Todos os seus instintos estão concentrados na mãe sob a forma negativa da resistência e, portanto, não têm utilidade alguma para construir sua vida. [...] Todo processo instintivo depara-se com dificuldades inesperadas: ou a sexualidade não está a contento, ou os filhos não são desejados, ou as obrigações maternais são insuportáveis, ou as exigências da vida de casada são recebidas com impaciência e irritação. [...] Resistência à mãe enquanto *útero* é algo que tende a manifestar-se em distúrbios menstruais, incapacidade de conceber, aversão à gravidez, hemorragias e vômitos excessivos

durante a gestação, abortos espontâneos, e assim por diante. A mãe, enquanto *matéria*, talvez esteja por trás da impaciência dessas mulheres com os objetos, da maneira canhestra de elas lidarem com instrumentos e utensílios de cozinha, e de seu mau gosto em se vestir.

"Aspectos psicológicos do arquétipo materno", pp. 24-25

Nessa descrição vívida de Jung, vemos Atena ferida ao máximo, profunda e frustrantemente separada das raízes de sua feminilidade, presa num círculo vicioso cuja realidade sua mente nega. Embora possa encontrar um certo apoio no mundo paternal de sua carreira ou tornar-se uma intelectual enfurecida, essa mulher-Atena ferida acaba constatando que é incapaz de atuar plenamente em qualquer um dos dois planos, de tal forma suas perturbações lhe consomem as energias. Na realidade, ela irá lançar o excesso de sua raiva superabundante contra a mãe sobre os homens e o mundo paternal em geral – retirando-se, talvez, cheia de amargura para uma vida de pobreza com uma ínfima pensão-maternidade do governo, ou ingressando num grupo feminista radical, ou juntando-se a uma comunidade de lésbicas que prontamente a incentivam a comprazer-se em sua raiva.

Não mais uma mera radical, essa Atena ferida se tornou praticamente uma niilista, estando quase possuída por uma deusa da morte como a Medusa ou Káli, da tradição hindu. E, infelizmente, por mais que a vivência em grupo ou o amor lésbico possa proporcionar-lhe um pouco da meiguice e acalento maternal de que tanto necessita, a verdadeira chaga, aquela dor no cerne de seu complexo, raramente será tocada. Pelo contrário, será absorvida na identidade política do grupo, o que permitirá a ela odiar os homens como se estes fossem predadores e a encarar a gravidez como "a deformação temporária do corpo em prol da espécie", nas palavras da feminista Shulamith Firestone. Quaisquer que sejam as intenções retóricas por trás de tais *slogans*, o fato é que para a Atena niilista ferida eles passam a transmitir toda a intensidade de sua raiva. Aliando-se a outras mulheres que odeiam fanaticamente os homens, ela acredita estar ajudando a criar uma versão moderna das lendárias comunidades de amazonas do mundo antigo. O companheirismo do grupo, que pode ser uma enorme fonte de criatividade para a mulher-Atena em circunstâncias mais felizes, transforma-se numa maneira politicamente legitimada de esconder sua vulnerabilidade e de enterrá-la cada vez mais fundo.

Nesses extremos, a Atena niilista é tomada de um conflito terrível e agonizante. No desespero e na frustração de sua raiva, ela continua acrescentando armas ao arsenal intelectual e passa a lançar farpas de retaliação a cada insulto ou mal-entendido que ameace seu sistema meticulosamente construído de crenças – políticas, sociais, psicológicas – sobre si mesma e sobre o mundo. Somente com as mais íntimas companheiras de armas é que chegará a se abrir, e mesmo então basicamente para concentrar-se no inimigo "lá fora" ou para solidarizar-se com as vítimas "dele". Um irônico círculo vicioso é posto em ação: quanto mais ela se enfurece com a tirania sexista e clama por justiça para suas vítimas, mais afasta de si simpatizantes de ambos os sexos, mesmo os mais liberais. Inconscientemente, é como se houvesse ativado uma das imagens mais fortes e mais enigmáticas da iconografia da Atena mítica: a cabeça de Medusa, o ser monstruoso cuja pele envolvia o peitoral da deusa, apavorando todos os que dela se aproximassem.

O escudo da Medusa

A monstruosa Medusa é uma das muitas imagens da Mãe Terrível que ocorre nos mitos e religiões de todo o mundo, uma figura que geralmente gosta de beber sangue, desmembrar corpos e devorar bebês. A Káli hindu, a Lilith hebraica, a Sheila-na-gig céltica e a bruxa balinesa Rangda são algumas das variantes mais conhecidas dessa personificação arquetípica da morte. A Mãe Terrível é o outro pólo da Mãe da Vida; juntas elas formam a oniabrangente Grande Mãe, que é ao mesmo tempo vida e morte.

Na época da ascensão da cidade de Atenas, a religião grega já há muito tempo deixara de atribuir poder à Mãe Terrível, de modo que figuras como Medusa, as Fúrias e as Górgonas passaram a ser inimigas mortais da heróica religião patriarcal que Palas Atena representava (veja o quadro, "Atena e a Mãe Terrível"). Tendo matado Medusa, a deusa Atena parece assimilar uma parte de seu poder, pois traz aquele rosto terrível sobre seu escudo.

Em termos psicológicos, poderíamos dizer que a consciência de Atena, mais alinhada com o patriarcado e o com espírito, está em conflito com uma camada ainda mais profunda da psique matriarcal do que a de Deméter-Métis, doadoras de vida. A consciência de Atena – confirmam-nos as histórias de Perseu e Orestes (veja quadro) – também está em guerra com a Mãe Terrível – que, como deusa da morte, traz em si o lado oposto, mas complementar, de Deméter. A trágica ironia da luta da mulher-Atena contra a tirania e a opressão é que, quanto mais ela as combate, mais estará manifestando o arquétipo feminino da morte e da destruição em sua armadura psíquica defensiva. Como observou Jung certa vez: "Sempre nos tornamos aquilo que mais combatemos." E, por projetar para fora esta energia através de sua *persona* ou personalidade pública, a mulher-Atena ferida permanece para sempre incapaz de integrá-la internamente. Em sua constituição psíquica, as imagens da vítima e da algoz olham em direções opostas: como vítima ferida, sua chaga é interna e oculta; mas como algoz furiosa e justiceira, volta-se para fora, buscando obsessivamente a luta, a vingança, a retribuição, em prol de alguns princípios grandiosos.

Como Atena está identificada com o mundo paternal, não importa quão inconscientemente, ela tende a herdar o medo que todo patriarca tem dos poderes da Mãe Sinistra, sem perceber que esses poderes fazem parte de sua própria constituição psíquica. Seria mais proveitoso mergulhar internamente nos recônditos inferiores de sua psique e de seu corpo em busca da vítima ferida que habita em si mesma – que quase sempre terá sido aprisionada em alguma parte do mundo subterrâneo por algum tirano interior herdado do inconsciente do mundo paternal.

O que falta na psicologia e nos mitos de Atena é um modelo para a transformação da "donzela" que permanece dentro de si. Apesar de todos os motivos – culturais e pessoais – apresentados até aqui, a consciência de Atena se adaptou tão bem às estruturas patriarcais/intelectuais prevalecentes do mundo moderno que a mulher-Atena incorporou alguns dos valores fixos do tipo "e/ou" ou "tudo ou nada" dessa cultura em sua maneira masculina de estruturar o ego. Algo dessa rigidez deve desaparecer antes que ela possa avançar dos valores imutáveis, *eternos*, da mente para os valores *cíclicos* da consciência matriarcal. O que se faz necessário é alguma espécie de sacrifício para que a energia represada nos domínios superiores possa fluir para baixo e recombinar-se com as energias inferiores mais obscuras que se tornaram puramente destrutivas ao serem isoladas do fluxo cíclico.

ATENA E A MÃE TERRÍVEL

No mito de Perseu e Medusa, Atena representa um papel de guia e guardiã, juntamente com o deus Hermes. Perseu fora incumbido de trazer para seu ciumento padrasto, o rei Polidectes, a cabeça de uma das três monstruosas Górgonas, a de nome Medusa. O rei obviamente acreditava que poderia livrar-se de Perseu enviando-o para essa missão, pois todo mortal que olha Medusa transforma-se em pedra. Entretanto, depois de várias aventuras, Hermes e Atena acorrem em auxílio de Perseu. A ajuda de Atena consiste basicamente em ofertar a ele em escudo de bronze polido, em que poderá ver o reflexo de Medusa sem petrificar-se (literalmente, "tornar-se pedra") quando for matá-la. Ele é bem sucedido nesse empreendimento, decepando a hedionda cabeça cheia de serpentes que se retorciam.

Autores psicanalíticos freudianos e junguianos interpretaram esse mito como a luta de um jovem contra a imagem devoradora e possessiva da feminidade que a criança vê inicialmente na mãe. Quando bebê, o menino teme ser engolido pelo próprio útero materno, que é imaginado como uma "vagina dentata", uma vagina com dentes. Em sua forma universal, Erich Neumann chama essa imagem monstruosa de arquétipo da Mãe Terrível, visto que existe na iconografia de todas as culturas matriarcais de uma forma ou de outra.

Em geral, um jovem herói tem de matar algum monstro desse tipo como prova iniciática que irá separá-lo da influência regressiva do poder da mãe em seu inconsciente. Na história de Perseu, Atena representa a mãe superior ou espiritual que pertence ao patriarcado que Perseu conquista como seu espírito guardião.

Visto da perspectiva histórica mais ampla do embate entre o matriarcado e o patriarcado, Perseu, cujo nome significa "destruidor", age em prol do patriarcado para suprimir a antiga consciência matriarcal. Pois, como afirma Robert Graves, a Górgona Medusa já era inimiga mortal de Atena, o que vale dizer, uma religião matriarcal rival que precisava ser suprimida por um de seus guerreiros heróicos. Para Graves, a face hedionda de Medusa é a máscara profilática de uma sacerdotisa lunar destinada a afugentar os não-iniciados dos ritos secretos. Ao vesti-la, Atena assume o aspecto terrível da Grande Mãe sem, todavia, transmitir qualquer um dos significados mais profundos dos mistérios cíclicos lunares da vida e da morte (melhor compreendidos por intermédio de Deméter e de Perséfone, para usarmos duas outras deusas que discutiremos mais adiante neste livro).

Outro herói que Atena protege da Mãe Terrível e cuja profanação do poder matriarcal ela apóia é Orestes. Quando ele assassina a mãe para defender a honra do pai, é perseguido pelas Erínias, também conhecidas como Fúrias. É somente oferecendo um sacrifício no altar de Atena que ele pôde ser absolvido do matricídio. Dali em diante, as Erínias agirão de maneira submissa, como benfeitoras do patriarcado, embora novamente Graves afirme que elas representam outro sacerdócio matriarcal subjugado pela religião patriarcal ateniense. Como eram três as Górgonas e três as Erínias, parece razoável supor que essa triplicidade representava a própria Grande Mãe Tríplice em si (veja o capítulo sobre Deméter).

O uso excessivo da mente pode muitas vezes ser o principal mecanismo de defesa de Atena. Mesmo que esteja seriamente propensa a examinar-se a fundo, ela acabará escolhendo grupos ou terapias que reforcem seus preconceitos intelectuais com mais conversas e discussões. Uma Atena sagaz pode enganar até o melhor dos psicoterapeutas por anos com uma vasta gama de soluções aparentes e um simulacro de melhoria sem jamais se confrontar com seu eu corporal. Às vezes, suas imagens oníricas incluirão esquiaquático e patinação, ou então sonhará que está voando, indícios de que permanece emocionalmente na superfície ou mentalmente "nas alturas". Outras vezes poderá até sonhar que foi decapitada, como se o inconsciente estivesse tentando lhe dizer, de maneira ainda mais dramática, para deixar a cabeça um pouco de lado. O melhor que poderá fazer nesses momentos é sair para dançar ou ser massageada, ou procurar um terapeuta que saiba lidar também com o corpo.

A imagem grega de Atena como uma donzela de espada e armadura sugere enorme tensão entre uma rija *persona* "masculina" externa e uma interioridade feminina hipersensível e extremamente vulnerável, embora atrofiada ou virginal por permanecer intocada. Até mesmo as mais bem-sucedidas e carismáticas mulheres-Atena revelarão em terapia o quanto na verdade se sentem inseguras e ansiosas por dentro, a despeito de tudo o que realizam externamente e de todo o reconhecimento que recebem. Em um de nossos seminários, uma respeitada professora de psicologia nos contou que certa vez fizeram um videoteipe dela dirigindo uma sessão de terapia em grupo. Pelo que se lembrava da sessão, ela estava muito nervosa e pouco arguta, e só conseguira se comunicar precariamente com o grupo. Ao assistir à fita, porém, ficou chocada quando descobriu como parecia confiante, cheia de energia e carismática para o mundo exterior.

Essa experiência da cisão entre a frágil donzela interior e a rija e obstinada lutadora exterior tende a ser aceita como algo natural pelas mulheres que vivem intensamente no mundo de Atena. Visto que interiormente elas se percebem como pessoas sensíveis e que relegam sua *persona* por *saber* tratar-se apenas de uma fachada, essas mulheres parecem não estar cientes do efeito que sua identidade exterior tem sobre as outras pessoas. Eis aqui o paradoxo que nos leva ao cerne da chaga de Atena: quanto mais ela encobre a donzela vulnerável, mais impetuosa se torna sua armadura protetora e mais inconsciente estará dela. O âmago da chaga de Atena é a chaga em seu âmago, e é justamente sobre o coração, sobre o peitoral, que muitas imagens gregas colocam a cabeça de Medusa. Em linguagem psicológica, a camada mais grossa da estrutura defensiva será aquela mais próxima do cerne do complexo. Pois, como um animal machucado, a mulher-Atena profundamente ferida irá afugentar com selvageria todos aqueles que mais poderiam ajudá-la, pois não tem como desarmar suas defesas, tirar sua armadura e expor a essência nua e infinitamente sensível de sua feminilidade. No romance de D. H. Lawrence, *Women in Love*, em que a aristocrática e intelectualizada Hermione é uma caricatura de Atena, o herói, Birkin, volta-se para ela num momento de ódio e repulsa e a acusa de ser fria e desalmada. Incapaz de conter a própria fúria, ela toma nas mãos um enorme cristal e o esmaga contra a cabeça dele. Ao sentir sua armadura ser assim penetrada tão insensivelmente, tamanha é a dor de ver-se exposta que Hermione retalia com toda a violência mortífera de Medusa.

Quando sua armadura já se enrijeceu e sua fúria paira à flor da pele, como armadilha pronta a fechar suas garras sobre quem se aventurar perto demais, a mulher-Atena profundamente ferida se torna incapaz de ver que, na realidade, a meiguice e a vulnerabilidade seriam o portal de entrada para os aspectos perdidos

SIMONE DE BEAUVOIR VÊ A MULHER LIVRE
SOB O PRISMA DE ATENA

A mulher livre está acabando de nascer; quando houver obtido pleno domínio de si mesma, talvez a profecia de Rimbaud seja cumprida: "Haverá poetas! Quando a desmedida servidão da mulher for rompida, quando ela viver para si e por si mesma, o homem – até então execrável – a terá deixado partir, e ela, também ela, será poeta! A mulher encontrará o desconhecido! Serão os mundos de suas ideações diferentes dos nossos? Ela irá se deparar com coisas estranhas, insondáveis, repelentes, cheias de maravilha; nós as tomaremos, nós as compreenderemos". Não é certo que os "mundos de suas ideações" serão diferentes dos dos homens, pois será atingindo a mesma situação que a deles que ela permanecerá diferente. E dizer até que ponto essas diferenças manterão sua importância seria aventurar previsões de fato ousadas. O certo é que até hoje as possibilidades da mulher foram suprimidas e perdidas para a humanidade, e que já é mais do que hora de se permitir que ela se arrisque em seu próprio interesse e no interesse de todos. [...]

Emancipar a mulher é recusar-se a confiná-la às relações que ela mantém com o homem, não negá-las a ela. Que a mulher tenha uma existência independente, e ela continuará, não obstante, a existir para ele *também*: ao se reconhecerem mutuamente como sujeitos, ambos todavia permanecerão um para o outro como um *outro*. A reciprocidade de suas relações não porá fim aos milagres – desejo, posse, amor, sonho, aventura – nascidos da divisão dos seres humanos em duas categorias distintas; e as palavras que nos tocam – doação, conquista, união – não perderão seu sentido. Pelo contrário, quando abolirmos a escravidão de metade da humanidade, juntamente com todo o sistema de hipocrisia que ela implica, a "divisão" da humanidade revelará seu verdadeiro significado e o casal humano encontrará sua verdadeira forma.

The Second Sex, pp. 795, 813-14

de sua feminilidade, o ponto de encontro com as outras deusas com as quais perdeu o contato. Linda Leonard, ao descrever o fenômeno da armadura na mulher em *The Wounded Woman*, diz que, "na medida em que a armadura as protege de seus próprios sentimentos femininos e de seu lado mais meigo, essas mulheres tendem a alienar-se de sua própria criatividade, de relacionamentos saudáveis com os homens e da espontaneidade e vitalidade de viver-se o momento presente" (p. 18).

Bem no fundo, Atena perdeu o contato com as duas deusas do amor: o amor maternal de Deméter e o amor sensual de Afrodite – ambas deusas que vivenciam os próprios corpos e que, por sua meiguice e vulnerabilidade, estão dispostas a arriscar intimidade nos relacionamentos e dispostas também ao risco de sofrer dor e perda.

Atena ferida: um exemplo moderno

Quando Kate, uma jovem atraente de vinte e oito anos, buscou terapia pela primeira vez, ela parecia querer usar todo o seu tempo para atacar a instituição em si da terapia como um desperdício de tempo e dinheiro. Todavia, como continuou comparecendo às sessões, ficou evidente que estava aproveitando algo, ainda que fosse apenas o prazer de ridicularizar a terapeuta. Na realidade, o que estava fazendo era testar se aquele seria um lugar seguro para manifestar seus sentimentos. Ela aprendera que a melhor forma de defesa é o ataque, de modo que primeiro partiu para encontrar frestas na armadura da terapeuta. Como a terapeuta não lhe respondeu na mesma moeda, a disputa que antecipara foi frustrada; mas pelo menos não fora chutada para fora do consultório e, afinal de contas, ainda continuava ditando as regras do jogo.

Lenta e dolorosamente, Kate começou a retirar os espinhos de sua armadura e a falar um pouco de si mesma: "Vou lhe contar o que estou sentindo, mas saiba que não dou a mínima para o que você pensa", advertiu ela. Acabou ficando claro que a provocação e a raiva estavam associadas a uma mãe extremamente cruel e desafetuosa, em que ela naturalmente temia que a terapeuta se transformasse. Sua mãe tinha por hábito deixá-la trancada no quarto e durante toda a infância nunca lhe serviu um prato quente de comida. Em outra ocasião, essa mulher foi encontrada na garagem tentando matar um gato perdido a pontapés. Excluindo-se as mães esquizofrênicas ou fisicamente abusivas, a mãe de Kate foi um dos casos mais injuriosos da função de Deméter que nós já conhecemos. Kate desconhecia totalmente o que era o amor materno, pois sua mãe passara a vida toda mergulhada no rancor e na amargura, buscando neuroticamente que o marido e a filha se compadecessem dela e lhe dessem atenção. Kate acabou finalmente admitindo que sua mãe também batia nela com freqüência.

A condição psicológica de Kate lembrava a de uma corda de piano bem tesa. Falando e fumando sem cessar, ela dava a impressão de que se fosse tocada inesperadamente daria um pulo de meio metro no ar. Era bastante magra, com o peito parecendo extremamente preso ou apertado. Em certa ocasião, revelou uma fantasia em que estava rodeada por uma chapa de vidro; em outra, a de estar sozinha numa ilha, escondendo-se das pessoas que lá chegavam. As descrições de seus relacionamentos sexuais eram sentimentais e românticas, com os detalhes físicos sendo atenuados em favor dos interesses intelectuais que tinha em comum com os parceiros de cama.

Debaixo de toda a sua raiva, Kate admitiu uma profunda sensação de "não me sentir eu mesma", em suas próprias palavras. Não tinha dentro de si outro sentimento vívido e imediato que não fosse a raiva, e freqüentemente se retraía em um mundo fantasioso de lugares longínquos, quase sempre campestres. Certo dia, viu-se caminhando à beira de um rio, parecido com um que conhecera no Colorado, e lá encontrou uma índia muito gorda, de quem gostou imensamente. Essa figura, a Moça Gorda, como nós passamos a chamá-la, tornou-se o fator de cura na terapia, mais poderoso do que qualquer coisa que a terapeuta pudesse oferecer. Era uma manifestação, uma epifania talvez, da deusa Deméter, trazendo consigo todo o amor, carinho e acalento de que Kate carecera quando criança. Depois de pintar a Moça Gorda diversas vezes e de dialogar com ela em seu diário pessoal (que resolutamente recusou-se a mostrar para a terapeuta), uma notável transformação começou a ocorrer em Kate. Era como se sua linguagem corporal fria e rígida estivesse lentamente se abrandando e ela começasse a se soltar, tornando-se acessível a uma nova fonte de energia dentro de si.

Kate começou então a falar do pai, praticamente pela primeira vez. Ela aprendera a vê-lo como um homem fraco que se esquivava das brigas familiares e jamais assumia posição sobre coisa alguma. Começou também a ver que, em seus próprios relacionamentos, ela fora atraída por homens mais velhos que sempre acabavam desapontando-a, como o pai a desapontara, e que sempre tivera que fazer todas as coisas sozinha. Kate começou a ver como adotara a atitude rancorosa da mãe diante dos homens fracos ao tornar-se ela própria forte. E viu que, como a mãe, passara a sentir-se sozinha e não amada, presa às decepções da infância, incapaz de crescer emocionalmente. Ela aprendera a usar sua mente ágil e brilhante para conquistar a atenção dos professores e, posteriormente, a de homens mais velhos.

Nesse ponto da terapia, surgiu um amante em sua vida, um físico teórico meigo, meio acanhado, e quase de sua idade, para variar. A sensibilidade dele espelhava a dela de certo modo, pois também tendia a viver mais na cabeça e num mundo fortemente delineado de fantasias. Houve dificuldades sexuais no relacionamento de ambos, mas os dois as enfrentaram juntos bravamente. Ele se dispôs a fazer terapia e se beneficiou muito ao partilhar sua vida interior tão cuidadosamente vigiada. Era como se ambos enfrentassem o mesmo problema, como se de certo modo um espelhasse o outro. Devido ao medo que tinham do corpo e dos sentimentos intensos, os dois haviam aprendido a buscar refúgio nas fantasias, seguras e possíveis de controlar. Lentamente, porém, visto que tiveram a coragem de expor suas vulnerabilidades um ao outro e de viver um amor genuíno e não manipulador, sua vida sexual começou a se abrir e a florescer. Afrodite havia surgido, ofertando-lhes seus dotes mais preciosos, que somente dois amantes que derrubaram todas as suas defesas podem conhecer, pois, nas palavras de John Donne, eles agora "não velam mais um pelo outro em medo e temor".

Ao fundo, a Moça Gorda continuava sua vigília, sendo uma companheira constante dos devaneios interiores de Kate. Quando ela veio para sua última sessão, perguntou o que a terapeuta achava de ela se casar com seu novo amante. A terapeuta hesitou, e disse: "Por que você me pergunta isso? Você sempre despreza automaticamente minhas opiniões." "É verdade, mas me diga assim mesmo o que você pensa", retrucou ela. "Acho uma idéia maravilhosa", disse a terapeuta, cheia de espontaneidade. "Você tem razão", disse Kate, "é o que a Moça Gorda também disse." Tão forte se tornara sua ligação interior com Deméter na forma da Moça Gorda que Kate não precisava mais da terapeuta. Uma nova fase em sua vida estava prestes a iniciar-se. Havia acontecido um verdadeiro diálogo interior entre a Atena que havia dentro dela e aquilo que também carregava de Deméter e Afrodite. Ninguém poderia dizer que seria tudo tranqüilo dali para a frente – as deusas têm elas próprias opiniões fortes e são famosas por suas disputas – mas, para Kate, possibilidades e maneiras de ser inteiramente novas passaram a existir. Ela não era mais prisioneira das chagas de uma única deusa isolada e infeliz – fosse em termos pessoais ou coletivos. E podia então ouvir dentro de si a animada dialética das deusas, fazendo suas próprias escolhas a fim de viver uma vida mais livre e mais plena.

Três

Ártemis: o coração da caçadora solitária

> *Vinde com arcos curvados e aljavas a esvaziar,*
> *Virgem mais que perfeita, dama de todas as luzes,*
> *Com um murmúrio de ventos e o ruído de muitos rios,*
> *Com um clamor de águas, e uma grande pujança;*
> *Atai vossas sandálias, Ó esvaecente donzela,*
> *Sobre a celeridade e esplendor de vossos pés;*
> *Pois o pálido oriente se aviva, e o lívido ocidente estremece,*
> *Volvendo do dia os pés e da noite os pés.*

Algernon Charles Swinburne, coro de *Atalanta in Calydon*

Ártemis no mundo moderno: uma deusa deslocada

Ártemis não se destaca muito no mundo moderno. Ela não se sente verdadeiramente à vontade na cidade, com seu ritmo acelerado e altamente tecnológico de vida e seus valores de ascensão social. Quando a encontramos no meio urbano, ela nos parece tímida, esquiva, reservada. "Bater papo" é algo que não lhe interessa, e ficamos com a impressão de que preferiria estar em outro lugar em vez de ficar conversando pelas ruas ou em um restaurante. Em função da vigorosa energia que ambas transmitem, é fácil confundi-la com sua irmã Atena. Mas a energia que captamos em Ártemis não é mental; provém de seu corpo ágil e atlético, que adora envolver-se fisicamente no projeto do momento.

Uma outra pista são suas roupas. Ártemis não se veste com a sofisticação profissional da mulher-Atena. Com seus *jeans* desbotados e suas camisas folgadas, ela parece que acabou de ajudar na mudança de alguém, ou que está a caminho da academia de ginástica. E, caso a encontremos uma segunda vez, provavelmente estará vestida tão informalmente quanto da primeira. As roupas, seja como insígnias de *status*, seja como um meio de chamar a atenção (a preocupação de Afrodite), simplesmente não lhe parecem ser importantes.

O motivo é simples: a mulher-Ártemis está ligada apenas superficialmente ao mundo "civilizado". Ela não se sente à vontade na cidade porque, no fundo, seu lugar são os campos e as florestas. Para os gregos antigos, Ártemis era a deusa dos lugares agrestes, habituada a caçar nas montanhas e a seguir o ritmo dos animais, e em harmonia com os ciclos da Lua (veja o quadro "Para Ártemis").

A palavra-chave para Ártemis é, portanto, *Natureza*. Nesse aspecto, é o oposto daquela com quem tanto se parece em outros aspectos, sua irmã Atena, cujo dom hoje é permitir que as mulheres prestem grandes contribuições à vida intelectual, política e criativa de nossas cidades e, conseqüentemente, à qualidade de nossa *civilização* (que é *sua* palavra-chave). Atena e Ártemis, ambas cheias de energia e com o espírito independente, têm muito em comum: para nós, são as duas irmãs mais próximas na Roda das Deusas, e como a ligação entre ambas é de extrema importância para as mulheres modernas, iremos compará-las e contrastá-las repetidamente neste capítulo.

Para encontrar a mulher-Ártemis em seu próprio ambiente, é preciso sair das cidades e das estradas. Talvez tenhamos até que deixar o automóvel para trás. Poderemos encontrá-la cavalgando à frente de excursões pelas Montanhas Rochosas ou cultivando um sítio no norte da Califórnia. Talvez a encontremos em roupa de mergulho em uma equipe de biólogos marinhos, ou fotografando a fauna e a flora do Alasca para o boletim interno do Sierra Club. Ela pode ser uma pintora ou escultora, vivendo como a artista Georgia O'Keeffe à beira do deserto no Novo México. Ou pode morar em alguma comunidade experimental, como a famosa The Farm, de Stephen e Ina May Gaskin, no Tennessee.

A mulher-Ártemis costuma apreciar um estilo rude de vida e, em termos físicos, está magnificamente bem preparada para isso. Há algo intensamente juvenil, e por vezes uma puerilidade de rapazote, no físico da mulher-Ártemis. Mesmo depois de idosa, ela manterá um corpo ativo e cheio de energia, sempre em forma e bem conservado. É extremamente raro existir uma Ártemis sedentária ou com excesso de peso. Ela gosta de caminhar, correr e praticar esportes competitivos sempre que pode, ou então de cuidar de animais, velejar, cavalgar – tudo o que a mantiver ao ar livre e em agitação. É a energia física, a energia vital, que a impele, não a energia mental de sua irmã Atena nem a energia erótica de Afrodite.

Em razão de toda essa energia física e dessa intensa vontade de fazer coisas, os homens costumam mostrar-se um pouco apreensivos diante dela. Ela é capaz de correr mais depressa, escalar melhor ou levantar mais peso do que muitos homens. Freqüentemente, parece estar apta a viver perfeitamente bem sem os homens. Na realidade nem ela nem sua irmã Atena tiveram um consorte ou amante conhecido na mitologia popular grega. Em termos psicológicos, isso é porque ambas representam tipos de mulheres que já nascem com fortes qualidades "masculinas" em sua constituição.[1] Poderíamos dizer que Atena tem a cabeça dura, enquanto Ártemis tem o corpo rijo. Homens que não conseguirem acompanhar seu estilo ativo e muitas vezes muscular farão bem em manter distância.

No século passado, nos Estados Unidos e nas colônias européias da África e da Ásia, muitas mulheres foram obrigadas a adotar um estilo de vida mais

---

1. Estamos cientes de que esse é um termo carregado e que as mulheres-Ártemis são particularmente sensíveis a seus significados e também aos da palavra *feminino*). Resumindo, por "masculino" queremos dizer aquelas qualidades *ativas, combativas* e *independentes* que, de maneira estereotipada, são incentivadas nos meninos e desestimuladas nas meninas. Nós *não* acreditamos que pertençam exclusivamente à psique masculina, como iremos explicar em detalhe.

PARA ÁRTEMIS

Canto da Ártemis radiante das flechas douradas;
deusa da selvagem caçada, que mata tantos e tantos veados;
eis a minha bênção, Virgem sagrada, grande irmã de Apolo
da espada de ouro.

Nas sombras dos morros, pelos cumes ventosos
dos montes, eu a ouço caçar;
retesa o potente arco dourado e
lança suas setas fatais.

Os picos de altas montanhas estremecem,
ecoa em sombrias florestas o bramir de todas as feras
fugindo em terror. Treme a Terra inteira;
e o mar e sua abundância.

Dardejando ao ir e ao vir, indômito o seu coração,
– matar, matar, matar –
animais de toda espécie e estatura.

Satisfeito então o seu grande apetite,
e aplacada a sua paixão pela caça,
deita de lado, sem fio, o arco poderoso.

Busca agora na relva das colinas de Delfos,
seu irmão, esplêndido átrio de caro Apolo
onde invoca Graças e Musas:

Seu arco, sem fio, suas setas deixadas de lado,
ela veste em si trajes de encanto,
e comanda uma dança sagrada
Com canções para a Leto dos belos tornozelos –

Leto, que filhos e filhas pariu
tais que jamais se vira no mundo!
Suprema no agir, suprema no saber.
Eminência dos deuses.

Adeus, filhos diletos de Zeus e de Leto,
de você de lindos cabelos,
de você eu cantarei outra vez.

De *Hinos homéricos*,
(tradução para o inglês dos autores)

próximo do de Ártemis como colonizadoras ou pioneiras. Isso foi particularmente verdade para as mulheres que desbravaram o oeste americano. Anne LaBastille coletou muitas histórias dessas mulheres em seu fascinante livro *Women and Wilderness*. Algumas dessas esposas-pioneiras foram uma Ártemis reluzente, execrando o ambiente selvagem em que viviam, sentindo eterna nostalgia do conforto da costa leste ou da Europa que haviam deixado para trás. Para outras, porém, a vida agreste deixou de ser "um campo de batalha e se tornou um lugar de plenitude pessoal e realização profissional", nas palavras de Anne LaBastille. Eis abaixo, por exemplo, o que disse uma das colonizadoras satisfeitas, Elinore Pruitt Stewart, sobre sua vida numa fazenda de gado no sertão do estado de Wyoming na virada do século:

> Para mim, desbravar e colonizar é a solução para todos os problemas da pobreza, mas estou ciente de que o temperamento tem muito a ver com o sucesso de qualquer empreendimento, e que pessoas com medo dos coiotes, do trabalho e da solidão devem deixar a vida rural para outros. Por outro lado, qualquer mulher que consiga suportar sua própria companhia, que saiba apreciar a beleza do pôr-do-sol, que ame cultivar e que se disponha a dedicar tanto tempo ao trabalho esmerado quanto à tina de lavar roupa, certamente será bem-sucedida; ela terá independência, sempre bastante alimento e, no final, uma casa para si. [...]
>
> Já fiz todos os tipos de serviços que este sítio exige, e me mostrei capaz de executar todos. É verdade que sou mais forte que a média, mas quem já tentou sabe que a força e o conhecimento vêm do ato de fazer. Eu simplesmente adoro experimentar, trabalhar, testar coisas, de modo que me dou muito bem com a vida agreste aqui na fazenda.
>
> De *Letters of a woman Homesteader*,
> citado por LaBastille, pp. 28-29

Neste século, porém, a tendência se inverteu. Temos observado que muitas mulheres-Ártemis hoje são mais frustradas do que imaginam, basicamente por estar vivendo na cidade. Esse quase culto à ginástica altamente disciplinada e à modelagem física das mulheres, quando visto da perspectiva das deusas, deixa transparecer uma enorme reserva de energia artemisiana não aproveitada. Dentro de muitas atletas citadinas em perfeita forma física existe uma antiga amazona que anseia por um estilo de vida radicalmente diferente.

Felizmente, nos últimos quinze ou vinte anos, muitas mulheres reconheceram e aceitaram este "chamamento da selva" interior. Em *Women and Wilderness*, um livro que toda mulher que sente Ártemis se agitar dentro de si deve ler, Anne LaBastille descreve o processo pelo qual "as mulheres estão vivendo, trabalhando e se divertindo, por livre escolha e em número cada vez maior, em um ambiente agreste".

Nós concordamos inteiramente com LaBastille que se trata de um verdadeiro fenômeno social. Eis como ela resume essa tranqüila revolução:

> Por todo o nosso continente, as mulheres estão ingressando em bastiões tradicionalmente masculinos de trabalho e vida agreste. Podemos encontrá-las atuando como técnicas florestais, guardas de parques, biólogas marinhas, estudiosas de animais selvagens, especialistas em sobrevivência e em armas de fogo, caçadoras, pescadoras, esportistas ou

simplesmente sertanistas. Às vezes sozinhas, às vezes com a família, elas estão provando sem sombra de dúvida que as mulheres *têm* de fato a selva dentro de si (p. 1).[2]

Ártemis está viva, bem viva, em nosso meio. E está modificando a consciência de muitas mulheres. Ela é muito menos óbvia que suas irmãs Atena, Afrodite ou Hera; mas está presente, não obstante. E, dada sua profunda empatia com a terra e com todos os seres vivos, hoje seriamente ameaçados pelo desvario da espoliação tecnológica, da poluição e da ganância, ela, dentre todas as deusas, talvez possua a mensagem mais premente para todos nós (veja o quadro, "O retorno de Ártemis").

Ártemis clássica: da Grande mãe a deusa virgem da caça

Todos nós conhecemos a imagem de Ártemis (mais tarde a Diana romana) como uma deusa lunar esguia, virginal e seminua, acompanhada por seus cães e trazendo um arco dourado nas mãos. Nesses quadros, como em muitas versões populares dos mitos gregos, ela aparece pura e bela, mas um pouco sem vivacidade. É como se houvesse sido admitida à presença dos outros deuses e deusas do Olimpo como uma amante simbólica da natureza; alva e virginal, mas ingênua nos meandros mundanos do patriarcado.

Uma das fontes dessa imagem marcante, mas essencialmente tímida, da deusa virginal é a epopéia *A Ilíada*, de Homero. Numa cena famosa próxima do final do livro, os deuses reclamam do resultado da Guerra de Tróia depois que os diversos campeões heróicos, como Aquiles, encontraram seu fim. Num momento crítico, Ártemis repreende seu irmão, Apolo, por ter ele se retirado do combate. Imediatamente, como uma velha madrasta mandona, Hera toma-a pelos punhos, esbofeteia suas orelhas e espalha suas flechas pelo chão. Aos prantos, Ártemis dirige-se ao pai Zeus, que a toma no colo e a consola. Claramente, não devemos vê-la a não ser como uma garotinha.

Como tantos mitos gregos, esta cena é um exemplo lamentável de quanto o poder primordial da Deusa-Mãe teve que ceder lugar à glória posterior dos patriarcas e dos heróis guerreiros. Ninguém, partindo d'*A Ilíada* ou de muitos outros mitos gregos, poderia supor que Ártemis era na realidade a deusa grega mais popular e que seu culto superava o de Deméter, de Atena ou de Afrodite. Não obstante, Martin Nilsson, o grande estudioso da religião grega, nos diz:

Ártemis era a deusa mais popular da Grécia. Mas a Ártemis da crença popular era uma pessoa bem diferente da virgem altiva da mitologia, irmã de Apolo. Ártemis é a deusa da natureza selvagem; ela ronda as florestas, os bosques e as campinas verdejantes, onde a "célere Ártemis" caça e dança com as ninfas que a acompanham. Ela protege e acalenta os rebentos dos animais e as crianças humanas. Em seu culto, estão presentes danças orgiásticas e o ramo sagrado. [...] Um tema favorito da arte arcaica é a figura outrora denominada "Ártemis persa" e hoje "Senhora dos Animais", uma

---

2. Nesta última frase, LaBastille está se referindo a um poema bastante comovente chamado "Women", que lamenta a perda do espírito artemisiano. Foi escrito por Louise Bogan na década de 20, e a primeira estrofe diz: "As mulheres não têm a selva dentro de si / São em vez disso providentes. / Aceitando na câmara ardente de seus corações / Comer pão poeirento."

O RETORNO DE ÁRTEMIS

A Virgem Ártemis, arquétipo de uma feminilidade mais pura e mais primitiva, começa a tornar-se importante novamente. Por muito tempo, permanecemos sem representação da feminilidade absoluta, isto é, que não fosse definida pela sua relação ou com um amante (Afrodite), ou com um filho (Deméter ou Maria, Mãe de Jesus), ou com um pai (Atena), ou com um marido (Hera).

Na verdade, a feminilidade raramente é representada em termos absolutos, mas sempre em relação com alguma outra realidade do mundo masculino. Em geral, quando uma mulher se retira para um território fechado aos homens, ela é vista como um pária, uma feiticeira ou uma louca. Quando retratada na literatura, no cinema ou na televisão, a virgindade feminina geralmente surge numa história em que um homem invade esse domínio e transforma a virgem numa "mulher de verdade" – como se a feminilidade jamais pudesse ser completa em si mesma. Quanto à mulher que ousa persistir em seu retiro, passam-nos a impressão de que ela é feia demais, mal-humorada demais ou, de alguma forma, deficiente. Ela inspira mais desconfiança do que estima. Em contraste, admiramos figuras de ermitões, sábios, iluminados ou simplesmente homens solitários; eles não nos são apresentados como incompletos por manterem distância do sexo oposto ou por se preservarem castos.

Ártemis, que é lindíssima, tão linda quanto Afrodite para alguns, vem assim santificar a solidão, a vida natural e primitiva à qual todos podemos retornar quando julgarmos necessário nos relacionar apenas com nós mesmas. Amazona e arqueira infalível, Ártemis garante a nossa resistência a uma domesticação que seria completa demais.

Além disso, como protetora da fauna e da flora, ela é a figura mais diretamente ligada ao debate ecológico contemporâneo e às opções sociais dele decorrentes.

Ginette Paris, *Pagan Meditations*, pp. 109-10

mulher segurando em suas mãos animais de quatro patas ou pássaros de diversos tipos.

A History of Greek Religion, p. 28

Um dos mais grandiosos templos do mundo grego era dedicado a Ártemis: o famoso templo a Diana, em Éfeso, na Ásia Menor (hoje Turquia). Uma gigantesca estátua da deusa, que chegou até nós através de cópias romanas, mostra-a com muitos seios, inconfundivelmente a Mãe que a todos alimenta. Na realidade, não resta dúvida de que esta Ártemis era a própria Grande Mãe, tríplice em seu poder como a lua nova, a lua cheia e a minguante: Virgem, Mãe e Anciã.

Porém, como já vimos repetidas vezes, o patriarcado grego veio a julgar mais satisfatório manter esses poderes separados. De modo que restringiram o papel da Mãe basicamente a Deméter, imputaram a proximidade da Anciã com a morte a Perséfone e Hécate, e sentimentalizaram a complexa psicologia natural de Ártemis na de uma escoteira adolescente brincando com arcos e flechas na floresta.

Ártemis é, provavelmente, a mais antiga das deusas gregas. Mais antiga que as primeiras manifestações urbanas de Atena, mais antiga que os primeiros templos eróticos de Afrodite, mais antiga mesmo que Deméter, a mãe dos cereais que regeu os primórdios da agricultura. Ártemis pertence ao estrato mais antigo da memória humana.

Ártemis primordial: deusa dos poderes animais

Alguns estudiosos traçam as origens de Ártemis às tribos caçadoras de Anatólia, que teria sido a morada das míticas amazonas. Outros afirmam sua descendência da antiga grande deusa da natureza, Cibele, na Ásia Menor, uma Senhora das Feras que costuma ser mostrada rodeada de leões, veados, pássaros e outras criaturas. Entretanto, de acordo com o respeitado Walter Burkert em *Greek Religion*, parece ser possível que Ártemis remonte à época paleolítica, dada a maneira como em sua homenagem os caçadores gregos dependuravam os chifres e peles de suas presas numa árvore ou numa pilastra em forma de maça.

As culturas que subsistem caçando animais selvagens, anteriores ao estabelecimento da agricultura e à domesticação dos animais, mantêm uma relação muito íntima com os animais que caçam. Tais culturas têm que ser necessariamente nômades para acompanhar as estações migratórias das manadas ou dos bandos de animais. Precisam conhecer os hábitos de acasalamento dos bichos que perseguem, harmonizando-se com seus ritmos e ciclos. Mas, sobretudo, o caçador tem de dançar a "dança primordial da morte" com sua caça, aceitando que poderá tão facilmente ser morto quanto matar. Isso acaba por gerar um tipo de identificação mística entre o homem e o animal, entre o caçador e a caça.

Uma versão recente e atenuada dessa identificação é descrita em *The Trees*, de Conrad Richter, um romance sobre a vida dos pioneiros americanos que narra como era viver e crescer nas cerradas florestas do meio-oeste dos Estados Unidos no início do século XIX. (A heroína, Sayward, é um belo exemplo literário do espírito agreste de Ártemis.) Numa cena memorável, uma das irmãs de Sayward, Genny, está sendo perseguida na floresta por um jovem imigrante obrigado por contrato ao trabalho de aprendiz:

ÁRTEMIS E OS URSOS

Leitores do romance evocativo de Jean Auel, *The Clan of the Cave Bear* haverão de lembrar como o xamã ou curandeiro da tribo usa sua pele de urso para que o grande espírito dos ursos possa falar por seu intermédio. Em tais práticas, nota-se uma continuidade com a Ártemis grega posterior, cujos principais animais totêmicos eram o urso e o veado. Até a raiz do seu nome, *"art-"*, está ligada à raiz indo-européia da palavra urso.

Muitos mitos de ursos envolvem Ártemis. Nas primeiras histórias gregas, ela aparece como uma ursa ao lado de seus filhotes. Nada é mais feroz do que a mamãe-ursa protegendo os filhotes; mas, ao mesmo tempo, nada é mais terno e carinhoso do que ela carregando-os pelo seu pêlo grosso. Portanto, não é de se admirar que, nas palavras de Marija Gimbutas, "a devoção materna da ursa de tal maneira impressionou os camponeses da Europa antiga que foi adotada como um símbolo da maternidade" (*The Goddesses and Gods of Old Europe*, p. 195).

Ártemis, na capacidade de Mãe Ursa, sobreviveu na Grécia clássica no culto artemisiano da Braurônia. As meninas atenienses com menos de nove anos de idade eram dedicadas à deusa como *avktoi*, "ursinhas". Eram vestidas com pele de urso e dançavam danças de urso em seu templo. Estudiosos acreditam que se pretendia com isso um rito de iniciação à deusa enquanto ursa e caçadora e enquanto protetora das mulheres no parto. Bodes eram assassinados ritualisticamente nessas cerimônias, de modo que resta pouca dúvida de que as meninas pubescentes também ficavam conhecendo o lado sombrio da Mãe e os seus mistérios sangrentos de morte, sacrifício e renovação.

Num mito posterior, de épocas patriarcais, uma das seguidoras de Ártemis, Calisto, transforma-se em ursa depois de ser seduzida por Zeus. Mas a versão mais antiga do mito certamente refere-se ao acasalamento sagrado da própria deusa enquanto ursa. (Veja também o quadro, "O mito de Calisto e a Ursa Maior".)

Genny podia ouvir o jovem aprendiz chamando por ela. Veio-lhe o sentimento de que ela, também, era uma corça. O jovem aprendiz estava caçando-a como os homens sempre caçaram as mulheres e as criaturas selvagens. Jamais permitiram que elas vivessem sua própria vida. É, os homens sempre as perseguiram, farejando e seguindo a pista. Mas o jovem aprendiz nunca iria encontrá-la. Ela era uma jovem corça. Sobreveio-lhe então uma deliciosa selvageria. A floresta parecia diferente agora. As árvores e touceiras, e até mesmo as ervas venenosas, tornaram-se amistosas. Pairavam bem acima dela, e curvavam-se para tentar escondê-la. Só mesmo sendo uma corça para saber como as criaturas selvagens se sentem quando um homem as persegue (citado em LaBastille, p. 56).

Esse tipo de consciência, que os antropólogos chamam de *participação mística*, está por trás de todos os rituais das culturas caçadoras onde se vestem peles e chifres de animais. Voltaremos a falar nisso. Essa atitude mental incomum também está subjacente aos sacrifícios animais e humanos que pretendem devolver aos poderes animais da vida e da morte aquilo que lhes é de direito. Para as antigas culturas de caçadores, era necessário *ser parte* do grande ciclo da natureza, e não tentar controlá-lo. Uma sabedoria ecológica difícil de compreender hoje.

No entanto, essa participação mística com o mundo natural já ia sendo perdida mesmo entre os primeiros gregos urbanos da época de Homero (850 a.C., aproximadamente). A deles era uma cultura guerreira, e mais tarde colonizadora, onde a caça tornara-se mais um esporte do que um modo de vida. Ártemis e as outras figuras caçadoras – como o grande Órion – eram então meros vestígios, memórias obscuras de um tempo em que homens e mulheres viviam mais próximos da natureza selvagem, da vida e da morte.

Em uma área crucial, porém, a sabedoria ferina de Ártemis foi preservada, a saber, em todas as questões ligadas ao parto e à proteção das crianças e animais de peito. Encontramos ecos da Deusa Ursa primordial (veja o quadro, "Ártemis e os ursos") e de sua comiseração por todas aquelas que parem sozinhas e desamparadas como os animais. Para os gregos, Ártemis tornou-se a *padroeira das parteiras*, aparecendo para toda mulher que clamasse por ela durante as dores do parto. Todavia, sua presença era ambivalente, visto que ela, enquanto Mãe da Morte, também podia chamar para si o recém-nascido se não houvesse sido adequadamente invocada e aplacada. De acordo com o classicista Kerényi, as mulheres que sobreviviam ao parto entregavam suas roupas ao templo de Ártemis em Brauron, em Atenas; mas as sacerdotisas também herdavam as vestes daquelas que faleciam ao dar à luz – "pavorosos troféus da Caçadora", comenta Kerényi.

Apesar da condescendência de Homero para com Ártemis e apesar de a caça já haver decaído para a condição de um esporte na época clássica, a imagem da feroz Caçadora foi mantida viva na religião popular. Vestígios espantosos da "maneira de ser dos poderes animais", na expressão de Joseph Campbell, sobreviveram nos cultos religiosos fora das cidades. Pausânias conta que todos os anos, no Templo de Patrae, centenas de animais de todos os tipos eram sacrificados a Ártemis nas chamas de um imenso holocausto.

Claramente, então, Ártemis ainda era vista em parte como uma deusa feroz e sanguinária, a própria Mãe da Morte – que, como a Káli hindu, tem que ser aplacada com oferendas vivas. Talvez seja por isso que os gregos urbanos mais sofisticados de Atenas resolveram sentimentalizá-la; eles não ousavam encarar de frente esse aspecto sanguinário de Ártemis.

Uma Ártemis sedenta de sangue também assombra o Hino Homérico (veja o quadro "Para Ártemis"), onde a vemos deleitando-se na caça, "matar, matar, matar". Mas é preciso reparar que isso se passa numa floresta longínqua, distante da cidade. Não obstante, numa extraordinária transformação, Ártemis consegue de algum modo pôr de lado seu poderoso arco a fim de iniciar e participar de uma airosa dança na grande mansão de seu irmão Apolo. Graça e decoro civilizados prevalecem enquanto a Deusa Lunar se diverte no domínio do Deus Solar. Esse hino é provavelmente o mais próximo que os gregos de épocas posteriores chegaram de unir em suas consciências os dois aspectos da Grande Deusa como arauto da vida e da morte. É uma invocação memorável, por conter imagens do mundo civilizado e do mundo selvagem.

Ártemis hoje: os anos de formação

É difícil para nós conceber Ártemis exceto através de olhos "civilizados". Excetuando os poucos dentre nós que cresceram em fazendas, caçando e pescando, a "natureza, rubra em dentes e garras", permanece uma abstração ou um programa especial bem produzido da National Geographic.

Todavia, não há muito tempo, a vida agreste era não só possível como razoavelmente comum na cultura americana. A mulher americana de então, desbravadora e pioneira, incorporava as qualidades rudes, terra a terra, da deusa; e, em virtude das difíceis circunstâncias da época, estava acostumada a conviver com a morte e muitas vezes com a violência. A maioria das mulheres da fronteira do oeste americano eram capazes de empunhar uma arma tão bem quanto uma panela – às vezes melhor (veja o quadro, "Ártemis no velho oeste: Calamity Jane").

Hoje o estilo velho oeste de vida é verdadeiramente marginal e raro. Contudo, acreditamos que muitas mulheres-Ártemis, não conseguindo se adaptar ao molde urbano de Atena, estão voltando a morar no campo, de modo que a consciência de Ártemis continua bem presente. E, na medida em que todos nós *somos* citadinos e temos pudores em matar o nosso jantar, mantemos o mesmo tipo de relação ambivalente com a natureza selvagem de Ártemis que os gregos urbanizados de Atenas.

Identificar uma criança-Ártemis em sala de aula é fácil. Seu desgosto por ter de ficar longas horas sentada numa carteira faz com que ela pareça atrasada, entediada ou taciturna para seus professores. É evidente que preferiria estar em outro lugar. Na realidade, ela provavelmente aprenderia muito mais executando tarefas práticas com algum membro mais velho de sua família do que permanecendo na escola. Infelizmente, porém, as coisas não funcionam mais assim. Mas qualquer atividade física ou estudo do meio em ambiente natural obterá sua plena atenção, desde que a disciplina não seja muito regimental.

O lado forte da jovem Ártemis, que poderia ser equivocadamente chamado de masculino, é seu amor intenso pela liberdade, pela independência e pela autonomia – um amor que também pode transparecer como agressão, pois ela sempre irá lutar para preservar sua liberdade. Assim, enquanto a jovem Atena gosta de ser tão esperta quanto seus irmãos, a jovem Ártemis quer ser tão ou mais durona que eles. Poderá ter o temperamento estouvado dos meninos, brigando e lutanto com o pior deles. Logo aprende a engolir suas lágrimas e a planejar vinganças pelas humilhações que sofreu, devolvendo tudo na mesma medida que recebeu. As mães que ansiaram por uma Afrodite bonitinha ficarão desesperadas com a total falta de

ÁRTEMIS NO VELHO OESTE: CALAMITY JANE

Calamity Jane – nascida Martha Jane Cannary em 1852 – levou uma vida mais selvagem do que a maioria dos homens, mesmo no Velho Oeste. Ela foi, em uma ou outra ocasião, *barwoman*, exploradora, jogadora, bebedora, vaqueira, exímia atiradora, garimpeira, cocheira de carruagem e cozinheira, de acordo com Anne LaBastille. Durante um certo tempo, foi acrobata no Wild West Show de Bill Cody, prostituta e, mais tarde, esposa de Wild Bill Hickock. Nas cartas que escreveu à sua filha, Janey, podemos ver o seu jeito de durona e o seu lado meigo. Eis um trecho, preservando-se o seu estilo e maneira de escrever:

[Escrevendo sobre as mulheres de Deadwood City que não a aprovavam] Elas vieram ao *salloon* com um chicote de cavalo & tesouras para cortar o meu cabelo. Bem, Janey, eu ajustei contas com elas à minha própria maneira. Pulei do bar bem no meio delas & antes que pudessem dizer Pau Nela eu já tinha feito todas gritarem. Cortei os velhos cachos pretos de uma daquelas vacas & fiz voar o chicote em cima das suas cabeças. Você entende, eu uso calças para me virar enquanto aquelas mulheres cheias de anáguas têm que gritar por socorro. Você tinha que me ver quando pulei do bar. Peguei a saia-balão de uma delas e três anáguas & puxei-as pela cabeça dela. Ela não tinha como revidar de modo que eu a tinha onde queria. Arranquei aquelas enormes calças de baixo & deixei-a lá com as roupas do dia em que nasceu para os homens aproveitarem. [...] Não vou viver muito tempo Janey. Não suporto essa vida terrível por muitos anos. Às vezes acho que vou me casar outra vez & então a idéia de ficar amarrada nas fraldas da camisa de um homem me enoja. Queria que as coisas fossem diferentes & eu pudesse viver os anos sabendo que um dia teria você comigo.

Let Them Speak for Themselves; Women in the American West, 1849-1900, citado em LaBastille, p. 44

interesse por roupas ou por higiene pessoal de Ártemis. É como se pudesse usar *jeans* para o resto da vida: ela sabe que essa é a roupa mais prática para trepar em árvores, correr na lama e jogar bola.

Antes da puberdade, as diferenças de gênero passam-lhe despercebidas, o que não a impede de sentir-se plena e confiantemente menina graças à forte ligação que tem com a mãe (o mito de Ártemis fala de uma boa e poderosa mãe, Leto, que deu à luz Ártemis sem dor). É exatamente a confiança que tem em sua feminilidade que lhe permite explorar tão precocemente e com tanto vigor sua "masculinidade", o que vale dizer, seu lado que ama a liberdade. Ela não tem paciência para trivialidades como bonecas, festinhas e maquiagem.

A menos que tenha uma outra amiga Ártemis com quem partilhar suas aventuras ao ar livre ou sua última obsessão por animais (sapos, camundongos, louva-a-deus, cachorros, cavalos), será um tanto problemático para ela mostrar-se uma "jovem garota" estereotipada. Isso porque nossa sociedade começa desde cedo a recompensar os garotos por sua agressividade e competitividade, e as meninas por seu charme e submissão. Todavia, os instintos de Ártemis – que são muito fortes – dizem-lhe que o tradicional comportamento "feminino" e as tradicionais brincadeiras de meninas são superficiais, talvez falsos. Ela está inteiramente ciente de que seus modos de garoto, sua disposição para brigar e sua paixão por explorar a natureza afastam-na das outras meninas. O que a faz começar a vivenciar uma "confusão do papel sexual". (A jovem Atena também tem esse problema; mas, como ela não possui a energia física de Ártemis, acabará achando um jeito de ficar perto dos adultos ou das crianças mais velhas, impressionando-os com a precocidade de sua visão de mundo.)

Às vezes, a jovem Ártemis terá um irmão mais velho ou apenas ligeiramente mais novo que saberá dar valor a seu espírito amazônico e fará dela sua companheira de aventuras. Talvez abra caminho para ela ingressar no clã dos meninos antes que este se torne o reduto exclusivo de garotos. Esse tipo de ligação entre irmão e irmã tende a ser muito importante e reconfortante para a tímida Ártemis pré-pubescente, tão desajeitada socialmente. Pressentimos nessas amizades o antigo elo que unia Ártemis a seu irmão Apolo.

Porém, se não tiver um irmão que a admire ou uma amiga tão durona quanto ela, a jovem Ártemis poderá sofrer sua primeira e talvez amarga experiência de solidão. A introversão lhe é imposta e, na ausência de espaços verdadeiramente abertos ao ar livre, poderá fantasiar uma outra vida em outro lugar: uma fazenda com animais, um outro país distante, um trabalho entre tribos primitivas ou de guarda florestal, de exploradora ou simplesmente de viajante. Ela ouve dentro de si o atávico chamamento da selva, que lhe desperta um anseio, um desejo de *retornar* que irá assediá-la para o resto da vida enquanto não for seguido. Mas, por ora, a solidão irá lhe ensinar que possui auto-suficiência e independência, qualidades que serão seus maiores trunfos enquanto mulher.

A amazona adolescente

De maneiras não muito diferentes de sua irmã Atena, Ártemis talvez considere a puberdade e o início da sua feminidade uma época profundamente confusa, tendo que enfrentar forças internas e externas que começam a se acumular além de seu controle. Externamente, qualquer condição de igualdade que possuísse no clã dos garotos é revogada súbita e misteriosamente. Ela é agora excluída por não ser igual a eles, a despeito de todos os anos de aventuras que partilharam.

Internamente, ela se sente perplexa com seu corpo jovem que começa a desabrochar, e tenderá a escondê-lo vestindo camisas grandes ou roupas folgadas. São maneiras aceitáveis e seguras para ocultar a crescente confusão que sente diante de seu papel sexual. Talvez não saiba ainda quem é, mas ela sabe com certeza bem quem *não é* e que quer ter pouco ou nada a ver com as intrigas, risadinhas e titilação das festinhas e dos namoricos. A obsessão de suas irmãs Afrodite e Hera com roupas, maquiagem e rapazes só lhe inspira desprezo.

Felizmente, existem vias temporárias de escape dessa dilacerante confusão de identidade. Se Atena se refugia em sua cabeça e desenvolve sua sagacidade acadêmica, Ártemis escapa para seu corpo. Praticamente, qualquer tipo de atividade física poderá proporcionar à Ártemis adolescente um canal saudável, satisfatório e socialmente gratificante para sua dinâmica energia. E embora não seja assim que irá encarar a questão, isso ajuda a postergar toda a questão de sua sexualidade.

De modo que a Ártemis adolescente pode ser atleta, ginasta, dançarina, corredora, tenista, nadadora, esquiadora, montadora, dependendo dos recursos que lhe estiverem disponíveis. A necessidade de ser parte de um grupo masculino desaparece parcial ou totalmente ao ingressar em um grupo feminino ou ao participar de competições, campeonatos e de outros eventos esportivos em que as diferenças entre homens e mulheres são em grande parte sublimadas na identidade do grupo ou na participação grupal em um esporte ou atividade específica.

Para a Ártemis adolescente, pertencer a um time esportivo ou equipe de atletismo, ou praticar outras disciplinas físicas igualmente estimulantes, assemelha-se sob muitos aspectos ao antigo culto grego dos "pequenos ursos", os *avktoi* de Ártemis (veja o quadro "Ártemis e os ursos"). Em Atenas, a partir dos nove anos de idade, jovens garotas pubescentes podiam identificar-se com a sua natureza mais selvagem e com a caçadora interior numa iniciação a Ártemis destinada àquelas que não se adaptavam ou não estavam prontas para as funções femininas mais domésticas ou para uma sexualidade mais doméstica.

Hoje em dia, uma identidade atlética também pode muitas vezes servir de ponte entre a menina e a mulher. Essas disciplinas inacreditavelmente rígidas, que às vezes levam a competições de nível internacional, ensinam a jovem a desenvolver seu poder, sua força e sua resistência e perseverança.

Quanto à jovem Ártemis que teve a felicidade de crescer fora da cidade ou no campo, resta ainda um importante culto animal comparável aos *avktoi* da Atenas antiga e que talvez seja a quintessência de Ártemis: os cavalos. Não importa se ela teve a sorte de ter seu próprio cavalo ou pônei, ou se simplesmente cavalgou e tratou do cavalo de algum amigo ou amiga, essa pode facilmente tornar-se uma paixão arrebatadora durante a adolescência ou para o resto da vida. Uma comunhão profunda e intuitiva com o mais inteligente dos animais, uma empatia física que evoca fantasias arcaicas e eróticas, e o frêmito de poder sair correndo para os bosques e para as campinas – essas são coisas que colocam a mulher-Ártemis extaticamente em contato com o âmago da deusa da natureza que traz dentro de si.

Encontrar a si mesma: Ártemis, eterna adolescente?

A energia arquetípica de Ártemis irrompe com maior força na adolescência, que representa o pico de energia das mulheres abençoadas pela deusa. Tão poderosa é essa energia que, na realidade, as mulheres que vivem quase exclusivamente por meio de Ártemis permanecem, sob diversos aspectos, perpetuamente juvenis. Fisicamente falando, é um dom maravilhoso; mas há perigos quando Ártemis passa a dominar a consciência de uma mulher para o resto da vida, excluindo as energias das outras deusas.

Assim como o culto ao urso para garotas pubescentes na Atenas da Antiguidade, o atletismo e outras atividades físicas envolventes podem atuar como ponte entre a menina e a mulher. E, é claro, o termo moderno *adolescência* foi cunhado para descrever justamente esse período de transição. O perigo é que a jovem mulher-Ártemis jamais poderá cruzar inteiramente essa ponte atendo-se a sua *persona* esportista, a suas mochilas ou a seu envolvimento com os animais em detrimento de certos dotes sociais, dos relacionamentos humanos e de tornar-se membro pleno da sociedade.

Não que a travessia dessa ponte para a maturidade e a feminidade seja fácil para alguém. Trata-se de um período de ajuste e adaptação que pode ir dos vinte aos trinta anos, às vezes mais. Mas é certamente muito mais tranqüilo para uma jovem com a capacidade de relacionamento de Afrodite, com as aptidões acadêmicas e intelectuais de Atena, ou com os valores sociais bem inculcados de Hera. Nem chega a ser tão difícil para Deméter, pois o casamento e os filhos logo lhe conferem uma imediata e satisfatória identidade como mãe.

Por que é tão difícil para a mulher-Ártemis? Por que ela é tentada a permanecer mais tempo que as outras em sua *persona* adolescente?

Já vimos os germes de seu problema na infância. Em primeiro lugar, ela se identifica com as atividades, atitudes e maneiras de vestir dos *meninos*. Rejeita, e por um bom motivo, a imagem prescrita pela cultura de que as meninas são feitas de "açúcar e especiarias e tudo mais que é gostoso" e os meninos de "travessuras, caracóis e rabos de cachorrinhos", conforme fala o velho poema infantil. Ela sabe, e com razão, que não é esse tipo de mulher: estas são funções de Afrodite e Deméter, funções que nossa sociedade adora sentimentalizar nas crianças.

De modo que a jovem Ártemis sabe o que *não é*. Mas isso, dada a natureza livre e amante da liberdade de sua psique, não a ajuda a saber quem ela *é*. Tornar-se uma esportista, exploradora ou bióloga marinha de sucesso com aproximadamente vinte anos não lhe será suficiente. Não há nada nessas e em outras profissões similares que possa defini-la como mulher; são funções bastante neutras, que podem ser igualmente bem desempenhadas por homens ou mulheres. Além disso, tendem a ser ocupações solitárias, exigindo pouco de Ártemis em termos de relacionamento humano ou da expressão daquele conceito que tanto a enfurece: a feminilidade.

E é com razão que ela se enfurece: o conceito está carregado de fantasias masculinas de como as mulheres deveriam ser: meigas e submissas esposas e mães, deliciosos objetos sexuais, admiradoras do sagrado ego masculino, ou então bemsucedidas profissionais.

A chaga de Ártemis: a dor da alienação

A chaga de Ártemis envolve a solidão de ser relegada, psicológica e às vezes literalmente, às margens da sociedade. Foi-lhe negada qualquer verdadeira identidade enquanto mulher. Seu amor ardente pela liberdade e sua atitude mental independente tendem a tornar particularmente difícil para ela aceitar os estilos de vida de mãe, esposa ou profissional, que pertencem a Deméter, a Hera e a Atena. Na realidade, ela muitas vezes sentirá desprezo por valores e formas da sociedade convencional. E se sentirá magoada pelo fato de o patriarcado nunca ter conseguido conter a ferocidade de seu espírito ou reconhecer plenamente seus dotes singulares de mulher.

Muitos dos conflitos da Ártemis contemporânea estavam presentes em nossa cliente Chris:

Chris era uma mulher alta, de ombros largos, que sempre se considerara meio desajustada e se sentira diferente de suas irmãs mais convencionais. Durante toda a puberdade, um de seus irmãos implicou com ela, o que a deixou excessivamente preocupada acerca de sua feminilidade. Namorar era uma verdadeira agonia, e ela evitava isso.

Ela sempre fora uma boa atleta, vencendo competições de corrida, natação e esqui durante toda a adolescência. Em casa, mostrava jeito para consertar coisas e gostava de fazer serviços de carpintaria – habilidades que aprendera com o pai –, tornando-se mais tarde uma boa mecânica de automóveis. Mas na adolescência teve poucas amizades íntimas, mesmo nas equipes esportivas, de modo que foi se escondendo cada vez mais do convívio social, deixando-se absorver por seus projetos de consertos e reparos.

Na faculdade, vagou por vários esportes e ramos da ciência sem definir-se por nenhum, mas a vida social frenética de seus colegas a deprimia. Tornou-se reclusa e, por um tempo, começou a beber excessivamente. Acabou deixando a faculdade para ir viver com um taciturno mas imaginativo veterano da guerra do Vietnã – um homem que, como ela veio a descobrir depois, ganhava a vida basicamente traficando drogas. Chris não se sentia particularmente feliz a seu lado, embora gostasse de morar com ele numa casinha remota nos arredores da cidade e ficasse fascinada com os contatos dele com o mundo da droga. A vida sexual de ambos não era muito boa. Depois de um tempo, começaram a ter brigas feias, e acabaram se afastando um do outro. Chris ficou com um cão pastor alemão de que gostava muito.

Quando foi trabalhar como voluntária em um abrigo para mulheres espancadas, Chris estabeleceu relações com o grupo ativista de mulheres que o mantinha e acabou indo morar numa pequena comunidade agrícola de lésbicas. Uma vez no campo, voltou a sentir-se em paz e, pela primeira vez na vida, valorizada pelas mulheres independentes e individualistas com quem vivia. Sentiu-se confirmada em suas diferenças e tornou-se um membro útil daquela pequena comunidade. Descobriu que tinha talento para lidar com os animais da fazenda, e especializou-se em cabras – que eram criadas e ordenhadas na própria fazenda. Com uma de suas companheiras aprendeu a gostar de dar longas caminhadas pelas montanhas e passou a sentir um prazer especial nesses retiros solitários em um parque florestal das proximidades.

Encontrar trabalho bem remunerado havia sido sempre um problema para ela, que tinha tão pouca propensão para obter qualificações profissionais ou para querer estar perto das grandes cidades. Pouco a pouco, porém, foi aperfeiçoando suas habilidades de ceramista, e acabou tornando-se ajudante de uma mulher que tinha forno e loja próprios. Hoje ambas são sócias e a cerâmica de Chris é bastante conhecida na região. Ela dá aulas de cerâmica numa faculdade experimental local e tem certa atuação na política feminista; seus laços com a comunidade lésbica permanecem, mas ela voltou a viver sozinha. "Essencialmente", diz ela, "sou uma solitária."

Na terapia, Chris trabalhou para recuperar a confiança que perdera em suas próprias habilidades de Atena e para poder completar a faculdade e atuar melhor no mundo em termos financeiros. Precisou também combater a timidez e deixar que um pouco da energia de Afrodite alegrasse sua vida social tão grave e apática. Felizmente, conheceu um jovem e discreto carpinteiro, com quem agora vive e, juntos, os dois estão reformando um velho celeiro para usar como moradia. Chris terá de trabalhar muito para construir seu mundo às margens da sociedade convencional, mas ela possui inúmeras qualidades e habilidades valiosas para isso, agora que está superando seu isolamento.

Há três deusas na Roda das Deusas com as quais o patriarcado teve dificuldades: Afrodite, Perséfone e Ártemis. Afrodite por seu eros incontido, Perséfone por seu gênio visionário, e Ártemis por sua energia indomável. As três, transformadas em bode expiatório pela fantasia paranóica masculina da bruxa, foram perseguidas na Idade Média e permanecem profundamente alienadas até hoje.

Ártemis sobreviveu razoavelmente bem nas sociedades rurais, onde podia guardar para si seus segredos. Sua força e inventividade eram valorizadas na época dos colonizadores pioneiros. Nos últimos séculos, houve condições para uma Ártemis da classe alta como Isak Dinesen (também conhecida por baronesa Karen Blixen) viver independentemente, mas no geral não houve lugar para seu verdadeiro espírito.

As mulheres-Afrodite, extrovertidamente belas e sensuais, parecem receber todo o tipo de atenção dos homens. A jovem Ártemis aprende desde cedo a viver sem atenção, embora continue se ressentindo disso visto que intensifica seus sentimentos de exclusão. Se Ártemis puder vir a compreender um pouco da chaga de Afrodite (veja o capítulo sobre Afrodite), ela há de perceber que, cada uma à sua maneira, estão ambas vivendo em reação aos estereótipos patriarcais. Em nossos seminários, temos verificado que, por mais que relutem, Afrodite e Ártemis têm muito o que dizer uma à outra.

O cerne psicológico da questão é que Ártemis é, na realidade, andrógina; isso significa ser ao mesmo tempo feminina e masculina – algo de que ela deve se orgulhar. (Quantos homens podem afirmar o mesmo sem receio?) Este é o verdadeiro segredo da sua tremenda força interior e de sua extraordinária independência. Ela já possui em sua constituição aquelas qualidades masculinas que todas as outras deusas (à exceção de Atena) projetam sobre os homens e concedem a eles.

A pista para sua natureza "virginal" está – conforme é simbolizada, mas raramente compreendida – na imagem grega da deusa como Donzela. No mundo antigo, uma virgem era simplesmente uma mulher não-casada. Conforme observamos no caso de Atena, a palavra nada tem que ver com castidade – até Afrodite era considerada uma deusa virgem no sentido antigo do termo, apesar da farsa do seu casamento olimpiano com Hefaísto.

Psicologicamente, *virgindade* significa "auto-suficiência". Quando uma mulher está plena e íntegra em si e por si mesma, ela na realidade precisa de pouca ou de nenhuma energia masculina externa para complementá-la. Se conseguirmos entender corretamente esse fato psicológico, poderemos encarar a sexualidade da mulher-Ártemis de uma maneira nova e diferente.

Se compreendermos o seu afastamento, poderemos sentir sua serenidade sexual que, a nosso ver, os gregos mais tarde interpretaram erroneamente ou talvez idealizaram como castidade. A mulher-Ártemis não busca na eroticidade a intimidade e ternura de um relacionamento que Afrodite tanto procura. Seu verdadeiro relacionamento é *consigo mesma*; ela deve encontrar o seu próprio equilíbrio interior de masculinidade e feminilidade. É por isso que, numa de suas formas, a mulher-Ártemis pode facilmente viver sozinha, como mística, contemplativa ou artista reclusa. Este é o significado maior de castidade.

A androginia, como ressaltaram muitos autores junguianos, é uma precondição de espiritualidade celibatária. Para tais mulheres, a energia permanece dentro delas, sendo convertida em visões, êxtases místicos ou numa profunda empatia com todos os seres e com toda a natureza. As vidas das grandes santas cristãs Hildegard de Bingen (c. 1098-1179), Juliana de Norwich (c. 1342-1413) e muitas outras podem ser estudadas sob essa ótica.[3] Hildegard, por exemplo, tinha o dom da cura e era poetisa, música e visionária, enquanto Juliana teria sido autora da famosa frase "Deus é a nossa Mãe".[4]

Mulheres assim tendem a escolher ser totalmente reclusas ou tremendamente solitárias. Grandes experiências visionárias – as de Juliana de Norwich na Idade Média ou, modernamente, as de Georgia O'Keeffe – são estimuladas pelo espírito da ermidão ou do deserto. Quando "o mundo está demais conosco", nas palavras de Wordsworth, um poeta com muito de Ártemis, o espírito contemplativo da deusa clama por renovar-se na solidão e no discurso interior, não exterior. A mulher-Ártemis sabe disso instintivamente, mesmo que o seu destino contemporâneo a tenha colocado numa cidade, obrigando-a a desenvolver algumas das habilidades extrovertidas de Atena. Mais cedo ou mais tarde, ela encontrará um meio de retirar-se para alguma cabana no Yosemite, uma fazenda em Kentucky ou em alguma ilha pouco conhecida no caribe – onde quer que o espírito agreste a chame. Em solidão, ela recupera a profunda e inexprimível dimensão da sua alma que se reflete na atividade silenciosa dos animais, no vôo dos pássaros, no ir e vir do mar, no drama baldio do deserto, na majestade do cume das montanhas.

A psicóloga Ginette Paris fala por experiência própria do movimento entre a vida citadina agitada de Atena e o poder restaurador que Ártemis pode conferir em retiro solitário:

> Quando a vida social absorve completamente a nossa energia, é hora de penetrarmos na floresta profunda de Ártemis e de permitir que a natureza substitua os relacionamentos humanos. Parece-me que há um elo bastante evidente entre uma vida rica em relacionamentos e a necessidade de retiro solitário no qual o ego não recebe estímulo algum. Em minha experiência pessoal, a solidão só se tornou importante durante e após cinco anos de uma vida comunal intensa e fecunda, comparável a uma sessão de terapia em grupo de milhares de horas! Essa experiência comunal de tal forma me "alimentou" com relacionamentos que, quando chegou ao fim, precisei de um ano inteiro de vida solitária, ouvindo o vento nas árvores e o fogo na lareira, para digeri-la e reavivar o meu desejo de companhia

---

3. Há outros exemplos do panorama revisionista da espiritualidade artemisiana (e atenéia) entre as místicas cristãs em *Medieval Women's Visionary Literature*, de Elizabeth Alvilda Petroff.

4. Um fato importante recente no catolicismo romano é o movimento iniciado pelo dominicano Matthew Fox e o que ele chama de "espiritualidade da criação". É uma abordagem que tenta refocalizar a consciência e percepção cristãs de volta à terra e à natureza criada, para contrabalançar os séculos que os cristãos negaram a terra e o corpo. Consideramos este um importante avanço para Ártemis e para as outras deusas há tanto tempo alienadas pelo ascetismo cristão e seu ódio ao feminino.

humana. Essa mesma necessidade de solidão ressurgiu vários anos depois quando meus dois filhos adquiriram uma certa independência, e eu passei a precisar ficar sozinha (por períodos mais curtos e mais freqüentes), regozijando-me sem cessar em não ouvir o som do meu nome durante vários dias. [...]

Toda mulher e todo homem, ao saturar-se de relacionamentos e contatos, descobre que a presença dos outros prejudica a sua própria presença diante de si, e sente atração pelo ascetismo, pela simplicidade e pela naturalidade que caracterizam Ártemis. A solidão aparece então como uma das maneiras de se entrar em seu mundo.

Pagan Meditations, pp. 134-35

Ártemis e a sua sexualidade

Mas o que dizer da sexualidade de Ártemis? Com certeza, não está ausente. Não aceitamos o retrato da jovem e casta donzela. Isso foi certamente propaganda patriarcal dos gregos para assegurar que suas filhas não ficassem grávidas dos homens errados; é parte da instituição da sucessão patrilinear que discutiremos no capítulo sobre Afrodite.

A verdadeira pista para a sexualidade da mulher Ártemis pode ser encontrada no mais poderoso e central de seus símbolos: sua função como Senhora dos Animais. O segredo da sexualidade de Ártemis está, a nosso ver, na sua ligação instintiva com a sua própria natureza animal. Quando a mulher-Ártemis está profundamente em contato com o seu verdadeiro eros, sua paixão é selvagem e feroz.

Quando começamos a perceber como a consciência de Ártemis se expressa por meio das suas manifestações animais, passamos a ler alguns de seus mitos sob uma outra luz. Um importante mito que faz bastante sentido deste ângulo é o da virgem Calisto.

Na mais recente e bem conhecida versão da história de Calisto, ela é uma ninfa, seguidora de Ártemis, que primeiro é transformada numa ursa e depois na constelação Ursa Maior ao engravidar-se de Zeus (veja quadro, "O Mito de Calisto e a Ursa Maior"). Mas os estudiosos ressaltam que *kallisto*, que significa "a mais linda" em grego, era apenas um epíteto para Ártemis, a Grande Mãe. De modo que Calisto seria a forma "virgem" ou não-casada da própria Ártemis. E, na medida em que o mito patriarcal reivindica Ártemis como filha de Zeus, um pouco de incesto divino começa a infiltrar-se na lenda.

O incesto, porém, não é o aspecto verdadeiramente chocante da história. Incesto sempre foi uma prerrogativa de deuses e deusas – de que outra forma os primeiros seres divinos teriam procriado? Muito mais escandaloso na lenda é a sua postura moral. O ponto de vista patriarcal dos primeiros genitores olimpianos, Zeus e Hera, exige que Ártemis, modelo para todas as filhas obedientes e obsequiosas, permaneça casta a fim de ser preservada a descendência patrilinear. Assim, com aquela típica lógica pervertida tão nossa conhecida, a vítima Calisto/Ártemis é culpada pelas violações de Zeus![5]

---

5. Este tipo de racionalização descarada do abuso sexual dos homens continua conosco na atitude da polícia, dos tribunais e do público em relação às mulheres, e até a algumas crianças, estupradas. Diz-se que a própria vítima seria culpada de ser violentada: "Ela estava pedindo por isso" é a maneira absurda com que expressam tal postura.

O MITO DE CALISTO E A URSA MAIOR

Os gregos contavam a história de uma jovem seguidora de Ártemis chamada Calisto, cujo nome queria dizer "a mais linda". Zeus, como lhe era típico, seduziu-a e engravidou-a. Enraivecida, Ártemis transformou Calisto numa ursa por ter violado o seu voto de castidade. A deusa e seus cães estavam prontos para sair em perseguição à desafortunada Calisto, mas Zeus interveio para salvá-la da morte e levá-la ao céu, onde a transformou na constelação da Ursa Maior

Em uma versão da história, Zeus torna-se urso para seduzir Calisto. Em outra, diz-se que o próprio Zeus transformou-a em ursa e que Hera, cheia de ciúmes, maliciosamente enviou Ártemis para caçá-la. No entanto, na versão mais antiga da história de Calisto, ela e Zeus acasalam-se como ursos, sugerindo o matrimônio sagrado dos animais.

Colocar Calisto no céu como a Ursa Maior pode parecer uma honra, mas na realidade transforma-a numa abstração sem vida, num mero nome. Isso cheira a culpa patriarcal e à incapacidade de Zeus reconhecer plenamente o seu lado animal instintivo. Todavia, a natureza animal não é tão facilmente suprimida, como mostra uma continuação da versão mais recente do mito. Antes de morrer, Calisto teria dado à luz gêmeos: um foi o urso Arkas, que se tornou o primeiro antepassado da Arcádia, e o outro foi Pã, o famoso deus das patas de bode da mesma região da Grécia. Até hoje, a Arcádia continua sendo uma das regiões mais selvagens da Grécia.

A castidade literal é, neste contexto, uma arma de propaganda com a qual os gregos patriarcais tentaram controlar suas filhas e, através delas, a sucessão masculina da propriedade. Para começar, a purificação de Ártemis implica a degradação de Afrodite, que sempre foi uma ameaça à instituição de Hera, o casamento. Além disso, ajuda Zeus e os pais a manterem padrões duplos com relação à sua própria sexualidade e às suas filhas.

No entanto, todas as evidências sugerem que esse tipo de castidade não fazia parte da Ártemis matriarcal original. Nós acreditamos que a sua vida amorosa primordial é mais bem simbolizada pela mais antiga versão que se conhece do mito: o deus e a deusa supremos como dois ursos fazendo amor.

Em defesa de uma concepção aparentemente tão radical da deusa e da sua sexualidade, eis como Merlin Stone descreve com vivacidade as seguidoras espartanas de Ártemis (Esparta, por sinal, fica ao sul da Arcádia – terra de Pã – na península grega do Peloponeso):

> Na idade clássica de Esparta, onde a veneração da deusa Ártemis continuava a prosperar, as mulheres eram extremamente livres e independentes. De acordo com Eurípedes e Plutarco, as jovens mulheres espartanas eram encontradas não em casa, mas nos ginásios, onde despiam as roupas que tolhiam seus movimentos e lutavam nuas com os homens. As mulheres de Esparta parecem ter gozado de total liberdade sexual, e embora a monogamia fosse a norma oficial de matrimônio, diversos relatos clássicos afirmam que não era levada muito a sério. Plutarco diz que em Esparta a infidelidade das mulheres chegava até mesmo a ser glorificada, enquanto Nicholas de Damasco relata, talvez por experiência pessoal, que uma mulher espartana podia engravidar-se do homem mais bonito que encontrasse, fosse nativo ou estrangeiro.
>
> *When God Was a Woman*, p. 53

A liberdade das mulheres espartanas não era um fenômeno isolado no mundo antigo; Stone cita a arqueóloga Jacquetta Hawkes sobre o templo de Diana em Éfeso:

> Nessa cidade [Éfeso] e, na realidade, em toda a Jônia, as mulheres e meninas gozavam de muita liberdade. Se por um lado as mulheres certamente obtinham influência e responsabilidade servindo nos templos e nos grandes festivais estatais das deusas, havia também a liberação dos cultos antigos. Matronas respeitáveis e meninas, em grandes companhias, passavam noites a fio nos montes escalvados em danças que simulavam êxtase, e embriaguez, talvez em parte alcoólica, mas principalmente mística. Os maridos não aprovavam, mas, diz-se, não gostavam de interferir em questões religiosas (p. 53).

O que aprendemos com a época clássica, quando o culto de Ártemis era vigoroso, é que a sexualidade era livre e praticamente sem coibições decorrentes da instituição social do matrimônio e das questões de paternidade. Esparta reverenciava a mulher guerreira por mais do que a sua mera excelência na ginástica ou na pista. Achamos que as mulheres-Ártemis de hoje deveriam saber disso para que não se sintam estranhas ou deslocadas por causa das nossas concepções estreitas de identidade sexual.

Visões de novas comunidades

A grande força da mulher-Ártemis é a sua independência, a sua autoconfiança e sua vontade de realizar coisas. E é com justa razão que ela deve orgulhar-se dessas qualidades. Portanto, só vale a pena ela ocupar-se de homens que exibam essas mesmas qualidades. Por que haveria de perder tempo com homens fracos, dependentes e sem autoconfiança? Homens assim sentem-se profundamente ameaçados por Ártemis, que dificilmente os achará suficientemente atraentes ou viris.

Em se tratando de relacionamentos, Ártemis está de pleno acordo com sua irmã Atena: a qualquer custo, ambas querem preservar a sua plena e desimpedida independência. Nada de homens grudentos, nenhum filhinho de papai, nenhum Lothario [um alegre e libertino sedutor na peça *Fair Penitent*, de Nicholas Rowe] apaixonado escrevendo sonetos, por favor! Ambas querem bastante espaço físico e mental para fazer o que têm que fazer. Sim, elas querem companheirismo, mas de tipos diferentes. Atena quer apoio psíquico, alguém capaz de discutir com ela o seu mais recente artigo ou de analisar a última crise política. Ártemis também quer um homem por perto, mas geralmente não por causa do seu cérebro. Ela gosta quando ele segura os mourões da cerca, passa para ela a corda de alpinista e está ao seu lado, exausto e suado, depois de uma tarde correndo pelo campo. Ela gosta de trabalhar ao lado do homem, gosta da sensação de fazerem juntos algo físico. Poderíamos chamar isso de *comunhão paralela*, a comunhão de atividades realizadas em conjunto.

O irmão de Ártemis, o deus grego Apolo, seria um bom modelo desse tipo de relacionamento. O elo mítico entre ambos fala de camaradagem e amizade íntima, em que os dois preservam identidades e esferas de atividades intensas porém distintas. Vivem vidas relativamente separadas, mas ao mesmo tempo gostam de partilhar atividades como caçar ou acampar ou esquiar.

Uma Ártemis moderna poderia ser treinadora em academias de preparação física para exploradores, e o seu Apolo um consultor e organizador de expedições a regiões selvagens, às vezes trabalhando juntos mas freqüentemente separados semanas a fio.

Quando casais assim sabem não destruir o silêncio com um monte de tagarelices superficiais, sua ligação torna-se profunda e intuitiva. Apolo poderá complementar o espírito agreste de Ártemis com o seu amor pela cultura. Como sugere o *Hino Homérico*, ao findar a perseguição selvagem, ela irá até ele para mostrar outro aspecto maravilhoso do seu eros: suas danças, sua paixão pelos ritmos da Terra, o balanço e a ginga do seu corpo ágil. E talvez, bem no fundo de si, a selvageria primeva ainda seja atiçada quando sonha com o velho Pã de patas de bode. Mas esta parte ela não deve revelar a homem algum.

Contudo, nem sempre é fácil para a mulher-Ártemis de hoje encontrar um homem independente e terno que saiba apreciar a sua forte personalidade e amar o seu lado selvagem. Sua auto-estima foi ferida demais, desde aquele isolamento inicial das outras meninas até a exclusão do grupo dos homens, e ela pode ter se tornado arisca, defensiva e mais do que um pouco tímida e fechada em si mesma. Sem saber, tenderá a afastar os homens quando eles buscam a sua intimidade.

De diversas maneiras, a recatada ou feroz e independente Ártemis pode vir a preferir a companhia de outras mulheres como ela mesma, com quem poderá formar laços intensos. Grupos e comunidades de mulheres muitas vezes atrairão a mulher-Ártemis que desistiu dos homens. Assim como os homens há séculos têm excluído as mulheres de seus grupos a fim de preservarem o seu poder e a sua identidade, também muitas comunidades de mulheres hoje põem em prática o seu próprio tipo de exclusivismo. Como as lendárias tribos de Amazonas, elas tendem a viver vidas andróginas, construindo, organizando e financiando suas casas ou fazendas comunitárias com poucos ou nenhum homem. Para muitas mulheres, é uma experiência profundamente satisfatória e plena, um experimento altamente criativo que a nossa sociedade ainda não soube apreciar.

Jean Shinoda Bolen, em *Goddesses in Everywoman*, concebe Ártemis como o arquétipo subjacente ao movimento feminista, que tanto enfatiza a "comunidade das irmãs". Ártemis é, inquestionavelmente, um fator poderoso para congregar mulheres em comunidades alternativas, embora achemos que a contribuição intelectual do radicalismo de Atena seja igualmente importante para o feminismo. Não resta dúvida de que, juntas, essas duas deusas estão por trás das revoluções sociais mais importantes da nossa época.

Temores masculinos: caça ou caçador?

Para o homem, um relacionamento com uma mulher-Ártemis pode ser um desafio e tanto. Para começar, ela pode rejeitar bruscamente qualquer intimidade (mas não sexo), deixando-o sem saber o que pensar. Ou, mais perturbador ainda, sua auto-suficiência e dureza podem provocar nele vislumbres pálidos da Caçadora da antiguidade ou de alguma imagem da Mãe Terrível. Boa parte da literatura psicanalítica sobre o chamado "complexo materno" do homem está repleta de discussões sobre temores infantis não-resolvidos da "mãe devoradora", a quem Robert Bly vividamente chamou de Mãe Dentada.

O mito do encontro de Ártemis com o caçador Acteão, que violou sua intimidade, é instrutivo, seja do ponto de vista de Ártemis ou de Acteão (veja quadro, "O Mito de Ártemis e Acteão"). O mito insinua que o lado desprotegido e vulnerável de Ártemis só se sente seguro longe dos homens e da civilização; a Deusa Virgem é a floresta virgem. Em Ártemis ressoam as palavras imortais de Greta Garbo, "Quero ficar sozinha". E ela deve deixar clara essa necessidade. Não há nada patológico nesse afastamento: é assim que Ártemis regenera-se na fonte da juventude da Grande Mãe.[6]

Mas quando um homem, como Acteão, deseja conhecer a verdade nua da Grande Mãe, tem que estar preparado para conhecer a vida e a morte, a beleza e a crueldade. Quando a encontra no mundo civilizado de Apolo, símbolo da luz, da razão e da moderação, ela mostra o lado belo e enlevado da sua natureza; mas se ele a busca no âmago da floresta, acha-a como "natureza, rubra em dentes e garras".

O destino de Acteão, o caçador caçado, dilacerado pelos seus próprios cães, nos traz à mente outro deus grego muito próximo de Ártemis, Dioniso. O filósofo e classicista Friedrich Nietzsche foi o primeiro a ver claramente que Dioniso é

---

6. Fontes ou "poços santos" sempre foram sagrados para a Mãe Terra, dando origem a curas e visões beatíficas. A Irlanda celta está repleta dessas nascentes. Lourdes, na França, continua sendo um santuário de cura, e o oráculo em Delfos foi outrora um lugar de profecia: ambos estão situados sobre fontes sagradas. O Santo Graal também costuma ser associado à água e, quando perdido, à sua falta, quando é dito um deserto. Veja mais sobre a "magia da terra" na página 102.

O MITO DE ÁRTEMIS E ACTEÃO

No seio da cerrada floresta de pinheiros e ciprestes, havia um vale sagrado para Ártemis. E nele uma gruta nos bosques, encravada nas rochas pelo tempo, com um arco natural e uma linda lagoa alimentada por uma fonte de água cristalina. Quando se cansava na caça, Ártemis lá buscava repouso com suas ninfas, e lá se banhavam.

Em um dia fatal, o jovem caçador Acteão perdeu-se nesta parte remota e desconhecida da floresta. A grande deusa, com seu arco e flechas deitados no chão, estava em pessoa diante da gruta sagrada, rodeada por suas ninfas. Por estar muito acima delas, foi descoberta em toda a sua nudez pelo olhar esbugalhado do jovem caçador. As ninfas gritaram aterrórizadas, fazendo o máximo para ocultar a sua ama do mortal intruso. Surpreendida, sem suas armas sagradas nas mãos, a deusa encheu as mãos em cuia com água e jogou-a no rosto do jovem. "Dizei agora, se puderdes, como me vistes em minha nudez!"

Imediatamente, nos pontos onde as gotas da água da fonte haviam caído, o caçador sentiu brotando na cabeça as pontas dos chifres de um veado. Seu pescoço alongou-se em seguida, as pontas das orelhas afilaram-se, braços e pernas tornaram-se membros espigados com cascos e uma penugem sarapintada cobriu-lhe todo o corpo. Ao ver o próprio rosto na água, percebeu que se transformara num veado. Quis soltar um uivo de desespero, mas nenhum som conseguiu emitir.

Hesitante, sem saber o que fazer, deu-se conta de que a sua matilha de cães percebera ali a sua presença. Na mesma hora correram todos os cães na sua direção. Incapaz de gritar-lhes que era o seu dono, saiu correndo aterrorizado. Quando os companheiros de caça de Acteão alcançaram o bando faminto, os cães já haviam completado a sua obra sangrenta. O seu dono, estraçalhado, jazia morto com incontáveis ferimentos. Somente então, dizem alguns, a ira da deusa pela violação da sua castidade foi justamente aplacada.

Resumo feito pelos autores, das *Metamorfoses*, de Ovídio, Livro III na realidade o irmão sombrio de Apolo. Para os gregos, Dioniso era um deus do vinho, do êxtase orgíaco, da loucura divina – e, como Ártemis na floresta, diz respeito ao Senhor dos Animais. Dioniso foi originalmente um deus matriarcal da anualidade, filho divino da Grande Mãe, que morria a cada ano, sendo sacrificialmente desmembrado. Seu corpo e seu sangue eram espalhados como uma garantia sacramental de que a vida na terra se renovaria. Como prova, ele renascia na primavera.

Quando o culto a Dioniso foi revivido mais tarde, um animal era caçado em seu lugar por suas seguidoras, as frenéticas mênades, que o despedaçavam membro a membro. Essa prática sangrenta, evocada na alucinante peça de Eurípedes, *As bacantes*, deve ser resquício dos sacrifícios de animais silvestres nas tribos de caçadores. Vestidas com peles de corças e uivando com selvageria, as mênades relembram Ártemis e suas seguidoras. Na peça de Eurípedes, uma vítima humana, Penteus, é dilacerada por haver desertado da religião de Dioniso.

Muitos filmes modernos escritos e dirigidos por homens são tentativas, ainda que grotescas, de resolver o temor masculino da Mãe Dentada e do desmembramento de Dioniso. Essa é parte do fascínio de *Psicose*, de Alfred Hitchcock, e de *Vestida para Matar*, de Brian de Palma, filmes em que os assassinos são obcecados pelo feminino enquanto Morte. Homens e mulheres com facas costumam aparecer com freqüência. O papel horripilante de Glenn Close em *Atração Fatal* enquadra-se aqui, como o de Isabella Rossellini em *Veludo Azul*. Não importa se o assassino é homem ou mulher, estamos no domínio arquetípico de Ártemis e Dioniso, os caçadores que matam, cujos primos ou equivalentes hindus são Shiva e Káli, com suas facas gotejantes, cadáveres e membros cortados.

Se um homem penetrasse completamente nos mistérios de Ártemis, adquiriria o que só pode ser chamado de consciência dionisíaca, exigindo dele tornar-se andrógino e superar o seu terror diante da Mãe da Morte. Alguns xamãs, terapeutas e curadores do sexo masculino estão aptos para esse aprendizado com a Mãe das Trevas; mas, para a maioria, fábulas como a morte de Acteão e o destino de Penteus são advertências para manterem a devida distância.

Igualmente, a mulher que penetrar fundo nesse lado da sua natureza artemisiana precisará reconhecer o poder primitivo da sua sanguinolência e o efeito que pode ter sobre um homem – a mulher-Atena tem uma tarefa semelhante com a sua Medusa.

Ártemis e o chamamento da selva

Comentamos no início deste capítulo que muitas mulheres-Ártemis são inconscientemente frustradas com suas vidas simplesmente por morarem numa cidade. Algumas, é claro, optaram pela vida urbana por motivos econômicos; mas, na nossa experiência, isso não é verdade para a maioria.

É de se perguntar, portanto, o que fazem tantas mulheres-Ártemis na cidade?

A resposta é histórica: elas estão lá por acidente. Calcula-se que, no final do século XIX, quase 80 por cento da população americana ainda morava no campo; só 20 por cento morava em cidades. Nos últimos cem anos, as cifras se inverteram: hoje 80 por cento da população mora nas cidades ou subúrbios. De modo que a maioria das mulheres hoje cresce influenciada mais pelos valores da deusa urbana Atena – carreira, profissão, educação, aperfeiçoamento intelectual – do que pela vivência de suas bisavós: a fazenda familiar, os bichos, os grandes espaços abertos e a roda infindável das estações. Isso inevitavelmente significa que existem muitas Ártemis deslocadas no nosso meio.

Hoje, milhares de mulheres, para as quais a vida rural ou no campo teria sido natural e satisfatória, crescem em cidades ou subúrbios que lhes são essencialmente estranhos. Por isso costumam sentir-se deslocadas da sociedade moderna: elas estão *fisicamente* deslocadas. A necessidade fundamental que Ártemis sente de estar ligada à terra e ao mundo natural clama para ser satisfeita.

Um exemplo é Julie, que participou de um de nossos seminários:

> Julie era uma mulher bonita de 24 anos, vestida de maneira conservadora, que crescera em uma família confortavelmente bem de vida com uma mãe Hera autoritária e intimidadora, e um pai distante. Ela aprendera cedo na vida que a aprovação só lhe seria dada se se comportasse adequadamente – o que incluía boas maneiras, roupas limpas e notas altas. Sendo por natureza uma Ártemis amante dos esportes e dos cavalos, nunca lhe foi permitido jantar com a família enquanto não tomasse banho e mudasse de roupa. Ansiando pela aprovação da mãe, ela aprendeu a se conformar a essas disciplinas sociais de Hera que são tão distantes do seu ser e tornou-se sócia minoritária de um prestigiado escritório de advocacia. Superficialmente, Julie parecia bem-sucedida por qualquer parâmetro. Mas no decorrer do processo do seminário, logo veio à tona que ela na realidade era profundamente infeliz e que sentia tremenda insegurança na sua ascensão social. Ela se sentia, revelou, "como se houvesse vendido a minha alma; trocado a minha liberdade pela aceitação e pelo sucesso. Às vezes quero simplesmente jogar tudo fora e ir viver nas montanhas com um cachorro e um cavalo".

Felizmente, como Anne LaBastille documenta em *Women and Wilderness*, há muitos sinais de que as mulheres-Ártemis estão começando a retornar ao seu verdadeiro ambiente, encontrando carreiras e oportunidades profissionais mais próximas do mundo natural. Boa parte do trabalho que realizam como ecologistas, parteiras ou biólogas permanece discretamente sem divulgação, mas de vez em quando algum feito notável chega aos ouvidos do público. A obra da etnóloga animal Jane Goodball é um exemplo. Tendo dedicado metade de sua vida convivendo de perto e estudando os chipanzés em seu hábitat natural no Quênia, ela sozinha modificou toda a nossa compreensão desses complexos animais.

Esse movimento generalizado de retorno provavelmente começou quando era comum se ouvir falar do movimento de "volta à terra" dos anos 60. Primeiro, houve as comunidades experimentais e os *ashrams* de modelo oriental, e a publicação do famoso *Whole Earth Catalogue*, de Stewart Brand, a bíblia da sobrevivência alternativa. Stephen e Ina May Gaskin fundaram The Farm, no Tennessee, uma estrutura cooperativa em que toda a propriedade e todos os seus frutos são tidos em comum. Comunidades semelhantes brotaram por todos os Estados Unidos.

Havia um forte componente de romantismo *hippie* nesses primeiros experimentos, mas alguns invernos gelados serviram para separar os românticos dos realistas. Hoje há muitos milhares de famílias e comunidades que voltaram a se fixar de maneira criativa na terra. Ambos os autores deste livro viveram muitos anos em fazendas de Vermont, partilhando todo tipo de vivências em contato com a terra – que, podemos testificar, estão longe de ser românticas.

Outros sinais do surgimento de uma consciência artemisiana são igualmente fortes e notáveis. Na Europa, o Movimento Verde, nascido do movimento antinuclear, despertou a consciência dos perigos da poluição química e nuclear em escala global. Críticos do industrialismo, como E.F. Schumacher, em seu clássico *Small Is Beautiful* (1973), têm proposto modelos mais orgânicos e menos desperdiçadores de comunidades. Pela primeira vez, todos começam a falar do meio ambiente e da necessidade de uma ciência que preserve o equilíbrio da natureza; *ecologia* tornou-se uma palavra na boca de todos.

Nos Estados Unidos, o movimento ecológico é forte, embora menos conhecido do que em outros lugares por causa de uma imprensa tímida e do poder que os *lobbies* nucleares e das grandes empresas têm sobre a legislação governamental que rege as questões ambientais. Mas, graças a autores influentes como Dolores La-Chapelle, Rachel Carson, Barry Commoner, Murray Bookchin, Wendell Berry e Kirkpatrick Sale, a consciência ecológica americana vai se modificando. Em 1988, na esteira das secas inesperadas e das irregularidades climáticas ocorridas nos Estados Unidos e do extermínio maciço de focas no norte da Europa, a grande imprensa finalmente despertou para os terríveis efeitos da nossa negligência. Revistas e programas de televisão subitamente se encheram de histórias sobre a poluição dos oceanos e de previsões lúgubres sobre o efeito estufa que ameaça o planeta inteiro à medida que a camada de ozônio da atmosfera vai sendo destruída pelos clorofluorcarbonos.

Talvez mais significativo para as mulheres sejam as obras feministas vigorosas, ou mesmo visionárias, que têm sido publicadas. Ártemis e Atena combinaram forças para colocar a crise contemporânea em perspectiva. Marcos dessa união foram *Gyn-Ecology* (1978), de Mary Daly, *The Death of Nature* (1980), de Carolyn Merchant, e *Woman and Nature*, o arrebatado lamento artemisiano de uma natureza arruinada, de Susan Griffin. A belíssima dedicatória do livro de Griffin parece uma prece à silente Ártemis que vive dentro de todas as mulheres e habita toda a natureza:

"Estas palavras estão escritas para aquelas de nós
cuja linguagem não é ouvida, cujas palavras
foram roubadas ou apagadas, aquelas privadas
da linguagem, que são chamadas de afônicas
ou mudas, como as minhocas, e os moluscos e as
esponjas, para aquelas de nós que falam a nossa língua."

Em 1980, uma nova palavra, ecofeminismo, foi incorporada à língua, marcando o crescente vagalhão de conferências, palestras e grupos ativistas exigindo proteção para os animais, as plantas, a ecosfera, e mais. James Lovelock, em *Gaia: A New Look at Life on Earth*, chama essa consciência radical de "Hipótese Gaia", uma idéia que ele desenvolveu junto com a bióloga Lynn Margulis. Lovelock e Margulis lembram-nos que a Terra inteira é um organismo vivo, cuja saúde global está agora correndo risco. Nunca a ascensão da consciência de Ártemis foi tão urgente.

Mistérios da terra, Wicca e o renascimento xamânico

Outro evento marcante para Ártemis em 1980 foi o surgimento da antologia poética espantosamente original de Robert Bly para o Sierra Club, *News of the*

VENHAM À PRESENÇA ANIMAL
de Denise Levertov

"Venham à presença animal
Homem nenhum é ingênuo como
a serpente. O coelho branco
solitário no telhado é uma estrela
abanando as orelhas para a chuva.
A lhama que intricadamente
dobra as patas traseiras para sentar-se
não despreza mas com brandura
relega a aprovação humana.
Que alegria quando o despreocupado
tatu olha para nós e não
acelera o seu trote
pela trilha que leva à palmeira.
Que alegria é essa? De animal
nenhum vacilar, mas saber o que deve fazer?
Da cobra ser imaculada e
do coelho inspecionar sua escusa morada
em alvo silêncio estelar? Da lhama
descansar em dignidade e do tatu
ter um propósito quando chegar às palmeiras.
Os que eram sagrados assim permaneceram,
a santidade não se dissipa, é uma presença
de bronze, somente os olhos que a viram
vacilaram e se desviaram.
Uma antiga alegria retorna em presença sagrada."

De *Jacob's Ladder* (Nova York: New Directions, 1961)

Universe. Com total discrição, ele inaugurou uma nova visão do poeta e da poetisa na nossa sociedade. Bly, cujas pesquisas sobre as deusas foram uma grande inspiração para nós, concebe o poeta e a poetisa como nada menos que os xamãs e xamanesas perdidos do mundo pré-civilizado. Desde a reação dos Românticos ao industrialismo no século XIX, diz ele, retornar à consciência pré-científica do nosso lugar na natureza tem sido um poderoso impulso poético. Ou, como Bly afirma repetidamente, "temos que sair da casa". Ele e Denise Levertov, nos versos do belíssimo poema dela, convidam todos para que "venham à presença animal" (veja quadro, "Venham à Presença Animal").

O que poetas como Bly, Levertov e Gary Snyder, e escritores como Charlene Spretnak, Annie Dillard e Kirkpatrick Sale estão eloqüentemente nos lembrando é que retornar a Ártemis e aos valores da Terra é uma revolução profundamente *espiritual*. Mas não espiritual no sentido insosso a que a palavra foi reduzida pelo repúdio à Terra do cristianismo. Pelo contrário, estamos testemunhando um redespertar para a *energia do espírito da terra* e para a comunhão espiritual com os mundos animal e vegetal. Este foi sempre domínio do xamã, que há muito está perdido para a consciência civilizada do Ocidente.

Uma parte do multifacetado redespertar da espiritualidade artemisiana da terra vem ocorrendo há vários anos na Europa. Na Grã-Bretanha, redescobriu-se a antiga Deusa Branca dos celtas, graças ao famoso livro *White Goddess*, de Robert Graves. Seguiram-se as percepções radicais de John Michel em seu livro visionário *The View Over Atlantis*. Michel soube ver que os antigos círculos de pedra e outras construções semelhantes eram usados para regenerar a terra circundante através da manipulação consciente das antigas forças da "serpente" ou do "dragão" que convergiam debaixo dos monumentos. Na antiguidade, a serpente era conhecida como um dos principais símbolos de poder da Grande Mãe.

Na Grã-Bretanha e nos Estados Unidos tem havido há algum tempo uma nova compreensão da feitiçaria. Sob o nome de Wicca (raiz da qual se diz que a palavra *"witchcraft"* [literalmente, "a arte da bruxa"] originou), todos os tipos de neopagãos – na expressão afetuosa de Margot Adler – têm buscado as origens, reais ou reconstruídas, do xamanismo.[7]

É essa "arte dos sábios", como Wicca costuma ser chamada, que muitos consideram ser a "antiga religião" de Diana, praticada em toda a Europa até bem depois do advento do cristianismo. O Deus Chifrudo dos caçadores, conhecido pelos gregos como Dioniso e pelos celtas como Cérnuno, talvez tenha sido cultuado como consorte da Senhora das Feras. Com certeza, o Deus Chifrudo, cuja presença então estava esvaecendo, pode facilmente ter servido de imagem para o Diabo – que foi fundamentalmente uma invenção cristã medieval.

Aquelas mulheres que de fato seguiam os antigos modos matriarcais de Diana vieram a ser tragicamente identificadas com as chamadas bruxas. Essas mulheres (e homens também), perseguidas de maneira tão terrível, foram quase certamente curandeiras xamanistas que permaneceram em regiões montanhosas afastadas da Europa medieval. Os sabás orgiásticos, nos quais diz-se que o tenebroso sacrifício de crianças seria prática comum, soam como vagas recordações da memória

---

7. O livro de Margot Adler, *Drawing Down the Moon* parece-nos a introdução mais equilibrada que se poderia desejar para este tema confuso. Para captar um pouco do espírito ritualístico e comunitário do movimento, também recomendamos *The Spiral Dance: A Rebirth of the Ancient Religions of the Great Goddess*, de Starhawk.

O CAMINHO DO BELO DE DHYANI YWAHOO

De manhã eu canto uma canção singela de graças, como meus avós ensinaram. Canto por todos os meus parentes, por todos aqueles que vivem e respiram, até pelas pedras, pois os cristais são vivos e crescem como nós. Em nossas experiências com a vida, em nossas interações uns com os outros, aprendemos a deixar a ira de lado, aprendemos os modos da comunhão, encontramos os caminhos da resolução. [...]

Quando eu era menina, este foi um primeiro passo no Caminho do Belo. Aprender a cantar uma canção matinal de graças, sentada tranqüila e percebendo que realmente há luz movendo-se por este corpo. Isso fazia as palavras de meus avós adquirirem um sentido maior em meu coração. [...]

Muitos de nós buscam hoje outra vez maneiras simples de viver, maneiras dignas que não nos escravizem ao trabalho assalariado para pagarmos por coisas de que na realidade não precisamos, e não nos tornem cada vez mais dependentes da tecnologia que polui a Terra. É bom cortar a nossa própria lenha, é bom fazer um fogo para cozer no quintal. Viver com simplicidade é viver sem grilhões. Nossa condição, nossa posição, são determinadas, não pelo trabalho que realizamos externamente, mas pela obra em nossos corações e pelo modo como ajudamos os outros. O esforço para reconhecer e falar a verdade é o maior trabalho que qualquer um pode realizar. É perceber o poder da nossa mente límpida e fazer manifestar o melhor em todas as pessoas com quem percorremos o caminho da vida. Este é um dom de dar e receber. Nosso coração sente, então, que vai explodir de amor e apreço, livre dos medos que confinam.

The Voices of Our Ancestors, pp. 58-59

folclórica de antigos festivais dionisíacos e artemisianos realizados nas florestas, ou de seus equivalentes norte-europeus.

Como seria de se esperar, o medo masculino da Mãe Dentada ressurgiu na imaginação de uma Igreja celibatária dominada por homens. A alta Idade Média na Europa, com suas inomináveis fogueiras para queimar bruxas, foi uma triste época para as deusas. Pois não só Ártemis e o caminho dos poderes animais foram condenados como pertencentes ao Diabo; a sexualidade de Afrodite e os poderes psíquicos e visionários de Perséfone também foram embolados juntos no temível estereótipo da bruxa. Não obstante, junto com Wicca e outros movimentos semelhantes, está ocorrendo uma importante ressurreição das antigas tradições xamanísticas e de cura da Europa.

O modo belo da terra: Ártemis na América nativa

Sob nomes diferentes, o espírito das deusas que os povos antigos do Velho Mundo conheciam como Ártemis sempre esteve presente no continente americano nas tradições nativas que reverenciam "o modo belo da Terra". Os povos mais tragicamente oprimidos da América do Norte nunca deixaram de praticar um estilo de vida holístico e integrado com a Terra, que mais do que compensa a unilateralidade da "espiritualidade" cristã. Nas tradições americanas nativas, sempre houve um Pai Celeste e uma Mãe Terrestre vivendo em harmonia. Com o seu gênio para intuir a essência de culturas pré-civilizadas, D.H. Lawrence fez uma descrição intensa de uma cerimônia de dança dos Pueblos, em seu ensaio de 1928 "New Mexico", onde aponta com precisão o que as tradições do Ocidente perderam ou perverteram:

> [...] jamais esquecerei ter visto os dançarinos; os homens com peles de raposa balançantes presas às nádegas, perfilando-se em San Geronimo, e as mulheres com chocalhos de semente seguindo atrás. Os longos cabelos negros dos homens, ondulantes, cintilantes. Até na antiga Creta cabelos compridos eram sagrados para um homem, como ainda são para os índios. Jamais esquecerei a total absorção da dança, tão tranqüila, tão sóbria e atemporalmente rítmica, e tão silenciosa, os passos incessantes, sempre para o centro da terra, o próprio reverso do fluxo ascendente do êxtase cristão ou dionisíaco. Jamais esquecerei o canto solene dos homens nos tambores, avolumando e definhando, o som mais solene que já ouvi na minha vida, mais grave que o trovão, mais grave que o som do Oceano Pacífico, mais grave que o rugir de uma profunda cachoeira: o maravilhoso som solene de homens convocando as profundezas inomináveis.
>
> *De Phoenix*

O que comoveu Lawrence tão profundamente nos anos 20 hoje atinge cada vez mais mulheres e homens – que, como ele, rejeitam a aridez e desolação da vida nas grandes cidades e a feiúra do cenário urbano-industrial que desfigura nossas paisagens. Com a crescente onda de entusiasmo pelos mestres e xamãs dos americanos nativos, um grupo pequeno mas cada vez maior de espíritos aventureiros tem buscado visões no deserto ou métodos alternativos de prática espiritual e curativa aqui mesmo neste continente.

Algumas mulheres carismáticas das tradições americanas nativas começam atualmente a despontar em todo o país como mestras poderosas e influentes; dentre as mais preeminentes podemos citar Oh Shinnah, Twyla Nitsch, Dhyani Ywahoo e Brooke Medicine Eagle. Nas comunidades que fundaram, nos seminários que organizam e nas conferências medicinais onde ensinam, suas presenças discretas mas firmemente ligadas à Terra são modelos de inspiração para muitas mulheres de ascendência européia que hoje buscam o que poderíamos chamar o Caminho do Belo de Ártemis e que foi perdido (veja quadro, "O Caminho do Belo de Dhyani Ywahoo").

Muitas das anciãs e mestras mais tradicionais naturalmente preferem manter-se longe do olho do público e da exploração da mídia. Porém, mesmo elas, cautelosamente, começam a permitir que a sua sabedoria luminosa e muito necessária atinja aqueles que tanto anseiam pela visão espiritual deste aspecto da deusa que os gregos chamavam Ártemis.

Um exemplo da transmissão dessa sabedoria que recomendamos é a coletânea de contos *Daughters of Copper Woman*, de Anne Cameron (Vancouver: Press Gang Publishers, 1981). Há anos, conta-nos a autora, ela vem ouvindo histórias dos povos nativos de Vancouver Island, no Canadá, "histórias preservadas há gerações por uma tradição oral agora ameaçada". As mulheres nativas, que acabaram dando a Cameron permissão para recontar algumas de suas histórias, pertencem a uma sociedade matriarcal e matrilinear. Cameron explica no prefácio que essas poderosas e sábias mulheres são "membros de uma sociedade secreta cujas raízes remontam além da história registrada, até a aurora do próprio Tempo". Nessa tradição, a Grande Mãe é chamada Mulher de Cobre. Ela é eterna e assume muitas formas, tendo muitas filhas e netas que transmitem diferentes aspectos de seus ensinamentos. Numa dessas encantadoras histórias, ela se torna a Mulher Velha, o aspecto da deusa que chamamos Croné (veja capítulo de Deméter), aquela que dá vida a todas as coisas – com o seu tear – e que a toma – com a sua vassoura.

Outra ótima introdução que mostra como os americanos antes de Colombo estavam impregnados com o senso místico artemisiano da unidade entre mulher, homem e natureza é a "compilação de narrativas visionárias" de Joan Halifax, *Shamanic Voices* (Nova York: Dutton, 1979). Num desses registros literais, Brooke Medicine Eagle descreve o seu treinamento ritual como curandeira de uma tribo Cheyenne do norte, que culmina numa busca visionária de grande força e beleza. O relato, é claro, deve ser lido na íntegra; mas aqui, para encerrar dignamente o capítulo, citamos como Brooke entende a urgência de reequilibrarmos as energias masculinas e femininas do planeta como um todo para regenerá-lo:

> [...] Descendo essa montanha, em passos lentos, em passos delicados e suaves, vinham as mulheres idosas, as mulheres índias, dançando. Elas ou *são* luz ou trazem a luz. Serpenteiam a montanha para depois rodear o morro onde estou. E, ao dançar em círculo, muito depressa, neste círculo entra outro círculo, de mulheres jovens, da minha idade e do meu tempo, jovens que eu conheço, e elas também dançam. Os dois círculos estão dançando e se movendo, e começam a se entrelaçar, um penetrando o outro. Surge então no interior deste círculo outro círculo de sete idosas avós, mulheres de cabelos brancos, mulheres importantes para mim, anciãs poderosas. [...]

Os círculos à minha volta desaparecem, e me vejo novamente a sós com a Mulher Arco-Íris. [...] Ela me disse que a Terra está em dificuldade, que todas as terras estão em dificuldade, e que aqui, nesta Ilha das Tartarugas, nesta terra norte-americana, o que precisa é um equilíbrio. Ela disse que a energia impetuosa, agressiva, analítica, intelectual, construtora e ativa sobrepujou demais a energia feminina, receptiva, a energia que concede e se rende. Ela disse que o que precisa acontecer é uma elevação e um equilíbrio. E por estarmos desequilibrados, precisamos enfatizar mais a entrega, a doação, o acalento. Ela falava comigo como uma mulher, e eu deveria levar essa mensagem para as mulheres especificamente. Mas não só as mulheres precisam se fortalecer assim; todos nós precisamos, homens e mulheres igualmente. (pp. 88-89)

Quatro

Afrodite: áurea deusa do amor

A idade não a faz murchar, nem o hábito estancar
sua infinita variedade...

Shakespeare, *Antônio e Cleópatra*

Afrodite: deusa de todas as pessoas

Nenhuma deusa foi tão bem amada quanto a própria deusa do amor, Vênus-Afrodite. E nenhuma outra deusa foi tão bem representada em todas as artes. Desde que surgiu da espuma das ondas na célebre concha de vieira, artistas a pintaram e esculpiram, poetas exaltaram sua beleza, e cancionistas compuseram melodias em sua honra (veja quadro, "Hino de Safo a Afrodite").

Os gregos e os romanos adoravam-na pela sua gloriosa beleza, pela sua ternura e pelas suas muitas aventuras amorosas. Seu filho divino igualmente belo, Eros – o deus romano Amor ou Cupido – foi por muitos considerado a personificação do maior dom já concebido à humanidade. Um mito relativamente recente chega a atribuir a Eros a própria criação do mundo. Como o amor cósmico de Dante, "que move o sol e todas as outras estrelas", o Eros gerado pela deusa era tido pelos gregos como a força vital que existe por trás de todas as coisas. Afrodite naturalmente ocupava um lugar respeitado no Olimpo, embora Hera, guardiã ciumenta, fosse implacavelmente contra o seu comportamento sexual licencioso.

Em nossa época, Afrodite dá toda a impressão de ter trocado o Olimpo por Hollywood. É como se nessas últimas gerações algumas grandes beldades da tela – Greta Garbo, Marilyn Monroe, Elizabeth Taylor – houvessem efetivamente encarnado a deusa. A vida pública dessas atrizes chegou até mesmo a adquirir uma certa qualidade mítica: o misterioso retiro de Garbo, a morte trágica de Monroe, o relacionamento épico de Taylor com Richard Burton são apenas alguns exemplos.

Mas o culto a Afrodite não se restringe a Hollywood. Ela é celebrada em toda parte, *Aphrodite pandemos*, como os gregos a chamavam – deusa "em meio a todas

HINO DE SAFO A AFRODITE

Safo foi uma poetisa grega tremendamente influente no século VI a.C. Ela viveu na ilha de Lesbos (daí a palavra *lésbica*), para onde muitas jovens iam a fim de serem instruídas por ela nos mistérios femininos da menstruação e da sexualidade, e para celebrar a deusa Afrodite em poesia, dança e música. Grande parte da poesia lírica de Safo, considerada por muitos a mais bela e requintada do Ocidente, perdeu-se. Cópias de suas obras foram queimadas em praça pública em Roma e em Constantinopla em 1073, por ordem do papa Gregório VIII. Eis aqui o único de seus poemas que chegou até nós completo.

> Em teu trono ofuscante, Afrodite
> Sagaz filha eterna de Zeus
> eu imploro: não me esmagues
> de aflição,
> vem a mim agora – como certa vez
> ouviste meu longínquo lamento, e cedeste,
> e te ausentaste furtivamente da
> casa de teu pai
> para jungir pássaros em tua áurea
> carruagem, e vieste. Vistosos pardais
> trouxeram-te ligeira para
> a sombria terra,
> suas asas vergastando o médio céu.
> Feliz, com lábios perenes, sorriste:
> "O que há de errado, Safo, por que me
> chamaste?
> O que deseja o teu tresloucado coração?
> Quem deverei fazer amar-te?
> Qual delas voltou as costas a ti?
> Deixa que ela fuja; logo virá atrás de ti;
> Recusei dela os favores; e logo serão teus.
> Ela te amará, ainda que não saiba nem queira."
> Vinde pois a mim agora e liberta-me
> de espantosa agonia. Labora
> por meu tresloucado coração. E sê
> de mim aliada.

De *Greek Lyric Poetry*, traduzido por Willis Barnstone
(Nova York: Schocken Books, 1962)

as pessoas". Diariamente, as novelas de televisão, os romances edulcorados vendidos em banca de jornal e os traficantes de escândalos políticos revivem as suas histórias imemoriais de paixões secretas, ciúmes e inveja, e traição. Os sexólogos da nação computam seus múltiplos orgasmos e mapeiam os recônditos mais arcanos da sua anatomia íntima. Os evangelistas da TV execram os seus excessos. As revistas de moda têm uma queda por ela, enquanto as revistas masculinas glorificam a sua nudez. Pornógrafos e cafetões exploram-na inescrupulosamente.

Nunca uma deusa foi tão íntima e tão pública ao mesmo tempo!

Mas terá sido sempre assim? Foi assim na Grécia antiga?

Certamente não. Os gregos não tinham os meios de comunicação de massa atiçando um anseio natural quase ao ponto da histeria. Eles ainda preservavam um forte sentido da sexualidade como um dom sagrado, não um bem a ser explorado, e é por isso que reverenciavam Afrodite. É somente o mundo moderno que está tão obcecado com os encantos físicos da deusa, que quase perdeu contato com a sua dimensão sagrada.

Mas entre nós e os gregos houve o cristianismo, uma religião cujos primeiros fundadores horrorizavam-se com o amor liberal de Afrodite pelo corpo e pelo prazer sexual. Assim, por quase dois mil anos, a cultura ocidental aprendeu a denegrir e a suprimir qualquer impulso que pudesse estar relacionado com a deusa do amor terreno. Mas hoje, como parte de um movimento de reação que já se processa há um século, passamos da privação para o excesso. E parecemos desesperadamente sedentos de romance, sensualidade, imagens eróticas e prazer.

Gostemos ou não, nossa cultura perdeu completamente a perspectiva de Afrodite e do dom divino que ela nos conferiu, Eros. Acreditamos que os gregos podem nos ajudar a recuperá-la, embora esta não seja uma tarefa fácil, dado o puritanismo que todos nós herdamos. Não obstante, a cultura grega oferece-nos algumas importantes pistas que explicam por que hesitamos tanto em permitir que Afrodite penetre plenamente na nossa consciência e no nosso mundo.

Na sua forma mais radiante, Afrodite tem muitos "dons áureos" a nos conferir. As mulheres nascidas sob a sua influência naturalmente apreciam a sexualidade e a beleza como qualidades sagradas. As mulheres-Afrodite têm um magnífico faro para esse tipo de educação íntima que só pode ocorrer no *boudoir*. Como iniciadora dos salões, Afrodite sempre excedeu-se em civilizar a rude e grosseira energia masculina.

O mundo de Afrodite

Afrodite era e é, em tudo, uma presença *sensual*. Para os gregos antigos, ela era a "deusa áurea". Como um sol glorioso, ela brilhava sobre aquela cultura precoce abençoando-a com as artes da escultura, poesia e música. Nada lhe dá maior deleite do que a gratificação dos sentidos através do belo. Ela adora roupas finas, cabelos resplandecentes e esvoaçantes, jóias e adornos de todos os tipos. É por isso que as primeiras estátuas gregas da deusa mostravam-na vestida com atavios suntuosos. Hoje ela domina a indústria da moda, dos cosméticos e o mundo requintado e glamouroso de revistas como *Vogue*.

A infância de uma Afrodite moderna pode ser marcada por infindáveis brincadeiras de vestir e desfilar – ela pode até tornar-se modelo infantil, pois é por natureza uma exibicionista. Com seu sentido estético inato, poderá mais tarde tornar-se modelo de moda, atriz, *hostess* ou decoradora de interiores. Ou poderá acabar na mídia, onde será uma boa repórter ou entrevistadora, dado seu interesse extrovertido pelas pessoas. Todavia, qualquer que seja o seu trabalho, estará inevitavelmente ligado a grupos de pessoas – seja um escritório movimentado, uma loja ou uma empresa – em que sua habilidade natural de relacionar-se com as pessoas, seu magnetismo, seu charme e seu encanto logo atraem a atenção dos patrões.

Carl Jung definiu Eros no seu contexto humano mais generalizado como a capacidade de relacionar-se, a qualidade de ligar-se aos outros. Temos assim outra pista essencial da natureza da mulher-Afrodite: por mais importante que a sexualidade seja para ela, sempre será parte integrante de um relacionamento, nunca um fim em si mesma. É a ligação pessoal com o companheiro ou amante, a *troca* de prazer entre ambos, que torna o sexo algo tão extático para ela.

A capacidade de relacionar-se, o que vale dizer, tudo o que um relacionamento envolve, é fundamental para entendermos a mulher-Afrodite. Não importa se a conhecemos uma hora atrás ou por toda a vida, ela quer que sejamos inteiramente, sensivelmente e humanamente presentes – que estejamos nos relacionando. Isso é tão importante para Afrodite quanto a clareza mental é para Atena ou os cânones morais são para Hera. Se não houver relacionamento, ela vai se definhando ou perdendo o interesse.

Acima de tudo, Afrodite quer que os relacionamentos sejam amorosos – não importa se amigáveis, sociais, físicos ou espirituais; ela quer que tenham *coração*. Uma verdadeira mulher-Afrodite não dá a mínima para as exigências sociais de um "bom casamento" que Hera, sua rival, gostaria de ter. E considera o acalentador amor maternal de Deméter um pouco unilateral demais. Quanto ao platônico "casamento de mentes verdadeiras" de Atena, é excessivamente mental.

Com seu ardor instintivo, a mulher-Afrodite dá-se bem com os outros – homens, especialmente, é claro. Sua vida parece ser igualmente regida por encontros e ligações fortuitos e planejada com meticulosidade. As aspirações profissionais de sua irmã Atena provocam-lhe um certo tédio. A oportunidade de um cruzeiro pelo Mediterrâneo pode facilmente levá-la a abandonar a escola – e, para arrematar, ela acabará arranjando ainda algum tipo de emprego pouco usual. Com a sua eroticidade despreocupada, ela pode se revelar bastante oportunista.

Afrodite não está particularmente interessada em casamento e filhos como tal. Quando tiver filhos, será uma mãe afetuosa, generosa e muitas vezes pouco convencional. Mas não fará deles o centro da sua vida, como Deméter. E nem sempre contrairá matrimônio, para escândalo de Hera.

Não, Afrodite raramente quer criar raízes. Pelo contrário, ela tende a ver a vida como uma aventura, e uma aventura com um possível final romântico. Ela busca um homem sensual, ativo e desimpedido; de preferência sofisticado, bem instruído e armado com um cartão de crédito e não com uma pistola.

É preciso lembrar que a mulher-Afrodite é essencialmente civilizada e sensual. Acampar nas montanhas do Colorado ou caçar animais selvagens na África não faz o seu gênero, por mais lindo ou rijo ou robusto seja o homem que a convida. As aventuras tempestuosas são para Ártemis, assim como as aventuras políticas solitárias são para Atena. Afrodite quer ter a certeza de um coquetel e roupas de cama limpas para as suas aventuras. É mais fácil encontrar uma Afrodite à beira de uma piscina elegante do que de um lago ermo nas montanhas.

Afrodite cresce – e como!

Ser abençoada por Afrodite geralmente significa que a mulher se sentirá plenamente à vontade com o seu corpo e que terá uma relação saudável e descomplicada com a sua sexualidade. Quando garotinha, poderá facilmente chocar sua mãe com uma curiosidade natural sobre o corpo e os órgãos sexuais. Mais tarde, a despeito das tentativas de incutir nela um mínimo de modéstia, poderá manifestar uma atitude quase casual em relação ao sexo. Ela é, no melhor sentido da palavra, naturalmente pagã.

Desde o início há algo muito atraente a seu respeito, embora não seja necessariamente um tipo convencional de beleza. A Deusa, vale lembrar, tem mil maneiras de conferir seus encantos. A criança-Afrodite aprenderá logo cedo a flertar com o pai e, desde que ele não se sinta ameaçado por isso, receberá dele a primeira confirmação positiva de seus encantos. Com tal reforço, poderá começar a praticar suas habilidades em algum ou em todos os amigos dele – deixando-os tremendamente embaraçados! Para ela, porém, é a mera aplicação inocente de um talento erótico inato.

Quando chega à adolescência, terá de aprender a trazer sob controle o seu eros florescente que, no mundo moderno, pode e irá colocá-la em toda espécie de dificuldades. Fisicamente, ela amadurece cedo e, como resultado, será forçada a amadurecer cedo também socialmente. Sua beleza e amigável extroversão farão dela um inevitável centro das atenções libidinosas de todos os rapazes à sua volta. E ela naturalmente ficará lisonjeada. Aprenderá rapidamente as regras do namoro, e também como não partir um número grande demais de jovens corações masculinos.

As primeiras lições sutis na arte de relacionar-se estão começando para a jovem Afrodite. Na realidade, sua vida social agitada pode tornar-se o centro da sua vida e fantasias. Que diferença da Ártemis adolescente, que nessa idade está provavelmente praticando canoagem, ou de Atena, absorta em livros e tarefas escolares, ou de Hera, ocupada em dirigir o centro acadêmico por exemplo.

Às vezes, a jovem Afrodite terá um amadurecimento precoce, adquirindo uma beleza estonteante muito além da sua idade efetiva. A jovem Elizabeth Taylor era uma dessas beldades quando, aos dezoito anos, casou-se com Michael Todd, vinte e cinco anos mais velho. Eis o trecho de uma entrevista que ela deu a Helen Gurley Brown a esse respeito:

> "HGB: Você tinha apenas dezoito anos; estava preparada para o amor?
> ET: Eu estava preparada para o amor e pronta para experimentar fazer amor.
> HGB: Então isso está em seus genes?
> ET: É, acho que está nos genes. É uma coisa com que eu nasci. Antes dos homens, meu grande amor era pelos animais, um amor que eu ainda sinto. Depois foram os homens e, é claro, as crianças. A lista não pára de crescer."

De "Girl Talk with Elizabeth the Great"
in: *Cosmopolitan* (setembro 1987), p. 239

Outra jovem Afrodite que todos nós conhecemos é Brooke Shields, que representou o despertar da sexualidade adolescente em *A lagoa azul* e foi uma prostituta de doze anos em *Pretty Baby*.

Longe dos predadores da selva da mídia, a beleza precoce pode ser uma bênção ou maldição para a jovem Afrodite ainda no colégio. Os jovens da sua idade ficarão pasmados diante dela, ao passo que ela os achará imaturos e grosseiros. E logo passará a ser cortejada por admiradores bem mais velhos, podendo rapidamente vir a sentir-se isolada socialmente de suas colegas.

Este é um esquema que a mulher-Afrodite irá repetir de diversas maneiras por toda a vida. Sua beleza excepcional pode ser um passaporte instantâneo para outros mundos mais fascinantes; mas com isso sobrevém-lhe uma palpável alienação. Talvez venha a conhecer certa solidão interior, uma sensação de estar fora do seu meio, e colocará toda a sua energia em sua *persona* exterior, em sua lindíssima máscara, para compensar. Uma vez que tantos homens a desejam apenas por causa da sua aparência, como uma conquista ou símbolo de *status*, ela muitas vezes chegará a duvidar do seu próprio valor. "Um símbolo sexual é uma coisa, e eu não sou uma coisa", Marilyn Monroe teria dito. Como a infeliz Marilyn, muitas mulheres-Afrodite poderão sentir-se inseguras em relação a seus outros talentos bastante reais. Tamanha é a pressão externa que ela se esquece de que nenhuma mulher deve ser forçada a ser exclusivamente uma única deusa. Começamos aqui a vislumbrar a chaga de Afrodite, à qual voltaremos mais adiante.

A atratividade da jovem Afrodite e a sua empatia fácil e livre com o sexo oposto afastam-na de suas colegas desde o princípio. Muitas de suas contemporâneas terão inveja sua – algo que, pelo seu bom coração, ela achará difícil de entender. E, embora a mulher-Afrodite possa ter algumas amigas muito íntimas ao longo dos anos, ela permanece essencialmente atraída pelos homens para a maioria de seus relacionamentos íntimos.

Se a jovem mulher-Afrodite puder aceitar que os seus dons especiais estão destinados a diferenciá-la dessa maneira, descobrirá que possui um passaporte dourado para um mundo maior do que aquele em que cresceu. Esse passaporte pode assumir a forma de uma oferta de emprego que seria insano recusar. Grandes empresas, lugares exóticos e novas pessoas podem de repente surgir no seu horizonte. Ou então, se se sentir encurralada e entediada na rotina de um escritório de alguma cidade pequena, poderá simplesmente fazer as malas e partir para a cidade grande, uma aventureira disposta a confiar apenas no seu charme e em alguns números de telefone.

Afrodite é tão misteriosa e fascinantemente exótica para os homens que tende a ser uma presença perturbadora nos locais de trabalho do mundo paternal. Não importa qual deusa seja mais forte nelas, a maioria das mulheres que hoje trabalha aprendeu a usar roupas discretas e não raro neutras, evitando parecer excessivamente sedutoras no serviço. Revistas como *Cosmopolitan* e *Working Woman* oferecem sábios conselhos sobre até que ponto uma mulher deve mostrar-se desejável conforme o lugar onde trabalha.

Se uma jovem mulher-Afrodite julgar as roupas esmeradas e conservadoras de Atena gerencial um pouco restritivas demais, poderá vir a se perguntar se de fato está no emprego certo. De nada lhe adianta vestir-se de maneira provocante e depois reclamar dos avanços dos homens ou da antipatia que inspirou em suas colegas. Há um tal instinto de exibicionismo sexual na constituição de Afrodite que ela provavelmente se sairá muito melhor numa carreira de modelo ou atriz.

No mundo da moda, ou no trabalho de relações públicas ou de *hostess*, ela poderá fazer pleno uso de seus talentos, desde que consiga agüentar o tranco. Entretanto, logo poderá descobrir que é uma mercadoria perfeitamente supérflua nesse mercado altamente competitivo, e precisará de todo o seu charme e mais de toda a sagacidade pragmática de Atena se pretende sobreviver nessa fase dependendo apenas da sua aparência.

Se tiver a sorte de não se deixar explorar sexualmente por homens inescrupulosos, talvez descubra algo, a saber, a *sua* própria capacidade de explorar os homens seduzindo-os. Vislumbramos aqui uma faceta de poder na psicologia de Afrodite: *a sereia*. Ela poderá verificar que o seu maior trunfo no mundo superficial do *show business*, da promoção publicitária e da moda é a sua liberdade sexual.

O velho clichê da jovem aspirante a atriz que obtém seu primeiro papel passando de cama em cama tem mais do que um grão de verdade. Na nossa sociedade esfaimada por sexo, a beleza da mulher-Afrodite é um produto muito cobiçado, com o qual ela pode facilmente aprender a negociar. Poderá, é claro, embrutecer-se sexual e emocionalmente, mas poderá também aprender a escolher seus amantes influentes de maneira sagaz e seletiva. Se o fizer, tais experiências serão o seu curso prático para aquilo que os franceses chamam *l'éducation sentimental* – a educação dos sentimentos.

À medida que a jovem Afrodite vai se tornando mais segura na escolha dos homens, todos os tipos de possibilidades parecem ir se abrindo. Em algum momento antes dos trinta anos, a mulher-Afrodite poderá ter um caso com um homem relativamente mais velho que se tornará um ponto de mutação na sua vida. Este será um homem do mundo, sofisticado e bem-sucedido na sua carreira, que atuará como seu mentor ou instrutor para novas aventuras. E este homem provavelmente será um homem casado. Eis a não atípica história de Marian, uma de nossas clientes:

> Marian foi uma adolescente excepcionalmente linda. Ela percebeu que a profissão de modelo poderia lhe proporcionar um rendimento rápido e imediato, tornando desnecessário completar a faculdade. Os homens das agências de modelo levavam-na para sair e jantar, e ela logo verificou que seus favores podiam de vez em quando lhe conquistar serviços melhores. Aos vinte e poucos anos, já tinha um belo apartamento próprio, um carro de luxo e muitos contratos no mundo das revistas.
>
> Mas, depois de um tempo, esse estilo de vida agitado foi se tornando insípido. Poucos dos homens com quem saía queriam romances mais duradouros. Estavam todos ansiosos pelos novos corpos jovens e excitantes dos quais havia oferta abundante naquele mundo. Marian resolveu então lançar suas expectativas um pouco mais alto, e foi atrás de um antigo patrão que dizia ter um casamento muito "aberto". Estava certa de que ele haveria de deixar a esposa por ela.
>
> Embora o relacionamento em si houvesse sido bom, o caso que tiveram não levou a nada. Passados oito anos, ele descartou Marian abruptamente e voltou para a esposa. Da sua parte, Marian vinha trabalhando cada vez menos, pois passara a viver num apartamento que ele mantinha para os dois. De repente, ela se viu sem ter onde morar, tendo pouco para mostrar daqueles oito anos exceto algumas memórias ternas e um guarda-roupa cheio.

Durante a terapia, muito rancor pela esposa do patrão veio à tona. Essa mulher representava a estabilidade, a constância e a respeitabilidade que Marian desejava para si – e que ela se sentia incapaz de obter. Investigando mais a fundo, verificou que muitas das qualidades da esposa do patrão relembravam-na vivamente da mãe. As duas nunca haviam se entendido; sua mãe sempre desaprovara a sexualidade precoce de Marian, e Marian sempre considerara a mãe uma puritana em questões sexuais.

Na terapia, Marian foi vendo como estava representando a venerável disputa entre Afrodite e Hera – paixão *versus* matrimônio – uma disputa da qual a pessoa casada quase sempre sai vitoriosa. Percebeu que precisava de um pouco do prestígio social adquirido que pertence a Hera e a toda a instituição do casamento se não quisesse continuar repisando a mesma história de ser sempre abandonada. Pouco a pouco foi deixando de lado os estereótipos negativos com que concebia o casamento e também os clichês glamourosos – mas estritamente sentimentais – de imaginar-se a amante dileta e adorada.

Uma das lições mais duras para Afrodite é a de que no mundo moderno ela quase sempre será "a outra" para muitos homens. Isso faz parte de um antigo triângulo arquetípico característico do seu universo, no qual os valores de eros são lançados contra os valores da fidelidade e do casamento – um triângulo no qual ela poderá está envolvida diversas vezes ao longo da vida. (Voltaremos a essa complexa dinâmica mais adiante neste capítulo.)

A despeito do que a virtuosa Hera possa dizer, a mulher-Afrodite não deve jamais sentir-se envergonhada pelos seus casos secretos, pois estes são muito valiosos e belos em si mesmos e por si mesmos. Quando está profundamente envolvida num tal relacionamento, ao qual a palavra *caso* nem de longe faz justiça, ela se mostra uma excepcional confidente, uma amiga espiritual além de sexual. Os homens se sentem atraídos não apenas pela sua beleza física, mas também pela sua sabedoria feminina espontânea no que tange aos assuntos do coração. Afrodite entende as pessoas e, sobretudo, ela entende os homens.

Na Antiguidade, uma mulher capaz de ser confidente sexual e espiritual de um homem era chamada pelos gregos de *hetaera* – literalmente, uma "companheira". (As gueixas japonesas assemelham-se a elas em vários aspectos.) Entre os gregos, uma vez que não tínha estado civil definido, a hetera por definição era uma prostituta de alta classe – mas, como tal, era muitas vezes bem instruída nas artes e em filosofia.[1] Em todas as épocas, ela sempre desempenhou o que os franceses (que parecem ter um monopólio da terminologia venusiana) chamavam de *femme inspiratrice* – a mulher que inspira o homem, muitas vezes criativamente.[2]

Graças ao seu talento em manobrar os sentimentos e os projetos criativos do homem, a mulher-Afrodite consegue fazer manifestar o que Carl Jung chamou *anima* do homem. A *anima* é a parte feminina de todo homem, associada à sua capacidade pouco desenvolvida de sentir e relacionar-se. Toni Wolff narra como a hetera Afrodite estimula esta faceta em um homem:

---

1. Thornton Wilder tem um conto comovente sobre uma hetera grega chamado *The Woman of Andros*.

2. O primeiro psicólogo moderno a identificar a hetera (e Afrodite) como um tipo psicológico de mulher foi Toni Wolff, colega íntima de Carl Jung e, em certos aspectos, a sua hetera. Veja uma descrição dos quatro tipos de mulher segundo Wolff no Apêndice B. De longe, a melhor discussão de Afrodite que conhecemos é *Pagan Meditations: Aphrodite, Hestia, Artemis*, de Ginette Paris.

A função da hetera é despertar a vida psíquica individual no homem e levá-lo a assumir e superar suas responsabilidades masculinas até a formação de uma personalidade total. Geralmente isso é uma tarefa para a segunda metade da vida, ou seja, depois que a posição social já foi estabelecida.

"Structural forms of the feminine psyche", p. 6

Quando uma mulher-Afrodite se apaixona por um homem criativo ou de muita atividade pública, ela aumentará tremendamente a confiança dele em si mesmo e também o seu potencial de intimidade. Como acrescenta Toni Wolff, o "interesse instintivo [da mulher-Afrodite] é dirigido ao conteúdo do relacionamento em si, e todas as potencialidades e nuances para ela mesma e também para o homem" (p. 6).

De positivo, é óbvio que isso pode ser enormemente benéfico para o desenvolvimento do eros criativo do homem. De negativo, porém, um excesso de eros pode afastar o homem de suas obrigações públicas. Ele pode perder totalmente o senso externo de direção – como o herói grego Ulisses que a princípio se apraz em ter suas viagens adiadas pela ninfa Calipso, mas que depois quase se perde inteiramente para a perigosa e encantadora Circe. Wolff fala desse perigo:

Para o homem, relacionar-se com todas as potencialidades e nuances geralmente é algo menos consciente e menos importante, pois afasta-o de suas tarefas. Para a hetera, porém, é decisivo. Tudo o mais – segurança social, posição, etc. – é secundário. Aqui está a importância e o perigo da hetera, [que] pode levar um homem a um ponto em que ele deixa de ver claramente a realidade exterior: ele pode, por exemplo, abandonar a profissão para tornar-se um 'artista criativo'; ou poderá divorciar-se, acreditando que a hetera o compreende melhor do que a esposa, etc. Ela insiste em uma ilusão ou em alguma bobagem, e assim se torna uma tentadora; ela é Circe e não Calipso (p. 6).

Claramente, Calipso, a ninfa, e Circe, a feiticeira, representam os lados positivo e negativo da influência que Afrodite exerce sobre um homem.

Quando um homem começa a entrar em contato com a sua *anima*, esta se torna como uma musa, ajudando-o com novas idéias e trabalho criativo. No entanto, é raro o homem vivenciar diretamente a sua *anima*. Via de regra, ela é projetada ou *vista* na mulher que idealiza. Nem toda *anima* masculina corresponde a Afrodite; mas, se este for o caso, é ela que mais o aproxima do seu ser criativo e apaixonado. O que também explica a necessidade que muitos artistas, poetas, músicos homens têm de um tipo específico de companheira. É sabido que o escritor H. G. Wells, por exemplo, não conseguia escrever um livro se não estivesse tendo ao mesmo tempo um caso amoroso envolvente.

O poder da atração ou a atração do poder?

Enquanto o amante mais velho da jovem Afrodite conversa entusiasmado com a imagem da sua *anima* no espelho da personalidade venusiana da sua amada, ela também vê nele uma parte do seu próprio lado masculino. A projeção nunca é um fenômeno unidirecional. O que ela encontra nas poderosas fantasias que entretém sobre esse homem é o aspecto da mulher que Jung denominou *animus*. Além disso, talvez encontre nele a imagem do pai que sempre adorou, de modo que o relacionamento pode vir a incluir a excitação adicional dos sentimentos incestuosos – e, se ela tiver sorte, levar à sua resolução de uma vez por todas.

Depois de uma boa experiência com um amante mais velho, a jovem Afrodite atinge sua plena maturidade e passa a ter genuína confiança em si mesma. Daí por diante, o poder e a autoridade, os artifícios e artimanhas do mundo masculino cessam de atemorizá-la. Ela já enxergou, de mais de uma maneira, até o âmago disso tudo. E tornou-se a testemunha privilegiada de algumas das patifarias mais arcanas deste mundo.

Homens poderosos, influentes e às vezes eminentes na vida pública costumam fazer parte conspícua da vida de uma mulher-Afrodite madura; ela é atraída por executivos, magnatas e políticos. É atraída por eles como eles por ela. A mulher-Afrodite é capaz de fazer um homem desses sentir-se mais poderoso e, por sua vez, ele confere a ela *status* social, segurança e um passaporte para lugares onde poderá brilhar. Os banquetes de gala, os fins de semana reclusos e as intrigas de bastidores de homens importantes deixam-na excitada e fascinada. Se o seu lado Atena for estimulado, poderá tornar-se uma boa confidente ou sócia em potencial. Mas é principalmente o seu ardor e sexualidade descomplicada que oferecem ao homem com quem está intimamente aliada um porto seguro para as pressões e a intensidade mental de um mundo preponderantemente masculino, onde ele é obrigado sempre a emanar sucesso.

Já se observou muitas vezes que os políticos têm um forte impulso sexual. Não é surpreendente, portanto, que Afrodite possa ter um papel importante em suas vidas particulares. Em 1977, o dr. Sam Janus, psicólogo, e sua esposa, doutora Barbara Bess, psiquiatra, publicaram em conjunto um livro tratando do perfil sexual dos homens em posição de poder, A *Sexual Profile of Men in Power*. A maioria das informantes dos autores eram *call-girls* e cafetinas de alta classe de Nova York, Los Angeles, Washington, São Francisco e Las Vegas. A constatação meio chocante foi que quase 60 por cento dos clientes dessas prostitutas eram políticos ou homens que ocupavam algum tipo de cargo público.

Numa entrevista para a revista *People*, Janus e Bess teriam dito: "Relutamos em dar um número exato, mas é quase certo que praticamente metade dos membros do Congresso foram clientes das mulheres que entrevistamos." Todos sabemos dos escândalos que envolveram figuras públicas como Wilbur Mills, Wayne Hays e o senador Gary Hart, e sabemos também que J. F. Kennedy e seu irmão Robert tiveram inúmeros casos secretos. Anthony Summers, em seu livro *Goddess: the Secret Lives of Marilyn Monroe*, documenta como a malfadada atriz teve casos com os dois irmãos Kennedy em épocas diferentes. Histórias como essas que vêm a público parecem ser apenas a ponta de um *iceberg* de grandes proporções. Na maioria dos casos, os políticos que buscaram tais relacionamentos ilícitos no mundo secreto de Afrodite eram casados. Um político solteiro não inspira muita confiança no público, é claro, e Janus e Bess constataram uma importante dinâmica psicológica nesses homens: eles forçavam-se a enxergar suas esposas como mulheres "boas" – ou, na linguagem das deusas, como "dignas de Hera" – e viam suas amantes, ou mulheres-Afrodite, como mulheres "sujas". Uma postura mental que revela mundos e fundos sobre uma das chagas mais profundas da feminilidade na nossa sociedade: a cisão que a psicologia *masculina* impõe às mulheres.

Uma coisa é clara: a ânsia de poder e o impulso sexual são reflexos um do outro. Homens assim têm o que Wilhelm Reich chamou de *traços fálicos narcisísticos*. Impelidos pela necessidade de serem aprovados como homens, eles optam por funções rudes, extrovertidas e voltadas para a ação; mas, por debaixo desse poderoso impulso exterior, eles são emocionalmente muito imaturos. A política é um jogo infindavelmente frustrante, no qual sucesso tangível e aprovação imediata são raramente conseguidos, enquanto que o impulso fálico pode ser mais facilmente satisfeito através de uma conquista sexual.

Os mitos gregos sobre Afrodite oferecem outras pistas para esclarecer o seu envolvimento com homens fálicos e impelidos pelo poder. Uma dessas pistas é a sua ligação com Ares, o deus da guerra, que com sua espada e feroz agressividade é inconfundivelmente fálico. Marte e Vênus estão igualmente presentes numa alegoria um tanto idealizada da união entre guerra e paz criada pelos belicosos romanos. Janus e Bess chegam a descrever o político típico de sua pesquisa como "um homem combativo que não se sente satisfeito apenas em combater homens nas eleições. Ele tem que equilibrar a sua vida combatendo mulheres".

O envolvimento de Afrodite com guerreiros permeia toda a cultura ocidental. Seja na mitologia, na literatura ou nas lendas, nós todos conhecemos Páris e Helena de Tróia, Antônio e Cleópatra, Siegfried e Brunilda, Lancelot e Guinevere, Otelo e Desdêmona, Napoleão e Josefina. Desde a Guerra do Peloponeso entre atenienses e espartanos, a guerra sempre foi o pivô da história do Ocidente e muitos de nossos maiores épicos são histórias de guerra. Assim, sempre que encontramos Marte/Ares e suas artes da guerra, Afrodite não está muito distante com suas artes do amor. Talvez isso remonte às épocas de guerras entre tribos quando as mulheres costumavam ser as presas de guerra, mas continua sendo o motivo que está por trás das obras de arte desde a *Ilíada* de Homero até os dias de hoje. *Guerra e paz, Doutor Jivago* e *E o vento levou...* são repletos de temas de guerra e de amor.

O nascimento de Afrodite

Algo mais profundo jaz nas origens míticas do envolvimento de Afrodite com homens fálicos: é o fascinante mito grego do seu nascimento. A lenda que chegou até nós por meio de Hesíodo (veja quadro, "O Nascimento de Afrodite") provém, na realidade, de épocas patriarcais. Isso é importante, pois reflete precisamente o tipo de problema psicológico coletivo com o qual ainda nos debatemos hoje.

O relato que Hesíodo faz do nascimento dos deuses mostra Afrodite nascendo dos órgãos genitais decepados de Ouranos, o Pai Celeste. Eis aqui uma ligação inevitável com a sexualidade masculina que poderia explicar a atração de Afrodite por tudo o que é fálico. Podemos também dizer que ela traz em si algo do excesso ou superabundância da energia sexual de seu pai.

O mito nos diz que Cronos, filho de Gaia, a Terra Mãe, lançou no oceano os órgãos genitais arrancados de Ouranos. É chegado o tempo (Cronos) de tornarmos a tirania dos céus, o domínio do mental, impotente. Cronos era um deus da agricultura, de modo que sua sabedoria e poder pertencem à terra, juntamente com sua mãe, Gaia. Na realidade, porém, ele ajuda a derrubar o pai tirânico não apenas para a terra, mas *para a água*. Vemos aqui o desenrolar de um drama cósmico dos elementos: terra, ar e água.[3] O resultado da supressão da terra pelo ar é um novo

---

3. O elemento ausente, fogo, será mais tarde fornecido pelo deus da guerra, Ares (o Marte romano), e pelo marido ferreiro de Afrodite, Hefaístos.

O NASCIMENTO DE AFRODITE

O mais conhecido mito grego do nascimento de Afrodite ostenta, inevitavelmente, uma ótica paternalista, e mostra a deusa nascida dos órgãos genitais cortados de Ouranos, o deus do céu. O vento nada perdeu do seu esplendor e poesia, como revela o resumo abaixo:

Na época da criação dos primeiros deuses, Gaia, a Mãe Terra, e Ouranos, o Pai Celeste, haviam dado à luz muitos filhos divinos. Dentre os últimos a nascer estavam os Titãs, filhos monstruosos que odiavam o pai. De modo que Ouranos lançava-os de volta à pobre Gaia cada vez que um surgia.

Finalmente, um dos filhos mais jovens, Cronos, que também odiava o pai, voltou-se contra Ouranos e castrou-o com uma foice de pedra que Gaia fizera especialmente para castigar seu cruel companheiro. Sem atinar, Cronos lançou então o membro decepado por sobre os ombros, e este caiu por terra. Das gotas ensangüentadas brotaram as Fúrias e os Gigantes, mas o membro genital caiu em tormentoso mar, onde foi carregado pelas ondas.

Da espuma que se formou em torno do pênis decepado foi crescendo uma menina. Ela foi primeiro levada pelo mar até Citera, e depois para Chipre, sempre envolta pelas ondas. Lá a linda deusa aportou com seus dois companheiros, Eros, cujo nome significa Amor, e Himeros, cujo nome significa Desejo. Quando tocou terra firme, a relva brotou debaixo de seus pés. Seu nome, para os mortais, era Afrodite, que significa "nascida da espuma".

Afrodite também é conhecida como *philommedes*, "aquela que ama o riso", *urania*, "a celestial", e *pandemos*, "a que pertence a todos". Diz-se que ela se apraz nos sussurros das meninas, em sorrisos, em enganos e em todo doce deleite e encanto do amor.

*

No Olimpo, foi recebida por todos os outros deuses e deusas, e lá rege todos os atos de procriação e todos os aspectos das artes do amor e da beleza.

Adaptado da *Teogonia*, de Hesíodo, 176-206

nascimento vindo da água – Afrodite. A água costuma representar sentimentos e empatia na linguagem mitológica e onírica.

Como a maioria dos pais tirânicos, Ouranos passa a temer que seus filhos também queiram um pouco de ação, de modo que procura impedir que nasçam. Mas assim perde completamente contato com a Mãe Gaia, a consciência da terra e o mistério da procriação. Seu castigo é perder a própria falicidade, a capacidade de gerar algo novo. A consciência celeste torna-se impotente.

Mas devemos reparar bem no que acontece com os órgãos genitais perdidos, que se *transformam no oposto dele*. De uma tirania encarquilhada, esfacelante e masculina nasce uma beleza jovem, inocente e feminina. É um milagre, o milagre da reversão dos opostos psíquicos. Quando ocorre uma inversão tão radical assim, significa psicologicamente que há uma necessidade enorme de compensação. *Hoje, como na Grécia antiga, a abundante sexualidade de Afrodite aparece como uma reação a um controle mental excessivo vindo de cima por parte do masculino*.

Significa também que o patriarcado não pode pretender controlar a natureza essencialmente expansiva da energia feminina. Suprima-se a fecundidade da terra (Gaia) e ela ressurgirá novamente no tempo (Cronos) como uma energia erótica vibrante (Afrodite).

Para mérito eterno dos gregos, eles jamais se dispuseram a lançar fora suas divindades femininas em favor de um único Deus Pai, como fizeram os primeiros judeus e cristãos. E Afrodite pôde permanecer, junto com as outras deusas, continuando a ser muito amada – embora passasse a ocupar uma posição um tanto ambígua nas margens da sociedade urbana grega.

Na Grécia, Hera, que rege o casamento, foi a deusa que contou com a maior aprovação social. Todavia, os mitos indicam que seu casamento olimpiano com Zeus nunca foi feliz (veja capítulo sobre Hera). Não obstante, como esposa do supremo patriarca, Hera permaneceu simbolicamente a mais próxima do centro de poder.

Embora alguns possam considerar esta uma honra dúbia, Afrodite veio a reger as relações *extra*maritais para os gregos. Mas pelo menos ela era reconhecida e celebrada, e não denegrida e exilada como a Lilith do mito judaico. É possível que os gregos tenham reconhecido que uma sociedade belicosa como a deles precisava de uma válvula erótica de escape e estavam dispostos a ser francos a respeito – o puritanismo ainda não havia sido inventado. Mas é igualmente possível que eles sabiamente tenham reconhecido em Afrodite os resquícios de uma linhagem muito mais antiga do comportamento social humano, uma linhagem ao mesmo tempo matriarcal e polígama.

Os templos de amor de Afrodite na antiguidade

De onde, então, proveio Afrodite originalmente?

Ela certamente não foi grega desde o início. A maioria dos estudiosos hoje consideram-na uma descendente da deusa sumeriana Istar (mais tarde Astarté, na Babilônia), que era ao mesmo tempo uma deusa do amor e a rainha suprema do céu. Entre 3000 e 1800 a.C., Istar manteve seus templos de amor, onde era servida por sacerdotisas, as *qadishtu*, tidas como mulheres santas.

As *qadishtu* foram erroneamente chamadas de prostitutas sagradas. Este termo é uma interpretação equivocada da sua verdadeira função: a *santificação* do eros e da procriação. Se um homem que viesse ao templo agradasse uma *qadishtu*, ela dormiria com ele como uma oferenda ritualística a Istar. A criança nascida dessa união pertenceria ao templo da deusa.

Durante séculos, templos como esse espalharam-se por todo o Oriente Próximo, constituindo um aspecto essencial de uma sociedade matrifocal que nós sequer conseguimos imaginar hoje. As tribos exiladas de Israel acharam difícil aceitar este aspecto do culto à deusa quando se depararam com ele. E os patriarcas e profetas de Israel nunca perdiam a oportunidade de invectivar contra "a grande Meretriz da Babilônia" – a própria Astarté-Istar.[4]

Práticas derivativas que chegaram até a Grécia vindas do Oriente Próximo ao longo dos séculos podem ter constituído a base do que veio a ser o culto a Afrodite. De acordo com Merlin Stone, em *When God Was a Woman*, ainda no ano 150 da nossa era as mulheres celebravam a festa de Adônis no tempo de Afrodite em Corinto, dormindo com um forasteiro da sua escolha.[5] Na Grécia, uma prática secular derivada do culto sagrado à sexualidade era muito mais comum, a saber, a onipresença das heteras. Essas sofisticadas cortesãs de alta classe foram tidas em alta consideração durante toda a época clássica.

No entanto, a posição social da hetera já se degenerara bastante na época da Era de Ouro de Atenas. Sob a influência de uma cultura dominada em grande parte pelos homens, as heteras continuavam no limiar da respeitabilidade. É de se presumir que os valores essencialmente patriarcais e monogâmicos de Hera, deusa do matrimônio, asseguravam isso. De acordo com a estudiosa clássica Sarah B. Pomeroy em seu livro *Goddesses, Whores, Wives and Slaves*, por mais que os homens gregos pudessem estimar uma hetera individualmente, não há um único registro que indique que qualquer mulher casada tenha se tornado hetera. Inversamente, porém, muitas heteras se casavam!

Por que Afrodite ameaça tanto a sociedade patriarcal

Se um antropólogo fosse estudar os tabus culturais presentes na programação das redes de televisão americanas, uma das coisas notáveis que haveria de observar é a diferença de tratamento dado à violência e ao sexo. Centenas de vezes ao dia, nossos programas mostram tiroteios, assassinatos, espancamentos e brutalidades de toda espécie. Embora haja um certo controle da violência na TV, este é muito menos evidente do que o controle consciencioso das cenas sexuais. Seios nus são impensáveis na televisão americana, e o ato sexual em si, embora às vezes sugerido, nunca é mostrado. É como se a nossa cultura tivesse um apetite insaciável de violência e um verdadeiro pavor do prazer sexual.

O que é tão perigoso na sexualidade de Afrodite? Por que ela é tantas vezes retratada como uma sedutora, uma bruxa, uma mulher fatal? Para os gregos, ela era a feiticeira Circe, fascinando os companheiros de Ulisses e transformando-os em porcos. Para os primeiros padres cristãos, a mulher sedutora era o próprio

---

4. O culto às deusas foi muito mais prevalecente entre os primeiros judeus do que geralmente se admite. Historiadores judeus recentes têm realizado um trabalho retroativo de retificação muito eficiente. De acordo com o livro de Raphael Patai, *The Hebrew Goddess*, todos os relatos bíblicos são "recreações relativamente tardias". Ele mostra em seu estudo – considerado "revolucionário" pela *Saturday Review* – o quão importante foi a Deusa Asherah na cultura judaica primitiva.

5. Veja especialmente o capítulo 7, "Os Costumes Sexuais Sagrados".

epítome do pecado. Na Idade Média, havia as perigosas náiades, ou ninfas da água, que fascinavam os cavaleiros errantes e os desgraçavam até a morte. Mais recentemente, tivemos uma Anna Karenina arrastando seu amante, Vronski, à abjeção social e ao exílio, ou uma Hester Prynne marcada com a letra escarlate. Hoje em dia, as novelas de televisão estão repletas de sereias cavadoras de ouro que vivem arruinando reputações com seus estratagemas.

E a isca é sempre o fascínio sexual, a que os homens parecem ser totalmente impotentes para resistir. Os gregos racionalizavam a sua paranóia conferindo a Afrodite uma cinta mágica capaz de desarmar todos os homens e deuses que a ameaçassem.

Todavia, há algo altamente suspeito nesses exemplos – em todos eles, os homens são apresentados como *vítimas*. Vítimas de seus próprios sentimentos não admitidos talvez, mas certamente não vítimas efetivas das mulheres. Isso tudo cheira muito a culpa deslocada. Pois, se houve algum grupo social vitimado no Ocidente patriarcal, foram as mulheres.

Existem, a nosso ver, dois fatores atuando: *o medo que os homens têm de perder o poder* e *um horror ao corpo*. A questão do poder remonta à grande passagem da família matrilinear para a família patrilinear há muito, muito tempo atrás. A questão do corpo é mais recente, tendo se originado na propensão ascética do cristianismo.

Liberdade matrilinear versus controle patriarcal

Quando as sociedades de outrora não sabiam ou não tinham certeza de quem era o pai de uma criança, ficava naturalmente mais fácil se a descendência fosse passada de mãe para filhos. Esta foi a solução *matrilinear* para o problema da paternidade. Nesse esquema, era comum o irmão da mãe (o tio da criança) tornar-se a figura de autoridade a ser a fonte de riqueza e poder. O pai poderia ter um laço afetivo com a criança, mas pouco mais que isso. Com tal arranjo, as mulheres podiam ser sexualmente tão livres quanto os homens, e qualquer filho concebido lhes pertenceria por descendência matrilinear. Mais importante, porém, *é que toda a propriedade era transmitida de mãe para filhos*.

Nas sociedades patriarcais, como bem sabemos, a propriedade e a descendência linear passam de pai para filho: esta é a herança *patrilinear*. A paternidade legítima é absolutamente essencial neste esquema, pois dela depende não só a herança de propriedades e títulos como também a continuidade *espiritual* que permite aos pais imortalizarem-se em seus filhos. Em tal situação, a *fidelidade* da esposa é de suma importância como garantia da perpetuação do poder espiritual e material do homem.

Portanto, é desnecessário dizer que a liberdade sexual de Afrodite não pode ser tolerada numa esposa, pois *ameaça a própria estrutura da sociedade patriarcal*. Um candor sexual pode ser aceito até certo grau numa amante ou prostituta, pois ela não tem nenhuma autoridade jurídica em relação aos filhos. É por isso que Anna Karenina, Camille e Madame Butterfly morrem tragicamente nos grandes romances do século XIX. Elas são as vítimas sacrificiais para a preservação dos grandes patriarcados imperiais. Vista desse modo, a instituição do concubinato ou da prostituição é na realidade um resquício mutilado das grandes sociedades matrilineares da antiguidade que outrora adoraram a Grande Mãe.

A maneira de ser de Afrodite, pela sua própria natureza, não pode senão ocupar um lugar ambíguo e impotente no limiar do mundo patriarcal, onde o máximo que lhe é permitido é ser uma fonte de prazer cheio de culpa para os patriarcas. Os patriarcas são coletivamente, e não individualmente, culpados, por certo, mas são culpados mesmo assim, pois o sistema que herdaram tem desapossado e subjugado as mulheres há vários milênios.

A conseqüência mais triste dessa alienação e esbulhamento de Afrodite desde os tempos mais remotos até o presente está na desvalorização do seu maior dom para todos nós: o relacionamento. Bertrand Russell, em seu iconoclástico *Marriage and Morals*, soube resumir muito bem isso em 1929:

> O amor como relacionamento entre homens e uma mulher foi destruído pelo desejo de assegurar a legitimidade dos filhos. E não só o amor; toda a contribuição que as mulheres podem prestar à civilização pelo mesmo motivo (p. 27).

Russell sustenta que as mulheres foram mantidas deliberadamente ignorantes e sem cultura pelos maridos por medo de estes serem traídos.

Desde Platão alimenta-se a ilusão de que amizade verdadeira e comunhão espiritual só podem existir entre homens, e que o amor das mulheres é inferior. Os gregos, os romanos, a Renascença, o império britânico e, é claro, a Igreja Católica Romana, fundamentaram seu poder político em algum tipo bem coeso de elite masculina com homens obrigados entre si por uma lealdade homossexual.[6] Com a exceção do clero católico, os homens dessas sociedades eram todos casados, Mas às suas esposas era negado acesso ao mundo masculino, sendo valorizadas principalmente pelas suas conexões dinásticas e funções procriadoras – dentre as quais a principal sempre foi gerar um herdeiro homem. A ordem patriarcal não permitiu que Deméter e Afrodite se misturassem.

Aversão ao eros e medo do eros no cristianismo

O outro grande fator que está por trás do medo patriarcal de Afrodite é o horror ao corpo inculcado pelo cristianismo. Os gregos e romanos, a despeito de todas as suas preferências homossexuais, tinham um salutar amor pagão pelos corpos masculinos e femininos, como mostram suas estátuas.[7]

Não há nenhum indício de que Jesus desprezasse as mulheres ou abominasse o sexo. Pelo contrário, ele se condoía da condição inferior das mulheres e tinha muitas seguidoras íntimas.[8] O primeiro culpado, por consenso comum, foi São Paulo. A obsessão de Paulo era impedir a fornicação e, a seu ver, era este o principal valor do casamento. Embora achasse muito preferível manter-se sublimemente celibatário como ele, sempre que a carne se mostrar fraca é melhor, em suas palavras imorredouras, "casar-se do que arder" (I Coríntios 7:9) – o "arder" referindo-se, é claro, à concupiscência!

---

6. Um estudo fascinante é a esclarecedora obra erudita de John Boswell, *Christianity, Social Tolerance and Homosexuality*.

7. Um estudo recente muito importante descreve a atitude essencialmente saudável dos gregos e romanos em face da sexualidade: *Porneia: On Desire and the Body in Antiquity*, de Aline Rouselle.

8. Para a noção radical de que Maria Madalena foi a discípula mais próxima de Jesus, recomendamos o estudo revisionista de Elaine Pagel, *The Gnostic Gospels* [*Os evangelhos gnósticos*, Editora Cultrix, São Paulo, 1990].

Paulo e aquele outro gigante espiritual e misógino, Santo Agostinho, lograram estampar o cristianismo e o Ocidente com uma aversão ao sexo e ao corpo da qual nós nunca conseguimos nos recuperar plenamente. ("Vim para Cartago, onde de todos os lados fervia a sertã de criminosos amores", escreveu ele descrevendo os anos de tentação.) Na linha de Paulo e Agostinho, e numa reação piedosa aos excessos da decadência romana, centenas de homens e mulheres partiram para desertos no norte da África e em outras partes do mundo a fim de se tornarem eremitas ascetas de rigor inacreditável. (Um deles, por exemplo, Santo Abraão, afirmava não ter se banhado por cinqüenta anos.)[9]

No final do século III, começou-se a discutir o celibato dos padres. O debate durou quase mil anos, até que a autoridade papal resolveu-o em favor de São Paulo. Um dos principais argumentos era que o contato sexual com uma mulher poderia profanar os santos sacramentos.

Ao longo dos séculos, uma série lúgubre de equacionamentos foi se estabelecendo na mente dos cristãos: *Mulher = Terra = Sujeira = Sexo = Pecado*. A queda do homem deveu-se a Eva, e a Igreja nunca deixou de advertir os homens de que é a mulher que irá levá-los pelo *primrose path to hell*, como dizem os americanos, o caminho florido que leva ao inferno – curiosamente, Afrodite é a principal deusa das flores.

O espírito do romance

Conseqüentemente, a supressão e perda de Afrodite durante a baixa Idade Média significou um abrutalhamento da qualidade da vida em geral. Para as mulheres, a Idade das Trevas foi especialmente lúgubre. Felizmente, as antigas tribos nórdicas, com suas raízes matriarcais celtas, mantiveram vivo o espírito de Afrodite. No século XII, houve um extraordinário renascimento da deusa, decorrente em parte da recuperação pelos celtas das grandes narrativas bárdicas de Artur, de Guinevere, de Lancelot e o Graal. E em parte decorrente do contato dos cruzados com o Oriente, onde florescia uma poesia cavalheiresca e mística de amor pelas mulheres. Os novos bardos foram os trovadores que, nas palavras de C. S. Lewis, "efetuaram uma mudança que não deixou um único canto em nossa ética, imaginação ou vida cotidianas intato". As poucas letras que chegaram até nós das canções das mulheres trovadoras mostram uma extraordinária sofisticação sobre os assuntos do coração, e são sob muitos aspectos mais sutis do que a dos trovadores homens.

Nasceu então uma forma inteiramente nova da religião de Afrodite: o romance e o espírito do amor cortesão, cuja primeira padroeira foi Eleanor de Aquitânia (também muito abençoada por Hera e Atena). A nova forma floresceu brevemente no sul da França – na Provença, no Languedoc, na Aquitânia – onde instigou as mais gloriosas histórias e poesias de amor sublime, de amor trágico, de amor eterno. Foi nessa época que se escreveu um dos grandes protótipos de toda a literatura romântica, *Tristão e Isolda* (veja quadro, "Amor Proibido"). Legendárias "cortes de amor" teriam existido, onde os amantes discutiam publicamente suas querelas e ressentimentos diante de uma banca de mulheres peritas nos Códigos do Amor.

---

9. Quando este livro já estava sendo impresso, uma importante nova obra surgiu confirmando esta sombria perspectiva do cristianismo: *Adam, Eve and the Serpent*, de Elaine Pagels.

Durante esse breve mas luminoso interlúdio, as mulheres alcançaram uma dignidade e uma posição social desconhecidas antes e depois na civilização ocidental. A possibilidade de uma plena consciência venusiana ressurgiu e, de um modo impensável no cristianismo patriarcal, as mulheres e todos os valores do feminino foram tidos como *superiores* ao homem.

Isso não durou, nem poderia durar. Uma guerra terrível, a Cruzada Albigense, foi empreendida contra as cortes pitorescas e cultas do sul, muitos de cujos nobres eram hereges. Como que a chamada heresia dos Cátaros foi associada à adoração sensual da mulher idealizada, mas não obstante carne e osso, dos trovadores é algo que nós provavelmente jamais saberemos. Só recentemente demonstrou-se que muitos dos mais importantes documentos da heresia foram forjados posteriormente pela igreja.[10] Dessa época em diante, os trovadores, sob risco de morte, só ousaram cantar uma mulher, a Virgem, a rainha celestial, uma mulher não terrena. A procura do Santo Graal tornou-se cada vez mais cristianizada, pois só poderia ser empreendida pelos "castos", isto é, por figuras ascéticas como sir Galahad. Afrodite foi mais uma vez atraiçoada pelo ódio ao prazer dos puritanos da Igreja. O simbolismo do Graal, um receptáculo sagrado de sangue, o útero cósmico da grande e eterna Mãe, perdeu-se inteiramente.

Afrodite caída

Duas foram as conseqüências psicológicas de se negar a Afrodite um verdadeiro lugar na cultura do final da Idade Média: a disseminação da neurose sexual e o aparecimento da paranóia com bruxas. Gordon Rattray Taylor afirma categoricamente em *Sex in Society*: "Não é exagero afirmar que a Europa medieval passou a assemelhar-se a um vasto e gigantesco hospício."

Carl Jung descreveu como a perda do serviço amoroso dos trovadores – os verdadeiros sacerdotes de Afrodite – levou diretamente à caça às bruxas (veja quadro, "Jung Fala Sobre a Virgem Maria e a Perseguição às Bruxas na Idade Média"). Em suma, tendo sido substituída pelo culto à Virgem Maria, Afrodite foi forçada a ocultar-se, com a sua imagem difamada sendo mantida obsessivamente viva nas fantasias sádicas dos inquisidores – que, depois de haverem massacrado os hereges, saíram à cata das seguidoras secretas da deusa, tidas supostamente como bruxas.

Como todos sabem, acreditava-se que as bruxas participavam de orgias com o Diabo, com quem praticavam todo tipo imaginável de ato sexual. Menos conhecido é que essas histórias provieram todas de "confissões" arrancadas de mulheres inocentes sob torturas atrozes supervisionadas pelo clero celibatário masculino da época. É evidente que, em termos psicológicos, os padrões projetaram todas as suas apavorantes fantasias sexuais reprimidas sobre as mulheres, castigando-as por isso – muitas vezes, com humilhantes torturas sexuais.[11] Nem mesmo os crimes raciais dos nazistas chegam a equivaler plenamente aos abismos de ódio sexual a que caíram os ditos líderes espirituais do final da Idade Média.[12]

---

10. Veja Peter Marin, *Provence and Pound*.

11. Concordamos nisso com *Europe's Inner Demons*, de Norman Cohn.

12. Falamos mais sobre as bruxas e sobre o uso delas como bodes expiatórios nos capítulos sobre Ártemis e Perséfone. Sexualidade, sacrifícios sangrentos e poder psíquico fundiram-se no inconsciente paranóico da Idade Média – o que significa que estamos geralmente falando sobre Afrodite, Ártemis e Perséfone quando se trata de bruxaria.

AMOR PROIBIDO: TRISTÃO E ISOLDA

No cerne de todo romance do Ocidente, proveniente dos trovadores e dos bardos cortesãos celtas do século XII, está o amor entre uma dama nobre e um jovem cavaleiro heróico que é seu vassalo. Traindo o marido, a dama consuma a paixão arrebatadora entre ambos em segredo, embora os dois saibam que ela está inevitavelmente fadada à desgraça. O amor de Lancelot pela rainha Guinevere do rei Artur assombrou a imaginação medieval, assim como o amor de Tristão por Isolda. Estudiosos, críticos e moralistas têm discutido infindavelmente se esse tipo de amor realmente pertence à sociedade ocidental. Seria talvez resquício de práticas matriarcais celtas, ou mesmo de ritos orientais de amor, como sustenta a obra clássica de Denis de Rougement, *Love in the Western World*? Para nós, é sem dúvida reflexo da trágica alienação de Afrodite no mundo patriarcal.

Segue abaixo o momento crucial, inesquecível (que inspirou a famosa *Liebestod* de Wagner, a passagem do amor e da morte), quando Tristão e Isolda se dão conta pela primeira vez das implicações maiores do seu amor. Estão ambos a bordo de um navio com a aia de Isolda, Brangien. Ficamos sabendo que o estratagema para renovar o amor esvaecente do rei Marcos por Isolda com uma poção mágica malogrou.

No terceiro dia, quando Tristão chegou perto da tenda no convés onde estava Isolda, ela o viu se aproximar e, humilde, disse-lhe, "Vinde, meu amo."

"Rainha", respondeu Tristão, "por que me chamais de amo? Não sou eu vosso lígio e vassalo, para vos venerar e servir e adorar como minha senhora e Rainha?"

Mas Isolda retrucou: "Não, bem sabes que és o meu amo e senhor, e eu a tua escrava. Ah, por que não avivei as chagas do cantor ferido, ou deixei morrer o matador de dragões na relva do pântano? [...] Mas então eu não sabia o que sei agora!"

"E o que sabeis agora, Isolda? O que vos atormenta?"

Ela deitou o braço sobre os ombros de Tristão, o brilho de seus olhos apagou-se e seus lábios estremeceram. [...]

"O amor por ti", disse ela. E os lábios de Tristão chegaram-se aos dela.

Mas ao provarem assim a alegria primeira, Brangien, que os observava, esticou os braços e clamou, em lágrimas, aos pés de ambos:

"Ficai e retornai se puderdes [...] Mas, tal caminho é sem retorno. Pois já o Amor e sua potência arrastam-vos e, daqui para a frente, jamais conhecereis o gáudio sem dor. O vinho vos possuiu, o vinho que somente o Rei deveria ter bebido com sua esposa; mas o velho Inimigo ludibriou-nos, a nós três; e fostes vós que esvasiastes o copo. Amigo Tristão, Isolda minha amiga, pela minha má tutela tomai aqui o meu corpo e a minha vida, pois através de mim e naquela taça vós provastes não apenas o amor, mas amor e morte juntos."

> Os amantes se abraçaram; vida e desejo tremularam na juven-
> tude de ambos, e Tristão disse: "Que seja então, que venha a Morte."
> E ao cair a noite, no pequeno veleiro que adernava ligeiro para
> as terras do rei Marcos, eles se entregaram inteiramente ao amor.
> *The Romance of Tristan and Iseult*, pp. 38-40

Os papéis literários de Afrodite: do eterno feminino à mulher fatal

Mas o espírito do romance não morreu, nem as cortes de amor desapareceram, e a Igreja foi ficando cada vez mais obcecada com o que tentava obliterar. A despeito de cada nova onda de puritanismo, gerações de escritores, poetas e artistas revivificavam periodicamente os grandes temas românticos do eterno feminino e da redenção pelo amor: Beatriz, em Dante; Goethe buscando o domínio das Mães em *Fausto* e *Tristão* e *Isolda* de Wagner. Os pintores renascentistas adoravam representar Vênus.

Shakespeare também explora o amor, é claro, mas numa veia mais realista do que romântica. O modo como ele retrata as suas desafortunadas heroínas – Julieta, Ofélia, Desdêmona, Cleópatra – mostram-no muitas vezes debatendo-se com uma profunda ambivalência masculina em torno do ser amado. Uma parte de Shakespeare é o apaixonado Romeu, o arrebatado Otelo; a outra, é o cínico e obsceno Iago, ou o lascivo Angelo em *Medida por medida*. Um de seus sonetos resume a auto-repugnância sexual acumulada durante gerações:

> *The expense of spirit in a waste of shame*
> *Is lust in action; and till action, lust*
> *Is perjur'd, murderous, bloody, full of blame,*
> *Savage, extreme, rude, cruel, not to trust,*
> *Enjoy'd no sooner but despis'd straight:* [...]
> (Soneto 129)*

Ciúmes e culpa pela vitimização do ser amado estão inevitavelmente presentes em peças como *Otelo* e *Uma história de inverno*. As soluções de Shakespeare são freqüentemente trágicas, embora suas comédias reflitam uniões mais felizes. Oscar Wilde iria resumir a mesma ambivalência masculina acerca de Afrodite dois séculos mais tarde, escrevendo na prisão sobre um homem que efetivamente matara a esposa num ataque de ciúmes: "Pois todo homem mata aquilo que ama."

Os românticos também voltariam repetidas vezes a Afrodite em suas recontagens do mito de Tristão. Os casos amorosos ficcionais de Emma Bovary, Anna Karenina e Camille não tinham espaço nas sociedades em que elas viviam e, como para Isolda, levaram inevitavelmente à alienação e à morte.

O aspecto de mulher fatal em Afrodite também tornou-se fixação entre pintores, poetas e dramaturgos do final do século XIX. Encontramos imagens de Evas sedutoras envoltas por enormes serpentes nos quadros de Franz von Stuck.

---

* Gasto de espírito é a luxúria consumada, E gasto vergonhoso; até passar à ação, ele perjura e mata; é bárbara e culpada, Rude, extrema, sangrenta e cheia de traição; Relegada ao desprezo logo que ruída. (Tradução de Péricles Eugênio da Silva Ramos.)

JUNG FALA SOBRE A VIRGEM MARIA E
A PERSEGUIÇÃO ÀS BRUXAS NA IDADE MÉDIA

Poucos se dão conta de que o culto da Virgem Maria proveio diretamente dos trovadores do século XII. A Igreja temia que a visão liberada que os trovadores tinham das mulheres pudesse comprometer a autoridade sacerdotal e masculina. De modo que, depois da Cruzada Albigense (1209-1220), ela aproveitou a oportunidade para atribuir aos trovadores os mesmos erros que imputara aos hereges. Ao mesmo tempo, assimilou a adoração da mulher personalizada do culto dos trovadores à adoração de Nossa Senhora, a Virgem. Carl Jung teceu o seguinte comentário:

> Essa assimilação à simbologia geral cristã foi um golpe de morte ao culto à mulher, que era um broto que florescia no processo do aprimoramento da alma do homem. A sua alma, que se expressava na imagem da amante escolhida, perdeu a expressão individualizada quando foi traduzida em um símbolo geral.
>
> *Psychological Types*, p. 292

Jung vê a substituição da mulher de verdade pelo culto a Maria como um grande retrocesso no desenvolvimento psicológico dos homens, especialmente no que se refere à capacidade de relacionar-se. Além de distrair a atenção das virtudes das mulheres reais. Há, porém, uma conseqüência ainda mais sinistra nessa repressão: o despertar do *arquétipo da bruxa* no inconsciente dos homens. Eis como Jung se refere a isso:

> A depreciação relativa da mulher de verdade é [...] compensada por impulsos demoníacos [do inconsciente, que ressurgem] projetados sobre o objeto. Num certo sentido, o homem ama menos a mulher como resultado dessa depreciação relativa – e assim ela lhe aparece como uma perseguidora, i.e., uma bruxa. Daí a fantasia medieval sobre as bruxas, essa mácula inextirpável sobre o final da Idade Média, surgida paralelamente a – e, na realidade, como um resultado da – intensificação da adoração da Virgem.
>
> *Psychological Types*, p. 293.

Salomé com a cabeça decepada de João Batista assombra as imaginações de Oscar Wilde, de Gustav Klimt e de Richard Strauss. Esses homens conseguiram tornar consciente a sombria fusão de Afrodite e Perséfone que tanto obcecara a Idade Média, e que agora passa a estar contida pela arte em vez de ser projetada. O cenário estava pronto para a entrada do infatigável dr. Freud, que se dedicou a amparar, entre suas muitas pacientes, as manifestações profundamente neuróticas da deusa alienada Afrodite.

Em nosso século, romances e filmes continuam a reprisar o mesmo tema grandioso de Tristão: o amor fadado à desgraça, a rejeição de Afrodite. Somerset Maugham, em *Servidão humana*, narra a vida de uma jovem prostituta; o herói de *Filhos e amantes*, de D. H. Lawrence, apaixona-se por uma mulher casada (o próprio Lawrence fugiu com uma); *A mulher do tenente francês*, de John Fowles, trata aparentemente de uma amante rejeitada. O assunto está longe de estar esgotado.

Os eternos triângulos de Afrodite

Este desvio histórico meio deprimente ajuda-nos a entender por que Afrodite desempenha tantas vezes o papel da intrusa, da "outra", da pária, da mulher fatal. Para a maior parte da nossa cultura, ela representa uma forma um tanto perigosa de relacionamento: o modo da paixão (veja quadro, "George Sand"). Seu desdém pelos padrões patriarcais, particularmente pela monogamia, perturba nossos cânones profundamente arraigados de moralidade – aquela dose de Hera que todos nós recebemos de nossas mães em um ou outro instante da vida.

Para a maioria de nós, é mais seguro deixar que Afrodite viva exclusivamente na imaginação por meio de livros, filmes, TV e fuxicos e mexericos. Não é à toa que despejamos tantos bilhões de dólares sobre Hollywood: trata-se de uma forma de apólice de seguro. Se as estrelas viverem o suficiente as suas aventuras caprichosas, seja nos filmes ou nas camas de Beverly Hills, temos a esperança de que a deusa nos deixe em paz.

Não é fácil, por certo. Uma mulher pode nascer dotada pela deusa com os dons da beleza e da liberdade. Nesse caso, a sua vida seguirá muitos dos padrões descritos acima e os emaranhados da paixão poderão dirigir a sua vida. Mas suponhamos que a deusa tenha permanecido dormente durante a metade da vida dessa pessoa, não importa se homem ou mulher. Ou suponhamos que ela tenha sido abençoada por Hera com um casamento satisfatório, ainda que não apaixonado. Ou suponhamos que Atena a tenha encaminhado para uma boa carreira profissional com poucos relacionamentos sérios para interferir, ou que Ártemis a tenha preparado para ser independente e auto-suficiente. Se Afrodite surgir agora, será o caos posto à solta.

Primeiro, Afrodite enviará um jovem arauto brincalhão, seu filho Eros, que provavelmente chegará num daqueles períodos sexuais mais áridos da vida ou do casamento. E agora, de repente, aparentemente saído do nada – ele sempre ataca por trás – tudo vira de pernas para o ar, e a pessoa vê-se apaixonada pelo novo instrutor de tênis do clube, pelo *baby-sitter* da vizinha, pelo novo sócio do marido na firma. E isso costuma acontecer nas mais constrangedoras ou inadequadas circunstâncias sociais. (Naturalmente, Afrodite não dá a mínima. Ou, como dizem os americanos, não dá um figo – que, aliás, é a sua fruta preferida.)

E assim, no início são aqueles furtivos encontros dispépticos no horário do almoço. Depois, se a pessoa for casada, são os fins de semana cheios de culpa

130

GEORGE SAND: O AMOR IMPOSSÍVEL
DE UMA ESCRITORA ROMÂNTICA

George Sand (1804-1876) foi uma das grandes escritoras românticas e porta-vozes radicais do início do movimento romântico na França. Ela foi sem dúvida uma das grandes Atenas da sua época. Os nomes de seus colegas homens parecem tirados de um *Quem É Quem* da arte, da música e da literatura do romantismo (Chopin, Delacroix e Heine, por exemplo). Mas, quando tinha trinta anos, Afrodite entrou em sua vida com força total. Tendo já abandonado há muito um casamento miserável de conveniência, George Sand apaixonou-se pelo poeta Alfred de Musset. Embora ele lhe fosse freqüentemente infiel, na única ocasião em que ela lhe foi infiel Musset abandonou-a impiedosamente. Os diários íntimos de Sand revelam as agonias da sua devoradora paixão não-correspondida:

Às vezes sinto-me tentada a ir até a casa dele e puxar a campainha até arrebentar o cordão. Às vezes imagino-me deitada do lado de fora de sua porta esperando que saia. Eu gostaria de cair a seus pés – não, não a seus pés, isso seria loucura – mas gostaria de atirar-me em seus braços e gritar, "Por que você insiste em negar o seu amor por mim?" [...]

Alfred, você sabe que eu o amo, que não posso amar ninguém mais exceto você. Beije-me, não discuta, diga coisas doces para mim, me acaricie, pois eu sei que você me acha atraente, apesar do meu cabelo curto [ela o havia cortado e enviado para ele], apesar das rugas que surgiram em meu rosto nesses últimos dias. E então, quando estiver exausto de emoção e sentir a irritação retornar, maltrate-me, mande-me embora, mas não aquelas apavorantes palavras, *a última vez.*

Sofrerei o quanto você quiser, mas deixe que eu às vezes vá até você, ao menos uma vez por semana, ao menos pelas lágrimas, os beijos, que me trazem de volta à vida. [...]

Ele está errado. Não está ele errado, meu Deus, errado em me deixar agora que minha alma está purificada e que, pela primeira vez, minha vontade tão forte perdeu o seu poder? Será que é minha vontade que está se dissolvendo? Não sei e estou satisfeita em continuar ignorando. O que me importa todas essas teorias e princípios sociais! Eu sinto, isso é tudo. Eu amo. A força do meu amor me carregará até os confins da terra.

Revelations: Diaries of Women, editado por
Maryjane Moffat e Charlotte Painter, pp. 80-81

disfarçados de viagens a negócios. Se solteira, vem o esfacelamento completamente inebriante de todos os planos, horários, projetos criativos – tudo. Todos aqueles clichês mais tolos começam a vibrar com um significado extasiante. Nesse estado, a pessoa se esforça para disfarçar em público o seu olhar meio vítreo. Até os seus bichos de estimação começam a olhá-la de maneira estranha. Trata-se, é claro, do tipo de loucura que Platão há muito tempo diagnosticou como uma forma de possessão – possessão pelo emissário de Afrodite, Eros. Os amigos mais íntimos não farão mais que rir, esperando que tudo passe ou que pelo menos não sejam demasiados os destroços.

Em sua forma mais branda, essa loucura envolve apenas duas pessoas e pode levar a um relacionamento belíssimo e enriquecedor, ou mesmo a um casamento excepcional. Todavia, mais freqüentemente Afrodite parece querer que três entrem na brincadeira com ela, de modo que sempre acaba havendo um cônjuge infiel ou um amante estranho a uma relação já estabelecida.

A nosso ver, não é por acidente que o mito mais popular sobre Afrodite envolva um triângulo conjugal. Nem chega a surpreender que os gregos não tenham conseguido realmente se decidir quem Afrodite deveria desposar (pois a realidade é que ela *não* deveria se casar). Numa versão, ela contrai núpcias com Ares, o deus da guerra; em outra, com Hefaístos, o divino ferreiro. Em um dos seus templos, em Dodona, Afrodite chegou a ser adorada como esposa de Zeus.

Seja como for, na história mais famosa ela tem um caso ardente com Ares, embora seu pai, Zeus, a tivesse casado com Hefaístos – o ferreiro feio e aleijado (veja quadro, "O Mito do Caso de Afrodite com Ares"). Na história de Homero, Hefaístos é um personagem meio ridículo, o arquétipo do marido corneado, e as nossas simpatias, como também as dos deuses, tendem a ficar do lado de Afrodite e de seu amante.

Mas por que Hefaístos é ridicularizado? Em parte, ao que tudo indica, porque o seu casamento com Afrodite é absurdo em si. Qualquer homem mais idoso que se casa com uma jovem arrebatadora está sem dúvida se arriscando, particularmente se, como no caso do ferreiro, ele for feio. A classicista Jane Harrison identificou bem essa discrepância ao escrever que "uma vez admitida no Olimpo, foi preciso encontrar um marido regulamentar para [Afrodite], o artífice Hefaístos, mas o elo é evidentemente artificial".

Não há nada de novo na descoberta de que casamentos arranjados geralmente fracassam no plano emocional. Quando os deuses são convocados a observar o casal de amantes capturado por Hefaístos em sua rede *in flagrante delicto* (literalmente, "nas chamas do deleite"), eles acham a cena tão lúdica que não resistem e caem numa gargalhada homérica. Como se a deusa do amor pudesse se satisfazer com um só marido!

O fato é que Afrodite fala a uma parte de todos nós que é basicamente "intolerante à monogamia patriarcal", nas palavras de Jane Harrison. Pois quaisquer que sejam os benefícios do casamento enquanto instituição e fator civilizador, permanece em nós algo daquele poderoso anseio residual pelo antigo eros matriarcal que Afrodite outrora regeu.

Por certo, não é em toda mulher – ou homem – que este anseio é forte, uma vez que a deusa influencia cada um de nós em graus diferentes. Mas, especialmente para a mulher em que a presença de Afrodite é marcante, o conflito entre o chamamento pessoal do amor e os papéis e valores coletivos exigidos pelo casamento pode ser agonizante.

O MITO DO CASO DE AFRODITE COM ARES

Ares e Afrodite haviam se apaixonado perdidamente e estavam se encontrando às escondidas. Ele dera a ela muitos presentes, e a paixão de ambos estava no auge quando decidiram se encontrar no palácio de Hefaístos, marido de Afrodite, num dia em que ele estivesse fora. Mas o Sol permanecera espionando e foi narrar ao ferreiro manco o embuste que se tramava. Consumido pela ira, Hefaístos foi direto à sua bigorna e começou a confeccionar uma poderosa rede de correntes de ouro com a qual capturar e prender os amantes.

Com toda a astúcia, ele prendeu as correntes aos balaústres da cama com um tecido diáfano e declarou ostensivamente que ia sair da cidade. Ares, que vinha aguardando essa oportunidade, logo chegou e encontrou Afrodite à sua espera. Cheios de desejo um pelo outro, correram para o quarto e se deitaram. Mas, exatamente como previra o esperto ferreiro, a teia dourada caiu sobre ambos de maneira que não podiam nem escapar nem se mover.

Ainda agindo como espião, o Sol informou Hefaístos da sua presa, e o ferreiro em sua fúria clamou aos gritos que os deuses do Olimpo viessem testemunhar a traição.

"Minha teia dissimulada irá mantê-los presos até que o Pai Zeus devolva cada um dos presentes que eu lhe fiz para conquistá-la. Ela pode ser sua filha, e uma linda criatura, mas é escrava das paixões."

Despertados pelos brados enfurecidos, os deuses do Olimpo acorreram todos para ver o que ocorria. As deusas, contudo, permaneceram em casa por modéstia. Quando Posêidon, Apolo e Hermes viram o triste casal, desataram a gargalhar incontrolavelmente. Quando pararam de rir, concordaram que Ares deveria pagar a fiança dos adúlteros – todos, exceto Hermes, que teria ele próprio arriscado qualquer coisa para deitar-se com a deusa dourada.

Finalmente, com Posêidon assegurando que pagaria a fiança de Ares no caso de ele se esquivar, Hefaístos libertou-os. E os amantes fugiram – Ares para o norte da Grécia e Afrodite para seu templo favorito em Pafos, no Chipre, onde foi banhada e untada com óleo por suas serviçais, as Graças.

Adaptado da *Odisséia*, de Homero, Livro 8

Os gregos e os romanos eram ostensivamente tolerantes a todo tipo de comportamento sexual. Os próprios deuses eram tão promíscuos que qualquer indignação justiceira seria absurda. Os homens da antiguidade certamente desejavam preservar a fidelidade de suas esposas a fim de assegurarem a legitimidade de seus herdeiros, mas eram bastante abertos em relação aos seus duplos padrões diante dos valores de Hera e de Afrodite. Só muito depois é que o lado puritano do cristianismo tornou-se cruel na punição pretensamente virtuosa do adultério e da "mulher escarlate".

Podemos nos julgar mais liberais hoje em dia, mas a duplicidade de valores não mudou. Quando um homem dorme com outras mulheres, a sociedade tende a lhe dar uma chamada, mas quando uma mulher dá um passo em falso, toda a sua reputação pode estar arruinada na comunidade.

Mais freqüentemente, a mulher que incautamente permite que sua natureza de Afrodite a leve a ter um caso sério com um homem casado acaba cortejando a dor, o sofrimento e a angústia. Mesmo que tenha o inestimável poder de ter acesso aos sentimentos mais íntimos do seu homem, a esposa tem do seu lado o peso maior da sociedade, da lei, da opinião "decente". Na luta pelo poder entre Afrodite e Hera, Afrodite em geral sai perdendo. Esta tende a ser a origem de suas chagas mais profundas, como iremos mostrar.

Mas não devemos jamais esquecer o lado bom dos casos de Afrodite, que tem um valor e qualidade próprios. Quando uma mulher se entrega totalmente às grandes paixões de Afrodite, ela aprende a viver inteiramente no aqui e agora. E há um quê de Zen nisso. Nenhum passado, nenhum futuro, apenas o incandescente presente no qual um olhar é a eternidade, uma carícia, um momento de graça.

Essa qualidade atemporal é sentida porque um caso amoroso não tem espaço na rotina normal da vida cotidiana. O ser amante e o ser amado tornam-se o universo um do outro. Há um magnífico retrato dessa compressão do tempo na comédia *Tudo bem no ano que vem*, em que um casal mantém um caso extraconjugal num motel afastado uma vez por ano. A peça acompanha uma seleção de seus encontros ao longo de um período de vinte anos. Mas, embora eles envelheçam e se transformem, parecem estar vivendo em um eterno presente. Isso reflete um pouco da natureza irreal do mundo de Afrodite quando nós estamos secretamente apaixonados.

Às vezes, quando o amante da mulher-Afrodite é casado mas ela não, acontece de ela ter de passar muito tempo sozinha. E sofrerá com isso, até aprender a conviver com a solidão. É uma difícil lição para alguém que tanto anseia pela proximidade e companheirismo, mas é algo que tende a reforçar a sua capacidade de viver existencialmente, para o momento presente, trazendo graça e beleza para um mundo no qual a maioria das pessoas mal param para estar realmente presentes, exceto da maneira mais perfunctória.

Os salões de Afrodite: a mulher que inspira

Em sua manifestação mais saudável, a mulher-Afrodite pode tornar-se a esposa ou amante inspiradora de um homem poderoso ou criativo – e ao mesmo tempo ser capaz de explorar o seu próprio poder e criatividade. Via de regra, ela terá uma visão mais ampla ou mais radical da sociedade como um todo que irá possibilitar que ela se afaste tranqüilamente dos hábitos e costumes convencionais. Isso tudo sugere uma forte presença de Atena ajudando-a. Lou Andreas-Salomé

(1861-1937) é um bom exemplo. Essa brilhante e notável mulher, abençoada com uma boa integração de Afrodite e Atena em sua natureza, foi em certa época amante do poeta Rilke, inspiradora de Nietzsche e confidente de Freud; ela própria contribuiu com diversos ensaios importantes nos primórdios da psicanálise.

Às vezes, uma mulher-Afrodite na plenitude de sua criatividade também irá atrair para si escritores, poetas, artistas e atores mais jovens, constituindo uma espécie de salão em torno da sua pessoa. Salões assim estiveram em voga na Europa no final do século XVIII e no século XIX. Madame de Staël (1766-1817) congregou os poetas e intelectuais franceses em torno de si, e iniciou-os nos escritores românticos alemães, inspirando assim o despertar romântico na França.

Um século depois, em Dublin, lady Gregory (1852-1932) generosamente apoiou o jovem poeta W. B. Yeats e os dramaturgos John Synge, Sean O'Casey e George Bernard Shaw; e, portanto, estava no próprio âmago do célebre renascimento irlandês. Em Paris, também no início do século, a escritora Gertrude Stein (1874-1946) tornou-se patronesse de pintores e escritores *avant-garde*. O seu conhecido apartamento da Rue de Fleurus transformou-se num afamado salão literário e galeria de arte, recebendo os pintores Pablo Picasso, Juan Gris e Henri Matisse; os escritores Ernest Hemingway e Ford Madox Ford; e o poeta Apollinaire.

Na Inglaterra, lady Ottoline Morrell (1873-1938), outra hetera literária com um forte lado Atena, atraiu para a sua casa de campo, a Garsington Manor, perto de Oxford, muitos intelectuais e escritores durante e após a Primeira Guerra. Os escritores D. H. Lawrence, Aldous Huxley e Katherine Mansfield, o filósofo Bertrand Russell e o economista Maynard Keynes visitaram e foram hóspedes desse movimentado refúgio intelectual – e vários deles tiveram casos amorosos com a anfitriã.

Nesses salões e centros culturais, e em suas imediações, a maioria dos homens e mulheres mantinha relações pouco convencionais com ambos os sexos, uma vez que quase todos viviam distantes das convenções da classe média e da moralidade monogâmica de Hera. E por mais complexos e emaranhados que fossem seus envolvimentos eróticos, a liberdade de um estilo de vida afrodisíaco inspirou-lhes obras de grande visão e beleza, capazes de influenciar muitas gerações subseqüentes.

As chagas de Afrodite

Todavia, a despeito desses exemplos relativamente raros de como Afrodite pode brilhar e inspirar com seu eros e criatividade, ela, como todas as outras deusas, também tem suas chagas mais ou menos profundas na nossa cultura. O domínio patriarcal forçou-a à submissão ou ao silêncio em cada fase da sociedade ocidental desde os gregos. Como mostramos aqui e em outros capítulos, os maiores dons e a antiga sabedoria das deusas foram repetidamente atraiçoados, abusados e distorcidos.

Mas talvez nenhuma tenha sofrido tanto ou sido tão abusada quanto Afrodite. Hera e Atena aprenderam a se acomodar ao mundo paternal, ainda que a um custo considerável. Deméter, como mãe, sempre foi indispensável. Ártemis e Perséfone, profundamente incompreendidas e alienadas, desapareceram quase que para além do limiar da consciência – uma física, a outra psiquicamente – num retiro onde pelo menos há segurança e a criação de estilos de vida alternativos.

Mas não Afrodite. O patriarcado não pode viver sem ela, mas também não pode viver com ela – como diz o velho ditado. Desde a época em que os homens tomaram das mulheres pela primeira vez o controle patrilinear, eles têm desconfiado do liberal espírito poligâmico de Afrodite. De modo que fizeram o máximo possível para confiná-la e restringi-la – seja tornando-a uma concubina, uma prostituta, uma cortesã ou uma amante. Mas nunca deixaram de ansiar por seus dons extáticos, quase místicos, de amor e prazer, e assim nunca conseguiram bani-la inteiramente. Como rezava Santo Agostinho, "Dai-me castidade e continência, mas não já!"

Em raras ocasiões, Afrodite exerceu socialmente o pouco poder que possui. Vez por outra, uma Afrodite muito machucada irá recorrer à chantagem ou ao assassinato. Ocasionalmente, na capacidade da mulher fatal, poderá até mesmo derrubar governos, como fez a *call-girl* Christine Keller no escândalo que abalou a Grã-Bretanha em 1963. Ficamos imaginando que abismos de desprezo pelos homens levaram Mata Hari a provocar incontáveis mortes na Primeira Guerra ao revelar segredos franceses para os alemães.

No entanto, via de regra, Afrodite não é vingativa. Ela é muito mais propensa a cuidar de suas chagas em silêncio, fiel à memória de seu amante, não importa a crueldade com que ele a tenha abandonado. Pois no fundo do coração, algo que os homens raramente se dão conta, Afrodite é profunda e eternamente generosa e magnânima.

Boa parte das chagas da mulher-Afrodite decorrem do fato de ela estar alienada das outras deusas. Numa sociedade que costuma hostilizá-la, desaprová-la ou manipulá-la, ela precisa desesperadamente das forças e perspectivas delas. Dotada de uma natureza em que predomina a *sensibilidade*, ela poderia, por exemplo, beneficiar-se com um pouco da poderosa capacidade de raciocínio e do pragmatismo profissional de Atena. Se conseguisse superar sua antiqüíssima aversão pelos valores de Hera – sossego, estabilidade, fidelidade – Afrodite poderia pedir a ela que a ajudasse a obter respeito social e um lugar mais confortável e seguro no mundo moderno. (Todas as fundadoras de salões que descrevemos acima possuíam intensas qualidades de Atena ou Hera.)

> Tracy foi uma de nossas clientes que se meteu em encrencas por ter feito pouco-caso do casamento e dos valores de Hera. Eis a sua história: Tracy era uma jovem muito atraente, cheia de energia, que depois de formada mudou-se para a cidade grande e foi trabalhar numa corretora de valores. Ficou conhecendo muitos homens no curso do seu trabalho e logo constatou que era capaz de levar qualquer um que quisesse para a cama. Assentar-se era algo que nem lhe passava pela cabeça. Ela adorava ir a festas, encontrar um novo homem e "pirar a cabeça" dele com sua inventividade na cama. As drogas, especialmente a cocaína, passaram a intensificar a sua diversão.
>
> Quando Tracy percebeu que estava viciada, buscou ajuda, mas a abstenção da droga provocou-lhe uma depressão aguda. Ela não conseguia suportar as noites sozinha em seu apartamento, de modo que às vezes saía para pegar algum homem, apenas para ter uma companhia física ao seu lado. A essas alturas, já estava querendo uma relação mais permanente, mas a sua carência e seus altos e baixos sempre afastavam os homens de quem se afeiçoava. Um círculo vicioso de carência, rejeição e depressão

levou-a a beber. Ela ansiava por um relacionamento que aparentemente não poderia ter.

Tracy, em mais de um aspecto, era "viciada" em prazer – sexo, drogas, festas de embalo – e estava deixando sua vida ser inteiramente regida por Afrodite. Estava precisando de um pouco de energia das deusas independentes, Atena ou Ártemis, para ajudá-la a assentar-se um pouco. Qualquer uma das duas poderia tê-la ajudado a superar o seu exagerado narcisismo e a sua necessidade de ser gratificada por outros. Atena lhe ensinaria como fortalecer o ego concentrando-se em metas específicas e como obter aprovação social em vez de aprovação sexual o tempo todo. Ártemis poderia ensinar-lhe a sentir-se bem sozinha e ser auto-suficiente, e especialmente a tornar-se menos dependente dos homens. Somente quando essas deusas se tornassem mais fortes é que ela estaria preparada para Deméter, para os filhos e as responsabilidades de Hera.

No caso de Marian, a cliente que já mencionamos neste capítulo, havia um certo orgulho superior em ser "a outra", em conseguir penetrar mais a fundo em seu amante do que a esposa, em compreendê-lo melhor – ou assim ela imaginava. Quando as coisas chegam a esse ponto, é sinal de que a mulher está se tornando dependente demais da psicologia intimista e do *glamour* de Afrodite, e que está perdendo a sua perspectiva. Filhos e responsabilidades familiares (Deméter e Hera) logo reduziriam esse *glamour* todo e dispersariam um pouco do eros superconcentrado. De modo que Marian precisou manter um intenso diálogo com essas duas outras deusas em si mesma a fim de descobrir por que ela as desprezava.

Nosso último caso, o de Melanie, é muito trágico:

> Melanie veio de uma pobre família rural. Seu pai e irmão mais velho começaram a abusar dela sexualmente a partir dos cinco anos de idade. Sua mãe, se sabia, fingia não saber. Na puberdade, seu amadurecimento sexual precoce só fez inflamar ainda mais o pai, que a forçava regularmente a manter sexo oral com ele. Aos treze anos, já estava dormindo com outros rapazes; aos dezesseis, fez um aborto.

> Aos dezessete, simplesmente fez uma pequena mochila, roubou dinheiro da carteira do pai e pegou um ônibus para a cidade grande. Logo descobriu que vender o corpo nas ruas perto das paradas de caminhoneiros era um jeito fácil de complementar sua renda de garçonete. Pouco depois foi trabalhar como dançarina *topless*, continuando como prostituta nas horas vagas. O sexo lhe vinha fácil, insensibilizada que se tornara diante das necessidades dos homens ao longo dos anos. Uma sobrevivente nata, Melanie aprendeu a poupar uma parte de seus ganhos.

> Certo dia, ela pegou outro ônibus e voltou para o Estado de onde viera. Mas foi para uma outra cidadezinha, onde conheceu e se casou com um vendedor de produtos agrícolas local, que a respeitava e lhe era dedicado. Melanie, porém, nunca conseguiu revelar ao marido o seu passado. Por mais bondoso e afável que ele fosse, ela estava tão emocionalmente amortecida pelo sexo brutal e casual ao longo dos anos que o casamento não foi fácil. Nunca gostou de fazer sexo e sentia-se profundamente perturbada com a própria insensibilidade e repulsa por si mesma. Foi quando buscou terapia.

Suas primeiras experiências de abuso sexual a haviam levado a falsificar o comportamento e as atitudes de Afrodite. Com isso, tornara-se uma executora insensível de sexo, não uma amante sensível. Aprendera a parodiar Afrodite, reduzindo toda a ternura da deusa a simulacros e manipulação. Provavelmente, um filho despertaria um pouco da sua meiguice perdida, e o amor de Deméter reabriria o canal para encontrar a Afrodite tão machucada dentro de si.

Paixão e compaixão

Gostaríamos muito de poder concluir o capítulo com indícios auspiciosos de que Afrodite está recuperando a dignidade e poder de outrora. Mas, infelizmente, quando observamos o mundo, vemos apenas uma crescente exploração da sua imagem sagrada por parte dos meios de comunicação de massa. E quando observamos nossas clientes, constatamos as habituais negação do prazer e alienação do corpo, assim como o medo de uma intimidade maior.

Viver plena e honestamente com Afrodite e com a sua chaga é tarefa difícil e muitas vezes dolorosa para a mulher moderna, uma tarefa que remonta a incontáveis gerações. Sob muitos aspectos, é mais seguro viver confiante e bem protegida em Atena, mais seguro retirar-se e viver sozinha com Ártemis, mais seguro tornar-se mãe de todas as criaturas como Deméter ou esposa de um empresário como Hera, do que enfrentar as chagas dilacerantes da deusa do amor.

Citamos acima a opinião de Jung sobre a profunda desvalorização do feminino durante a Idade Média. Na tentativa de suprimir a magnífica cultura venusiana de Eleanor de Aquitânia e de suas contemporâneas, a Igreja proibiu que os homens cultuassem uma mulher de carne e osso, como haviam ensinado os trovadores. Em vez de uma mulher real e das possibilidades de um relacionamento real, introduziram uma mulher ideal, a Virgem Maria.

Mas será que todos nós hoje, homens e mulheres, não estaríamos sendo mantidos cativos de um ideal igualmente impossível, só que agora pelos meios de comunicação de massa e não pela Igreja? Será possível que nosso puritanismo corre tão fundo que, como mulheres, continuamos incapazes de apreciar a plena sensualidade do nosso corpo e de sermos amadas por isso?

Quantas mulheres hoje se sentem profundamente inadequadas toda vez que abrem uma revista de moda ou assistem a um anúncio de xampu? Quantos homens sentem que jamais serão felizes enquanto não encontrarem aquele par perfeito de seios, aquele sorriso que enleva, aquelas pernas celestiais?

Mesmo não sendo mais a Virgem que está sendo deliberadamente lançada aos céus, a mídia não vem fazendo exatamente a mesma coisa com Afrodite? Será que não transformamos a deusa, mais uma vez, no ideal incorpóreo, exangue e totalmente inatingível da Mulher Perfeitamente Linda?

A primeira coisa que precisa acontecer para Afrodite recuperar seu respeito próprio é ela *ter de volta o seu corpo*. E isso significa que toda mulher em busca da consciência perdida de Afrodite precisa começar a amar e a acalentar todo o seu próprio corpo – tal como é, não em termos de algum ideal do que deveria ser. E os homens têm de parar de comparar toda mulher desejável com algum retrato interior impossível que trazem dentro de si.

Um passo é explorar o domínio perdido ou proibido do *toque*. Muitas vezes, na nossa prática terapêutica, encaminhamos nossas clientes e nossos clientes para

D.H. LAWRENCE E O PODER MAIOR DE AFRODITE

Ela trouxe-o apaixonadamente para si, premiu-lhe a cabeça em seu peito com as mãos. Não podia suportar o sofrimento na voz dele. [...] Ela queria afagá-lo até o esquecimento. E logo o embate cessou na alma dele, e ele esqueceu. Mas então não era Clara que estava lá para ele, apenas uma mulher, meiga, algo que ele amava e quase cultuava, ali no escuro. [...]

Enquanto isso, os abibes guinchavam no campo. Quando voltou a si, perguntou-se o que estaria ali perto de seus olhos, curvada e cheia de vida no escuro, e o que dizia aquela voz. Percebeu então que era a relva, e que o abibe anunciava. O calor era a respiração de Clara arfando. [...] O que era ela? Uma vida forte, estranha, selvagem, que ofegava com a sua na escuridão até aquela hora. Era tudo tão maior que eles próprios que ele se calou. Eles haviam se encontrado, e incluído em seus encontros as estocadas de múltiplas folhas de relva, os guinchos dos abibes, a roda das estrelas. [...]

E depois de uma noite assim permaneceriam ambos quietos, tendo conhecido as imensidões da paixão. Sentiam-se pequenos, semitemerosos, infantis e perguntando-se, como Adão e Eva, quando perderam a inocência e perceberam a magnificência do poder que os expulsara do Paraíso para a grande noite e o grande dia da humanidade. Era para cada um deles uma iniciação e uma saciação. Conhecer o nada que eram, conhecer o tremendo dilúvio vivente que os impelia sempre, dava-lhes serenidade dentro de si mesmos. [...] Eles podiam deixar-se carregar pela vida, e sentiam uma espécie de paz cada um no outro. Havia uma verificação que ambos haviam tido juntos. Nada poderia anulá-la, nada poderia tomá-la deles; era quase a crença que tinham na vida.

Filhos e amantes, pp. 353-54

sessões regulares de massagem como uma parte essencial da terapia. Acreditamos apaixonadamente que todos nós precisamos explorar a nossa natureza sensual – doutra forma, nosso eros será não mais que "sexo na cabeça", nas palavras de D. H. Lawrence (veja quadro, "D. H. Lawrence sobre o Poder maior de Afrodite").

Lembremos então que Afrodite é uma sensualista completamente ousada e sem pudor. Ela ama as coisas que despertam *todos* os sentidos: adora perfumes, particularmente de flores; quer que suas roupas tenham um toque gostoso na pele; aprecia a boa disposição das cores, a música sentimental, as comidas finas. Tudo isso faz parte do despertar do eros para ela. Esses são os modos pelos quais poderemos criar um espaço sagrado no qual Afrodite possa entrar sem receio.

Quando estivermos plenamente em nosso corpo, um outro milagre pode ocorrer: começaremos a *sentir* verdadeiramente. Não apenas excitação sexual, embora esta possa estar presente, mas uma espécie de derretimento, de abertura de nossos recessos vulneráveis, uma sensibilidade a disposições e atmosferas mais sutis. Os gregos diziam que Afrodite vestia uma cinta mágica com a qual podia encantar o mais agressivo dos homens e torná-lo vulnerável à sedução (que até Hera chegou a pedir emprestada em certa ocasião). Isso significa que quando Afrodite está presente num relacionamento amoroso, ela dissipará todas as nossas couraças, todas as nossas defesas, deixando-nos totalmente desarmadas e abertas.

Tais momentos podem trazer profunda tristeza, medo, irritação de sentir-se exposta. Quando nossa armadura se vai, somente as nossas partes sensíveis e suscetíveis à dor ficam à mostra. Ficamos tentadas a nos fechar novamente, a voltar para a cabeça, aos fuxicos da vida, a fugir, a controlar as coisas, a reclamar. Todas essas são reações diante do afloramento canhestro de nossos sentimentos há muito enterrados. Se conseguirmos apenas ficar a sós um pouco com eles, Afrodite nos ensinará a ser tolerantes e pacientes.

Pois Afrodite é deusa não apenas da paixão, mas também da *compaixão*. No Oriente, ela tem uma equivalente muito próximo em Kuan Yin ou Kwannon, a deusa que personifica a maior virtude do Buda – a compaixão. Mais do que qualquer outra deusa, parece-nos que Afrodite possui, como o Buda, uma visão acumulada através do sofrimento, da paciência e da abstenção de revidar. Ela foi rejeitada, abandonada, aviltada; seu coração despedaçou-se tantas vezes que atingiu portentosas proporções na capacidade de amar.

Um ditado judaico afirma, "Deus quer o coração". Nada poderia ser mais verdade de Afrodite; dela poderíamos também dizer, "A deusa quer o coração". Pois o coração simboliza tudo o que é autêntico e verdadeiro em nossas menos defendidas profundezas. E· quando dois corações estão abertos um ao outro, a magia de Eros pode então fluir entre eles. Este é o grande dom de Afrodite, a fusão de dois corações em harmonia com a grande fusão sensual de nossos seres físicos. Quando ambos os canais estão abertos, a deusa está verdadeiramente presente em nós.

Cinco

Hera: rainha e companheira no poder

> *Eu canto Hera em seu trono de ouro*
> *rainha imortal, eminente filha de Rea:*
> *irmã e esposa de Zeus,*
> *o grande e fulminante trovão.*
> *Esplêndida Hera, reverenciada no Olimpo,*
> *venerada por todos os deuses,*
> *parceira de Zeus, brandindo raios.*
>
> *O hino homérico a Hera*

Para reconhecer Hera

Hera sempre se destacará numa multidão. Ela exala confiança em si mesma, tem perfeito domínio de si própria e, quase sempre, dos demais. A consciência de Hera é mais bem percebida em mulheres mais velhas, nas quais o pleno impacto de sua autoridade e dignidade naturais pode ser sentido. Ela é aquela que parece nascida para mandar, não importando qual seja a sua classe social. É na segunda metade da vida que a sua afinidade natural com o poder irá despontar, manifestando-se às vezes como elitismo, às vezes como esnobismo e, ocasionalmente, como pura *realpolitik*, quando ela então se torna a impiedosa dirigente de alguma organização ou, talvez, até mesmo de uma nação. Regiamente, com certa arrogância e uma freqüente inclemência, Hera em seu pleno viço emana autoconfiança e uma inabalável retidão. Nas palavras de Rider Haggard, ela é "aquela que tem de ser obedecida".

Hera floresce no companheirismo do matrimônio. Uma mulher Hera sozinha ou solteira – excetuando-se aqui divórcio e viuvez – é uma realidade. Como esposa de Zeus, a antiga deusa grega era co-governante no Olimpo, onde oficialmente partilhava o poder com o chefe dos deuses. Era também a deusa do casamento – embora, como veremos, o seu próprio estivesse longe de ser feliz.

Hoje, quando encontramos Hera, ela na superfície parece ter um bom casamento, filhos crescidos dos quais se orgulha e, muitas vezes, todo o peso de uma tradição familiar por trás. Ela se mostrará bem vestida, ainda que de maneira conservadora, e terá uma presença "maciça" – que não se reflete necessariamente no seu tamanho físico. Poderemos encontrá-la em comitês de planejamento, em recepções ou em clubes de campo. Ela é claramente uma pessoa de *status* e de estatura, alguém que imediatamente granjeia o nosso respeito.

No mundo moderno, ela costuma personificar mais proeminentemente a esposa do "grande homem" – sendo casada, por exemplo, com algum bem-sucedido homem de negócios, presidente do conselho de alguma empresa ou, possivelmente, reitor de uma universidade. Na mais cobiçada função de Hera nos Estados Unidos, ela, como primeira-dama, seria esposa do presidente.

Desnecessário é dizer que, quando detém o poder, Hera é uma oponente formidável em qualquer debate ou choque de vontades, seja na família ou na esfera política. Energia para fazer as coisas, uma vontade de ferro e idéias resolutamente fixas caracterizam a Hera madura. Por seu autoritarismo, ela é fácil de caricaturar; e, por suas máximas imperiosas e arrogantes, fácil de ser lembrada (é o caso do apócrifo "Não estamos achando isso nada divertido" da rainha Vitória, ou do "Cortem-lhes a cabeça!" da Rainha de Copas em *Alice no país das maravilhas*.

Quando está no topo da hierarquia de alguma organização ou instituição, Hera pode ser tão implacável quanto qualquer cacique ou mandachuva. Durante os anos Thatcher, membros do governo britânico mostravam-se mais do que meramente chocados com os modos arrogantes e ditatoriais da primeira-ministra. Nos estados Unidos, as manipulações sub-reptícias de Nancy Reagan revelaram absolutismo semelhante. Mesmo um executivo tarimbado como Donald Regan admitiu, em suas memórias, ter ficado perplexo em ver como a primeira-dama pretendia despedir o moribundo diretor da CIA, William Casey, na véspera do Natal, apesar de todos saberem que ele estava à beira da morte.

Com ou sem um parceiro poderoso, a Hera moderna é invariavelmente a matriarca, a abelha-rainha em seu círculo imediato, seja este grande ou pequeno. Se não a encontramos no cenário político, ela certamente se destaca no ambiente familiar. Muitas vezes será a figura dominante de uma grande família, na qual – respeitada ou odiada, temida ou despercebida – é uma força a ser considerada. As novelas de televisão americana que retratam a vida de famílias abastadas do Texas ou da Califórnia sempre tiveram uma figura de Hera – Jane Wyman na interpretação da matriarca de *Falcon Crest* costumava tipificar o gênero, embora tenha sido sucedida desde então por outras como ela.

A postura social de Hera

Mais do que qualquer outra deusa, a mulher-Hera é extremamente consciente da sua posição na sociedade. Ela não só defende todos os valores mais conservadores da sua casta social, como também tenderá a assumir o papel de juíza dos novos gostos e costumes. Na realidade, para aqueles com as quais se defronta, ela parecerá tremendamente arbitrária e dogmática. Ela adora dar sugestões e pregar sermões quando rodeada por correligionários leais, mesmo que seja apenas no nível da futricagem, na qual é perita.

Devido às suas aspirações sociais evidentes, Hera sente-se mais à vontade naqueles círculos ou instituições que celebram e reforçam a sua posição e dignidade. Ela adora todos os encontros familiares, onde pode se ver rodeada e adorada por filhos e netos. O amor deles geralmente é secundário; muito mais importante é que eles a respeitem e reverenciem como o centro das questões familiares e do decoro social.

Nada revela melhor todo o orgulho e glória de Hera do que a cerimônia tradicional de casamento de alguma filha sua. Depois de meses de preparativos sôfregos e ansiosos, durante os quais supervisionou tudo até o último canapé, chega o grande dia e ela finalmente está ali no primeiro banco da igreja presidindo *ex officio* as núpcias. Seu vestido é do maior requinte e bom gosto possível, sutilmente destacado pelo traje neutro e discreto do marido. Sua família e amigos íntimos estão todos à sua volta, apropriadamente pasmados com a solenidade e dignidade da ocasião. Por mais que os olhos de todos possam estar em sua filha e no jovem noivo, este é na realidade o *seu* dia – e foi ela de fato quem reuniu todos os componentes, religiosos e sociais, para a grande celebração. Nesse sentido, ela é a verdadeira patrona da ocasião, assim como a deusa grega Hera presidia a própria instituição do casamento, celebrando o *hieros gamos* (ou "matrimônio sagrado") do deus e deusa supremos.

Todas as reuniões familiares e ocasiões sociais, não apenas casamentos, trarão à tona o melhor da mulher-Hera. Ela adora sentir ao seu redor o palpitar de uma comunidade congregada pelos mesmos valores e tradições. Numa escala maior, a mulher-Hera poderá ser encontrada dirigindo organizações de caridade, banquetes, recepções e campanhas de angariação de fundos. Não resta dúvida de que ela aprecia o trabalho que a organização desse tipo de evento envolve, fazendo ela própria todos os telefonemas e contatos, e verificando pessoalmente os nomes, credenciais, origens e linhagens de todos os envolvidos.

Por causa de seus padrões elevadíssimos, ela parecerá aos demais como exageradamente crítica, dogmática e até ditatorial. Embora possa pertencer a diversos comitês, ela na realidade tem pouca paciência para esse tipo de instrumento democrático de tomar decisões, pois em geral sabe de antemão exatamente o que deseja, e não hesita em manobrar tudo e todos – com a maior cortesia possível, é claro – para chegar aonde quer.

Independentemente de suas origens sociais, Hera quase sempre aspirará à proeminência em qualquer grupo a que pertencer. Numa família operária, fará sentir sua presença como a autoridade máxima do que a "nossa família" aprova ou desaprova. Ela não consegue deixar de ser um pouco esnobe, pois sempre se sentirá forçada a defender sua concepção de "respeitabilidade" social e familiar – uma de suas expressões preferidas. Sempre considerando o seu parceiro, a sua família e os seus filhos como melhores que os demais, ela tende a acalentar toda espécie de aspirações expressas ou fantasiosas para eles.

Como não poderia deixar de ser, a mulher-Hera tende a destacar-se com ainda maior proeminência em um ambiente de classe média ou alta, uma vez que dinheiro e lazer sempre permitiram que ela cultivasse o seu tipo predileto de pompa social. De acordo com sua escala de valores – que é despudoradamente hierarquizada e aristocrática, "sociedade", via de regra, significa apenas o lugar ao qual se deve aspirar. Podemos bem imaginar Hera casada com Zeus no topo do Olimpo "olhando o mundo de cima" de sua posição altiva. Mas a mulher-Hera não precisa ter nascido na nobreza ou nas elites WASP [White Anglo Saxon Protestant] para sentir-se aristocrática; sua ânsia de mandar parece ser inata onde quer que se encontre.

Como respeitabilidade e posição social lhe são importantíssimas, Hera assumirá a responsabilidade de achar um companheiro para si ou para seus filhos com a máxima seriedade. Na engraçadíssima comédia de Oscar Wilde sobre os costumes da classe alta britânica no século passssado, *The Importance of Being Earnest*, encontramos uma terrível e temível Hera na personagem de lady Bracknell. Ao entrevistar Jack Worthing, um pretendente rico – e, portanto, bom partido – para sua filha, Gwendolen, os dois têm a seguinte conversa:

> *Lady Bracknell:* Seus pais ainda são vivos?
> *Jack:* Não, já perdi pai e mãe.
> *Lady Bracknell* (chocada): Perder um de nossos genitores, sr. Worthing, pode ser considerado um infortúnio; perder os dois já me parece negligência.

Jack, por ser órfão, merece todo o desprezo de lady Bracknell. Pessoas sem pais, na opinião dela, não têm lugar na "sociedade". Casar-se com sua filha, portanto, está por enquanto totalmente fora de cogitação.

Hera e Zeus: um tempestuoso casamento no Olimpo

Hera, que os gregos antigos tinham como a rainha dos deuses, governava o Monte Olimpo junto com o marido. Ainda hoje, em lugares como Argos, Samos e a pré-clássica Nicena, restam templos do seu antigo culto, no qual era adorada, com um consorte secundário, como a Grande Deusa-Mãe – e, especificamente, como a deusa do matrimônio. Todavia, o pouco que sabemos dela chegou-nos principalmente através da *Ilíada* de Homero, na qual é retratada como uma esposa ciumenta e metediça. O estudioso Walter Burkert escreveu que "em comparação com a alta estima em que era tido o seu culto, Hera parece sofrer uma perda de *status* em Homero, tornando-se uma figura quase cômica. Como esposa legítima de Zeus, ela é mais um modelo de ciúmes e contendas conjugais do que de afeição conubial".

O que Burkert descortina é sem dúvida a necessidade que as culturas dominadas pelos homens têm de satirizar mulheres poderosas, uma necessidade sentida ainda hoje – e certamente presente, ainda que de maneira afetuosa, em Oscar Wilde. É uma maneira de aliviar não só o medo mas também, em grande parte, a culpa que os homens sentem por negarem poder à mulher. Quando os gregos preferiram adotar as caricaturas homéricas da esposa ciumenta e do marido libertino, eles provavelmente o fizeram em detrimento do respeito mais solene devido a Hera como deusa do matrimônio.

Pelo que o mito nos diz, Hera tinha bons motivos para ficar com raiva e com ciúmes de seu marido, Zeus. Como "pai de deuses e homens", ele parece ter exercido sua função literalmente, ocupando-se em gerar tanto uns quanto outros. E, todavia, praticamente nenhum de seus filhos foi concebido dentro dos limites de seu casamento oficial. Dos deuses, ele teria gerado Ártemis e Apolo com a deusa Leto, Hermes com a deusa Maia, Perséfone com a deusa Deméter, Dioniso com a deusa Sêmele, e Atena (de maneira bem pouco ortodoxa) com a deusa Métis (veja capítulo sobre Atena). O único deus que nasceu efetivamente do concurso entre Zeus e Hera foi Ares, deus da guerra e o menos popular de todos os deuses gregos.

Além do seu congresso amoroso com as diversas deusas, Zeus teve diversas aventuras com mortais, muitas vezes sob a forma animal. Disfarçado de cisne, diz-se que ele seduziu Leda, gerando Helena de Tróia e os gêmeos Dioscuros; disfarçado

144

HERA: UMA DEUSA CONQUISTADA E COAGIDA

Poucos autores que tratam da religião e cultura gregas são tão respeitados quanto Jane Ellen Harrison (1850-1928), a estudiosa classicista de Cambridge. Harrison empregou as descobertas etnográficas de *The Golden Bough* [O ramo de ouro], de sir James Frazer, e também os estudos antropológicos pioneiros do matriarcado e do patriarcado para compor um quadro bastante convincente da evolução e do contexto social da antiga religião grega. Suas conclusões, nada populares entre os patriarcas acadêmicos do seu tempo, são hoje plenamente aceitas, embora representem revisões radicais da história grega. Eis como ela viu Hera e Zeus.

Então, para compreender a religião, devemos ir além da teologia, além, no caso dos gregos, das figuras do Olimpo, além mesmo das formas sombrias dos *daimones*, e penetrar até a consciência social, antes e acima de tudo naquela que é a sua primeira e talvez mais permanente expressão, a estrutura social – o sistema organizado de relacionamentos humanos.

Isso nos traz de volta aos habitantes do Olimpo. De qual estrutura social eram eles a projeção?

Indubitavelmente, eles representavam a forma de sociedade que também é a nossa, a família patriarcal. Zeus é o pai e o chefe; apesar de Hera e ele viverem em constante e indecoroso conflito, não resta dúvida quanto à sua derradeira supremacia. Hera sentia ciúme, Zeus vivia exasperado, mas nem por isso era menos dominante no final. É um quadro intensamente moderno, até mesmo no que tange ao bando heterogêneo de filhos e filhas já crescidos vivendo ociosamente em casa e brigando sem parar. A família vem até nós como a última e vã esperança de coletivismo. [...]

O Olimpo fica no norte da Tessália. Estamos hoje tão obcecados com o Olimpo literário de Homero que tendemos a esquecer que o Olimpo era, para começar, uma montanha de verdade. Zeus, pai de deuses e homens, Zeus o deus do céu, com toda a prenhe paternidade de Wotan [Odin], é um nórdico – ou pelo menos foi fortemente modificado pela influência racial nórdica. Como Pai, embora talvez não inteiramente como Deus Celeste, ele é a projeção da paternidade dos nórdicos. Ele, ou melhor, sua paternidade, veio do norte junto com uma ou mais tribos, cujo sistema social era patrilinear. Hera, representando um sistema matrilinear, era nativa; ela reinava só em Argos, em Samos, e seu templo no Olimpo era distinto do de Zeus e anterior a este. Seu primeiro marido, ou melhor, consorte, foi Heraclês. Os nórdicos conquistadores passam de Dodona para a Tessália. Zeus abandona a sua verdadeira esposa-sombra, Dione [uma titanesa], em Dodona, ao passar da Tessália para Olímpia; e, em Olímpia, à maneira de um chefe conquistador, casa-se com Hera, uma filha do lugar. No Olimpo, Hera parece ser apenas uma esposa ciumenta e briguenta. Na realidade, porém, ela reflete a turbulenta princesa nativa, coagida mas nunca realmente subjugada, por um conquistador estrangeiro.

Themis: A Study of the Social Origins of Greek Religion, pp. 490-91 de touro, seduziu Europa, gerando Minos e Radamantis; e gerou Heraclês depois de seduzir Alcmena. Talvez também devamos mencionar o seu famoso amor homossexual pelo lindo jovem troiano Ganimedes, a quem seduziu sob a forma de uma águia.

Sob muitos aspectos, Zeus e sua incontida promiscuidade foram para os gregos uma afirmação do poder máximo do mundo paternal e, conseqüentemente, do patriarcado. Macho fálico supremo, sua virilidade é retratada como inesgotável. Entretanto, talvez tenha havido motivos políticos por trás dessas histórias, como afirmaram há muito os estudiosos clássicos Jane E. Harrison e Robert Graves (veja quadro, "Hera: Uma Deusa Conquistada e Coagida"). De acordo com a leitura desses autores, os envolvimentos promíscuos de Zeus com as outras deusas certamente refletem o período da história grega em que tribos guerreiras do norte invadiram e cooptaram os antigos cultos da Grande Mãe. Durante várias gerações, a Grécia primitiva foi palco de uma tremenda mistura cultural com a incorporação de inúmeras formas de culto politeístas. Ao contrário da história dos primeiros israelitas, cujo deus supremo Yahweh proibiu todos os outros deuses (e especialmente deusas) diante de si, Zeus uniu-se a muitos deles – e, ao fazê-lo, produziu novas formas e cultos religiosos.

De modo que, quando analisamos o casamento desgraçado de Hera com Zeus, podemos interpretá-lo em dois planos: primeiro, como o retrato da instável fusão entre os cultos matriarcais da Deusa-Mãe já existente na Grécia e a religião das tribos guerreiras patriarcais que invadiram a Grécia vindas do norte; e, segundo, como um verdadeiro espelho das enormes tensões presentes nos relacionamentos matrimoniais dos primeiros gregos.

Robert Graves, em *The Greek Myths*, acredita que o mito do casamento de Zeus e Hera remonta à época da invasão dórica. Os bárbaros dóricos, um tribo nórdica de caçadores, invadiram a Grécia no final do segundo milênio a.C. trazendo consigo seus deuses da caça e do céu, Zeus e Apolo. Os povos nativos da Grécia primitiva, particularmente aqueles dos arredores de Nicena, teriam cultuado a Grande Mãe de maneira semelhante aos cretenses e celtas. Esses povos ainda reverenciavam a Deusa-Mãe e, assim, concediam às mulheres uma posição de enorme respeito e as consideravam portadoras de um poder mágico.

Graves acredita que durante um certo período da instável ocupação da Grécia matriarcal pelos reis guerreiros, as antigas sacerdotisas de Hera ensaiaram uma revolta, mas foram esmagadas e humilhadas. O matrimônio sagrado de Zeus e Hera vincula-se, portanto, ao amálgama forçado dos antigos cultos da Mãe com a religião olimpiana ou celeste, regida pelo Senhor dos Raios, Zeus, o Todo-Poderoso. Nós concordamos com Graves em achar bastante provável que os conquistadores massacraram a maioria dos homens e concederam às mulheres, incluindo as sacerdotisas, a lúgubre escolha entre a morte ou a submissão à nova ordem.

Na época da *Ilíada* de Homero, o triste estado do casamento grego já era uma solução de compromisso bastante antiga. As religiões maternais já haviam se fragmentado e dividido, como vimos que aconteceu com todas as outras deusas; e embora o casamento houvesse permanecido como uma parte crucial do sistema social, como em todas as sociedades humanas, passara a refletir a estrutura de poder de um patriarcado para o qual a descendência pelos filhos homens era primordial. É triste dizer, mas o casamento enquanto instituição tinha pouco que ver com amor ou paixão – coisas que estavam relacionadas, ainda que marginalmente, com Afrodite, a padroeira das heteras, das prostitutas e de todos os tipos de ligações eróticas. Robert Briffault resume a situação na antiga Atenas em sua obra clássica *The Mothers*: "Não temos um único instante em que um homem ama uma mulher livre e casa-se com ela por amor" (p. 112).

Assim, talvez não seja por acidente que, simbolicamente, o único filho nascido de Zeus e Hera tenha sido Ares, o deus da guerra. Zeus e Hera estão constantemente em guerra no Olimpo, disso não resta dúvida. Além do mais, uma das causas de tensão na família ateniense e espartana era que o homem deveria viver permanentemente em estado de prontidão para o serviço militar.

Seduzidos pelas nossas imagens românticas do esplendor da antiga Atenas, com sua democracia, seus filósofos peripatéticos e seu teatro magnífico, nos inclinamos a esquecer hoje que a guerra desempenhava um papel importantíssimo na vida cotidiana e na consciência dos gregos. De modo que não é inteiramente surpreendente que, apesar de toda a louvação aos heróis guerreiros feita por Homero em seu épico *Ilíada*, a guerra teve ao longo dos séculos sombrias conseqüências sociais para os gregos no que tange à vida familiar. O espancamento de mulheres, o alcoolismo, a prostituição, o concubinato com prisioneiras de guerra e a homossexualidade podem ser diretamente atribuídos à incapacidade de a casta guerreira integrar-se plenamente à vida civil.

Problemas notavelmente parecidos existem nos Estados Unidos de hoje. Milhares de famílias de veteranos da Guerra do Vietnã ainda sofrem os violentos e destruidores efeitos da guerra. Acrescente-se a isso os efeitos do álcool percorrendo toda a nossa cultura, provocando violência familiar, e o quadro final é bastante lúgubre. Pois o fato é que nós mal começamos a apreciar como a violência implícita de culturas imperialistas como a nossa penetra na consciência masculina cotidiana e está por trás do elevadíssimo índice de casamentos desastrosos e divórcios. Zeus permanece conosco como o arquetípico espancador de mulheres, assim como Hera em seu desditoso papel da esposa arquetipicamente espancada (veja quadro, "Zeus Ameaça Hera com Violência").

Hera e o casamento moderno

Embora a maioria das mulheres na sociedade ocidental moderna tenha consideravelmente mais liberdade do que as mulheres da Grécia antiga, as estruturas básicas do casamento não se modificaram tanto assim. É verdade que o cristianismo tornou o casamento um sacramento; porém, excetuando-se as vertentes mais liberais do pensamento protestante, o casamento ainda é considerado primeiramente uma instituição para a procriação de filhos. Permanece basicamente patrilinear. Nem a felicidade sexual das esposas nem os seus direitos individuais recebem muita atenção de católicos conservadores ou de fundamentalistas religiosos, graças aos séculos de puritanismo e da atitude cristã que ainda considera as mulheres inatamente inferiores aos homens.

A idéia romântica de casar por amor e a expectativa de alcançar uma plenitude sexual provêm exclusivamente dos trovadores da Idade Média e do culto do amor cortesão, não do cristianismo; a Igreja opôs-se fervorosamente a essas noções, tentando sempre impor restrições à expressão erótica (veja capítulo sobre Afrodite). Temos hoje, por certo, uma imagem fortemente romântica do casamento, mas esta é em grande parte uma criação – embora tremendamente influente – da literatura e dos meios de comunicação.

ZEUS AMEAÇA HERA COM VIOLÊNCIA

O Pai dos deuses e dos homens [...], lançando a Hera um olhar terrível, a increpou: "Ah, maligna e refalsada Hera! Em teus enredos apanhaste o divino Heitor, que deixou o combate quando já lhe sorria a vitória; o destroço de suas tropas é obra da tua perfídia. Mas tem cuidado, não se volte contra o feiticeiro o feitiço e meu chicote não comece a saltar e a estalar-te na pele, em justa punição por tantas mentiras. Já não te lembras o dia em que te pendurei no espaço imenso, as mãos atadas em fortes cadeias de ouro, e, para que não perneasses muito, antes ficasses com as perninhas compostas e juntas, te prendi a cada artelho uma bigorna? No vasto Olimpo fizeram os deuses escarcéu enorme, mas nenhum te pôde valer; lá continuaste enquanto eu quis, entre as nuvens pendurada no éter, não obstante andar bem perto de ti em roda viva a deusalhada toda. Nenhuma colega ou parceiro algum te livrou da pena de suspensão. E que o tentasse! Veria aonde ia parar: voava logo porta ou janela afora, ia estatelar-se na terra, onde ficava sem se poder bolir. Mas... se a ti, causa de meus males, fiz subir aos ares, se mais de um impertinente deus atirei aos quintos, as dores por meu divino Heraclês continuavam a pungir-me o coração. Meditando a perdição do meu filho, tu com Bóreas te conjuraste; e os dois as tempestades aliciastes; as tempestades sobre o estéril mar mo arrastaram; andaram com ele aos baldões as ondas, até que na populosa [ilha de] Cós mo deixaram: lá fui buscar e a Argos, terra de cavalos madres, com grandes trabalhos o reconduzi. Se tuas maldades te atiro à cara é para que cobres vergonha delas e deixes de ser a grande trapalhona que até hoje tens sido. Ou pensas tu, ó indômita cônjuge minha, que o estado de casada há de ser para ti rendoso ofício, em que, com enganos mil e um, explores o freguês incauto?"

Ele desabafou; e a venerável Hera, entre as longas pestanas de seus olhos de touro, tinha suspensa imensa galhofa a rir do pai dos numes. E, mui contrita, mas de pura sonsice, respondeu com estas palavras aladas: "Saiba-o a Terra e, acima da Terra, o vasto Olimpo; saiba-o a água derramada da Estígia (para os deuses é este o maior e mais terrível dos juramentos); saiba-o também a tua cabeça sagrada [...]; saiba-o o nosso leito nupcial, e por este não juraria eu, se fosse mentira: juro que não tenho culpa alguma de que Posêidon, o deus que faz tremer a Terra, tenha feito tremer Heitor e os seus Troianos; se foi combater do outro lado e ainda por lá anda, foi porque assim o quis e assim o quer; se os Troianos foram derrotados, não fui eu que os venci; foram vencidos porque os outros eram mais valentes ou tiveram melhores amigos; e o melhor amigo dos acaios foi sem dúvida Posêidon; vira-os perseguidos junto de seus navios, cansados, esgotados, aflitos; compadeceu-se deles, e foi ajudá-los. Ora, aí tens as minhas insídias e perfídias! Mas se queres, ó deus de sombrias nuvens, eu mesma vou ter com Posêidon e levo-lhe as propostas que entenderes."

Homero, *Ilíada*, Livro 15 (tradução do original grego do padre José de Moura

De uma esposa contemporânea ainda se espera basicamente que ela esteja pronta para *dar apoio ao marido* e às metas e objetivos *dele*, não vice-versa. É verdade que nos últimos anos muitos homens têm se envolvido seriamente na criação dos filhos, e ao menos eles compreendem plenamente quanto tempo, trabalho e dedicação isso envolve. Até o presente, porém, nenhum homem chegou a propor seriamente que as mulheres sejam remuneradas por esse serviço ou que ele de alguma forma constitui uma contribuição economicamente mensurável para a sociedade. Quando a mulher engravida, ela quase sempre sofre financeiramente no emprego que ocupa. Enquanto a Europa avançou bastante no sentido de benefícios-maternidade, os Estados Unidos permanecem vergonhosamente atrasados. Tornar-se mãe significa inevitavelmente ser penalizada economicamente.

Em outras palavras, o casamento continua existindo primordialmente para perpetuar a supremacia patriarcal e apenas secundariamente para benefício das mulheres. O elevado índice de divórcios e a decisão de tantas mulheres seguirem hoje o caminho solitário de Atena, tendo uma profissão e mantendo-se solteiras, ou de tentarem equilibrar um emprego e a chamada "produção independente" de filhos, clama em altos brados contra a inadequação do casamento como um lugar de crescimento e plenitude para a maioria das mulheres na fase de evolução em que hoje se encontram.

No entanto, a despeito de todas as limitações, humilhações e deficiências do casamento, a mulher-Hera ainda se sente profundamente atraída por ele: ela não quer viver e trabalhar sozinha. O preço da liberdade é alto demais. Fundamentalmente, Hera personifica o instinto de unir-se a um homem, de "aparceirar-se" a ele. Neste e em muitos outros aspectos o papel de esposa tem um significado profundo para ela. Romanticamente, a mulher-Hera anseia por dividir a tarefa de criar os filhos, estabelecendo uma unidade singular chamada família e assegurando que o seu marido conquistará uma posição sólida e respeitada para todos aos olhos do mundo. Ela acredita, em suma, no valor fundamental e na necessidade da família tradicional, e está corajosamente preparada para sacrificar muitas coisas a fim de assegurar a sua perpetuação.

Para Atena e Ártemis, a esposa Hera pode parecer estar entregando todo seu poder ao parceiro. Mas, para Hera, isso é vivenciado como conquista de poder. Ao ingressar na união conjugal, ela se torna mais do que costumava ser quando solteira. Na sua nova identidade de esposa e parceira, de ajudante, ela se torna a personificação de tudo o que contribuirá para tornar o marido completo e, por sua vez, ela própria se torna a personificação da plena inteireza dele. Sob muitos aspectos, é isso que o casamento deveria ser: um completar-se através do outro – embora o modo como isso ocorre seja essencialmente um mistério no sentido mais profundo da palavra (mas é por este motivo que o cristianismo considera o matrimônio um sacramento – voltaremos a este tema mais adiante).

As ambições de Hera

No entanto, há perigos consideráveis quando Hera busca completar-se através de seu companheiro, especialmente na juventude. Como o arquétipo de Hera só se manifesta plenamente numa mulher na segunda metade da vida, todo o poder que caberá mais tarde a ela permanece dormente durante todos os anos em que ainda é jovem. Dada a sua profunda admiração por homens fortes e ambiciosos, e considerando-se o seu natural anseio de companheirismo, ela poderá com demasiada facilidade deixar suas próprias ambições para trás, empatando suas energias consideráveis no incipiente casamento e, não muito depois, na família que vai se formando. Nesse sentido, suas céticas irmãs-Atena estão certas: ela de fato *está* entregando o seu poder – mas aos olhos da jovem Hera trata-se mais de um investimento a longo prazo que ela espera intuitivamente receber mais tarde com juros.

Na superfície, a jovem Hera será muito parecida com a jovem Atena. Ambas são brilhantes e cheias de energia, e ambas exalam autoconfiança. Uma e outra valorizam a educação, e se mostram ansiosas por compreender e ter êxito na sociedade dominada pelos homens que elas vêem ao seu redor. Mas as ambições de uma e de outra são muito diferentes. Podemos constatar isso quando se formam na faculdade, por exemplo. A jovem Atena estará ocupada examinando todas as opções de pós-graduação a seu dispor, e o treinamento acadêmico ou profissional será a sua prioridade. A jovem Hera, por outro lado, estará muito menos interessada em prosseguir seus estudos do que em manter os olhos cuidadosamente abertos para aqueles homens que, a seu ver, têm maior probabilidade de sucesso e se esforçará para conseguir algum meio de sair com eles. Em resumo, a jovem Hera busca um marido e a jovem Atena busca uma carreira.

Em essência, a diferença entre as duas deusas é que Atena usa o seu poder e vontade de atingir a perfeição a serviço da própria carreira, enquanto Hera, especialmente quando jovem, prefere permanecer em casa, usando as mesmas qualidades para comandar o casamento ideal e a família ideal. O desenvolvimento das qualidades masculinas de Atena, a despeito do custo disso para a sua feminilidade, é não obstante de grande utilidade no ritmo de agitação do mundo paternal, onde *fazer* as coisas é tão importante.

Não que a jovem Hera não tenha ambições como Atena, e sim que as suas ambições incluem marido, filhos e família. Neste aspecto, poderíamos dizer que ela é muito mais ambiciosa do que a irmã; Hera quer tudo. Ela quer uma casa confortável, segurança, um marido confiável, filhos maravilhosos, um lugar respeitado na comunidade e, muitas vezes, um emprego. Em geral, ela é realista o suficiente para perceber que não poderá ter lar e trabalho ao mesmo tempo. De modo que, alegremente, quase obsessivamente, ela irá se dedicar à família por quanto tempo for necessário. Ficará zelosamente em casa, trabalhando talvez como voluntária na comunidade local ou na escola dos filhos a fim de manter ativo o seu lado organizacional.

Ao contrário de Atena, com sua profunda ambivalência em relação ao casamento e aos filhos, a jovem Hera dá todas as indicações de aceitar a maternidade com calma e sem hesitação, e de considerá-la algo muito sério. Mas ela de maneira alguma é uma mãe branda, tolerante e permissiva como Deméter seria. Sua índole dominadora e organizadora logo despontará em relação aos filhos. Ela tem valores rigorosos, geralmente herdados da própria mãe, e exigirá bom comportamento, quartos em ordem, obediência e boa educação de todos eles. Para tanto, está preparada para treiná-los e discipliná-los, com bastante rigidez se necessário.

Preocupada que é com *status* e respeitabilidade social, a esposa e mãe Hera é uma disciplinadora, pois quer que seus filhos reflitam os seus valores da maneira mais cabal possível. Espera que os filhos homens sejam tão bem-sucedidos quanto o pai e que as filhas façam bons casamentos em famílias que ela aprovar plenamente.

Este é um esquema familiar comum para um sem-número de mulheres e suas famílias.

Não obstante, é difícil não se ficar com a impressão de um considerável narcisismo nisso tudo; se Hera deseja ser tão bem representada por seus filhos, podemos suspeitar que não se sinta perfeitamente à vontade com quem *ela* própria é. Mais adiante neste capítulo voltaremos a este aspecto crucial da sua psicologia, que se aproxima de uma chaga. Por ora, consideremos o ponto focal do seu casamento: o marido.

Hera e seu marido: a política de uma parceira

Basicamente, a mulher-Hera quer duas coisas do marido: parceria e igualdade. Em última análise, isso significa que quer ter exatamente tanto poder quanto ele. Mas, a menos que por algum motivo não possa ter filhos, raramente é possível que aos vinte ou trinta anos ela possa dividir plenamente o negócio ou a carreira com marido. Ela terá que sacrificar a sua ânsia de governar o mundo exterior em troca da direção do lar e do cuidado dos filhos, tarefas que empreenderá com a máxima seriedade.

Para justificar isso, ela tenderá a enfatizar o conceito de *dever* no seu casamento. A jovem Eleanor Roosevelt disse a respeito de si mesma que, ao se casar com Franklin, "tinha ideais dolorosamente elevados e um tremendo senso de dever na época, absolutamente não-mitigado por qualquer senso de humor ou por qualquer apreciação da fraqueza da natureza humana".

Visto que durante grande parte do início de sua vida adulta Hera será obrigada a viver afastada daquilo de que mais deseja participar, ela acabará por adquirir um profundo interesse pela carreira do marido. Isso é um contraste absoluto com a esposa-Deméter no mesmo período, que se sente simplesmente exultante com todos os bebês e crianças pequenas que ela agora pode ter. Para a jovem Deméter, praticamente não importa se o seu marido é um gerente de banco ou um motorista de ônibus, desde que as contas sejam pagas.

O mesmo não acontece com Hera. Ela acompanha ansiosa cada passo, cada promoção, cada evento do avanço profissional do marido, tomando cada sinal do progresso dele como um motivo de orgulho também seu. É nesse período que ela talvez comece a desenvolver suas habilidades nada desprezíveis de anfitriã, oferecendo recepções sociais para os amigos mais próximos e os colegas de trabalho do marido. Esse tipo de reunião lhe dará extrema satisfação, pois poderá exibir com todo o conforto o marido e gozar com o reflexo da sua glória. Com instintos aguçados e perspicácia em julgar as pessoas, ela será de fato extremamente útil ao marido na avaliação de possíveis sócios, colegas e rivais no mundo profissional. À medida que vai conhecendo as esposas de outros empresários, executivos ou profissionais liberais ambiciosos, ela, é claro, começará a tomar notas mentais e a dedicar-se ao seu gosto inato por mexericos. Na sua imaginação, ela está começando a se projetar mais e mais no mundo do poder.

Com o passar dos anos e à medida que seu marido vai adquirindo mais prestígio e melhores posições, também ela adquirirá mais autoconfiança como a esposa e parceira que verdadeiramente acompanhou lado a lado todos os passos do marido. A esposa-Hera é uma extrovertida, o que significa que gosta de interagir com as pessoas e de manipulá-las. Tem um entendimento intuitivo das mais complexas e bizantinas estruturas de poder, e se apraz em formar opinião sobre os diversos participantes do jogo do poder, acompanhando a ascensão e queda de cada um.

Intrigas e futricos deixam-na fascinada, embora via de regra se possa confiar na sua discrição; na realidade, ela é uma excelente diplomata. Por ter se tornado a principal confidente e conselheira do marido, freqüentemente exercerá uma considerável influência sobre ele. Quando isso acontece – como com Nancy e Ronald Reagan – ela pode tornar-se muito possessiva e ferozmente protetora do grande homem que ajudou a criar.

Às vezes, como no caso de Lívia, esposa do imperador romano Augusto, ela pode tornar-se uma rematada política agindo por trás do trono, uma espécie de *éminence grise* feminina. Suetônio afirma que Augusto tomava a precaução de colocar por escrito todas as conversas que mantinha com ela! E o escritor Gary Wills, também citando Suetônio, diz que o filho de Lívia, Tibério, "evitava encontrar-se com freqüência ou ter qualquer conversa particular mais prolongada com ela, preferindo não reconhecer a orientação à qual ele ocasionalmente se submetia" (*New York Review of Books*: resenha de *For the Record*, de Donald Regan, 24 de setembro de 1988, p. 38).

Hera no poder

Durante toda a sua vida, Hera gravitará instintivamente em direção ao poder e aos homens poderosos, especialmente aqueles envolvidos na política, nos negócios e nos níveis mais patrícios da sociedade. Ela fica verdadeiramente fascinada e impressionada com as figuras públicas e com a maneira de atuarem. Como observamos acima, nada a faz sentir-se mais importante do que oferecer ao seu parceiro opiniões sobre os encontros, negócios ou crises em que ele no momento está envolvido.

Donald Regan, ao servir como chefe do estado-maior da Casa Branca, ficou estupefato quando percebeu o quanto Nancy monitorava as atividades de Ronald Reagan, julgando ser este um direito seu. Ele comentou ironicamente que "A sra. Reagan considerava-se o *alter ego* do presidente, não apenas na dimensão conjugal mas também na política oficial, como se o cargo conferido ao marido se enquadrasse de alguma forma na categoria dos bens materiais abrangidos pelos votos matrimoniais" (*For the Record*, p. 123). Mas ficamos a pensar se Regan estava sendo insincero ou se genuinamente ingênuo ao acreditar que a primeira-dama não teria nenhuma influência no processo decisório do presidente. Ele certamente se esquecera de Rosalyn Carter e de Ladybird Johnson, ambas presenças poderosas na Casa Branca. Talvez estejamos ouvindo em Donald Regan a voz patriarcal e indignada de Zeus reclamando que lhe tomaram os raios.

Todavia, raramente é possível para os líderes e governantes partilharem muito poder com suas esposas, rainhas ou imperatrizes, por um motivo bem simples: sempre é mais fácil uma única pessoa tomar uma decisão ou lançar um decreto. Por isso, a maioria das monarquias cedeu ao cônjuge poder subsidiário como consorte do monarca.

O dilema de como dividir o poder tem uma ilustração curiosa na seguinte história apócrifa sobre o casamento de Beatrice e Sidney Webb, duas poderosas figuras políticas na consolidação do socialismo britânico no início deste século (os dois eram bem próximos de George Bernard Shaw).

HERAS PODEROSAS AO LONGO DA HISTÓRIA

Se examinarmos a história, as grandes Heras que governaram pacífica e amistosamente com seus maridos foram poucas e raras. Em épocas patriarcais, a maioria chegou ao poder através da sucessão dinástica, não graças a manobras políticas, de modo que a sua posição nem sempre refletia a sua ambição de poder.

Boadicéia (século I a.C.) foi uma rainha guerreira celta que liderou uma revolta contra os romanos que ocupavam a Bretanha. Quando seu marido morreu, os romanos se apossaram injustamente das terras de seu povo, surraram-na brutalmente e estupraram suas filhas diante de seus olhos. Corajosamente, ela convocou todas as tribos vizinhas e organizou a revolta – que, embora a princípio bem-sucedida, acabou sendo esmagada. Boadicéia representa as melhores qualidades de Hera numa sociedade onde o poder matriarcal era reverenciado e as mulheres tão respeitadas como líderes quanto os homens.

Uma das histórias mais inspiradoras de Hera é a vida da imperatriz *Teodora* (508-548). Nascida filha de um domador de ursos no circo, diz a lenda que ela foi mais tarde atriz e prostituta, até tornar-se esposa do imperador Justiniano. Como imperatriz de Bizâncio, foi responsável por inúmeras vitórias políticas e religiosas em prol do marido, que os historiadores consideram inferior em força a ela. Teodora foi acertadamente elogiada por haver instituído grandes reformas jurídicas visando punir a prostituição forçada, que então se alastrava como uma praga em Constantinopla, por enobrecer a instituição do casamento, por facilitar o divórcio, por tornar o estupro um crime capital, por permitir que as mulheres herdassem propriedade e de uma maneira geral elevar a posição das mulheres da época.

A extraordinária *Eleanor de Aquitânia* (1122-1204) viveu numa época em que as mulheres podiam herdar títulos e terras tanto quanto os homens. Seu casamento com Henrique II, no entanto, acabou em desastre quando suas ambições de governar o reino unido da França e da Inglaterra custaram-lhe dezesseis anos na prisão. Um casamento anterior com Luís VII da França não foi muito melhor. Embora Eleanor houvesse insistido em acompanhá-lo nas Cruzadas, ele indignou-se com a sua insistência em exigir independência e autoridade para as mulheres, e os dois acabaram se divorciando.

O casamento de *Catarina, a Grande* (1729-1796), famosa czarina da Rússia, não teve melhor sorte que o de Eleanor. Entediada com seu casamento político com o czar Pedro III, um homem excêntrico e devasso, Catarina tomou um amante chamado Grigori Orlov. Orlov e um grupo de conspiradores depuseram Pedro III e, em seguida, supõe-se que o executaram. Não resta dúvida de que, em muitos aspectos, Catarina foi uma autocrata verdadeiramente esclarecida, efetuando diversas reformas admiráveis numa nação muito atrasada, embora de forma alguma ela representasse o ideal de Hera em uma parceria.

Mais recentemente, encontramos outra Hera inspiradora de plena posse de seus poderes *Abigail Adams* (1744-1818), esposa do presidente americano John Adams e mãe do presidente John Quincy Adams. Nas palavras de Judy Chicago, ela foi uma "patriota, revolucionária, abolicionista, escritora e feminista. Cuidava de todos os negócios e assuntos da fazenda para a família, aconselhava o marido, John, e foi uma das grandes autoras epistolares do seu tempo. Ela manifestou-se abertamente contra a escravidão 85 anos antes do movimento abolicionista" (*The Dinner Party*, p. 167).

A *rainha Vitória* (1819-1901), que assumiu o trono da Grã-Bretanha e Irlanda quando mal completara dezoito anos, revelou-se uma soberana dedicada e popular no decorrer de seu longo reinado. Ela casou-se com seu primo em primeiro grau, o príncipe Albert, a quem amava profundamente, e gerou-lhe nove filhos. Albert foi uma influência dominante na vida de Vitória, de tal modo que, quando morreu, a rainha permaneceu de luto por três anos, recusando-se a aparecer em público durante esse período. Apesar de sua escrupulosa folha de serviços públicos, biógrafos recentes sugerem que, se pudesse optar, ela teria preferido dedicar suas energias aos filhos. Ela, portanto, representa uma incomum integração dos estilos e valores de Hera e Deméter.

Diz a história que pouco antes de Beatrice e Sidney se casarem, e considerando que os dois traziam consigo carreiras políticas nada desprezíveis, uma amiga perguntou a Beatrice: "Você e Sidney são ambos personalidades extremamente fortes. Como irão tomar decisões no casamento?"

Ao que Beatrice teria respondido sem hesitação: "Ah, isso é simples. Sidney tomará todas as grandes decisões, mas eu decidirei *quais* são as grandes decisões!"

Porém, são raras as mulheres-Hera que conseguem satisfazer o seu desejo de comandar e influenciar como governantes, líderes ou rainhas e, ainda assim, permanecerem parceiras de seu maridos. A imperatriz bizantina Teodora conseguiu isso com Justiniano, assim como a rainha Vitória da Grã-Bretanha e o príncipe Albert (veja quadro, "Heras Poderosas ao longo da História"). Mais freqüentemente, porém, ocorrem atritos conjugais e dinásticos, ou simples conflitos de autoridade; foi certamente assim no casamento tempestuoso de Eleanor de Aquitânia com Henrique II da Inglaterra.

Mais típico, como no caso trágico de Anne Hutchinson (1591-1643) da seita dos Puritanos, uma das primeiras colonizadoras dos Estados Unidos, as ambições de Hera são vistas como uma ameaça à supremacia patriarcal e reprimidas, muitas vezes de maneira brutal. Anne Hutchinson foi educada na teologia calvinista da sua igreja, e começou a contestar alguns dogmas, incentivando as mulheres a discutirem questões religiosas entre si. Por seus esforços, ela foi banida da Bay Colony de Massachusetts depois de ser julgada por heresia – uma acusação jamais provada. Ela morreria pouco depois, assassinada por índios hostis perto de Nova York. Os termos da sua condenação pelos padres da igreja calvinista revelam o quanto eles temiam e se ofendiam com o poder das mulheres:

Hutchinson foi acusada de ser "marido em vez de esposa, pregadora em vez de ouvinte, magistrada em vez de ré".

Pode Hera ser inteiramente ela mesma *sem* de alguma forma ameaçar a suposta supremacia do poder masculino? Esta pergunta continua essencialmente sem solução até hoje. É sem dúvida verdade que algumas mulheres, depois que seus filhos já cresceram, chegam a ascender a escalões consideráveis na política ou em cargos gerenciais, muitas vezes dirigindo suas próprias empresas ou negócios. Pensamos numa Golda Meir, numa Margaret Thatcher ou numa Elizabeth Arden. Todavia, como ocorreu com estes exemplos, elas em geral chegam a isso sozinhas, sem a ajuda de um parceiro: têm carreiras próprias paralelas às dos maridos, não carreiras partilhadas.

De modo que o desafio de dividir o poder não chega a ser realmente enfrentado. Séculos de desigualdade no lar não podem ser corrigidos assim tão depressa no cenário público. Quando os gregos documentaram as rusgas entre Zeus e Hera no Olimpo, talvez estivessem representando – de maneira honesta mas, não obstante, desesperançada – as tensões impossíveis que sempre surgem não apenas entre os sexos no casamento, mas também da inevitável desproporção entre o poder público e o poder privado.

Um homem que é um tigre no escritório pode ser, como todos nós sabemos, um gatinho em casa. E a sua parceira-Hera, se ficar presa em casa sem qualquer válvula de escape para a sua ânsia de poder, poderá facilmente voltar-se contra ele; afinal, ela deseja manter as suas próprias garras afiadas. Grande parte do ciúme que Hera sentia por Zeus na grande novela olimpiana devia-se tanto às suas intrigas quanto à sua libertinagem.

Casamentos infelizes de Hera: lady Macbeth ou a megera indomada

Mas, e se o marido de Hera mostrar-se muito menos poderoso do que ela? E se ela não se casar com um homem fálico e heróico, disposto a enfrentar e vencer o mundo, e a conquistar para ela riquezas e posição social? Já é ruim o bastante quando a esposa-Hera se sente excluída da excitação da vida pública de seu parceiro bem-sucedido; mas o que fará ela quando ele se revela totalmente aquém das exigências do poder e da autoridade?

Até aqui, nós mais ou menos partimos do pressuposto de que quando uma mulher-Hera se casa com seu equivalente moderno de Zeus, este será um homem que personifica poder, carisma e ambição, além de sustentar e defender todas as virtudes espirituais e morais descritas acima. Este seria certamente o homem que ela buscou na faculdade aos vinte e poucos anos, freqüentando todas aquelas festas e bailes de formatura. Ela sabia exatamente o que queria, ainda que não soubesse colocar em palavras: alguém à altura de suas fantasias de força, vigor, franqueza e impetuosidade, o tipo de homem que os psicanalistas chamam de fálico e os psicólogos clínicos classificam de personalidade Tipo A.

Às vezes – e esta é uma história que todos nós conhecemos – a jovem Hera se enganará na escolha do parceiro, casando-se com um homem que lhe parecia promissor mas que, por um ou outro motivo, acaba logo ficando à margem da escalada da hierarquia de uma organização ou não logra estabelecer sua influência política. Ela talvez tenha interpretado sociabilidade e bazófias como autêntico poder pessoal, e acabando com um homem disposto a aceitar o segundo lugar ou a, filosoficamente, deixar a vida correr. É como se ela houvesse projetado a sua própria ânsia de poder no Zeus incipiente errado – e, tarde demais, a sua falta de discernimento volta-se contra ela, que tem agora uma família para cuidar e poucas perspectivas de continuar vendo o marido galgar os degraus de uma carreira outrora promissora.

São duas as reações mais comuns que a jovem Hera pode ter diante desta desditosa situação. Uma é tornar-se como lady Macbeth, manipulando seu lânguido marido por detrás dos bastidores, determinando cada gesto dele, arquitetando cada avanço, até que ele se torna virtualmente um porta-voz das suas próprias ambições presunçosas. Como lady Macbeth, essa mulher será obviamente a mais forte do casal, contrapondo à *persona* mais meiga e conscienciosa dele maquinações calculistas e estratagemas cruéis e implacáveis para fazê-lo progredir num mundo em que ela deseja que os dois ascendam.

Enquanto o marido não consumar plenamente os desejos e fantasias que essa mulher-Hera tem acerca do seu potencial, ela poderá apoquentar, intimidar e até mesmo tiranizar tanto ele quanto seus colegas. E se finalmente consegue o que quer, quase sempre continuará sedenta de obter ainda mais poder através dele. Um pouco dessa impiedade veio à tona no casamento muito divulgado de Leona e Harry Helmsley, famosos magnatas hoteleiros de Nova York. Casamentos como este não têm alma, pois uma mulher assim abdicou completamente do seu eu feminino em favor do poder masculino. Casamentos desse tipo, infelizmente, tendem a degenerar em alcoolismo, alienação emocional e, às vezes, violência.

Uma reação mais extrema ocorre se o parceiro escolhido por uma mulher-Hera ambiciosa revelar-se totalmente vão e ineficaz, e ainda por cima resistir às suas tentativas de manipulá-lo. Quando o marido priva assim a sua ânsia de poder de um cenário mais amplo, o apetite de Hera pelo poder e pelas intrigas tenderá a ser canalizado para os membros e gerações de sua própria família. O marido será acossado, os filhos oprimidos e as amigas regaladas com um desfilar ininterrupto de queixas e reclamações. Em sua tentativa de tornar-se a matriarca da família, ela acaba sendo ridicularizada pelas costas como "a mulher que canta de galo", a ranheta, a rabugenta, o objetivo de todas as velhas piadas de sogra. Não mais uma lady Macbeth que conquista o mundo inteiro ao preço da sua alma e da do marido, ela se torna aqui uma megera indomada.

O protesto fálico de Hera

Por debaixo de todas essas tensões extremas, não é difícil ver atuando a mesma dinâmica marital de Hera e Zeus. É um exemplo do que o psicanalista Alfred Adler concebe como "protesto masculino" das mulheres, um protesto sobretudo contra o fato de o marido mais uma vez negar à esposa qualquer poder efetivo, exceto no lar.

Mulheres carregando pistolas e brandindo facas, de Hic-Mulier a lady Macbeth (veja quadro, "Mulheres Megéricas da Época de Shakespeare"), passando por Lizzie Borden e a Hedda Gabler, de Ibsen, têm assombrado a nossa sociedade e a imaginação masculina há vários séculos. Alguns psicanalistas chegam a denominá-las *mulheres fálicas*, por uma analogia óbvia com os homens fálicos do jargão freudiano. A escritora junguiana Toni Wolff também tenta definir essa estrutura específica de personalidade feminina quando esboça a psicologia da mulher-Amazona como um de seus quatro tipos. Os outros tipos –

MULHERES MEGÉRICAS NA ÉPOCA DE SHAKESPEARE

Não é por acidente que muitos dos termos aplicados a esposas-Hera infelizes – megera, bruxa, virago, marimacho, víbora, matraca, bruaca, medusa, jararaca – têm um caráter nitidamente arcaico [ao menos em inglês]. A caricatura da esposa megérica começava a atingir proporções épicas no final da Renascença (Shakespeare oferece-nos Kate, a própria megera domada – e também, potencialmente, Beatrice [em *Much Ado About Nothing*], que se casa com Benedict, "minha lady Língua", como ela chamava). De acordo com o livro de Carroll Camden, *The Elizabethan Woman*, foi em 1617 que surgiu a primeira referência impressa à "mulher do gênero masculino". O rei James teria ficado escandalizado com a "insolência de nossas mulheres, seus chapéus de abas bordadas, seus dobletes salientes, seus cabelos rentes ou raspados, e algumas delas com estiletes e adagas ou outro berloque de igual consequência".

Sabemos também que Shakespeare experimentou a inversão de papéis em diversas peças – *Twelfth Night e As You Like It*, por exemplo – em que personagens femininas como Viola e Rosalind se vestem como e fingem ser homens. Talvez ele estivesse sinalizado a mesma corrente que perturbou o rei James.

Um esforço literário anônimo de satirizar o movimento surgiu no reinado de James, com o título espirituoso *Hic-Mulier*, que significa "mulher-macho". O subtítulo da obra descreve-a como "um remédio para curar o dissoluto Mal da Vertigem nos Seres Masculino-Femininas de nosso tempo".* Sob a forma de diálogo, o autor exprobra Hic-Mulier por usar vestimentas masculinas, "uma adaga Leadenhall, uma pistola High-Way" e por ter "uma mente e atitudes condizentes com, ou excedendo, toda deformidade repetida". O interessante é a resposta de Hic-Mulier. Ela diz, antecipando Simone de Beauvoir em vários séculos, que os significados de *masculino* e *feminino*, de homem e de mulher, estão fadados a mudar ao longo do tempo.

Historiadores da cultura como Marshall McLuhan comentam que a Renascença representa uma radical transformação da consciência, cujos efeitos ainda sentimos hoje. A sociedade começava então a se afastar dos valores coletivos, em que não se tinha uma consciência de um "sujeito" propriamente dito, e em que cada pessoa tinha um papel fixo numa hierarquia preestabelecida. Em seu lugar, a Renascença introduziu um mundo acelerado e oportunista caracterizado pelo que McLuhan chamou de "estrídulo e expansivo novo individualismo". No mundo medieval, cada pessoa tinha a segurança de saber exatamente quem era ela na pirâmide fixa do poder, e qual era a sua posição, papel ou função – que em todos era reforçada por indumentária ou uniformes distintivos. Entretanto, à medida que o espírito renascentista varria a Europa, homens e mulheres foram se sentindo cada vez mais à deriva. O resultado foi que "cada homem precisou tornar-se a sua própria Fênix", nas palavras do poeta John Donne. Homens e mulheres, em suma, tiveram que recriar suas identidades.

---

* O "dissoluto Mal da Vertigem" perde o trocadilho eqüino do original: coltish Disease of the Staggers, onde "coltish" refere-se aos potros e "disease of the staggers" é uma doença nervosa que acomete cavalos e gado.(N. do T.)

> A nossa auto-identidade está, é claro, intimamente ligada à roupa que vestimos; de modo que certas mulheres – e certos homens – devem ter sentido que precisariam experimentar os mais variados tipos de vestimentas. Num mundo tão profundamente inseguro, não chega a surpreender que algumas das mulheres mais ambiciosas tenham desejado adotar os trajes fanfarrões dos heróis masculinos da época, como [sir Walter] Raleigh, [o conde Robert Devereux] Essex, [sir Francis] Drake e outros.
>
> Superficialmente, existem muitas semelhanças entre a pirataria heróica dos gregos antigos e a dos elisabetanos. É possível que o exagerado impulso fálico nos homens, associado à contínua subserviência exigida das esposas, tenha provocado uma profunda reação dupla em algumas mulheres. Em casa, elas desabafavam suas frustrações em repentes de "megericidade", enquanto que, em público, imitavam, não sem um ar zombeteiro, o exibicionismo arrogante e fálico dos pavões da corte.

Mãe, Hetera, Medial – correspondem de perto às nosssas descrições de Deméter, Afrodite e Perséfone (veja também a Introdução), mas encontramos uma certa dificuldade nos retratos que ela faz da mulher-Amazona, que tanto poderia ser Atena, Ártemis ou Hera.

Toni Wolff também considerou o seu termo "Amazona" um tanto enganador, e esta tem sido a reação de muitas mulheres contemporâneas à sua obra. É por isso que, conforme explicamos anteriormente, achamos mais proveitoso subdividir o tipo de Amazona em Atena, Ártemis e Hera. Uma vez feito isso, vemos que as três possuem qualidades fálicas distintivas – Atena é intelectualmente agressiva, Ártemis durona e independente, Hera sem rodeios e dotada de uma vontade férrea – embora claramente exerçam essa falicidade de maneiras diferentes e em esferas distintas.

Nem Ártemis nem Atena em suas formas mais puras são primordialmente atraídas por relacionamentos, o que significa que a sua falicidade masculina pode ser radicalmente transformada ou sublimada de maneiras bastante criativas: isso confere a Ártemis a tremenda energia física que possui para atividades práticas e aventuras; e confere a Atena um certo poder concentrado para ajudá-la a atingir suas metas intelectuais.

Mas com Hera, cujas principais preocupações são parceria e poder, a falicidade pode facilmente vir a lhe criar graves problemas de relacionamento. Como, via de regra, seu impulso fálico é frustrado por uma parceria desigual, ela poderá ter a sua psique gravemente desequilibrada e acabar sendo impelida por justamente aquilo que deseja controlar. Os junguianos denominaram este difícil e aflitivo estado "possessão do *animus*", quando o lado masculino frustrado de uma mulher, de maneira crítica e destrutiva, assume controle de vários aspectos da sua vida íntima. Os impulsos de lady Macbeth são dessa natureza. O dramaturgo Willian Congreve também tinha o mesmo estado em mente quando escreveu: "O céu desconhece ira como a do amor tornado ódio, / E o inferno fúria como a da mulher desdenhada."

Algumas das observações mais penetrantes de Toni Wolff sobre os aspectos negativos da mulher-Amazona merecem ser citados, pois parecem definidamente dizer respeito a Hera. Por exemplo:

> Seu aspecto negativo é como o de uma irmã que, impelida pelo "protesto masculino", deseja ser igual ao irmão, que não reconhecerá nenhuma autoridade ou superioridade, [...] que luta empregando armas exclusivamente masculinas e é uma Megera [uma das Fúrias ou Eríneas] em casa. [...] Complicações pessoais são resolvidas de uma maneira "masculina", ou então reprimidas. Compreensão de – ou paciência com – tudo que ainda não desabrochou, que está no processo de desabrochar ou que não deu certo está ausente, seja no que diz respeito a ela própria ou a outros ("Mal posso esperar até que meus filhos estejam crescidos"). O casamento e os relacionamentos são vistos sob a óptica da realização pessoal (basicamente, da *sua* realização pessoal); sucesso e eficiência são as suas palavras de ordem. A Amazona também corre o risco de abusar dos relacionamentos humanos, utilizando-os como "transações profissionais" ou para a sua carreira.
>
> "Structural Forms of the Feminine Psyche", p. 8

A chaga de Hera: a dor da impotência

A dinâmica de Hera consiste em ela querer estar onde as coisas acontecem, e a origem do seu protesto é que ela odeia o marido – o seu e todos os outros – por excluí-la da ação. Se dividir em casa tudo com o marido, ela se sentirá plenamente no direito de fazer o mesmo no mundo exterior. Este é essencialmente o tema da rusga entre Zeus e Hera no livro de abertura da *Ilíada*, de Homero: Zeus estivera se consultando com Métis, uma ex-amante, sobre como ajudar Aquiles na Guerra de Tróia, e Hera imediatamente volta-se contra ele por não tê-la consultado. Não é de sua licenciosidade sexual, mas sobretudo da sua *promiscuidade política* que ela tem ciúmes, da sua capacidade de estar envolvido em tantas coisas diferentes, da sua liberdade de movimentar-se e de abrir seus pensamentos a tantos conselheiros de ambos os sexos.

Em outras palavras, Hera sente ciúmes *da liberdade que seu marido tem de ser uma força propulsora e uma pessoa-chave no mundo.* Bem no fundo, ela quer viver e agir exatamente como um homem num mundo de homens. Quando o mundo dos homens sob a forma do seu companheiro mais íntimo a rejeita, isso é sentido como uma profunda chaga narcisística em sua auto-estima, uma chaga em torno da qual mágoas, ressentimentos e ciúmes quase inevitavelmente se acumulam (veja quadro, "Zeus e Hera Brigam no Olimpo").

Hera, que se vê então forçada a permanecer em casa, tem poucas oportunidades para desenvolver os seus dotes sociais, políticos e executivos. Como reação, a primeira coisa que faz é apegar-se possessivamente ao marido, fazendo dele a fonte de sua própria politicagem vicária, exigindo ser a sua única confidente, por menos realista que isso geralmente seja. Todavia, se as suas ambições forem realmente fortes, ela jamais ficará satisfeita apenas com isso, e irá espezinhá-lo para obter informações e opiniões sobre seus colegas e sobre suas decisões de trabalho. Isso será uma fonte constante de atrito entre os dois, por mais solidário e generoso que o marido possa tentar ser.

ZEUS E HERA BRIGAM NO OLIMPO

Zeus foi sentar-se no trono. Hera, porém, não se enganava quando imaginou tê-lo visto em conciliábulo com a filha do Velho do mar, a deusa de argênteos pés. E remoqueou Zeus com palavras acres: "Quem, ó insidioso máximo, poderá entender-se contigo? Andas sempre afastado de mim em maquinações secretas e não me dizes nunca o que pensas."

E o pai dos deuses e dos homens lhe respondeu: "Hera, não te é dado conhecer todos os meus pensamentos; embora sejas minha esposa, não serias capaz de compreender algumas de minhas idéias. Do que te convém saber, nada direi a ninguém, seja deus, seja homem, primeiro que a ti; daquilo, porém, que eu premedito e congemino longe dos deuses, nada deves inquirir nem perguntar."

E a venerável Hera, abrindo muito os olhos grandes, pestanudos, úmidos, como de vaca, lhe deu o troco: "[Terrível Filho de] Cronos! Que estás a dizer? Quando quiseres, fala; quando não quiseres, está calado. Importa-me lá bem como que pensas ou deixas de pensar! O que me faz estremecer toda é a vergonha de te deixares seduzir pela filha do Velho do mar, Tétis, a 'Calcanhares de Prata'. Desde a manhãzinha, embiocada nuns trapos de bruma, ela aí estava sentada a teus pés a abraçar-te os joelhos. E tu lhe prometeste com uma vênia, sei-o eu, muitas honras para Aquiles e que havias de fazer morrer muitos Aqueus junto de seus navios."

Zeus, amontoador de nuvens, respondeu: "Insensata, em tudo desconfias de mim, e não me posso ver livre de ti! Por tua maldade ficarás cada vez mais longe do meu coração. Tanto pior para ti. Se tuas suspeitas forem fundadas, é porque os teus desgostos são os meus contentamentos. Cala-te e obedece às minhas ordens, não suceda que os deuses do Olimpo, todos juntos, sejam impotentes para te defender, se te deito as benditas mãos."

Ouvindo tais palavras, teve medo a venerável Hera; baixou os olhos pestanudos, como pôde dominou o ânimo altivo, reprimiu o nobre coração e sentou-se silenciosa. A deusa se ficou, pesarosa... Mas estavam excitadíssimos os ânimos e já em casa de Zeus faziam os imortais temeroso rumor.

Homero, *Ilíada*, Livro 1 (tradução do original grego
do padre M. Alves Correa

Inevitavelmente, a esposa-Hera, ambiciosa mas presa ao lar, que tentar viver através do marido acabará se sentindo excluída. O seu lado fálico foi frustrado e repudiado. Em sua necessidade de estar próxima do marido, ela inconscientemente exige uma intimidade quase simbiótica; é como se quisesse estar na própria pele dele. Para a maioria dos homens, uma tal penetração psíquica por parte da energia de uma mulher é intolerável. Começa a trazer à tona profundos medos infantis do poder avassalador daquilo que os psicanalistas chamam "mãe devoradora", como as bruxas esfaimadas das histórias de fada que querem devorar pequenas criancinhas. Um medo assim está presente em *Macbeth* de Shakespeare na forma das feiticeiras, que são o contraponto psíquico, ou sombra, das ambições desenfreadas de lady Macbeth. A única reação que a maioria dos homens tem em face de um poder tão penetrador é recuar da intimidade exigida e buscar a companhia de outros homens – ou de outras mulheres, como no estratagema de Zeus.

Rejeitada, desprezada e frustrada pelo marido, a mulher-Hera geralmente se voltará para a família. Aqui ao menos ela parece ter poder absoluto. Todavia, para infelicidade de todos, com exceção das raras estruturas familiares que preservaram o papel tradicional da matriarca, Hera tende a sentir-se profundamente infeliz quando transforma o cenário familiar no único pólo de suas ambições soberanas. Mais casamentos naufragam e mais famílias são tiranizadas por Heras insatisfeitas ou machucadas do que por qualquer outra deusa. E mais mães alcoólatras, violentas e psicóticas são encontradas entre essas mulheres-Hera profundamente frustradas.

Pois uma mulher-Hera simplesmente não é capaz de deleitar-se tranqüilamente com os seus bebês ou com o crescimento dos filhos à maneira de uma mulher-Deméter, -Ártemis ou -Afrodite. A forma de maternidade de Hera pode ser bastante ríspida e, se recebeu pouca ou nenhuma dose de Deméter, Ártemis ou Afrodite da *sua* mãe, ela educará os filhos a se sentirem oprimidos e criticados, como se de algum modo jamais conseguissem ser suficientemente bons. Quando uma mulher é mãe exclusivamente através do arquétipo de Hera, sem o apoio da energia das outras deusas, é problema na certa.

A imagem grega da deusa Hera é de pouca ajuda. Estudiosos clássicos não conhecem uma única representação de Hera como mãe ao lado de seu filho. A maternidade simplesmente não era um dos atributos que os gregos imaginavam para a Hera olímpica. Diz-se até que, quando o templo de Hera foi aberto em Atenas, o templo de Deméter, deusa da fertilidade e da maternidade, foi fechado. É difícil imaginar uma expressão mais nítida da incompatibilidade fundamental entre Hera e maternidade.

A mulher-Amazona que Toni Wolff descreve encaixa-se exatamente no estilo da relutante mãe-Hera contemporânea, aquela que irá dirigir a família em termos da *sua* realização pessoal e do *seu* sucesso, nas palavras de Wolff. Ela conceberá para os filhos toda espécie de planos e projetos a partir do momento em que começarem a engatinhar. Infâncias inteiras tendem a ser sacrificadas para as irrequietas ambições dessas mães-Hera frustradas, cuja energia implacável é, em grande parte, desperdiçada e equivocadamente dirigida para as carreiras dos filhos – carreiras que *ela* deveria ter seguido. A mãe-Hera é impaciente para que os filhos cresçam logo, e é secretamente intolerante ao comportamento infantil, como Toni Wolff também observa. Ao fixar padrões rigidamente controlados de perfeições e realização para seus filhos, ela poderá estar inconscientemente preparando-os para sentirem o mesmo tipo de fracasso que não cessa de atormentá-la interiormente.

Heras frustradas: uma geração traída

Muitas pessoas conhecem esse tipo de mãe por experiência pessoal. Na realidade, temos observado uma constante em toda uma geração de mulheres nascidas nas décadas de 20 e 30. Essas mães têm um estilo exageradamente disciplinado de maternidade que, a nosso ver, faz parte de uma consciência frustrada de Hera, um estilo profundamente carente da confiança e acalento que conhecemos em Deméter como mãe. Em um nível, isso deve ter sido provocado pelas rupturas que a I Guerra trouxe. Enquanto os maridos estavam fora prestando serviço militar, muitas mulheres, com ou sem filhos, participaram ativamente no esforço de guerra. Puderam então ter um gosto do poder e da independência, que lhes foram imediatamente tomados quando seus maridos voltaram da guerra.

Durante as décadas de 40 e 50, nos Estados Unidos e na Europa, deu-se naturalmente tremenda ênfase à reconstrução da sociedade e à transformação da família e do lar num centro emocional. Foi uma época de infindáveis novos aparelhos para reduzir tempo e trabalho, e de uma requintada nova tecnologia – lavadoras de pratos, máquinas de lavar roupa, televisores, e mais. A vida doméstica e a esposa amorosa foram projetados maciçamente nos meios de comunicação: *Leave It to Beaver, Father Knows Best* [*Papai sabe tudo*] e outros programas apresentavam uma caricatura da esposa feliz no lar, contente com seus filhos, paparicando o marido e habitando casas imaculadas no estilo da revista *Better Homes and Gardens*. O que os homens que conceberam essas imagens claramente queriam era uma Deméter confortadora esperando por eles em casa, agora que a guerra acabara. E os publicitários da TV queriam um bando de consumidoras ativas. Em algum nível, eles devem ter se sentido ameaçados pelas mulheres que trabalharam durante a guerra e, portanto, queriam agora que voltassem a se ocupar do lar.

Naturalmente, essa geração não era constituída apenas de Deméteres, por mais que os homens assim desejassem. A geração que se tornou adulta durante a II Guerra também estava cheia de Atenas frustradas, Artemises frustradas e, sobretudo, Heras frustradas – e cada uma delas se sentia aprisionada no casamento. Mas foram basicamente as mães-Hera que pareciam mais sofrer com esses grilhões de flores criados para confinar esposas zelosas. As mães-Atena dessa geração tinham muitas vezes aptidões e a ambição para voltarem a estudar e iniciar novas carreiras depois que os filhos saíram de casa; Ártemis permaneceu solteira; Afrodite seguiu o seu próprio caminho. As mulheres-Hera, em contraste, sentiam-se freqüentemente despreparadas e com pouca instrução para poderem acompanhar suas filhas independentes e bem-sucedidas.

É um fato triste que as mulheres-Hera via de regra não buscam terapia nem freqüentam seminários. De um modo geral, isso é porque sua extroversão não as estimula a olharem para dentro de si e porque tendem a preferir enfrentar os problemas com o seu costumeiro bom senso e força de vontade. Uma exceção a esta regra foi uma de nossas clientes, Janet:

162

Janet procurou terapia aos 54 anos de idade depois da morte de seu marido de trinta anos. Dan havia sido um executivo numa grande empresa antes de um ataque cardíaco fulminante deixá-lo estendido numa quadra de tênis. Mulher inteligente e sofisticada, Janet estava surpreendentemente malpreparada para a tarefa de resolver os complexos problemas financeiros e emocionais que surgiram depois da morte de Dan. Seus três filhos – de vinte, dezesseis e doze anos – ficaram arrasados com uma perda que eles sentiram como abandono, e começaram a se tornar "difíceis" de uma ou outra maneira. Janet sentia-se ela própria meio aturdida, desnorteada e confusa com tantas mudanças repentinas.

A primeira parte do trabalho de Janet em terapia consistiu em percorrer o mundo avernal de Perséfone. Sonhos aterrorizantes e um senso persistente de depressão fizeram-na voltar-se para dentro de si, quando começou a examinar algumas questões não-resolvidas de seu casamento, especialmente a vida sexual com o marido. O primeiro benefício óbvio de ela abrir-se para Perséfone ficou evidente em seus filhos, cujo desempenho escolar melhorou e cujo relacionamento com os amigos voltou ao normal. Foi como se o trabalho interior de Janet os estivesse libertando para seguirem adiante com suas vidas.

A segunda parte do trabalho terapêutico consistiu em encontrar um estilo de vida mais significativo, agora que a sua antiga rotina chegara ao fim. Como muitas mulheres da sua idade, ela se casara logo ao sair da faculdade e se assentara numa vida doméstica confortável quase de imediato. A família vivia numa casa grande, cheia de árvores, numa comunidade que incluía um clube de campo e excelentes escolas. Ela e Dan concordaram logo no início do casamento que ele proveria o sustento da casa e ela cuidaria da família e das questões sociais. Ao longo dos anos, tiveram uma vida social muito ativa, que muito contribuiu para a carreira ascendente de Dan, e Janet passou a ser conhecida como uma exímia anfitriã. Mas, além dessas obrigações e de participar de diversos grupos de caridade da comunidade, Janet fizera pouca coisa mais. Sua identidade de Atena estava seriamente debilitada, mas era muito necessária. E começou a buscar alternativas para ver o que poderia fazer com o seu tempo.

Depois de muito refletir, Janet decidiu abrir um *buffet* em sua própria casa. A idéia permitiu a ela capitalizar não só seus contatos na comunidade mas também sua experiência de anfitriã. Com o seu conhecimento das maneiras e formalidades sociais, ela foi capaz de assessorar com perícia seus clientes, além de fornecer-lhes comida e flores. A idéia revelou-se brilhante. Hoje Janet é presidente de uma empresa muito bem-sucedida.

Hera e suas filhas

Se existe algum tema que caracteriza fortemente a geração de mulheres que têm hoje entre trinta e cinqüenta anos, é a profunda alienação que sentem em relação às suas mães. Muitas dessas mulheres criaram seus estilos de vida à maneira de Atena e de Ártemis como conseqüência do movimento de liberação feminina dos anos 60. Quase todas são filhas de mães que qualificaríamos como Heras frustradas. A maioria cresceu acompanhando a frustração das ambições típicas de Hera de suas mães, ouvindo o constante matraquear dos impulsos não-realizados

163

A OBCECAÇÃO DE HERA COM A PERFEIÇÃO

Eis como a analista junguiana Marion Woodman resume a profunda e penetrante alienação que muitas filhas sentem em relação às suas mães-Hera:

A maioria de nossas mães nos "amavam" e fizeram o máximo possível para nos dar uma boa base para a nossa vida futura. A maioria das mães delas, de geração a geração, faziam o mesmo, mas o fato é que quase todas as pessoas desta geração, homens e mulheres, não têm uma matriz materna muito forte com a qual seguirem adiante na vida. Muitas de nossas mães e avós eram filhas das sufragistas, que já pretendiam assumir um novo papel para as mulheres. Algumas delas ansiavam por ter um homem; outras aproximavam-se mais do seu lado masculino e passavam a dominar o lar com valores masculinos, fazendo com que a atmosfera geral de suas casas se voltasse para idéias de ordem, objetivos de vida e sucesso – sucesso que elas próprias sentiam ter deixado escapar. A bílis da sua desilusão os filhos tiveram que beber junto com o leite materno. Dissociadas de seu próprio princípio feminino, essas mulheres eram incapazes de transmitir alegria de viver, fé em sua existência, confiança na vida tal qual ela é. Voltadas para *fazer* as coisas com eficiência, não suportaram deixar que a vida simplesmente acontecesse. Não ousaram reagir espontaneamente ao inesperado. E como seus filhos eram às vezes o inesperado, essas crianças já estavam em débito antes mesmo de deitarem no berço – inesperadas não só em suas pessoas, mas também em seu temperamento, pois tinham sentimentos e idéias que não estavam de acordo com as projeções paternas e maternas do que seus filhos deveriam ser. Diante de tal atitude, não há espaço para a vida ser vivida tal qual é, nem espaço para pais ou filhos relaxarem no "Eu sou"; conseqüentemente, a criança passa a viver com um senso esquivo de culpa – a personificação do desapontamento da mãe não tanto com os filhos, mas consigo própria. A criança vai crescendo tentando justificar a sua própria existência que, em termos da sua realidade psíquica, nunca lhe foi concedida.

Addiction to Perfection, pp. 16-17

O livro de Woodman, que deve ser lido na íntegra por toda mulher que sentir alguma identificação com a passagem acima, aponta diretamente para a raiz do que podemos chamar "chaga de Hera", quando a mulher perde contato com o fundamento da sua essência feminina, substituindo-a por valores masculinos de poder, perfeição e sucesso, os quais ela mesma talvez tenha herdado de sua mãe.

de Atena e Ártemis, e absorvendo tudo isso em seus inconscientes. Essas ambições eram bastante inconscientes em suas mães, de modo que foram absorvidas pelas filhas como uma mistura de constante ressentimento e ciúme. Jamais em nossa história recente as energias poderosas dessas três deusas estiveram tão próximas da superfície e, no entanto, tão refreadas e reprimidas quanto nas décadas de 40 e 50. Não é de se admirar que livros como *The Golden Notebook*, de Doris Lessing, sejam tão dolorosos de ler.

Inevitavelmente, boa parte do que essas filhas têm a dizer sobre as suas mães é carregada de uma grande dose de raiva – revelando assim muito sobre elas próprias e sobre a psicologia de suas mães-Hera. Pois, sob muitos aspectos, essas filhas lutaram – e ainda lutam – para se libertarem dos padrões restritivos de feminilidade que suas mães lhes impingiram. Elas têm de pagar um preço elevadíssimo pela sua liberdade. Como filhas, parecem fadadas a carregar dentro de si os resíduos das frustrações maternas – frustrações agora já transformadas em ressentimento, doença e, muitas vezes, em maldisfarçada inveja.

Muitas das mulheres entre trinta e cinqüenta anos que hoje buscam terapia têm queixas surpreendentemente parecidas com as de suas mães. Elas desabafam o quanto foram dominadas pelas carências e temores maternos, ou como nunca conseguiram ser elas mesmas porque suas mães lhes impunham valores absolutamente incapacitantes ou estilos de vida terrivelmente estreitos e limitados. Ou então reclamam de como se sentiam aprisionadas, incapazes de se libertarem da constante interferência materna em suas vidas.

A analista junguiana Marion Woodman, em seu importante livro *Addiction to Perfection* (veja também quadro, "A Obcecação de Hera com a Perfeição"), efetuou um estudo psicológico dessas relações destrutivas entre mãe e filha, particularmente quando se manifestam como anorexia nervosa e obesidade. Ela acertadamente considera o excesso e a insuficiência de peso sintomáticos de uma profunda chaga no que se refere à verdadeira maternidade – o que aqui chamaríamos de ausência de acalento demétrico. Escrito basicamente da perspectiva das filhas de mães-Hera, este livro é extremamente valioso para nos ajudar a entender como a vida de tantas mulheres é dirigida, quase ao ponto da possessão, por imagens maternas cheias de mágoa dentro de si.

O problema, de acordo com Woodman (que aceita certas percepções de Jung), é que as mães que chamamos aqui de Heras frustradas foram elas próprias malcuidadas por *suas* mães, que por sua vez foram criadas pelas mães delas, e assim sucessivamente há várias gerações – possivelmente desde a Revolução Industrial, que tanto alienou as mulheres da terra e dos ciclos da terra. Dessa forma, mais recentemente, em vez de uma maternidade autêntica, essas mães passaram inconscientemente a transmitir para suas filhas um conjunto de normas perfeccionistas e expectativas irreais em relação às metas e ao sucesso na vida que têm pouco ou nada que ver com a descoberta da natureza feminina individual de cada uma – que poderia ser qualquer um dos arquétipos das deusas. O que é mais trágico, essas filhas foram abandonadas para lutarem sozinhas com a profunda dor inconfessa que provém de terem sido arrancadas de sua feminilidade própria. Esta é a tragédia de Emma no filme *Laços de ternura* (veja quadro, "Hera no Cinema").

Hera e Atena, em suas biografias míticas, sofrem dolorosamente dessa alienação do princípio materno. Atena é privada de sua verdadeira mãe, Métis, quando Zeus se apropria da sua gravidez (veja capítulo sobre Atena). E embora Hera tenha Réa como mãe, a ânsia de poder desta a impede de desenvolver as qualidades mais meigas que são necessárias para acalentar, amamentar e criar os filhos. Conforme

HERA NO CINEMA

No famoso filme *Laços de ternura*, acompanhamos Aurora Greenway, uma clássica mãe-Hera de classe média, tentando infatigavelmente dirigir a vida da filha, Emma, uma dedicada Deméter, cujo casamento a mãe desaprova enfaticamente. Aurora não consegue salvar Emma do que considera o gradual declínio da filha na mediocridade pela qual optou na pessoa de um marido gentil mas sem tutano, um professor universitário de uma cidade pequena. Mas a interferência de Aurora é claramente um sucedâneo para ela mesma seguir adiante com a sua vida. (Depois de muito tempo, ela acaba tendo um caso com um vizinho lascivo, o que praticamente não afeta seus modos duros.) Apesar de infindáveis telefonemas em que Emma pacientemente serve de mãe para a mãe, nenhum diálogo de verdade ocorre entre elas.

Tragicamente, Perséfone intervém sob a forma de um câncer que Emma contrai, aproximando mãe e filha por um breve período. E nós começamos a sentir a agonia de Aurora em perder a filha na qual depositara tanta esperança. Mas ficamos com a desconfiança de que toda uma gama de indizíveis sentimentos de raiva jazem furtivos no câncer de Emma.

Sob muitos aspectos, o final do filme é insatisfatório em termos psicológicos. Emma jamais chega a dar vazão à raiva que sente pela mãe intromissora, e Aurora só consegue tardiamente começar a demonstrar seus verdadeiros sentimentos no leito de morte de Emma. Hera e Deméter permanecem essencialmente alienadas. Portanto, os sentimentos reprimidos vão ulcerando-se às ocultas, para serem reivindicados em silêncio por Perséfone, com quem a filha termina por identificar-se inconscientemente. A filha moribunda é sob muitos aspectos uma mártir do amor de Deméter que as duas mulheres provavelmente jamais receberam diretamente. O câncer é a personificação dos sentimentos de desamor, desapontamento e raiva que a filha – ocupada demais em sempre ser a resignada Deméter de todos – jamais pôde expressar.

observamos anteriormente, em nenhum instante da arte grega Hera chega a ser representada como uma mãe ao lado de seu filho.

Para compensar esse vazio, ambas as deusas recorrem ao princípio paterno como um sucedâneo da verdadeira maternidade. Em Zeus, encontram alimento mais sublime nos seus ideais do espírito e da mente: moralidade, lei, justiça, dever, fidelidade e tradição. Essas máximas de Zeus, o pai dos deuses, tornam-se então os princípios que regem Hera e Atena. Por mais dignos que sejam, eles têm conotações psicológicas bastante diferentes quando comparados com o acalento telúrico, espontâneo e vivificante, a meiguice e o amor que na psicologia das deusas nós associamos a Deméter, a Réa e à progenitora Gaia, primeira Mãe Terra dos gregos.

"O espírito", escreveu certa vez o décimo quarto Dalai Lama, "sente-se em casa em lugares elevados." Ele poderia estar se referindo a montanhas sagradas como o Olimpo e Ida, tanto quanto aos Himalaias. Esta é a topografia espiritual onde Hera e Atena foram viver. Mas o Dalai Lama também observou que a "alma se apraz em profundos vales sombrios", os lugares que associamos mais à Mãe Terra. O preço que Atena e Hera pagam pela sua íntima comunhão com o espírito é, portanto, sob muitos aspectos, uma perda da alma. Ambas precisam restabelecer o elo com as qualidades próprias de Deméter; e, para isso, uma certa rigidez de princípios tem que ser sacrificada – uma dose de meiguice e ternura precisa ser recuperada. Esta é uma obra de considerável reconciliação interior.

Hera e seus filhos homens

Quando uma mulher-Hera tem filhos, o problema do seu desequilíbrio masculino é ainda mais pronunciado do que com suas filhas. Todo o excesso de energia fálica que não pôde encontrar expressão no mundo exterior, ou através do marido, será desviado para os filhos homens, que logo se tornam a expressão deslocada e a personificação viva da inquieta energia masculina da mãe. Muitos filhos adolescentes partem para o mundo com toda espécie de ambições que nem por um instante duvidam que não sejam suas, mas que na realidade são de sua mãe. Em não poucas ocasiões, por causa das profundas tensões não-resolvidas entre esposa e marido, as ambições juvenis do rapaz irão contrariar radicalmente o que seu pai deseja para ele, que passa a ser usado inconscientemente como peão na luta pelo poder entre o pai e a mãe.

Freud disse ter detectado na infância esse triângulo de mãe e filho *versus* pai – o famoso complexo de Édipo – e enfatizou o seu componente sexual e incestuoso. Não resta dúvida que podemos encontrá-lo na infância, mas o mesmo triângulo também retorna com muito maior vigor no final da adolescência, quando o filho começa a manifestar todas as fantasias secretas da mãe e a representar o papel de seu jovem herói. D.H. Lawrence percebeu e deplorou esse terrível poder de sedução em sua própria mãe infeliz e viu a mesma coisa acontecendo em outras relações mãe-filho:

> Se quisermos ver o espírito de esposa verdadeiramente desejável, devemos observar uma mãe com o seu filho de dezoito anos. Como ela o serve, como o estimula, como o seu ser feminino pertence a ele, são uma submissão de esposa tal qual jamais, jamais poderia ser para um marido. Este é o amor quiescente, florescente de uma mulher madura. É a quintessência do amor de uma mulher: sexualidade sem nada pedir, sem nada pedir

O FILHO CRIATIVO E O FILHO DESTRUTIVO DE HERA:
HEFAÍSTOS E ARES

Muitos homens nascidos com mães-Hera dominadoras tendem a sublimar esta presença psíquica avassaladora através de alguma atividade criativa intensa. Freqüentemente, mas de modo algum sempre, tais homens tornam-se homossexuais além de artistas. Em termos da psique feminina à luz das deusas, poderíamos dizer que eles optaram por viver mais o lado Hefaístos da energia fálica de suas mães do que o lado Ares, que tendem a negar ou a afastar. Via de regra, no entanto, o aspecto Ares está fadado a aparecer em alguma parte de suas fantasias, de suas vidas criativas ou, mais tragicamente, de suas vidas pessoais. Tennessee Williams, Oscar Wilde e D.H. Lawrence servem de ilustração.

Tennessee Williams claramente viveu com a tensão criativa interior de Hefaístos e de Ares. Suas peças estão cheias de figuras de Hera dominadoras e frustradas, sem dúvida modeladas em aspectos da sua mãe; não obstante, ele lida de maneira criativa com a violência de Ares em muitas de suas obras, como em *Sweet Bird of Youth*.

Em *Suddenly Last Summer*, ele confronta a energia tenebrosa de uma mãe-Hera em termos inequívocos. O principal protagonista, Sebastian, é um poeta estéril e improdutivo, que vive inteiramente com e para a sua mãe idosa. A despeito de uma tentativa de casar-se com uma jovem e escapar da mãe, Sebastian é medonhamente canibalizado por uma horda de garotos – com certeza homossexuais – ao visitar as Ilhas Galápagos. A maneira da sua morte simboliza o lado "devorador" da Grande Mãe subjacente à possessividade da sua mãe pessoal e ao poder destrutivo do animus Ares dela.

Outro conhecido gênio criativo homossexual que teve uma mãe Hera dominadora, mas não obstante adorada, foi *Oscar Wilde*. Lady Bracknell, em *The Importance of Being Earnest*, é uma caricatura espirituosa e afetuosa dela. Também neste caso, como em Tennessee Williams, Wilde vivenciou a criatividade de Hefaístos que a sua mãe não conseguira expressar. Porém, ao contrário de Williams, ele foi menos capaz de expressar a destrutividade de Ares na sua obra literária. Uma parte desta destrutividade é dirigida à figura materna sedutora em *Salomé*, mas essencialmente o aspecto destrutivo permanece à margem, como em *O Retrato de Dorian Grey*, profético da queda de Wilde. Autodestrutivamente, ele invocou a ira de Ares sobre si mesmo na forma de condenação e punição pela sociedade. Depois de julgado publicamente e humilhado pela sua homossexualidade, Wilde foi condenado à prisão e a uma morte prematura aos quarenta e seis anos.

Encontramos em *D. H. Lawrence* as mesmas polaridades psíquicas atuando. O que é notável no seu caso é que ele teve o gênio de conseguir fazer conviver em si mesmo a criatividade de Hefaístos e a fúria de Ares. Lawrence foi tremendamente criativo, e não teve medo de sua raiva impetuosa, qualidades que estão muito claramente personificadas nos dois personagens masculinos de sua obra-prima, *Mulheres apaixonadas*.

> Em *Mulheres apaixonadas*, Birking é o espírito criativo inquieto que se casa com a mais meiga das duas irmãs. Gerald Critch, atormentado de maneira mais atroz, é o lado violento, aquele que sai com prostitutas, que nunca se casa e que acaba se matando depois de um caso malogrado com a outra, mais intensa, das irmãs. É interessante que Lawrence não tenha adotado um estilo de vida homossexual (embora haja indícios em *Mulheres apaixonadas*); pelo contrário, ele se casou com uma mulher ardente e bastante terra-a-terra que lhe foi repetidamente infiel. Sua esposa, Frieda, certamente personificava as qualidades de Deméter e de Afrodite.
>
> Williams, Wilde e Lawrence foram colhidos pelo aspecto recôndito e não-resolvido do conflito entre Hera e os valores patriarcais, e pela sua incapacidade de afirmar a antiga consciência matriarcal. Cabe a filhos como estes três homens criativos tentar completar o ciclo, revertendo-o para a consciência matriarcal perdida – mesmo que, como nos casos de Wilde e Lawrence, tenham que pagar o preço da total alienação e do exílio da cultura patriarcal de suas épocas. Oscar Wilde foi obrigado a deixar a Inglaterra em desonra depois de sua prisão; Lawrence, uma geração depois, sofreu a ignomínia de ver vários de seus livros proibidos e queimados em praça pública na sua Inglaterra natal. O retorno da consciência matriarcal exige de certos homens sacrifícios emocionais e espirituais que seus contemporâneos raramente conseguem compreender.

do ser amado, exceto que ele seja ele próprio. [...] Pela primeira vez, a mulher se sente agora como uma verdadeira esposa se sentiria. E o que sente é para o seu filho. [...]

E assim é antecipada a grande experiência amorosa que deveria estar no futuro. No seio familiar, os laços de amor se formam rapidamente, sem os choques e rupturas inevitáveis entre estranhos. É o mais fácil, o mais intenso – e parece o melhor. Parece o mais elevado. Não é fácil fazer um homem acreditar que o seu amor carnal pela mulher que tomou como esposa é tão elevado quanto o amor que sentiu pela mãe ou irmã.

A nata é extraída da vida antes de o rapaz [...] completar vinte anos. E depois – repetição, desilusão, deserto.

Fantasia of the Unconscious, pp. 127-28

É impossível não reparar na raiva contida que transparece nesta passagem de Lawrence. Em muitos aspectos, ele conseguiu superar a ira e a frustração da própria mãe, que se sentia presa num casamento violento morando na penúria industrial de uma pequena comunidade inglesa de mineiros. Mas durante toda a vida Lawrence manteve uma atitude profundamente ambivalente em relação às mulheres, como mostram seus poemas e romances, e como confirmam aqueles que o conheceram; ele ao mesmo tempo as adorava e as odiava.

A raiva e a incapacidade de um homem entregar-se a uma esposa ou amante são, via de regra, os principais frutos da possessividade de uma mãe-Hera. Mais uma intensa criatividade também o é. Como observou Lawrence no mesmo contexto, "Não chega a surpreender que digam que os gênios em geral têm grandes mães"

169

– para logo em seguida acrescentar pesarosamente, "mas a sua sina é quase sempre triste".

Os dois fatores psíquicos que Lawrence parece ter herdado de sua mãe – raiva e criatividade frustrada – têm paralelos bastante exatos na mitologia grega, personificados nos dois principais filhos homens do casamento de Zeus e Hera: Ares, o belicoso e odiado deus da guerra, e Hefaístos, o ferreiro e aleijado. E, como aconteceu com todos os filhos, as personalidades e comportamentos desses deuses refletem com precisão as questões não-resolvidas no relacionamento dos pais. Porém, mais particularmente, por causa da ânsia frustrada de poder de Hera, eles são o espelho de dois extremos do lado masculino não-manifesto da deusa – o seu animus, para usarmos o termo junguiano.

Em Ares, encontramos a índole altercadora, fanfarrona e violenta de Hera, a parte dela que gosta de brigar pelo prazer de brigar, e que a torna quase tão desagradável quanto Ares durante boa parte do tempo. Embora seja tecnicamente filho de Zeus, Zeus não quer ter nada a ver com Ares, insinuando que ele é na realidade filho de Hera. É inevitável que os filhos de casamentos infelizes sejam incluídos nas disputas acrimoniosas dos pais, amarguradamente tendo que tomar partido – o modo de Ares – ou tentando ser um mediador apaziguador – o modo de seu irmão, Hefaístos. Na Guerra de Tróia, Ares apoiou Afrodite, paladina dos troianos, e consegue assim alienar seu pai e sua mãe, que apoiavam os gregos.

Mas, sobretudo, Ares simboliza a incessante guerra conjugal entre Zeus e Hera.

Ares não chega a se casar. Ele tem muitos casos – o mais importante deles com Afrodite – e gera incontáveis filhos fora do casamento, mas nunca chega de fato a se unir com alguém. Como expressão de raiva de Hera, ele parece desprezar a instituição do casamento em si. Todavia, talvez fosse mais acertado interpretar a sua rejeição do matrimônio patriarcal (especialmente no seu caso com Afrodite) como um reflorescimento, ainda que não-refinado, dos antigos costumes matrilineares em que a paternidade e a estrita fidelidade eram irrelevantes. Mesmo assim, quando Christine Downing, em seu excelente comentário em *The Goddess*, descreve a personalidade de Ares como "hipermasculinidade fadada ao fracasso", ela está identificando a raiva incontida e essencialmente destrutiva que é a sua herança da falicidade frustrada de Hera.

Hefaístos representa o outro pólo da raiva e dos ciúmes que Hera tem de Zeus. Eis como um hino homérico a faz desfiar sua triste história para os deuses:

> Ouvi-me vós todos, deuses e deusas, como Zeus traz a vergonha por sobre mim – como ele foi o primeiro a fazê-lo depois de me tomar como esposa. Sem mim ele deu à luz Atena, a mais gloriosa imortal, enquanto o meu próprio filho, a quem gerei e dei à luz, Hefaístos, é o menor dentre nós todos. Eu mesma o lancei ao mar.
>
> Carl Kerényi, *The Gods of the Greeks*, p. 151

É como se estivesse dizendo a Zeus, "Eu lhe mostro!" – mas, como tantos outros atos vingativos, esse seu ressentimento acaba voltando-se contra ela mesma na forma de um filho aleijado e bastardo. Novamente nas palavras de Downing, Hefaístos é "o animus aleijado [de Hera], uma expressão das suas próprias energias masculinas oprimidas". Quando Hera o lança fora dos céus, de acordo com uma versão do mito, ele cai em Lemos, uma ilha outrora famosa por suas mulheres sanguinárias. Vemos aqui outros indícios do lado primitivo de Hera como a Mãe da Morte, a quem são negados os sacrifícios sangrentos, exceto de maneira vicária (veja no quadro, "O Filho Criativo e o Filho Destrutivo de Hera: Hefaístos e Ares").

Hefaístos, porém, acaba se tornando o ferreiro e fabricante de escudos dos deuses, tentando sempre interceder em prol da mãe nas disputas com Zeus. Na *Ilíada* de Homero, podemos ouvi-lo referindo-se a Hera como a sua "adorada mãe", apesar do fato de ela consistente e brutalmente rejeitá-lo. Na realidade, seu talento para trabalhar com metais, aliada à sua deformidade física, associam-no às antigas artes mágicas do mundo avernal, às primeiras transformações alquímicas dos metais. Os primeiros indivíduos a trabalhar com metal foram xamãs e magos, geralmente mutilados de alguma maneira como uma parte do rito de iniciação. Na mitologia específica dos ferreiros, eles são tradicionalmente anões, que habitam as profundezas da terra como servos da Mãe Terra.

Hefaístos, portanto, representa o enorme (porém rejeitado) potencial de criatividade de Hera, bem como a sua alienação em relação aos mistérios da terra. O medonho ferreiro desafia a beleza espiritual dos deuses com seu poder mágico de criar objetos de grande beleza com as riquezas arcanas da terra. Ele desafia a raiva de Hera com suas palhaçadas – ele é o bufão do Olimpo, outro resquício xamanístico – e com a sua branda e resignada dedicação. Ele encarna uma alegre disposição de encontrar soluções criativas para a perene consternação interior de Hera diante de sua impotência em face de Zeus.

Hera versus *Afrodite: padrões matriarcais ou patriarcais de amor?*

Ares e Hefaístos estabelecem ambos uma relação importante com o feminino. Hefaístos geralmente mantém-se próximo das mulheres e casa-se com a mais "feminina" das deusas, a própria Afrodite. Ele vive à margem da sociedade patriarcal do Olimpo porque na realidade está ligado à consciência matriarcal mais antiga. Trabalhando nas profundezas da terra com os fogos e metais do mundo subterrâneo, ele é, nas palavras da autora junguiana Murray Stein, "um animus fendido da Grande Mãe que 'imita' os processos criativos das profundezas da Mãe e traz à luz as suas obras de arte por meio de seu mimetismo transformador" ("Hephaistos: A Pattern of Introversion" em *Spring*, Zurique, 1973, p. 39).

Ares mantém uma relação igualmente criativa com o feminino, mas a sua é sexual e geradora. Dentre seus muitos filhos, os mais importantes são aqueles gerados no famoso caso que teve com Afrodite (veja capítulo sobre Afrodite). Da união altamente apaixonada de ambos nasceram quatro filhos, dois temíveis e dois adoráveis: Fobos e Deimos (Medo e Pânico), e Eros e Harmonia, que poderiam ser considerados uma tentativa criativa de reequilibrar o antigo conflito entre as tensões patriarcais existentes em Hera através da aliança instintiva de Ares com a mais execrada inimiga da mãe, Afrodite.

Visto da perspectiva da idéia junguiana de que toda qualidade, complexo ou personalidade psíquica possui o seu contrário (ou sombra), o casamento de Afrodite e Hefaístos é bastante intrigante. A sensual Afrodite, deusa livre e desprendida do amor, com a sua consciência essencialmente polígama, é claramente a sombra de Hera.

Talvez também não seja por acidente que Ares e Hefaístos, os dois filhos homens de Hera, sejam portanto *irmãos*. Vistos como uma extensão dinâmica da psicologia arquetípica da própria Hera, eles representam uma tentativa, em termos míticos, de transformar oniricamente o complexo em uma outra geração. Opostos que são sob tantos aspectos – extrovertido vs. introvertido, agressivo vs. conciliador, destruidor vs. criativo – eles não podem senão estar juntos. A tensão entre opostos não deixa de ser altamente criativa e converge na figura de Afrodite, ainda que não seja inteiramente conciliada nela, proporcionando aos dois não apenas uma mãe comum mas também uma esposa/amante comum. Assim, a convergência estabelece uma segunda enorme tensão de contrários, entre as próprias deusas. Esta dinâmica poderia ser esquematizada como mostrado abaixo, onde as linhas tracejadas sugerem a tensão entre opostos:

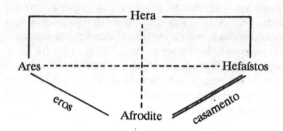

Afrodite, em sua liberalidade, representa o próprio princípio da promiscuidade que Hera tanto odeia em Zeus – e que em Afrodite é certamente ainda mais difícil de suportar, pois está presente em outra mulher, ou melhor, em outra deusa. O que poderia provocar a fúria justiceira de Hera mais do que o desprezo de Afrodite pela "fidelidade", a sua desconsideração pelo casamento monogâmico e pelo "decoro social"? No entanto, como Heráclito, o filósofo grego, disse certa vez, "o oposto é o que é bom para nós!"[1] Afrodite, e sua atitude extremamente diferenciada acerca do amor e do casamento, é o oposto de que Hera precisa para corrigir o seu desequilíbrio fálico; esta é precisamente a força contrária a que os dois filhos de Hera a conduzem.

Não estamos afirmando apenas que Hera precisa de um ou dois bons casos amorosos, e sim também que ela tem de questionar se os seus elevados ideais de casamento realmente lhe servem. Tudo indica que eles beneficiam mais o seu marido do que ela, seja em termos de liberdade, segurança ou dependência sexual. Num casamento patrilinear, a esposa-Hera nunca estará livre enquanto estiver ligada ao marido economicamente; nem estará segura, pois ele sempre poderá abandoná-la; e nem será sexualmente independente para escolher os pais de seus filhos se assim o desejar.

O sistema matrilinear que é representado por Afrodite mas que foi há muito esquecido tornava a mulher o centro econômico e espiritual da família e da comunidade, implicando que os homens tinham pouco ou nenhum direito sobre os filhos, exceto como pais indulgentes ou tios oferecendo conselhos. Esta forma

---

1. Na realidade, o que Heráclito escreveu foi: "O oposto é *convergente e dos divergentes nasce a mais bela harmonia, e tudo segundo a discórdia*.(N. do T.)

de casamento ainda existe hoje entre certas tribos da África ocidental, como os Ashantis. É um sistema que concede às mulheres uma tremenda dignidade e poder pessoal, como raras vezes se viu na Europa e no Ocidente. Em um mundo assim, os ciúmes mesquinhos e o puritanismo sexual de Hera seriam considerados risíveis.

Infelizmente, o casamento patriarcal modelado no casal maior do Olimpo conduz, via de regra, à infelicidade, ao vazio espiritual e a um perene anseio por amor. Enquanto os valores externos e oficiais da nossa sociedade forem monogâmicos, destinados a servir principalmente aos homens, Afrodite continuará a lançar dúvida sobre eles. A libido poligâmica que Afrodite mantém sempre acesa por trás do modelo respeitável de casamento idealizado por Hera não cessará de atrair os homens para casos amorosos secretos ou para o submundo da prostituição. As leis liberais de divórcio que existem hoje na maioria dos países ocidentais são na realidade uma admissão realista dessa tensão entre os modos opostos de ser das duas deusas. É só divorciando-se com freqüência que muitos homens e mulheres podem legitimamente buscar os impulsos eróticos polimorfos de Afrodite. Talvez, psicologicamente falando, a monogamia serial seja apenas uma forma de poligamia não-simultânea!

A vida não-vivida de Hera

Gloria Steinem, falando sem dúvida em nome de todas as Atenas, disse certa vez, "A maneira mais certa de alguém viver sozinho é casando-se", apontando para um dos fatores que mais contribuem para a chaga de Hera: seu isolamento do mundo maior. Por estar tão identificada com o casamento, a família e a carreira do marido durante a primeira metade da vida, ela muitas vezes se sentirá aprisionada nos limites estreitos do lar, dos amigos e dos familiares imediatos. A mulher-Deméter tende a sofrer com isso, mas em menor grau, pois ela se sente plena cuidando dos filhos. O de que ambas, Hera e Deméter, carecem é da vivência que provém do contato com pessoas no mundo – algo natural na vida das mulheres-Atena e -Afrodite.

Uma vida isolada em termos sociais tende infelizmente a reforçar as concepções já arraigadas que Hera tem acerca de como o mundo deveria ser e de como as pessoas deveriam agir. Hera é, afinal, a eterna moralista entre as deusas. Mas quando sua experiência de vida é limitada, vê-se forçada a confiar em informações de segunda mão – dos meios de comunicação, do diz-que-diz familiar, do marido. Dessa forma, torna-se cada vez mais dogmática e cheia de opiniões, e propensa a projetar psicologicamente todas aquelas partes de si mesma que nunca vivenciou nem reconheceu – a saber, as outras deusas. Ela pode achar que sabe muito sobre o que acontece no mundo, mas grande parte do que sabe é distorcida e saturada de fantasias e considerações que têm mais que ver com a sua vida não-vivida.

Quando uma mulher-Hera busca ajuda psicoterapêutica porque o marido está tendo um caso com outra mulher, ela naturalmente terá muita dor e muita raiva justificável para examinar. Quando é perguntada sobre "a outra", nota-se que ela pensa saber muito a respeito, mesmo quando só tem as mais fragmentárias informações reais em que se basear. Extrovertida e certa do seu próprio senso de justiça, ela acredita que sua opinião é objetivamente justificada, e assim acaba revelando muito sobre suas fantasias pessoais acerca do caráter de Afrodite, pois projeta-as na sua rival.

Embora lhe seja difícil e penoso, ela poderá se beneficiar muito aceitando que este é, de fato, o *seu* lado Afrodite, com o qual talvez esteja se deparando pela primeira vez. Um encontro assim entre uma esposa-Hera machucada e a sua sombra-Afrodite libertina foi apresentado de maneira requintada e sagaz na obra-prima de Federico Fellini, *Julieta dos espíritos*. Julieta é uma esposa e dona de casa exemplar e virtuosa, uma católica devota que fica chocada ao descobrir que seu adorado marido está tendo um bem escondido caso amoroso. Quando acontece de Julieta se encontrar com a vizinha do lado, Suzie, pela primeira vez esta a convida para uma de suas festas suntuosas. Fica evidente que Suzie é uma anfitriã profissional muito bem de vida, uma amante que se faz rodear dos luxos mais extravagantes e de amantes veneradores de todas as formas, tamanhos e idade.

Neste cenário onírico, deliberadamente criado por Fellini (que compreende bem o simbolismo dos sonhos e os caracteres arquetípicos), Julieta conhece uma série de homens muito atraentes que, junto com Suzie, desafiam-na a examinar o seu isolamento, a sua concepção ingênua do casamento e os valores gélidos, rígidos e puritanos que herdou da mãe. Fellini comentou que o filme "expressa os problemas da mulher católica que são universais". Na mesma entrevista, ele tece os seguintes comentários, revelando uma profunda compreensão do drama da Hera moderna:

> Eu quero ajudar as mulheres a se libertarem de um certo tipo de condicionamento produzido pelo casamento de classe média. Elas são tão cheias de medo, tão cheias de idealismo. Quero que tentem entender que estão sozinhas, e que isso não é ruim. Estar só é estar inteiramente em si. As mulheres italianas têm esse mito em relação a maridos. Quero mostrar que se trata de um mito sentimental. [...]
>
> Eu creio que os maridos não deveriam oprimir suas esposas, nem considerá-las propriedade privada, escravizando-as sem amor verdadeiro. [...] A intenção do filme é recuperar para a mulher a sua verdadeira independência, a sua indiscutível e inalienável dignidade. [...] A esposa não deve ser a Madona, nem um instrumento de prazer, e muito menos uma serva.
>
> *Fellini on Fellini*, p. 83

Tomar efetivamente um amante, ou não, é irrelevante para o despertar de Julieta neste filme extraordinário de Fellini; o que realmente a ajuda é permitir que sua consciência mergulhe um pouco no reino proibido de Afrodite, que ela até então considerara chocante e ameaçador. Não se trata de ela ter de se tornar polígama como Afrodite, e sim de abandonar um pouco do moralismo que a afasta da vida que é vivida pelas outras pessoas, quase sempre de maneira bastante inofensiva.

Por temperamento, a mulher-Hera é e sempre será monogâmica, assim como Afrodite será temperamentalmente sempre polígama e Atena por natureza sempre solteira. Estas são na realidade estruturas fundamentais de sua consciência que absolutamente não são afetadas pelo ato do casamento em si. Por causa dessas diferenças, cada deusa tem lições de relacionamento a aprender com as demais: Afrodite talvez precise permanecer mais tempo com o seu amante, tomando uma página de fidelidade do livro de Hera, por exemplo. Eros mantido ao longo do tempo em um único recipiente é capaz de sofrer fantásticas transformações alquímicas, como muitos longos casamentos já demonstraram.

O significado sagrado do casamento

Será que estamos fadados a permanecer com este quadro deprimente de ruptura matrimonial que herdamos, especialmente via Homero, de mitos gregos relativamente recentes sobre Hera e Zeus?

Não inteiramente, temos constatado, desde que estejamos preparados para mergulhar mais uma vez no passado, nos primórdios da era matriarcal da história religiosa grega. Resquícios de um culto ritual do casamento entre Hera e Zeus ainda existem, e revelam a concepção muito mais profunda do casamento pela qual toda mulher-Hera moderna anseia fervorosamente. No entanto, não é nem o aspecto erótico nem o aspecto da maternidade que esses cultos mais antigos insinuam, e sim uma união das forças masculinas e femininas em toda a sua plenitude e maturidade. Uma união que não é apenas um par de amantes ou procriadores, mas o congresso de representantes dos poderes maiores que, derradeiramente, movem o universo – poderes que só podem ser simbolizados pela forma mais elevada de casamento, entre um rei e uma rainha.

Apesar de todas as cenas de altercação na *Ilíada* de Homero, podemos vislumbrar um pouco desses cultos antigos durante um momento transcendente no casamento de Zeus e Hera, quando os dois sobem ao topo do monte Ida para celebrar o mistério de sua união. Até mesmo a perfeição da consciência matriarcal de Afrodite chega a ser aludida, pois Hera havia tomado emprestado a cinta mágica da deusa do amor, que torna qualquer mulher arrebatadoramente irresistível:

> [Zeus] o filho de Cronos tomou sua Esposa nos braços; e a graciosa terra lançou relva nova debaixo de seus pés, lírios d'água e açafrão úmidos de orvalho, e um leito macio repleto de jacintos, para erguê-los do chão. E ali se deitaram, cobertos por belíssima nuvem áurea, da qual caía uma chuva de gotículas reluzentes.
>
> (Livro 14)

Não resta dúvida de que esta cena remete às cerimônias mais sagradas do Matrimônio Sagrado, o *hieros gamos*, celebradas em algumas culturas antigas, onde a Deusa Terra e o Deus Celeste regeneram o cosmos com o seu ato de amor. Diz-se que na antiga Suméria, nos dias santos, o sumo-sacerdote e a suma-sacerdotisa copulavam ritualisticamente no andar superior do zigurate, personificando o casal divino. Na antiga Grécia, sabemos de um culto na ilha de Samos celebrando o ato nupcial de Zeus e Hera (que duraria três séculos).

Na Arcádia, ao ser celebrada como a Grande Deusa dos tempos pré-homéricos, Hera tinha três nomes: Hera *Parthenos* (virgem), Hera *Teleia* (perfeita ou plena) e Hera *Chela* (viúva). É evidente que esses títulos falam da sua identidade com todo o ciclo de vida de uma mulher (o mesmo também ocorre no culto de Deméter – (veja capítulo sobre Deméter). Em sua tríplice natureza, a deusa está completa. Porém, ao contrário do culto de Deméter, Hera, a antiga deusa tríplice, não tem filhos. De modo que não são os mistérios da maternidade que estão aqui simbolizados, e sim o mistério das fases da mulher *antes* do casamento, na *plenitude* do casamento e nos anos *depois* da morte do marido.

O ideal de Hera que os gregos celebravam em épocas matriarcais anteriores era uma mulher completa, íntegra, não a propriedade agrilhoada de um senhor patriarcal que as esposas gregas mais tarde se tornaram. O classicista M.I. Finley diz que Hera foi "uma mulher completa que os gregos temiam um pouco e de que não gostavam nem um pouco" (citado por Downing em *The Goddess*, p. 73). Claramente, seu poder e sua completa plenitude provinham da força que ela tinha numa cultura matriarcal e do respeito em que se tinha o princípio feminino.

Jung meditou muito sobre esta completa plenitude. Ele acreditava que nós não podemos nos tornar íntegros ou completos enquanto indivíduos se não estivermos preparados para admitir e vivenciar os aspectos masculinos e femininos da nossa natureza. Em um sentido psicológico, derradeiramente toda mulher tem que "casar" o seu animus, isto é, todos os aspectos masculinos da sua natureza; e todo homem tem que casar os seus aspectos femininos interiores (a sua anima). Isso significa, é claro, que os membros do sexo oposto pelos quais nos sentimos atraídos irão inevitavelmente refletir nossos traços sexuais opostos *interiores*. Portanto, contrair um casamento exterior é ter encontrado no parceiro a imagem mais desejada e mais importante da nossa própria interioridade desconhecida. Trata-se de um tremendo ato de fé; mas, se nossas intuições iniciais forem precisas, este pode ser a base de um importante e fecundo trabalho psicológico para o resto da vida.

Toda mulher-Hera quer ser respeitada e amada como uma mulher completa. Instintivamente, ela sabe que o casamento é o caminho pelo qual deve chegar à inteireza e à plenitude. E, vagamente, ela também sabe que o homem, o outro a quem ama, tem que ser o espelho da sua própria inteireza. De modo que, para a união de ambos ter um mínimo de chance de dar certo, ela sabe que precisa ser capaz de exigir do parceiro o mais absoluto respeito por ela enquanto pessoa adulta madura, de plena posse de todo o poder e de toda a dignidade *como mulher* – não como criança, objeto amoroso ou *clone* feminino dos ideais masculinos. Poucos homens são suficientemente seguros em sua masculinidade para complementar e equilibrar exigências deste porte numa mulher. O medo de não suportar o poder feminino maduro está por trás de toda a dominação e submissão patriarcal das mulheres, desde antes dos gregos.

Mas o notável desta imagem antiga do Matrimônio Sagrado é que não requer que o arquétipo feminino seja superior ao masculino ou que o domine – notável porque, de fato, existem na era matriarcal muitas imagens do consorte masculino como um simples adolescente sacrificado ao poder maior da Deusa-Mãe. No culto mais antigo do casamento Zeus-Hera, encontramos uma imagem de verdadeira igualdade e mutualidade na troca e fusão das energias cósmicas masculinas e femininas que simboliza: esta imagem podemos tomar como modelo para o casamento humano.

Quando uma mulher-Hera não sucumbe ao ciúme e à destrutividade, e se sente confiantemente íntegra em si mesma, ela está pronta para desafiar e conhecer um homem nos termos do seu próprio poder. Se ele for capaz de a conhecer com a mesma confiança na sua masculinidade, poderá ocorrer a verdadeira união Zeus-Hera em sua forma original e incorrupta. A divisão de poder num relacionamento conjugal de indivíduos tão igualmente fortes nunca é fácil ou tranqüila, considerando-se os grandes egos envolvidos. Mas nós acreditamos que ainda seja possível hoje, apesar da distorção patriarcal deste arquétipo do casamento, à medida que as mulheres forem cada vez mais assumindo a sua verdadeira dignidade e igualdade. Para dar uma noção do que isso implicaria, encerramos o capítulo com um poema de William Carlos Williams, que fala dos frutos de um longo relacionamento conjugal em metáforas que não se esquivam das realidades mais duras:

Romance não tem lugar.
O negócio do amor é
crueldade que,
pela nossa vontade
transformamos
para viver juntos.
Tem seus momentos
favoráveis e adversos,
o que quer que o coração
tenteia na escuridão
para afirmar
lá pelo final de maio.
E se a natureza dos espinhos
da sarça
é dilacerar a carne,
eu tenho caminhado
por entre elas.
Mantenham longe a sarça,
dizem eles.
– Não é possível viver
e manter-se livre das
sarças. [...]
Por certo
o amor é cruel
e egoísta
e totalmente obtuso –
pelo menos, ofuscado pela luz,
o amor jovem é.
Mas envelhecemos,
eu para amar
e você para ser amada,
e conseguimos
não importa como
pela nossa vontade sobreviver
para mantermos
o valioso galardão
sempre ao alcance da nossa mão.
Quisemos que fosse assim
e assim é
além de todo acidente.

De "The Ivy Crown"

Seis

Perséfone: médium, mística e soberana dos mortos

Alcancem-me uma genciana, dêem-me um archote!
deixem-me guiar a mim mesmo com a aforquilhada tocha azul desta flor
e descer escadas cada vez mais sombrias, nas quais o lívido se tolda em trevas.
ao reino onde nada se vê e a escuridão jaz desperta na escuridão,
ao qual Perséfone, vinda do gélido Setembro, é conduzida;
ela mesma nada senão uma voz
ou uma escuridão invisível envolta pelas trevas caliginosas
de braços plutônicos, dilacerada com uma paixão de lúgubre desalento
em meio ao esplendor dos archotes das trevas, que lançam
escuridão sobre a noiva perdida e o seu noivo.

D.H. Lawrence, "Bavarian Gentians"

Quem é Perséfone?
uma deusa evanescente

É possível que a mulher-Perséfone não nos impressione particularmente no primeiro encontro. Não que ela seja tímida ou lhe falte presença, e sim mais pela sua modéstia e discrição. Porém, eis aqui um rosto e uma maneira de ser atraentes, que parecem nos sorrir e que, via de regra, têm algo de juvenil; uma pessoa simpática e aparentemente ansiosa por agradar, tendo em si um encanto distintivo, ainda que não seja o fascínio reluzente de uma mulher-Afrodite nem o calor natural de uma Deméter.

De algum modo, a mulher-Perséfone não parece interessada em se afirmar muito intensamente. Ela não possui a solidez de propósito de uma Ártemis, aquela velada disponibilidade de partir para alguma outra parte. E nem conta com o terreno firme da imperiosidade de Hera ou a genuinidade intelectual de Atena.

Há uma peculiar insubstancialidade na mulher-Perséfone, uma qualidade que nada tem que ver com seu corpo. Uma parte dela, podemos até pressentir, está em outro lugar. Todavia, ao mesmo tempo, ela é tão intuitivamente "ligada" que parece estar presente até mesmo em nossos pensamentos.

Algumas mulheres-Perséfone exibem uma qualidade quase transparente, uma espécie de vulnerabilidade espiritual. No entanto, apesar disso tudo, não há um tipo físico que caracterize a mulher-Perséfone. Uma poderá ser magra, franzina mesmo, enquanto outra pode igualmente ser gorda e não dar importância ao corpo. Não podemos deixar de suspeitar que ela se sente pouco à vontade com o seu corpo e, possivelmente, com a sua sexualidade. E, contudo, ela não optou pelo caminho intelectual independente de Atena nem pelo caminho da ação de Ártemis para compensar. Em sua fragilidade, nós pressentimos um anseio por afeição e intimidade profunda, embora seja difícil dizer se é a intimidade do espírito ou do corpo que ela realmente deseja.

Já começamos a pressentir a aura de mistério que envolve a mulher-Perséfone, o seu elo oculto com o espírito e a sua profunda ambivalência em relação a um mundo que poderá deliberadamente interpretá-la mal. Talvez, se observarmos mais de perto, o seu exterior encantador não é mais que isso, uma exterioridade sutilmente concebida para proteger e ocultar uma intensa interioridade.

O poeta e.e. cummings escreveu um lindo poema que evoca o mistério esquivo por debaixo da máscara da mulher-Perséfone:

> em algum lugar onde nunca estive, de bom grado além
> de toda experiência, seus olhos têm o seu próprio silêncio:
> em seu mais frágil gesto há coisas que me envolvem,
> ou que não posso tocar por estarem próximas demais
> seu mais singelo olhar facilmente me desvela
> embora eu tenha me fechado como dedos,
> você abre pétala por pétala a mim como abre a Primavera
> (tocando habilmente, misteriosamente) a sua primeira rosa...
> nada o que haveremos de perceber neste mundo iguala
> o poder da sua intensa fragilidade...

Se cummings estava descrevendo uma mulher-Perséfone real ou contemplando a sua própria Perséfone interior no rosto de alguma mulher, não é importante (ambas podem coincidir nesse momento). O que o seu poema maravilhosamente gracioso põe em relevo é a sutil dissolução do "eu" e do "outro" num estado quase místico de fusão. E precisamente esta perda do eu, que se assemelha a um transe, que é tão sugestiva do segredo de Perséfone, da sua incomum capacidade de permanecer no limiar ou de adentrar novos domínios da consciência psíquica.

A mulher-Perséfone, portanto, constata que precisa verdadeiramente viver nos limites do conhecido, próximo daquelas regiões que nós descrevemos com prefixos gregos e latinos como *para-*, *meta-*, *super-* ou *sobre-*, todos eles significando "além de" ou "transcendendo a". O seu mundo é *para*normal e a estrutura da sua consciência é objeto de *para*psicologia, uma ciência que estuda as regiões-limite "além" da psicologia normal ou convencional. Da mesma forma, como o seu mundo é *sobre*natural, ou "além" do mundo físico dos sentidos, ela será atraída pelos ensinamentos da *meta*física mais do que pelos das ciências naturais convencionais.

É precisamente porque Perséfone habita as fronteiras do cientificamente conhecido que ela se sente alienada e insegura de si mesma. Tão poderosa é a autoridade do materialismo científico de nossas universidades, instituições de pesquisa e meios de comunicação de massa que disciplinas como parapsicologia e metafísica são consideradas excêntricas, próprias para lunáticos. Quando a atriz Shirley MacLaine narra o seu despertar psíquico, revistas como *Newsweek* e *People* tratam-na condescendentemente como uma louca mansa que vai ficando dia a dia mais biruta. E, sempre pairando ao fundo da consciência coletiva, está a "magia negra" e o Diabo dos fundamentalistas cristãos.

Perséfone, a mulher medial

Para os gregos, Perséfone era a Rainha distante do Mundo Avernal, que vigiava as almas dos falecidos, as sombras. Mas ela era conhecida também como a virgem, a donzela – Coré – que foi seqüestrada de sua mãe, Deméter. Sua descida ao mundo avernal ao ser raptada por Hades é uma das histórias mais conhecidas de toda a mitologia grega (veja quadro, "O Rapto da Virgem Perséfone").

No capítulo sobre Deméter, ressaltamos a sua experiência agonizante de perder a filha adolescente. Lá examinamos o mito essencialmente *do ponto de vista de Deméter e em termos do seu relacionamento com Perséfone enquanto filha*. Aqui, no entanto, abordaremos a parte do mito que recebeu muito menos atenção dos mitógrafos e psicólogos: Perséfone, a deusa madura, que acaba se tornando Rainha absoluta do Mundo Avernal, governando os espíritos dos mortos ao lado de seu marido, Hades, Sombrio Senhor da Morte.

Como já vimos, o caráter da mulher-Perséfone não é nada fácil de entender. Muitas mulheres-Perséfone são altamente reservadas e, muitas vezes, reclusas. O desgaste psíquico de permanecer em meio às pessoas e à agitação dos mercados freqüentemente faz com que elas se retirem do cenário social e tentem se manter, apesar das dificuldades, à margem da sociedade. Essas mulheres precisam de muito tempo sozinhas, levando a cabo seus projetos secretos, suas reflexões, sua comunhão com o mundo invisível. Isso é o que significa viver a maior parte de sua vida no mundo avernal, entre os espíritos.

Hoje em dia, cada vez mais Perséfones latentes têm buscado a literatura esotérica, as formas alternativas de cura e o que se chama vagamente de ensinamentos da Nova Era. De modo que, mais do que nunca, é oportuno penetrar mais na história velada de Perséfone, rainha e co-regente do mundo do além-túmulo. Acreditamos que o seu mito tem muito a dizer às mulheres modernas que se esforçam para compreender toda espécie de intrigantes experiências "psíquicas" na natureza ou que, de uma forma ou de outra, são atraídas a trabalhar com a morte ou sofreram grandes tragédias pessoais em suas vidas.

Muitas coisas apontam para o fato de a mulher-Perséfone ser dotada daquilo que Toni Wolff, a colaboradora mais próxima de Jung, sagazmente identificou em 1951 como "personalidade mediúnica ou medial". Eis como Wolff a descreve:

> A mulher medial está imersa na atmosfera psíquica do ambiente em que vive e no espírito da sua época, mas sobretudo no inconsciente coletivo (impessoal). O inconsciente, ao ser constelado [isto é, quando suas formas começam a se delinear] e puder se tornar consciente, exerce um efeito. Esse efeito prevalece sobre a mulher medial, que é absorvida e moldada por ele (e chega às vezes a representá-lo). Ela precisa, por exemplo, exprimir ou

O RAPTO DA VIRGEM PERSÉFONE

A versão mais completa da história de como a donzela Perséfone foi raptada e levada para o mundo avernal está nos *Hinos homéricos*, uma das mais antigas fontes de mitos gregos de que dispomos. (Hades, "o filho de Cronos de muitos nomes", é aqui também chamado de Aidoeus):

> Começo minha canção da santa deusa, Deméter dos cabelos louros, e de sua filha de tornozelos finos, a quem Aidoeus arrebatou e levou embora; e Zeus, de estrondosa como trovão, permitiu que assim fosse. Brincava com as filhas seiudas de Oceano, longe de Deméter da arma dourada e fruto glorioso, colhendo flores pela vicejante campina – rosas, açafrões, violetas, íris, jacintos e um narciso, armadilha plantada para a florescente donzela pela Terra (Gaia) conforme os planos de Zeus e um favor para Hades, de muitos o anfitrião. Jacinto, radiante e magnífico, inspirava maravilha em quem o contemplasse, fosse deus imortal ou homem mortal; uma centena de talos crescia de sua raiz; e todo o céu acima, e toda a terra, e as ondas de sal no mar, sorriram e regozijaram-se com a sua fragrância. A menina deixou-se encantar, e esticou ambas as mãos para colher aquele deleitoso brinquedo, quando subitamente a terra se abriu ao longo da planície. E de lá o Amo e Senhor de muitos, o filho de Cronos de muitos nomes, arremessou-se das profundezas em seus cavalos imortais. Ele agarrou a menina, que resistia e gritava, e arrastou-a para longe em sua carruagem dourada. A menina ergueu a voz num clamor, chamando o bondoso e todo-poderoso pai Zeus. Mas ninguém, nem deus nem mortal, ouviu sua voz, nem mesmo as oliveiras e seus frutos esplêndidos, senão a pequenina filha de Perses, Hécate, a do véu reluzente, que – de sua caverna – ouviu, e também Helios, senhor, glorioso filho de Hipérion, enquanto a donzela clamava por seu pai Zeus, que estava sentado, longe dos outros deuses, em seu muito solicitado templo, recebendo finos sacrifícios dos mortais.
>
> Contra a vontade da menina mas com a aprovação de Zeus, ele a levou para longe em seus cavalos imortais, o filho de Cronos de muitos nomes, irmão de seu pai, designador de muitos, de muitos anfitrião. Enquanto a deusa ainda enxergava a terra e o céu estrelado, as correntes do mar cheio de peixes e os raios do sol, manteve a esperança de ser vista por sua bendita mãe e pela raça dos deuses imortais, e grande era esperança em seu coração apesar da angústia e agonia.
>
> *The Homeric Hymn to Demeter*, trad. por Rice e Stambaugh, em *The Ancient Mysteries*, org. por Meyer, pp. 21-22

representar aquilo que "está no ar", aquilo que o seu ambiente não pode ou não quer admitir mas que, não obstante, é parte dele. Trata-se sobretudo do aspecto sombrio de uma situação ou idéia predominante – e desse modo ela ativa o que é negativo e perigoso, tornando-se assim portadora do mal, ainda que o que faça seja exclusivamente um problema pessoal seu.

"Structural Forms of the Feminine Psyche", p. 9

Como mulher medial, a maior dificuldade de Perséfone é que, via de regra, ela tem uma estrutura frágil de ego – ao contrário de Atena, Ártemis e Hera, a quem Wolff chama conjuntamente de tipo "Amazona". A mulher-Perséfone é, portanto, facilmente suscetível a ser sobrepujada quando conteúdos vindos "do lado de lá", isto é, da sua mente inconsciente (e que seriam tradicionalmente denominados "espíritos"), a avassalam:

Como os conteúdos em questão são inconscientes, ela carece da faculdade necessária da discriminação para poder percebê-los, e da linguagem para poder expressá-los adequadamente. A força avassaladora do inconsciente coletivo perpassa pelo ego da mulher medial, e o enfraquece. (Ibid.)

Quando tem um pouco da força do ego e da capacidade de discriminar de Atena ou Hera, ela consegue formular ou transmitir adequadamente esses conteúdos. E então, como observa Wolff, tem um papel importante e criativo a desempenhar na sociedade:

Nesse caso, ela se consagra ao serviço de um novo, e talvez ainda oculto espírito da sua época – como os primeiros mártires cristãos [ou] as místicas da Idade Média. [...] Em vez de se identificar com os conteúdos do inconsciente coletivo – bastante desvinculados da realidade – ela deveria considerar a sua faculdade medial como um instrumento e receptáculo desses conteúdos. Mas, para tanto, terá que encontrar uma linguagem apropriada. As mulheres mediais tinham em culturas anteriores uma função social como videntes, ialorixás, curandeiras ou xamãs – e ainda a têm entre os povos primitivos (pp. 9-10).

Pouco foi acrescentado à literatura da psicologia de Perséfone desde o que Toni Wolff escreveu em 1951. Contudo, como aumentou a nossa compreensão da consciência das deusas, certamente é chegada a hora de examinarmos mais a fundo a sua visão singular das coisas.

A morte e a donzela

O mito descreve vividamente como a inocente donzela Perséfone estava brincando certo dia com todas as filhas de Oceano, incluindo Atena e Ártemis, quando de repente a terra se abriu e o grande Senhor da Morte, Hades, surgiu em sua carruagem e arrastou-a, aos berros, para o mundo avernal a fim de casar-se com ela.

O que é o mundo avernal? Na linguagem da psicologia moderna, seria chamado de inconsciente. De modo que Perséfone é aquela que foi sorvida não apenas pelo inconsciente, pelo desconhecido, por tudo o que é reprimido e sombrio (Freud), mas ainda mais profundamente pelo inconsciente coletivo, o mundo das potestades e poderes arquetípicos (Jung).

Uma jovem ou mulher pode vivenciar isso de diversas maneiras. Alguma tragédia de infância poderá fazê-la mergulhar num estado de depressão, de retraimento meditativo, atendo-se interiormente a pensamentos do ente querido que morreu. Em segredo, ela poderá fantasiar que se encontra com a pessoa falecida ao visitar um cemitério, quando então é levada para algum mundo espiritual subterrâneo (veja quadro, "A Descida ao Hades: A História de Uma Mulher Moderna").

Foi isso que ocorreu com uma menina de doze anos que buscou terapia depois que o pai morreu de câncer. Sua mãe estava preocupada com as atitudes de retraimento da filha e com a incapacidade de ela chorar a morte do pai. Sozinha, em seu quarto, a menina começara a desenhar figuras pavorosas de esqueletos e cemitérios. Quando finalmente conseguiu falar a respeito de seus desenhos, ficou evidente que ela visitara muitos túmulos no sepulcro da família e que mantivera toda espécie de conversas particulares com os mortos, especialmente a respeito da maneira como haviam morrido. Espantosamente, ela conversara com espíritos de sua família de até sete gerações atrás. Foi um encontro profundo com o aspecto do inconsciente coletivo que Jung denominou *psique ancestral*; como bem se sabe, muitos povos ditos primitivos cultuam e invocam os espíritos de seus ancestrais.

Durante um tempo, a menina admitiu que de fato pensara em suicidar-se para ir se juntar ao pai de quem tanto sentia falta; mas nas conversas que teve com o pai falecido e com outros espíritos ancestrais, ela foi desaconselhada de tomar a própria vida. Ao constatar que a exposição de suas fantasias não provocava nem vergonha nem ridículo nem castigo, ela foi pouco a pouco deixando essas meditações mórbidas porém iluminadoras. E não muito depois conseguiu expressar um pouco da dor que se mantivera estancada durante a sua temporada na terra dos mortos.

Na realidade, depressão e retraimento, acompanhados ou não de fantasias suicidas, podem seguir-se a uma grande perda, separação ou trauma violento em qualquer idade. De modo que a descida ao mundo avernal não é restrita à infância. Podemos ser atraídos ao domínio tenebroso de Perséfone após um divórcio, uma mudança não desejada para algum lugar distante, um aborto, a perda de um emprego, algum trauma severo ou quando somos a única pessoa a sobreviver a um acidente de automóvel. Em tudo isso há sempre alguma espécie de morte psíquica, ainda que não física. A perda é, afinal, exatamente isso: o sentir arrancada de si a energia da imagem de alguma pessoa, lugar ou modo de vida amado, que é substituída por um enorme, ermo, vazio emocional. Freud caracterizou toda depressão como um tipo de luto pela perda de algum objeto amado.

O desaparecimento de um objeto amado num grande, ermo e oco vazio é descrito em uma linguagem simbólica expressiva como a descida ao mundo avernal. O que é reconfortante sobre o mito de Perséfone é haver uma figura guardiã que rege esses períodos terríveis de perda de energia e que nos protege, por assim dizer, até estarmos prontos para voltar à vida normal cotidiana. Metaforicamente falando, toda a energia vital que perdemos durante a depressão, a dor ou o desgosto de qualquer espécie, "foi para o mundo avernal". É como nós às vezes dizemos a alguma cliente desgostosa, *uma parte de nós sempre acompanha a pessoa ou coisa que amávamos ao mundo avernal*, que deixa de estar plenamente disponível para a vida normal. Temos de respeitar esse processo em vez de tentar nos alegrar artificialmente.

A DESCIDA AO HADES:
A HISTÓRIA DE UMA MULHER MODERNA

Segue abaixo uma versão abreviada da visão de uma mulher de pouco menos de trinta anos que chamaremos de Jane. Como parte de sua terapia, Jane empregava a técnica da imaginação ativa, que implica ir aonde quer que a imaginação nos leve. Quando criança, ela tivera uma série de sonhos com túneis, e vivia procurando alçapões na casa dos pais. Eis o que aconteceu quando ela finalmente abriu o alçapão:

Entro no grande armário do corredor onde, quando criança, eu ficava escondida de minha família na escuridão e chorava. A pequena Jane (eu) está lá dentro. Ela tem cerca de doze anos e fica repetindo sem parar: "Estou tão triste. Estou tão triste!" Eu digo: "Jane, posso falar com você? Eu tenho que saber por que você está tão triste."

Ela começa a cavoucar o chão do armário, jogando sapatos por cima dos ombros, até que subitamente revela um alçapão. "Eu vou atrás de você", digo. Está muito escuro, no túnel ou caverna, não sei qual. Jane tem uma lanterna, mas a luz é fraca e só ilumina um pequeno espaço. Ela aponta a lanterna para o rosto do que parece ser o cadáver de uma mulher ou de um homem com cabelos negros até os ombros. O rosto parece de cera, quase feio, mas de repente se mexe – não estava morto? Ou era apenas a luz se movendo? Jane movimenta a lanterna mais uma vez para revelar a face de um homem – belo de uma maneira artificial, como um manequim. Ele começa a se mexer, bem deliberadamente. Nós o seguimos. Ele se curva à beira de uma espécie de riacho ou lagoa subterrânea e pega algo com a mão, e nos entrega. É uma maçã com uma mordida.

Mais escuridão, a lanterna não adianta mais. Chegamos a uma sala, como numa caverna. Jane dirige a luz para iluminar o rosto de seus habitantes: um homem com cara de coiote; em seguida, um homem com uma caveira de boi no lugar da cabeça; depois, outro homem com a face pintada de preto e branco. Há outros ainda, formando um círculo.

Chegamos a uma porta pesada. Depois de uma certa hesitação, resolvo atravessá-la. Do outro lado estou sozinha. Negro negrume. Um medo intenso permeia tudo. Percebo que tenho de me acalmar, e resolvo fazer um exercício de relaxamento. Vou me acalmando, e já não está tudo tão escuro – uma escuridão confortável. Noto que estou com a lanterna novamente. Continuo andando. Uma velha vem na minha direção numa cadeira de rodas motorizada (minha avó?). Sem dizer uma palavra, ela me põe em cima da cadeira e me leva a um salão magnífico de teto alto. Lá tem uma cadeira alta como um trono, e nela uma pessoa que eu penso ser uma juíza. Ela parece ser parte homem antigo, parte linda mulher com um rosto desenhado como uma caveira e uma enorme coroa na cabeça.

> Ela se inclina sobre mim e arranca fora os olhos. São esplêndidos, reluzentes, capazes de ver tudo – mas não com bondade, e sim como os olhos de um lobo. Mortos como uma espada é morta, sem emoção. Reluzentes. Eu os recebo, pensando, "Que presente precioso!" Mãos arrancam os meus olhos e colocam os dela no lugar. Vejo o meu corpo tomando a cor e a textura de lama, de couro, de pele de múmia. Meu rosto tem agora a aparência de uma bruxa, com um nariz truncado como o de um porco. Vou caminhando e pareço atravessar muitas imagens de muitas pessoas – meninas, homens, mulheres – e entre uma e outra o meu corpo se estanca, como um cadáver.
>
> Caminho até a porta outra vez. Retiro meus olhos e coloco-os num livro de bolso. Jane está do outro lado. Fazemos o mesmo caminho até o alçapão do armário. Viro-me para abraçá-la, mas lá está um jovem barbado, muito triste, sentado. Sinto que ele também é eu. Desarrumo-lhe os cabelos.

É evidente que uma tal descida torna-se patológica se uma grande parte de nós permanecer perpetuamente no mundo avernal; quando isso ocorre, estamos no limiar do que é clinicamente denominado depressão crônica. A nosso ver, porém, a depressão temporária é natural e um acompanhamento bastante salutar de qualquer tipo de perda. São interferências naturais de Perséfone que qualquer um – homem ou mulher, jovem ou velho – pode vivenciar.

Mas a mulher cuja vida inteira se torna completamente identificada com Perséfone em geral sofreu algum trauma particularmente severo, muitas vezes na primeira infância, que tinge de maneira indelével sua postura psíquica perante a vida. Tragédia desmesurada, associada a uma excessiva sensibilidade e a um ego frágil, pode propiciar o modelo em que a jovem é arrastada com tal impetuosidade para o mundo avernal que ela se sente forçada, ou assim parece, a permanecer a maior parte da vida lá. A estrutura mítica refere-se aqui não mais a uma depressão temporária, mas a uma constituição crônica de consciência dupla ou dividida.

Para começar, esta jovem ou mulher será claramente uma iniciada muito relutante nos domínios sombrios da psique. Tudo acontece depressa demais, espontaneamente demais, como que vindo do nada. Sentindo-se totalmente impotente, ela descobre que precisa aprender a viver em dois mundos radicalmente diferentes: o mundo da vida e da luz representado pela mãe, Deméter; e o mundo das sombras e da morte, representado por Hades. E assim ela se vê dividida em suas lealdades, em sua autoridade sobre si mesma e em sua visão das coisas. Ela é capaz de enxergar os dois lados: aquilo que pode ser revelado e aquilo que deve permanecer secreto. Ela tem de ser leal para com os vivos e os mortos. É um fardo tremendo, uma responsabilidade momentosa que é sua e somente sua.

Para a mulher-Perséfone, sempre há algum elemento de tragédia logo cedo na vida que a afasta à força do mundo inocente dos folguedos com suas irmãs Atena e Ártemis. Pode ser a perda precoce do pai ou da mãe, abuso sexual quando criança, alguma doença grave, pai ou mãe alcoólatra ou esquizofrênico, ou mesmo ter nascido de um parto excepcionalmente difícil. Nunca há simplesmente causas, e sim eventos que antecipam a descida ao mundo dos mortos que a jovem Perséfone parece fadada a empreender mais cedo ou mais tarde.

O recente livro de Jon Klimo, *Channeling*, observa que os dados de que dispomos sobre "canais" (ou médiuns) mostram certa correlação entre experiências infelizes na infância e o desenvolvimento da faculdade mediúnica. Embora não seja de modo algum universal, tal constatação sugere que a infância muitas vezes pode ser a época de um primeiro "rito de passagem" para o mundo avernal.

Se a jovem Perséfone não reconhecer o profundo impacto deste primeiro encontro com o mundo da morte e dos espíritos, a experiência se repetirá na adolescência ou no início da vida adulta. E, no ínterim, ela se verá propensa a sofrer acidentes ou a atrair para si pessoas com graves problemas ou doenças, ou de comportamento violento. Poderá ser brutalmente assaltada, ou mesmo estuprada. As drogas poderão se avultar em sua vida. Ou então se envolverá em acidentes quase fatais ou perderá muitos amigos e amigas em acidentes assim. Há de parecer que subitamente ela foi amaldiçoada, mas na realidade é o retorno de Hades em sua vida, ansioso para recuperar a noiva que já viera buscar tempos atrás.

Se tiver sorte, a Perséfone sofredora encontrará um bom terapeuta que compreenderá a descida ao mundo avernal e não a torne assustadoramente concreta com drogas ou hospitalização. Poderá também encontrar uma mulher mais idosa dotada de poderes mediúnicos que a ajude a entender que o seu destino avassalador é uma iniciação ao domínio da morte e uma vocação para a cura, para a mediunidade ou para alguma espécie de trabalho mediúnico.

Estranhamente velha antes do tempo, Anciã antes de ser inteiramente Donzela, Perséfone tende a ser mais sábia do que sua idade nos faria supor. Por fora, ela ainda preserva o ar inocente da Donzela, uma espécie de adaptação congelada à imagem da sua perda; mas, internamente, sente-se sobrecarregada com um conhecimento que mal pode suportar.

Crepúsculo dos deuses?

Compreender o significado da descida de Perséfone e a sua ligação com a esfera espiritual é particularmente urgente hoje. Milhares de mulheres (e não poucos homens) estão atualmente descobrindo um talento mediúnico para a chamada "canalização" [*channeling*]. Além disso, ninguém pode deixar de perceber a pequena febre de entusiasmo pela metafísica, pelo tarô, pela astrologia, pelas curas espirituais e pela meditação – tudo isso vagamente agrupado sob o estandarte genérico da Nova Era. Inclui-se aqui também o bastante divulgado ressurgimento dos movimentos carismáticos nas diversas comunidades cristãs, e também a extraordinária difusão de práticas orientais, como budismo, hinduísmo e sufismo por todo o Ocidente.

O finado Joseph Campbell, inigualável autoridade em mito e religião observados, sugeriu que o despontar generalizado da consciência de Perséfone seria parte de um "crepúsculo dos deuses". Teria ele razão? Num de seus últimos ensaios, escrito pouco antes de morrer, Campbell levantou a possibilidade de os deuses antigos estarem morrendo e de novos deuses irromperem do inconsciente coletivo para assumirem seu lugar agora que a humanidade se aproxima de uma era inteiramente nova.

Se assim for, isso significaria, de uma perspectiva junguiana, que as próprias estruturas e energias do inconsciente profundo – que percebemos simbolicamente como "deuses" e "deusas" – estão sofrendo uma enorme transformação, de modo que o tipo de pessoa mais sensível a essas transformações (a vidente ou médium a que estamos chamando de mulher-Perséfone, estará bem no centro dessa memorável erupção de novos poderes psíquicos e espirituais.

Todavia, por mais importante e oportuno que seja este despontar da consciência de Perséfone, trata-se de algo repleto de dificuldades e perigos. Em comum com as outras deusas, quando a mulher-Perséfone moderna vive *apenas* a natureza de Perséfone sem vivenciar e integrar as energias das outras deusas na sua psique, ela poderá se expor a um sofrimento considerável.

Viver boa parte da vida "entre os mortos" pode exercer uma enorme pressão psíquica sobre qualquer mulher (ou homem) de temperamento mediúnico, especialmente quando suas experiências forem erroneamente interpretadas ou temidas, como costuma ser o caso. Mais do que qualquer outra deusa, a mulher-Perséfone pode sofrer uma profunda alienação, que às vezes beira um verdadeiro colapso, se a sua verdadeira natureza e a sua verdadeira vocação não forem reconhecidas. É particularmente importante que possa convocar as outras deusas para equilibrá-la e acalentá-la. De Deméter ela talvez precise do senso do corpo e da terra para trazê-la ao chão; de Atena, uma certa objetividade acerca da natureza potencialmente dilaceradora de seus dons; e assim por diante.

Pois o fato é que o mundo avernal é essencialmente um mundo de espíritos. O que significa que, lamentavelmente, carece de ardor, afeição, substância ou o que a maioria de nós chamaria realidade. A maneira de a mulher-Perséfone ou médium lidar com este domínio da existência – e com suas ameaças de dissociação psíquica, loucura e desespero – constitui, portanto, um desafio sem igual para o nosso entendimento psicológico.

A vida dupla de Perséfone: vivendo e crescendo no absurdo

Infelizmente, a maioria das mulheres-Perséfone crescem com pouca ou nenhuma perspectiva de suas caóticas experiências interiores, e consideram-nas mais uma maldição do que um dom. Estar psiquicamente ligada a realidades temidas ou negadas pela maioria das pessoas pode facilmente lançá-la num inferno vivo. Muitas vezes, a jovem Perséfone é criada num ambiente profundamente intolerante aos seus hábitos estranhos. Para sobreviver, ela aprende a recolher-se para dentro de si e para os seus encontros psíquicos secretos. Tragicamente, porém, quanto mais agir assim, mais a sua família considerará o seu comportamento suspeito e ameaçador. Até que, caso não consiga se conformar o suficiente às normas familiares, ela se torna objeto de projeção de tudo o que há de tenebroso e esquisito em sua família; torna-se uma "filha-problema", que é esquisita *porque* não se conforma. Quanto mais seus pais, irmãos e irmãs a espezinharem, mais ela se afastará; e quanto mais ela se afastar, mais se confirmam os piores temores de seus familiares.

O psiquiatra R.D. Laing descreveu certa vez o caso de uma adolescente que permanecia horas sentada em seu quarto olhando para uma parede vazia. Seus pais tanto fizeram que conseguiram que, em virtude do seu comportamento anti-social, ela fosse internada num manicômio (adolescentes "normais" estariam assistindo televisão ou namorando, é claro). No manicômio ela foi obsequiosamente rotulada de esquizofrênica pelos psiquiatras, aos quais não teve oportunidade de explicar o que estava fazendo. Laing comentou que, em outras culturas, ficar horas olhando para uma parede em branco seria considerado uma forma de meditação (na verdade, é exatamente assim que os monges zen meditam).

O que psiquiatras radicais como R.D. Laing e David Cooper demonstraram há duas décadas é que a psiquiatria convencional muitas vezes conspira junto com uma família perturbada para transformar uma filha ou filho estranho e arredio no bode expiatório de todos. O mundo avernal ao qual esta e outras jovens Perséfones são atraídas é freqüentemente o resquício de algum antigo segredo familiar – incesto, loucura, prostituição ou ilegitimidade, por exemplo – uma fossa negra cuja tampa foi mantida firmemente fechada geração após geração.

Apesar de profundamente perturbada por todos os pensamentos "proibidos" em sua família – "não devemos falar sobre a tia-avó Brunilda" – Perséfone não tem como desligar o seu sensível radar inconsciente. Esses pensamentos proibidos criam um inferno silencioso de pesadelos extemporâneos, os quais ela tem dificuldade para articular. Na realidade, o que pode estar acontecendo é ela estar captando psiquicamente fragmentos caóticos desses segredos guardados a sete chaves e enterrados naquilo que Jung chamou de inconsciente ancestral, fazendo-a sofrer como a princesa Cassandra na *Ilíada* de Homero, cuja profecia do notório Cavalo de Tróia ninguém acreditou.

Para muitas Perséfones modernas, a realidade nua e crua da vida é que ela tem que viver e agir em dois mundos igualmente inóspitos: o mundo frio e imprevisível do inconsciente, e o incompassivo e alienante mundo real. Por correspondência, a estrutura de sua personalidade também é dúplice: uma máscara exterior inocente e bem adaptada; e uma outra vida rica e intensa, da qual poucos chegam a saber, cujo significado será para ela um perpétuo tormento enquanto não se decidir a enfrentá-la.

Pois, quer demonstre ou não, a mulher-Perséfone possui uma intensa vida interior – uma vida que, para se autoproteger, ela raramente revela a alguém. Quando deixada a sós (e é isso o que ela mais deseja), talvez comece a anotar diários secretos, a pintar, a escrever ficção ou a dedicar-se secretamente às suas próprias visões e formas de meditação.

Talvez, à medida que vai crescendo, a jovem Perséfone acabe encontrando o seu rumo no ocultismo ou no espiritualismo graças a algum amigo "esquisito" de confiança ou através da biblioteca local. Seus estudos serão, naturalmente, segredos bem guardados. No entanto, ela aqui finalmente se sentirá tranqüilizada em saber que não é esquisita ou anormal, mas apenas "diferente" num sentido mais positivo.

Um conhecimento básico da natureza da vida psíquica poderá ajudá-la a reconhecer que, nos devaneios interiores em que capta toda espécie de informações com o seu radar, ela na realidade está sendo telepática. Ao tentar vaticinar com o oráculo *Ouija* ou com a escrita automática, ou ao manter um diário de seus sonhos, ela talvez venha rapidamente a perceber que possui todas as qualidades para ser uma médium ou canal. Num mundo em que a sua extrema sensibilidade e a fragilidade de seu ego muitas vezes a levam a temer estar perdendo a noção de quem realmente é, tais práticas podem parecer oferecer-lhe um senso de identidade mais sólido.

Porém, por si só, reconhecer a nossa própria natureza psíquica raramente basta para sobrevivermos no mundo. A maioria das mulheres-Perséfone acaba imperceptivelmente se esgueirando para o mundo real, ajudadas por pequenas doses de Atena, de Deméter ou de Afrodite na sua constituição. Elas conseguem empregos, tornam-se esposas e mães, ou encontram algum trabalho em que podem servir aos outros, como enfermagem. Serão compassivas, solidárias, atentas às necessidades e sentimentos alheios. A criança arquetípica que ainda trazem dentro de si irradia beleza e otimismo, de modo que, em geral, serão mais simpáticas em alguma capacidade pública.

Algumas jovens Perséfones que aprendem a manejar suficientemente bem os seus mundos interiores acabam gravitando para carreiras de conselheiras ou terapeutas. Talvez até comecem um treinamento de cura espiritual. Aquelas mais confiantes em seus dons poderão se estabelecer com bastante sucesso como astrólogas ou leitoras de tarô, ou mesmo como professoras de metafísica. Outras ainda se firmarão como artistas visionárias ou artífices de algum tipo.

Na superfície, todas essas ocupações podem parecer maneiras ideais de *conter* as ligações mediúnicas da jovem Perséfone com o espírito e o inconsciente. Tais ocupações, num nível, concedem aos dons da jovem Perséfone uma forma e uma estrutura socialmente sancionadas, fazendo-a sentir-se apoiada e segura.

Todavia, a menos que a perspectiva do seu treinamento seja ampla e profunda, esta solução não dará certo. Talvez a jovem Perséfone esteja apenas adotando uma nova *persona* mais atraente, apenas adaptando-se mais uma vez às exigências do mundo, deixando suas chagas mais profundas fundamentalmente intactas. Ela ainda não completou a sua descida, o que vale dizer que ainda não pôs um fim à sua dor ou à mágoa do seu trauma, nem reconheceu inteiramente todas as suas fantasias de morte. Conseqüentemente, por maior que seja a sua experiência psicológica ou metafísica, não basta para compensar o fato de a vítima agonizante dentro de si ainda continuar clamando.

Um dos sinais mais reveladores de que a mulher-Perséfone ainda não completou realmente a sua descida é que ela parece permanecer eternamente jovem. Muitas vezes continuará usando cabelos longos e soltos até bem depois dos quarenta anos, e vestindo saias e blusas esvoaçantes e floridas. Nos centros de aperfeiçoamento da Nova Era esta é a norma, por certo, de modo que ninguém chega a reparar. O sinal irrefutável é que o seu rosto revelará poucas ou nenhuma marca de envelhecimento ou estresse ao entrar na meia-idade. Ela tenderá a manter um viço juvenil que torna difícil adivinhar sua idade real.

Em sua manifestação extrema, os psicanalistas denominaram essa cisão entre a máscara exterior e uma vida interior quase inalcançável de *esquizóide*, que significa apenas "cindida". As origens dessa cisão fundamental têm sido discutidas há décadas, embora alguns analistas cheguem a atribuí-la ao próprio nascimento, sugerindo uma falta fundamental de elo com a mãe.

Isso corresponde precisamente à linguagem arquetípica do mito grego, pois Perséfone é a filha que perdeu a mãe e cuja vida real é vivida em outra parte. Enquanto as plenas implicações dessa separação agonizante e abissal não forem aceitas, a Donzela permanecerá estancada, congelada, fixa naquele terrível momento de separação da mãe – suas próprias profundezas ainda não sondadas, suas próprias trevas ainda não redimidas.

Uma Perséfone que não completou a descida, I: as seduções do espírito

Vivendo dividida e na escuridão, a jovem Perséfone anseia para que o espírito venha em seu auxílio e a liberte de sua confusão interior. Assim, ao estudar metafísica e práticas ocultas, ela muitas vezes buscará conforto na autoridade *superior* dos guias espirituais, de mestres que já ascenderam, da astrologia, do carma, e assim por diante. Esta é parte da motivação que a leva a tornar-se ela própria uma curandeira [isto é, capaz de curar por meios espirituais] ou "canal".

Entretanto, costuma haver um enorme elemento de compensação nos modos do espírito, dos guias e dos mestres mediúnicos, uma vez que é tudo "para cima", para a *luz* (uma das metáforas prediletas da Nova Era). A menos que respeite inteiramente a sua dúplice natureza – uma capaz de mediar entre luz e trevas, entre vivos e mortos – ela poderá ver seu progresso incompreensivelmente interrompido. A *persona* segura de mestre da Nova Era poderá fazer com que ela se atenha tenazmente à pureza arquetípica da Donzela. Sempre desejosa que Papai Zeus venha salvá-la, esquiva-se do seu pavor das trevas mais profundas falando exclusivamente sobre a luminosidade e dedicação de seus guias e sobre a alma evoluindo ininterruptamente para frente e para cima.

Porém, o verdadeiro salvador não é Zeus, e sim, paradoxalmente, o irmão sombrio de Zeus, Hades. A sabedoria deste mito extraordinário é que a fonte da transformação de Perséfone *vem de baixo, das profundezas abissais da alma, não dos confins mais elevados do espírito.* As incontáveis figuras masculinas que hoje vêm sendo canalizadas a granel por mulheres mediúnicas de Los Angeles a Kalamazoo são, no máximo, variações do arquétipo de Zeus, o pai onisciente e muito desejado. Não pretendemos difamar a sabedoria de grande parte dos ensinamentos revelados via *"channeling"* – ensinamentos sérios e profundos – *mas apenas enfatizar que o espírito, em sua forma olimpiana, não é capaz de iniciar Perséfone.*

Uma Perséfone que não completou a descida, II: a mãe mais do que amorosa

A outra grande saída de Perséfone para não completar a sua descida é tornar-se exatamente aquilo que ela perdeu: uma mãe mais do que amorosa. Neste caso, ela transformará inconscientemente o seu talento bastante real para ser uma terapeuta, uma curandeira ou uma assistente social no papel de uma salvadora profissional. Representando o papel da Deméter resignada e amorosa para todos os seus clientes mais carentes, ela recebe amor em troca, é verdade, mas quase imediatamente sua clientela passa a constituir-se predominantemente de jovens Perséfones – todas ainda mais carentes, apegadas e dependentes que ela.

Um dos aspectos mais dolorosos deste tipo de saída é que os clientes da Perséfone terapeuta muitas vezes invadirão a sua vida pessoal, provocando o caos com a sua insaciável carência de amor e atenção. Outrora uma criança sem mãe, ela agora se torna mãe espiritual de toda alma machucada da vizinhança. E, no entanto, continua se sentindo mais invadida do que nunca psiquicamente.

A regra de ouro de toda profissão que pretende ajudar os outros é que não podemos levar alguém além do ponto no qual nos encontramos. De modo que o máximo que a Perséfone maternal pode fazer é oferecer como modelo à sua clientela dependente os seus próprios mecanismos para evitar de concluir a descida. Muitas assistentes sociais caem nessa "armadilha messiânica", como Carmen Renee Berry a chamou em seu recente livro, *When Helping You Is Hurting Me.*

Para ser uma terapeuta ou curandeira verdadeiramente eficaz, Perséfone precisa antes, como todos os que pretendem curar alguém, curar-se a si mesma.

Mas para Perséfone isso não é fácil. Ironicamente, sua capacidade de empatia e de entendimento psíquico é o maior obstáculo a esse processo. A menos que encontre ajuda externa ou se submeta a treinamento para desenvolver um pouco da objetividade de Atena e poder enxergar o quanto ainda é de fato dominada pela Mãe ausente, tudo o que ela conseguirá fazer é atrair para si reflexos de sua própria vitimização não-resolvida.

Por quê? Porque ela não sabe como manter-se dissociada e à parte daqueles cujo sofrimento sente tão agudamente; *seu ego carece de fronteiras*. Por ser tão aberta ao inconsciente, o seu próprio e o dos outros, ela está constantemente fundindo-se com as personalidades e sofrimentos das pessoas que atrai. Sem a objetividade de um ego forte, proporcionada pela experiência de vida de Hera ou pelo espírito prático e nada sentimental de Ártemis, ela acabará irremediavelmente atolada no lodaçal dos sofrimentos de seus pacientes.

Mesmo que não se torne terapeuta ou curandeira, as mesmas armadilhas e tentações se aplicam ao seu caso. Em seu anseio de ajudar os outros, ela muitas vezes se insinuará em relacionamentos e relações domésticas, acreditando genuinamente estar ajudando, quando na realidade é o seu próprio eu carente que está tentando manipular a situação a fim de obter o amor de Deméter de que tão desesperadamente necessita.

Quando Perséfone busca ela própria ajuda terapêutica, novamente tenderá a ser sutilmente manipuladora. Não raras vezes aparecerá com toda espécie de planos, ansiosa por partilhar suas leituras psíquicas, ou armada com algum profundo conhecimento sincronístico justificando por que tem de prestar esse serviço especial à sra. X ou para o sr. Y (que, evidentemente, devem se sentir mais do que lisonjeados de haverem sido escolhidos para tamanha honra). Ela irá revelar *seletivamente* partes de si mesma e o destino que seus guias lhe reservaram, proporcionando uma visão rápida do seu lado de vítima ou de algum sonho portentoso. E se não sentir suficiente empatia, abandonará a terapia como uma coelhinha assustada.

O fracasso da terapia confirma mais uma vez o seu sentimento de que todos a traem, todos a usam, todos a querem como vítima. Ela poderá iniciar jogos financeiros com o terapeuta, solicitando tratamento especial, redução de honorários, algum tipo de troca. É novamente um pedido de ajuda para os todo-poderosos genitores olimpianos, uma recusa de seguir seu caminho até o âmago das trevas.

Uma Perséfone que não completou a descida, III: à beira do abismo

A realidade é que, como nunca realmente aquiesceu no movimento de descida, ela não abandonará os últimos fragmentos do seu ego, a saber, a inocência de donzela que tem que ser sacrificada. E esses últimos fragmentos de vínculo com o mundo revelam com extrema clareza a raiva que sente contra um destino que considera injusto. Todavia, segurar-se à borda do abismo com apenas um dedinho não é no final muito diferente de segurar firme com ambas as mãos – desde que não caia!

Poucas mulheres se agarram com tanta sofreguidão e tanta tenacidade à beira do abismo, e registraram mais vividamente a ambivalência de Perséfone entre

O ENCONTRO DE SYLVIA PLATH COM HADES

As imagens do mundo avernal de Sylvia Plath e o seu sofrimento provêm dos campos de concentração nazistas. (Seu pai era alemão e emigrara da Alemanha, mas execrava os nazistas.)

> Pássaros cinzas obsedam meu coração
> Cinza na boca, olho de cinzas
> Assentam-se. No alto
>
> Precipício
> Que despejou um homem ao espaço
> Os fornos ardiam como céus, incandescentes.
>
> É um coração,
> Este holocausto em que caminho,
> Ó criança dourada o mundo há de matar e comer.
>
> de "Mary's Song"

Em seus poemas, o pai, que morreu quando ela tinha dez anos de idade, torna-se um Hades nazista pelo qual ela é atraída por alguma profunda identificação com o sofrimento das vítimas do Holocausto. "Aos vinte tentei morrer/e voltar, voltar, voltar para você", escreveu, referindo-se à sua primeira tentativa de suicídio – foram várias. Ela parece estar provocando a sombria Perséfone nessas tentativas, chegando a adotar num dos poemas a *persona* de "Lady Lazarus" para as suas jornadas pelo mundo avernal.

> Morrer
> É uma arte, como tudo.
> Eu a pratico excepcionalmente bem
>
> Eu a pratico até sentir bem mal
> Eu a pratico para senti-la real
> Acho que se poderia dizer que ouvi um apelo.
>
> de "Lady Lazarus"

Não resta dúvida que suas tentativas de partir foram absolutamente sinceras; e, todavia, sobreviveu a três delas, como se uma parte sua ainda se agarrasse tenazmente à vida, à imagem do bebê dourado que surge repentinamente em seus poemas. O psicanalista James Hillman, que escreveu com tanto brilho e lucidez sobre o suicídio e o mundo avernal, diria que o erro de Plath foi literalizar, foi tornar física a sua descida com suicídios de fato. Sua alma buscava desesperadamente renascer depois da descida, e talvez houvesse conseguido, se Sylvia não houvesse agido de maneira tão drástica e trágica. Todas as imagens arquetípicas estavam presentes em seus poemas.

soltar-se ou não soltar-se do que a poetisa Sylvia Plath. Acometida pela depressão e mergulhando inexoravelmente em direção ao seu futuro suicídio, Plath deixou atrás de si um registro de sua luta contra o Senhor da Morte e contra a Dama da Morte nos poemas coletados postumamente como *Ariel* (veja quadro, "O Encontro de Sylvia Plath com Hades").

Em seu poema "Getting There" ["Chegando Lá"], Hades é imaginado como um cortejo da Morte, e Sylvia exprime algo daquilo que a retém:

> Será longe?
> É tão pequeno
> O lugar a que estou chegando, por que esses obstáculos?

O que são esses obstáculos? Plath responde à sua própria pergunta:

> O corpo desta mulher
> saias crestadas e máscara mortuária
> Pranteada por figuras religiosas, por crianças com grinaldas

Vem então um anseio pelo espírito (possivelmente ecoando T.S. Eliot ou W.B. Yeats):

> Não há lugar sereno
> Girando e Girando em pleno ar,
> Intocado e intocável

Mas ainda são os corpos dos mortos e feridos que a obsedam no poema. *É como se não conseguisse levar adiante o seu próprio processo de morte por causa dos horrores que vê ao seu redor:*

> Enterrarei os feridos como pupas,
> Eu contarei e enterrarei os mortos.
> Que suas almas se contorçam num aljôfar de
> Incenso em meu rastro.
> Os plaustros me embalam, quais berços que são.
> E eu, deixando esta pele
> De velhas bandagens, fastios, faces antigas
> Venho a você do carro escuro de Letes
> Pura como um bebê.

O último verso é uma revelação involuntária: ela ainda quer ser pura, o bebê de Deméter. Toda a sua escuridão e toda a sua ira são apartadas e projetadas nos corpos mortos que ela ainda pranteia. São imagens de partes velhas, mortas e dolorosas do eu que ela não consegue descartar inteiramente. Somos lembrados do mandamento de Jesus: "Que os mortos enterrem seus próprios mortos."

A chaga de Perséfone: a eterna vítima sacrificial

Sylvia Plath identificou-se profunda e irrevogavelmente com a agonia da vítima. Ela não soube ou não conseguiu distanciar-se e acabou tornando-se cônjuge da morte. Muitas mulheres-Perséfone se sentem poderosamente atraídas por este papel e, como o poeta Keats (que morreu aos 25 anos), estão "semi-apaixonadas por uma morte que traga alívio" [*"half in love with easeful death"*]. Elas flertam com a morte em diversos períodos de suas vidas. E como cresceram no papel de vítimas, ou então cuidando de um pai ou mãe vitimizado, é difícil fugirem desse esquema. Alguns estudiosos concordam que por trás do antigo mito da descida de Perséfone está a prática do sacrifício humano em prol do bem maior da comunidade.

Quando uma mulher se identifica demais com Perséfone à exclusão de todas as outras deusas, será invariavelmente atraída a situações em que ela ou alguém acaba saindo machucado. Poderá vir a sofrer acidentes ou misteriosas enfermidades que a tornam dependente da assistência governamental. Poderá acabar inevitavelmente cuidando de seus pais enfermos ou moribundos. Poderá atrair para si homens encantadores, mas brutais e intimidadores, dos quais não conseguirá escapar. Nada disso é obra sua. Parece surgir do nada, de maneira implacável, esmagadora, inexplicável.

Quando analisamos essas histórias de infortúnio mais de perto, encontramos um padrão comum: a mulher é impotente e geralmente passiva. As coisas simplesmente lhe acontecem. E, todavia, num exame mais atento, ela parece estranhamente atraída por esse tipo de coisas, como se fossem de fato o seu destino. Somos levados a suspeitar que a mulher-Perséfone tem uma ligação secreta com uma questão profundamente humana e intratável: *a miséria e desgraça da vítima inocente!*

Nela parece estar presente o que Freud chamou de compulsão de repetição, sendo sempre impelida a retornar a um equivalente pessoal daquela cena crucial de rapto – na qual a donzela paira, como que congelada, à beira do abismo. Como agulha num disco riscado, ela fica repetindo sem cessar a mesma agonia e o mesmo *pathos*, sem nunca chegar a uma conclusão final.

Jung mostrou certa vez que há duas formas principais de orgulho ou presunção espiritual. Todos nós conhecemos a primeira, a presunção do herói, do guru, do salvador do mundo, por exemplo; já ouvimos antes e desconfiamos da sua retórica arrogante. Porém, menos fácil de descortinar é o orgulho do sofredor, do mártir, da vítima. Assim como o herói incansavelmente exige (e obtém) o louvor e o apoio dos circunstantes desprevenidos, também a vítima suscita pena e condolência pelo seu sofrimento. Mas qual das duas atitudes seria mais manipuladora e, em última análise, mais interesseira? Trata-se do que uma colega nossa denominou de tirania dos inválidos.

No entanto, imprudente é a pessoa que contesta a vítima. Pois, no instante em que o faz, torna-se a nova perseguidora, e a vítima pode voltar novamente a sangrar, granjeando mais dó e comiseração.

Somente Hades pode reivindicar para si a vítima. Somente um encontro genuíno com Hades, provocando a morte de todo o ego, de toda a ligação com a inocência, pode pôr um fim ao orgulho deslocado da vítima de uma vez por todas. Esse é o desafio de Perséfone, o seu momento de verdade. Eis como James Hillman o descreve em seu extraordinário comentário *The Dream and the Underworld*: "A intervenção de Hades vira o mundo de cabeça para baixo. O ponto de vista da vida cessa. Os fenômenos passam agora a ser vistos não apenas pelos olhos de Eros, da vida humana e do amor, mas também através de Tânatos [o nome, tomado do grego, que Freud atribuiu ao instinto de morte] e das suas profundezas gélidas e inflexíveis, desvinculadas da vida" (p. 48).

E eis como D.H. Lawrence, contemplando a sua própria morte iminente, observou:

Estás disposto a ser suprimido, apagado, extinto,
transformado em nada?
Estás disposto a transformar-se em nada?
Se não estiveres, nunca mudarás de fato...

de "Phoenix"

E o que deve morrer na donzela Perséfone? Ora, precisamente a sua inocência de donzela, a sua persona adoravelmente meiga, composta de augustos ideais espirituais e da doçura e luminosidade da Nova Era. Luz demais acaba apenas lançando uma sombra muito escura, como Jung vivia nos lembrando.

O que é, então, a sombra da donzela Perséfone? Em termos nus e crus, é uma raiva enorme e uma ânsia desmesurada pelo poder absoluto. Não foi à toa que um hino órfico posterior atribui a Perséfone o título de "Mãe das Fúrias" (veja quadro, "Perséfone: Mãe das Fúrias, Rainha do Além-Túmulo").

Como reconhecer o lado tenebroso de Perséfone? Primeiro, sob a forma de todas aquelas mulheres à sua volta que lhe parecem malévolas ou arbitrárias em seu poder. Sua mãe carnal é geralmente a primeira candidata; mas, refletindo melhor, verá que conheceu muitas outras na escola e no trabalho. Às vezes ela se sentirá sendo invadida por diversas "inimigas" no plano psíquico. Livros como *Psychic Self-Defense*, de Dion Fortune, serão a sua leitura de cabeceira. Se estiver envolvida nesse tipo de coisa, poderá sentir-se acossada por rivais que estariam praticando "invasão psíquica" em seus sonhos. Ou poderá ficar "sabendo" por clarividência quais complôs de magia negra estão sendo maquinados contra ela. Seus guias poderão lhe revelar as vidas passadas malignas e corruptas de outras mulheres com as quais sente que está competindo.

Quando realiza de fato uma regressão e se recorda de vidas passadas, estas geralmente envolverão sacerdotisas e lutas pelo poder.[1] Mais uma vez encontramos sacerdotes, sacerdotisas e rainhas impassivas, tenebrosas e sôfregas pelo poder. Quase sempre nesses contextos ela será vítima de alguma briga pelo poder, sendo amaldiçoada por toda a eternidade. Qualquer que seja a verdade histórica desses episódios – e tomá-los literalmente seria uma boa maneira de mantê-los cindidos de si mesma – eles podem ser todos entendidos arquetipicamente como o medo que Perséfone sente de Hades e da Mãe Negra (que outra não é senão a rainha poderosa do mundo avernal que ela não quer reconhecer em si mesma).

Em uma palavra, a verdadeira questão de Perséfone é *poder*, poder que ela recusa a admitir, poder que ela não cessa de conferir a outros, projetando-o em mulheres bem-sucedidas ou supostamente mágicas, em homens de prestígio ou em brutamontes alcoólatras. Ela busca um salvador em pessoas poderosas, mas como não consegue se desvencilhar de sentimentos de desamparo e impotência, nem deixar para trás sua inocência, nem superar a raiva que sente inconscientemente, acabará sentindo-se deserdada, separada de tudo por uma voragem cada vez maior.

E o que é esta voragem senão a descida até o Hades que ela se recusa a empreender? Em todas essas outras saídas que concebe, ela continua clamando para que Papai Zeus todo-poderoso venha em seu socorro, para que a Mamãe

---

1. Veja em Roger J. Woolger, *Other Lives, Other Selves*, (Nova York: Doubleday, 1987) um relato de experiências de regressão a vidas passadas.

PERSÉFONE: MÃE DAS FÚRIAS, RAINHA DO ALÉM-TÚMULO

O antiquíssimo hino homérico que se refere primordialmente a Deméter (veja quadro anterior, "O Rapto da Virgem Perséfone") diz muito pouco sobre a transformação da virgem Perséfone numa rainha madura e poderosa. Felizmente, um hino bem posterior, do chamado culto órfico, completa o quadro para nós. Nos versos abaixo fica claro que Perséfone era sob muitos aspectos uma figura de deusa ainda maior do que Deméter. Aqui podemos vê-la claramente unindo em si mesma as forças da vida, da morte e da transformação.

HINO A PERSÉFONE

Perséfone, bendita filha do grande Zeus, filha única
de Deméter, vem e aceita este sacrifício cheio de graça.
Mui honrada esposa de Plutão, prudente e vivificante,
comandas as portas do Hades nas entranhas da terra,
Praxidique* dos belíssimos cachos, fruto puro de Deo,
mãe das Fúrias, rainha do além-túmulo,
gerada por Zeus em união clandestina.
Mãe do vociferante Euboleus** das muitas formas,
radiante e luminosa companheira de folguedo das Estações,
augusta, onipotente, donzela rica em dotes,
brilhante e cornada, tu somente és amada pelos mortais.
Na primavera rejubilas nas brisas das campinas
e mostras tua sacra figura em rebentos e verdes frutos.
Tornaste-te noiva do que te raptou no outono,
tu somente és vida e morte para os mortais que labutam,
Ó Perséfone, tu sempre os alimentas e os matas também.
Ouve-me, Ó abençoada deusa, e envia os frutos da terra.
Tu que floresces em paz, em meiga saúde,
e em vida de fartura que conduz a uma velhice de conforto
ao teu domínio, Ó rainha, e ao do poderoso Plutão.

The Orphic Hymns, trad. por Athanassakis,
em *The Ancient Mysteries*, org. por Meyer, p. 105

---

* Um epíteto de Perséfone.
** Dioniso.

Deméter restaure a tranqüilidade e inocência de sua infância perdida e absolutamente desgraçada.

A noite escura da alma

O que Perséfone não logrou compreender é que a vítima dentro dela realmente precisa ser sacrificada e contrair núpcias com os poderes escuros. A palavra *sacrifício* não significa apenas renunciar ou abandonar, no sentido de perder algo, mas literalmente "tornar sacro" [*sacrum facere*]. Toda dor, raiva e mágoa precisam ser oferecidas para forças que estão além de si. O chamado de Perséfone é um chamamento sagrado, uma vida que pertence, não a ela, mas à deusa e ao seu consorte do mundo avernal.

As primeiras tribulações de Perséfone são potencialmente uma iniciação; e, como em toda iniciação, é preciso haver a morte do mundo profano da vida cotidiana (veja quadro, "James Hillman Fala Sobre a Experiência de Perséfone"). Sim, ela é posta à parte; sim, ela é diferente; mas isso não é motivo para orgulho espiritual nem para sentir-se miserável. Ela é posta à parte para tornar-se membro daquilo que sir Laurens van der Post certa vez chamou de sacerdócio do sofrimento. Sir Laurens estava citando São Paulo, que disse que aqueles que são chamados têm que aprender a "regozijar com os que regozijam e sofrer com os que sofrem".

Como é que Perséfone, enquanto curandeira ou terapeuta, pode confortar os desesperados e os moribundos se nunca esteve lá? Nenhum seminário sobre metafísica, nenhum guia espiritual pode ensinar-lhe isso, pois são coisas que terá que aprender por si na escola do seu próprio sofrimento. Como disse certa vez o velho alquimista Morienus, "O portal da paz é sobremaneira estreito, e ninguém poderá atravessá-lo senão pela agonia de sua própria alma."

Na verdadeira vida do espírito existem luz e trevas, júbilo e desespero, assim como o inconsciente tem seus aspectos superior e inferior. Para cumprir seu destino maior, Perséfone não pode ter intercurso com um sem abraçar o outro. Seu maior desafio é *unir o lado escuro e o lado luminoso da deusa em si mesma.*

Isso é sugerido no mito de maneira arcana pela presença da deusa Hécate. Hécate é a única testemunha do rapto de Perséfone, de quem fica a ouvir os gritos. Mas nada faz para ajudá-la ou para buscar ajuda. Estaria Hécate de conluio com Hades?

Os gregos costumavam associar a deusa Hécate ao lado escuro da lua e à feitiçaria. Foi a ela que a assassina Medéia rendeu homenagem. Não podemos nos esquivar do fato de Hécate ter de algum modo corroborado para a descida de Perséfone ao Hades. Portanto, para que a iniciação de Perséfone nas profundezas seja completada em todos os seus aspectos, Hécate terá de ser reverenciada. O que significa que toda mulher-Perséfone terá que reconhecer a aprender a bem conviver com a bruxa e a assassina que existem dentro dela. Pois essas figuras, embora só indireta e obscuramente mencionadas, são um elemento essencial da constituição da deusa madura da noite. Segundo os estudiosos, seu nome em grego significa "aquela que traz a destruição".

Quando a mulher-Perséfone ignora o patronato de Hécate e projeta o seu lado de feiticeira nos outros, e quando ela deixa de completar o movimento descendente até Hades, seu verdadeiro noivo, ela corre o risco de ficar gravemente doente, ou então de atrair companheiros ou colegas de tendências extremamente destrutivas, ou mesmo perversas.

JAMES HILLMAN FALA SOBRE
A EXPERIÊNCIA DE PERSÉFONE

Em seu livro *The Dream and the Underworld*, o psicólogo de arquétipos James Hillman escreve de maneira provocante sobre a equivalência entre o mundo avernal dos gregos e o inconsciente conforme descrito pela psicanálise moderna. Tânatos, o instinto de morte para Freud, por exemplo, seria para Hillman uma outra versão de Hades. Eis como ele concebe a Perséfone avernal:

A experiência de Perséfone repete-se em cada um de nós em súbitas depressões, quando nos sentimos cheios de ódio, apáticos, entorpecidos e afastados da vida por uma força que não podemos ver e diante da qual fugiríamos, buscando distraidamente explicações e consolos naturalistas para o que de tão tenebroso está acontecendo. Sentimo-nos invadidos por baixo, atacados, e pensamos na morte.

Ser seqüestrado para o mundo avernal não é o único modo de vivenciar isso. Há muitos outros modos de descida. Mas se as coisas se passarem desta maneira radical, saberemos qual mitema nos acometeu. Só seremos arrastados para a carruagem de Hades se estivermos nos campos verdejantes de Deméter, sedutoramente inocentes entre as flores junto com parceiros de brincadeira. Este mundo precisa se abrir. Quando se abre a sua tampa, sentimos apenas o negro abismo do desespero, mas esta não é a única maneira de vivenciar nem mesmo este mitema.

Por exemplo, Hécate estaria supostamente por perto, observando ou ouvindo tudo. É evidente que existe uma perspectiva capaz de testemunhar as lutas da alma sem a agitação de Perséfone ou o cataclismo de Deméter. Em nós há um anjo sombrio (Hécate também era chamada de *angelos*), uma consciência (ela também era conhecida como *phosphoros*) que brilha no escuro e que testemunha tais eventos porque já está ciente deles *a priori*. Esta parte tem estabelecida uma ligação apriorística com o mundo avernal através de cães que farejam, devassidão, luas negras, fantasmas, lixo e venenos. Há uma parte nossa que não é arrastada para lá, mas que lá sempre habitou, assim como Hécate é em parte uma deusa do mundo avernal. Desse ponto de vista, poderemos observar nossas próprias catástrofes com uma sabedoria sombria que tem expectativa de pouca coisa mais.

The Dream and the Underworld, pp. 49-50

No âmago do grande mito está Hades, que não é senão a Morte personificada. Dizer que a donzela Perséfone se casa com ele é o mesmo que dizer que a donzela morre. Trata-se de uma morte figurada, exigida pela crescente sabedoria da psique – um sacrifício que é também, como vimos, uma iniciação.

Quer queira, quer não, a mulher-Perséfone foi chamada a renunciar à sua inocência de donzela e a dedicar uma grande parcela de sua vida entrando e saindo do mundo avernal. Via de regra, ela fará isso como auxiliar ou guia de outros. Por ter estado lá, por ter visto os lados mais tenebrosos do sofrimento humano, e ter sobrevivido, ela se torna um facho de luz. O trabalho de Elisabeth Kübler-Ross com pacientes terminais é dessa natureza. Com o archote negro que a levou para baixo, Perséfone pode também levar outros a se reunirem novamente com a vida, com Deméter, ou então ajudá-los a atravessar para "o lado de lá". É uma vocação de proporções místicas; e, como na jornada clássica do misticismo cristão, a mulher ou homem que for chamado a seguir este caminho aprende a passar por uma "noite escura da alma".

T.S. Eliot estava intimamente familiarizado com o processo da descida de Perséfone e com a noite escura da alma, tanto em sua vida espiritual como, presumivelmente, nas agonias de sua primeira esposa, uma mulher-Perséfone que sofria de terríveis ataques de loucura.

Eis como ele descreve o processo na voz de um psiquiatra conversando com uma jovem em sua peça *The Cocktail Party*:

> [Este caminho] é desconhecido, e portanto exige fé –
> O tipo de fé que provém do desespero
> O ponto de chegada não pode ser descrito:
> Você saberá muito pouco enquanto não chegar lá
> Sua viagem será às cegas. Mas o caminho conduz à posse
> Daquilo que você buscou no lugar errado.

Não é por coincidência que todas as versões do rapto de Perséfone de que dispomos relegam ao silêncio o que acontece com ela imediatamente depois de Hades a arrebatar para a escuridão. Trata-se de fato de um "mistério", uma palavra que significa "algo do qual não se pode falar", do grego *myein*, que significa "manter-se em silêncio".

Porém, nós sabemos que a morte e a perda eram fundamentais na transformação mística a que toda iniciada no caminho de Perséfone tinha que se submeter. A iniciada em Elêusis era vividamente relembrada de sua própria morte ao ser obrigada a assassinar sacrificialmente um porco – cujo corpo era então lançado num gigantesco fosso fétido junto com dezenas de outros. Qualquer pessoa que já tenha criado porcos saberá apreciar não apenas a sua inteligência singular, quase humana, mas também os uivos medonhos que soltam quando pressentem a morte iminente. O porco sacrificial era um substituto aterrador para a iniciada humana que, é claro, também morreria um dia. Isso era certamente pretendido como parte de uma meditação ritualística sobre os horrores que acompanham a morte; mas, talvez, também contivesse uma inevitável rememoração dos mistérios de transformação da Mãe Terra. O grande médico e alquimista renascentista Paracelso, que compreendia bem o poder da natureza (que chamava de *lumen naturae*, ou "luz da natureza"), nos ajuda a compreender este mistério na seguinte passagem extraordinária:

A corrupção é o princípio de todo nascimento. [...] Ela metamorfoseia forma e essência, as forças e virtudes da natureza. [...] A corrupção é parteira de coisas mui grandiosas! Faz com que coisas diversas se putrefaçam, para que um fruto excelente possa nascer, pois é a inversão, a morte e a destruição da essência original de todas as coisas naturais. Provoca o nascimento e o renascimento de formas mil vezes aperfeiçoadas. [...] e este é o mais sublime e maior *mysterium* de Deus, o mistério mais profundo que Ele jamais revelou a um mortal. (*Paracelsus: Selected Writings*, org. por Jacobi. Princeton: Princeton University Press, 1951, pp. 143-44.)

Um antigo paralelo sumeriano: a descida de Inana

Podemos encontrar outros sinais do grande processo de descida mística voltando no tempo até um outro grande mito da jornada ao mundo avernal, a descida da Inana dos sumerianos, que muitos acreditam tenha sido a origem da história de Perséfone. Inana é a resplandecente rainha dos céus, uma deusa lunar por certo, que desce por sua própria vontade para o "Grande Abaixo", governado por Ereshkigal. Sua descida se faz através dos sete portais (sete é freqüentemente o número de estágios de uma iniciação), sendo peça a peça destituída de suas vestes e atavios. Finalmente, diante do último portal, nua, ela é julgada pelos sete juízes e morta por Ereshkigal. Seu corpo é dependurado em uma estaca, numa espécie de crucifixão, onde é deixado para apodrecer. Até que é salva por Enki, deus das águas e da sabedoria, que se compadece com os gemidos de Ereshkigal e providencia uma substituta. Inana é restaurada à vida e reascende pelos sete portais, sendo suas vestes devolvidas a cada um.

Esse mito vigoroso foi analisado com grande perspicácia pela terapeuta junguiana Sylvia Brinton Perera em seu livro *Descent to the Goddess*, um manual essencial para toda mulher que sente o chamado de completar a descida de Perséfone. Independentemente da história de Perséfone provir ou não deste mito sumeriano muito anterior, ela certamente se torna muito mais clara depois que o conhecemos. Advindo de uma época matriarcal, quando a Deusa era adorada de maneira mais cabal, todo o movimento descendente de Inana é bem menos passivo – além de não haver nenhum seqüestrador hadeano. Inana empreende a descida por sua livre vontade, e tem um consorte, Dumuzi, sendo ele o mais passivo. Em versões posteriores, como Tamuz, é ele que se torna a vítima sacrificial.

As diferenças culturais entre os dois mitos sugerem que na época dos gregos, como sabemos, a Deusa já perdera quase todo o seu poder. Isso talvez explique por que a Perséfone mítica é mais passiva e porque é Hades quem inicia a descida. Mas o declínio do poder da Deusa torna ainda mais necessário que todas as mulheres – na Grécia antiga e nos dias de hoje – empreendam a descida a fim de reconquistarem o seu poder mais profundo.

É interessante que haja um elemento do mito grego ausente no mito sumeriano, e um elemento extremamente importante: o *casamento* de Hades e Perséfone. Não podemos deixar de perceber a qualidade bastante *fálica* de Hades/Plutão, às vezes identificado pelos gregos com a figura ainda mais sexualizada de Dioniso (veja capítulo sobre Ártemis). Um componente fundamental na iniciação e despertar de Perséfone era, portanto, de ordem sexual, relacionado com a união das energias masculinas e femininas no âmago do mundo avernal – que também poderia significar *nas profundezas do corpo*.

200

A VISÃO DE KÁLI, MÃE DO MUNDO, SEGUNDO RAMAKRISHNA

A passagem abaixo é tirada do célebre *Evangelho de Sri Ramakrishna*, o mestre espiritual mais respeitado da Índia no século XIX. Ramakrishna dedicou sua vida à deusa Káli, que lhe concedeu toda espécie de visões e êxtases (*samadhi*). Num resumo preparado por seu amanuense, Swami Nikhilananda, eis como o sábio descreve os atributos da deusa que os gregos não conseguiram prefigurar completamente em Perséfone ou em qualquer outra divindade. Os trechos entre colchetes são paráfrases nossas:

[Na divina trindade de Káli, a Mãe Natureza; Shiva, o Absoluto; e Rhadakanta, Amor], Káli é o pivô, a soberana. Ela é Prakriti [substância], a Procriadora, a Natureza, a Destruidora, a Criadora. Não somente isso, ela é algo maior e mais profundo para aqueles que têm olhos para ver. Ela é a Mãe Universal, a "minha Mãe", como Ramakrishna diria, a Todo-Poderosa, que Se revela a Seus filhos sob diferentes aspectos e Encarnações Divinas, o próprio Deus Visível, que conduz os eleitos à Realidade Invisível; e, se aprouver a Ela, eliminará até o último resquício de ego dos seres criados e os fundirá na consciência do Absoluto, o Deus não-diferenciado.

Para os ignorantes, Ela é, por certo, a imagem da destruição; mas [Ramakrishna] encontrou Nela a Mãe bondosa que a todos ama. Seu pescoço é envolto por uma guirlanda de cabeças, Sua cintura com um cinturão de braços humanos, duas de Suas mãos portam armas de morte, e Seus olhos faíscam lampejos de fogo, mas, estranhamente, Ramakrishna sentia em Seu hálito o toque balsâmico do meigo amor e via Nela o Germe da Imortalidade. Ei-la no seio de Seu Consorte, Shiva, porque é Shakti, o Poder, inseparável do Absoluto. Ela está rodeada de chacais e de outras criaturas ímpias, habitantes dos campos de cremação. Mas a realidade Derradeira não está acima do sagrado e do ímpio? Ela parece estar cambaleando sob efeito do vinho. Mas quem criaria este mundo louco senão sob a influência de divina embriaguez? [Não é a desordem o próprio fundamento do nosso universo aparentemente ordenado? O cosmos evoluiu a partir do caos primordial.] Ela [Káli] é o símbolo máximo de todas as forças da natureza, a síntese das suas antinomias, a Derradeira Divindade em forma de mulher.

O evangelho de Sri Ramakrishna, pp. 9-10, 12-13

Repetidamente, temos notado em nossas clientes-Perséfone uma profunda alienação do corpo e da sexualidade, que preferem consolações não-físicas do espírito. Isso muitas vezes decorre de terem sido sexualmente abusadas quando crianças ou de outros tipos de brutalidade sexual. Entretanto, é precisamente esta a energia que devem reassumir, e por isso a descida lhes é tão necessária. Ao se isolarem da dor e do sofrimento presentes nas partes inferiores do corpo, elas também estão se alienando da energia telúrica mais recôndita que pertence à Deusa, a energia simbolizada pelo senhor fálico.

Para se ter uma idéia completa do que significa a união dessas energias, temos de ir até a Índia, uma cultura que sempre se manteve firmemente arraigada nas tradições matriarcais. O equivalente do senhor e consorte fálico na Índia é, evidentemente, Shiva, e a Mãe Negra lá é Káli (veja quadro, "A Visão de Káli de Ramakrishna"). Em algumas representações, Shiva e Káli são mostrados em congresso sexual, simbolizando a união cósmica das energias masculina e feminina que regeneram o universo. Em outras, a sanguinolenta Káli está de pé sobre o cadáver de seu consorte, enfatizando o seu poder de destruição. Esta dimensão do matrimônio sagrado entre o deus e a deusa foi quase toda perdida pelos gregos, embora alguns autores, como Ezra Pound, especulam que talvez fosse revelada aos que se iniciavam nos mistérios de Elêusis.

O culto dos chamados Mistérios Eleusinos que se formou em torno de Deméter e de sua filha perdida tomou o nome de Elêusis, uma pequena cidade nos arredores de Atenas. Esses Mistérios, como vimos acima, eram eventos dos quais "não se podia falar". Todas as pessoas iniciadas nesta mais secreta e mais sagrada das cerimônias, que se desenrolava em quase absoluta escuridão numa câmara subterrânea, aparentemente ressurgiam com um entendimento totalmente renovado acerca da continuidade da vida e da morte. A morte sacrificial de Perséfone, sua união com o Senhor do Além-Túmulo e seu retorno – renascida – à mãe, proclamavam, para todos que participavam do rito uma confiança inabalável em um mundo depois da morte no qual a alma seria renovada por toda a eternidade. (Veja um relato mais completo no capítulo sobre Deméter.)

As deusas gêmeas da vida e da morte

No mundo avernal, Perséfone faz um trato com Hades para poder retornar à terra e ficar com sua mãe, Deméter, durante uma parte do ano. Ela deverá permanecer com Hades por um número de meses igual ao número de sementes de romã que engolir, tradicionalmente quatro, o que perfaz um terço do ano. Considerando-se a imagem de sangue e semente desta fruta, parece altamente provável que a transação feita também simbolizasse o ciclo menstrual, aquela parte do mês em que o corpo da mulher tem de sofrer a morte da vida potencial que havia dentro dele. O que é uma outra maneira de dizer que durante a fase de morte do seu ciclo toda mulher tem que conviver com seu Hades interior. Se não se torna consciente na vida de uma mulher, este encontro interior com a inevitabilidade da morte pode produzir toda espécie de dificuldades menstruais e pré-menstruais. Reverenciar Perséfone é reverenciar o ciclo perpétuo de vida e morte. Esta é a tese principal de um livro brilhante mas pouco conhecido, *The Wise Wound*, de Penelope Shuttle e Peter Redgrove (veja também capítulo sobre Deméter).

O retorno à mãe, a Deméter, não é, no entanto, o retorno de uma donzela, e sim de uma deusa madura, que agora conhece a sexualidade, a morte e a separação.

O retorno é um lembrete de que as duas deusas são na verdade uma, de que juntas elas representam a totalidade da Grande Mãe – a deusa capaz de separar-se de si mesma infindavelmente, de morrer infindavelmente e de renascer infindavelmente como mulher, como terra, como cosmos (veja quadro, "Perséfone: Mãe das Fúrias, Rainha do Além-Túmulo").

É este aspecto da figura primordial da Grande Mãe que nós basicamente perdemos hoje em dia, a saber, o fato imponente de ela conter em si todos os contrários. Ela é ao mesmo tempo jovem e velha, virgem e mãe, aquela que guerreia e que cuida do lar; e, o que é mais importante para este capítulo, ela é ao mesmo tempo vida e morte.

É com justiça que a cultura grega tem sido celebrada pela qualidade do seu talento e pelo fulgor da sua luz, por haver estabelecido a supremacia da razão, da lógica e da filosofia, pela sua visão clara e translúcida do mundo físico exterior. Se houver algum deus que epitomiza tal consciência, este deus é Apolo, deus sublime da luz, da razão e da harmonia.

Entretanto, tamanha ênfase na luz não seria possível sem que se lançasse uma sombra particularmente escura. E assim, entre os deuses, como também entre as deusas, há cisões e polaridades. O irmão sombrio de Apolo é, portanto, Dioniso, senhor do êxtase, da loucura, da embriaguez divina e da morte sacrificial, a própria antítese da cristalinidade apolínea. Da mesma forma, Zeus, sentado imperiosamente em seu trono celestial no topo do Olimpo, deveria ter um irmão das trevas que regesse as profundezas inferiores – o misterioso e quase não-mencionável Hades. (Hades era ocasionalmente chamado em grego *Zeus cthonios*, que quer dizer "Zeus do mundo avernal ou subterrâneo").

Eis como essas polaridades poderiam ser representadas:

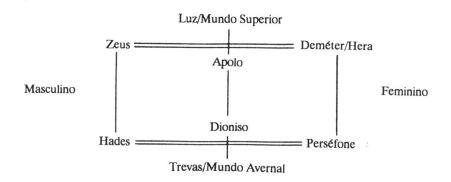

Quando nos damos conta disso, começamos a perceber que Perséfone e sua mãe, Deméter, representam os dois principais aspectos antagônicos da Grande Mãe primordial que a psique grega esforçava-se para preservar. Seu mito representa, entre outras coisas, uma tentativa de conceber todo o momentoso relacionamento do superior e do inferior, do mundo da luz e do mundo das trevas, como parte de uma relação *dinâmica*, de um ciclo de vida e morte do qual todos os seres participam.

Se tudo fosse deixado nas mãos dos deuses homens apenas, tal ciclo não existiria, pois a consciência masculina, carecendo dos mistérios internos do corpo, do ciclo menstrual, da gravidez e do parto, não incorpora em si uma percepção e cognição cíclica. O que vale dizer que a consciência masculina nada conhece do *mistério da força vital*.

A consciência masculina, apolínea, simbolizada pelo sol, sempre tende a polaridades mutuamente exclusivas: uma coisa é isto *ou* aquilo, dia *ou* noite, mas não ambos. Esta é a base da lógica de Aristóteles, uma das supremas realizações da cultura grega – pelo menos de acordo com a visão patriarcal oficial da história do Ocidente.[2]

A consciência feminina ou matriarcal, simbolizada pela luz, não apresenta tais extremos de polaridades mutuamente excludentes – trevas vs. luz, noite vs. dia, bem vs. mal – as dualidades que a cultura ocidental, e em particular o cristianismo, tanto aprecia. Temos, em vez disso, o modelo da luz muito mais sutil da lua, com suas infinitas variedades de luminosidade, sombra e escuridão. E a luz da lua é refletida, o que significa habitar a escuridão mas, não obstante, compartilhar do sol. Ela contém e encerra com sua doce e abrangente luminosidade; suas sombras são discretas, não cáusticas como as do sol, e toda a sua ligação com o tempo, com a periodicidade e com a psique são bastante diferentes (veja quadro, "Erich Neumann Fala Sobre a Consciência Matriarcal").

Com o avanço da civilização grega, a tendência apolínea passou a predominar. Embora os mistérios de Deméter fossem preservados no centro sagrado de Elêusis, os gregos foram se afastando cada vez mais da especulação e da criação de mitos referentes ao mundo avernal e à vida após a morte. Aquela faceta de Perséfone que inspira temor e respeito, o seu aspecto de Rainha da Morte, acabou tornando-se tanto mais assustador quanto mais era suprimido. (Foi em sua forma suprimida, é claro, que ela retornou para atormentar a imaginação do mundo cristão medieval, paranoicamente apavorado, das bruxas.)

Perséfone idosa: a sábia anciã

Pesquisas recentes sobre as origens da palavra anglo-saxã *witch* [bruxa] sugerem que talvez provenha da antiga palavra *wicca*, que se refere àquela que pratica a arte da sapiência. Quando a Igreja perseguiu as bruxas, ela também suprimiu a antiga sabedoria da Deusa. O que se perdeu foi o segredo da Perséfone madura, a sabedoria daquela que conhece os mecanismos da vida e da morte – as energias que determinam as estações, a sexualidade e o nascimento – daquela que compreen-

---

2. A noção histórica de que tudo de valor no Ocidente teve início com os gregos foi seriamente posta em dúvida recentemente. Entre as obras mais importantes, veja o enorme trabalho erudito de Martin Bernal, *Black Athena: The Afroasiatic Roots of Classical Civilization* (3 volumes), e também *The Time Falling Bodies Take to Light*, do historiador William Irwin Thompson.

ERICH NEUMANN FALA SOBRE
A CONSCIÊNCIA MATRIARCAL

Erich Neumann foi um dos primeiros colegas de Jung a dedicar diversos de seus escritos ao vasto tema das implicações das religiões da mãe na consciência moderna. Seu famoso livro, *A Grande Mãe*, é uma análise indispensável do arquétipo. Aqui, em um ensaio menos conhecido, ele discute a influência cíclica da lua:

A periodicidade da lua, com seu pano de fundo noturno, é o símbolo de um espírito que cresce e mingua, conformando-se aos processos sombrios do inconsciente. A consciência lunar, como poderíamos chamar a consciência matriarcal, nunca está divorciada do inconsciente, pois é uma fase, uma fase espiritual, do próprio inconsciente. O ego da consciência matriarcal não possui uma atividade livre e independente própria; ele aguarda passivamente, em harmonia com o impulso do espírito que o inconsciente conduz até ele.

Um momento é "favorável" ou "desfavorável" conforme a atividade espiritual determinada pelo inconsciente se volta para o ego e se revela, ou se afasta dele, ocultando-se e desaparecendo. Neste estágio da consciência matriarcal, a tarefa do ego é aguardar e atentar para o momento favorável ou desfavorável, é harmonizar-se com as variações da lua, é provocar uma consonância, um uníssono com o ritmo das suas emanações. [...]

O modo súbito, violento, pelo qual uma idéia, uma inspiração ou um frêmito que surge do inconsciente pode tomar conta de uma personalidade, e levá-la ao êxtase, à loucura, à poesia ou à profecia, representa uma parte do funcionamento do espírito. O traço correspondente na consciência matriarcal é o fato de todas as suas intuições e inspirações dependerem daquilo que emerge do inconsciente, misteriosamente, quase além de qualquer influência, quando, onde e como quiser. Deste ponto de vista, todo xamanismo, incluindo a profecia, é uma tolerância passiva; sua atividade é mais a de "conceber" do que de um gesto da vontade; e a contribuição essencial do ego consiste na sua disponibilidade para aceitar o conteúdo que emerge do inconsciente e entrar em harmonia com ele.

De "On the Moon and Matriarchal Consciousness",
em *Fathers and Mothers*, editado por Patricia Berry, pp. 40-45

de o hiato entre os dois mundos e que reverencia a onipresente tutela dos ancestrais. Essa sabedoria ela partilhava com a sua guardiã, Hécate, deusa da feitiçaria e da magia.

A Perséfone madura que retornou de sua jornada vive de algum modo além do mundo comum, ainda que permaneça em íntimo contato com ele. Ela tornou-se uma *feiticeira*, isto é, uma mulher sábia que "já viu tudo" e que, portanto, pode mostrar-se sempre alegre e bem-humorada, achando sardonicamente divertida a loucura humana. Em sua forma completa, ela reúne em si o início e o fim do ciclo da vida, o nascimento e a morte. De maneira que, mesmo quando anciã, ainda preserva a própria juventude; e, como uma jovem iniciada, traz consigo a jubilosa sabedoria dos anos.

Jean Bolen sugeriu recentemente que esse senso de inteireza ou integridade espiritual na Perséfone que retornou pode ser discernido numa certa frase misteriosa sobre Hécate no *Hino a Deméter*, que narra os mistérios da Tríplice Deusa Mãe. Pois quando a Perséfone madura retornou à mãe, diz-se que "desde aquele dia [Hécate] precede e segue Perséfone". Hécate, segundo Bolen, poderia ser vista aqui como um Espírito Santo feminino que completa e consolida a trindade matriarcal: Virgem, Mãe, Anciã (veja também o capítulo sobre Deméter).

Muitas mulheres com um forte elemento de Perséfone em si confessam, quando jovens, o quanto gostariam de ser velhas para estarem livres de todas as imposições de conformidade à sociedade. O conteúdo desta fantasia está intimamente ligado ao arquétipo do palhaço – outro que vive à margem da sociedade e que ridiculariza todas as nossas máscaras e nossos trágicos e absurdos melodramas. A atriz Ruth Gordon costumava representar esse tipo de Perséfone no cinema. Seu papel mais célebre foi no filme *Harold e Maude*, onde é uma velhinha excêntrica de quase oitenta anos que não tem absolutamente o menor respeito pela lei patriarcal – ela rouba a motocicleta de um policial, por exemplo – mas que acredita em viver a vida em toda a sua plenitude. Ao mesmo tempo, ela decidiu de bom grado que irá se matar quando completar oitenta anos, e gosta de acompanhar enterros para ir se acostumando com a idéia!

Outro exemplo deste lado liberado da Perséfone idosa pode ser encontrado no encantador poema chamado "Warning" ["Advertência"], escrito por Jenny Joseph:

> Quando eu for velha vou me vestir de roxo
> Com um chapéu vermelho que não combina, e não me deixa bem.
> Quero gastar minha aposentadoria em conhaque, luvas de seda
> E sandálias de cetim, e dizer que não temos o dinheiro da manteiga.
> Sentar-me no chão quando estiver cansada
> Devorar amostras nas lojas e apertar botões de alarme
> E raspar minha bengala pelos gradis das ruas
> Para compensar a sobriedade da minha juventude.
> Sairei de chinelos na chuva
> Colherei flores em jardins alheios
> E aprenderei a escarrar.
>
> Poder usar blusas medonhas e deixar-me engordar
> E comer dois quilos de lingüiça de uma só vez
> Ou apenas pão e picles por uma semana
> E estocar canetas e lápis e bolachas de chope e coisas em caixas.

Mas por ora devemos ter roupas que nos mantenham secas
Pagar nosso aluguel e não xingar pelas ruas
Dando bom exemplo para as crianças.
Temos de convidar amigos para o jantar e ler os jornais.
Mas e se eu pudesse ir praticando um pouco agorinha mesmo?
Para que quem me conhece não fique chocado ou surpreso
Quando eu de repente for velha e passar a usar roxo.

É comum as mulheres-Perséfone maduras sentirem-se atraídas para a experiência em si da morte e da transição como a principal obra de suas vidas. No século passado, o trabalho generoso de Florence Nightingale foi bastante celebrado, e com justiça. Hoje praticamente todos já ouviram falar das obras notáveis de Madre Teresa com os abandonados de Calcutá, e do trabalho pioneiro com a morte e os moribundos de Elisabeth Kübler-Ross. Essas mulheres são a personificação viva da sabedoria suprema de Perséfone como mediadora entre a vida e a morte.

Uma Perséfone madura: Eileen Garrett

Encerraremos este capítulo com um exemplo de uma mulher-Perséfone que teve uma iniciação precoce no reino das sombras e acabou por encarnar tudo o que há de melhor numa Perséfone madura. Esta foi a vida de Eileen Garrett, talvez a médium mais investigada e mais respeitada deste século. Ela conta a sua história na autobiografia *Many Voices*, na qual baseamos o relato abaixo.

O tempo de meninice de Eileen, em sua Irlanda natal, foi carregado de tragédia. Quando mal completara duas semanas, sua mãe se afogou, e algumas semanas depois o pai também cometia suicídio. A mãe de Eileen fora filha de protestantes muito rigorosos e seu casamento secreto com um jovem basco, um católico, parecia fadado à desgraça desde o início. Eileen foi criada por um tio, que faleceu quando a menina estava na adolescência. Mais tarde, foi enviada a diversas escolas, sendo sempre uma menina difícil e muitas vezes doentia.

Estimulada pela fé em um "mundo encantado" que ainda prevalecia entre a gente do campo de County Meath, Eileen costumava passar longas horas nos montes e campinas, não longe de Hill of Tara, antiga capital da Irlanda. Ela sentia "uma profunda empatia com todos os seres vivos" nos campos à sua volta, e estabeleceu um elo místico com a natureza que seria fonte do seu dom de cura e renovação por todo o resto da vida.

Durante uma de suas doenças, ela parece ter aprendido a deixar o corpo:

> Fiquei ciente de que as distâncias não tinham importância – a afinidade que havia entre eu e cenas vivas na memória renovava-se miraculosamente. Consegui novamente permanecer passiva e me projetar para os campos; algo estava acontecendo entre eu e o mundo exterior – uma nova intimidade, independente da distância. [...] Por algum meio consciente eu conseguira chegar "daqui" até "lá". Eu descobrira um lugar dentro do esquema cósmico – um mundo de sentimentos no qual eu bem cedo ingressara inadvertidamente. Ele agora se revelava outra vez estabelecendo a realidade de uma unificação não-material à qual eu muitas vezes me voltei instintivamente e que tornou possível uma comunicação em muitos níveis (p. 23).

Eileen tornou-se extremamente sensível em diversos planos. Certa vez, teve uma visão de seu tio falecido, que parecia apontar sua vida para uma nova direção. Em outra ocasião, uma simples cerimônia de casamento provocou nela o que hoje chamaríamos um vislumbre de vidas passadas:

> Sobreveio-me uma curiosa relíquia de superstições irracionais naquela cerimônia de casamento, que a carregou com um profundo mistério que terminou por me envolver. Uma festa matinal de casamento tivera, em tempos anteriores, profundas implicações. Pensamentos assim, emergindo das minhas profundezas, trouxeram também medos palpáveis. Nesses momentos, minha mente ingênua e maltreinada dramatizava minhas apreensões. Profundamente comovida, eu me tornara uma outra pessoa com lembranças de outras crenças e de outras cerimônias num passado distante e primitivo (p. 41).

A morte pairou sobre o início da sua vida adulta, como acontecera na infância desde que era bebê. Os três filhos que teve com o primeiro marido morreram muito jovens (felizmente, uma filha sobreviveu). Sua sensibilidade psíquica parecia estar aumentando, e viver "uma vida dual", conforme suas próprias palavras, acabou levando ao rompimento do primeiro casamento.

Por volta desta época, quando dirigia um pequeno salão de chá em Londres durante a I Guerra, ela conheceu muitos jovens soldados que retornavam para as trincheiras. Não raras vezes, era assoberbada por visões clarividentes da morte iminente desses rapazes. Compaixão por um deles, com quem tivera uma dessas premonições, levou-a a um casamento efêmero. Depois de um breve tempo nas trincheiras, a vida daquele que se tornara seu marido foi tomada por uma explosão fatal. Eileen foi capaz de descrever por clarividência exatamente onde e como ele morrera.

As rodas liberais nas quais passou a circular na Londres do pós-guerra acabaram levando-a a freqüentar sessões espiritualistas, quando ouviu falar pela primeira vez do fenômeno do transe e percebeu que tivera esse dom desde pequena, "para adormecer longe de tudo", escreveu. Uma outra observação em sua autobiografia é particularmente reveladora: "Teria eu, ainda menina, descoberto, de maneira inteiramente inconsciente, um modo de fazer desaparecer a dor, o tédio e todas as coisas desagradáveis?" (p. 43).

O encontro de Eileen com um grupo espiritualista de Londres seria um momento de virada em sua vida, pois ali estavam outros que partilhavam de suas experiências de "canalização" [mediunidade dirigida] e clarividência – pessoas que, como ela, lutavam diariamente para viver "uma vida dual". Ali obteve muita orientação, treinamento e apoio para as suas habilidades, e acabou por tornar-se uma médium e conselheira psíquica muito solicitada. Seus escritos também proporcionaram conforto e introvisão para milhares.

Ao integrar o sofrimento de sua infância e juventude, Eileen Garrett claramente aprendeu a ter profunda compaixão por aqueles que a procuravam com suas agonias e desesperos pessoais. Capaz de conviver dignamente com os opostos dissonantes de luz e trevas dentro de si, ela acabou merecendo autenticamente os títulos de médium e de mística.

Sete

Deméter: mãe de todos nós

*Não nasci ainda; aprovisionem-me
Com água que me embale, ervas que brotem para mim, árvores que conversem
comigo, céu que cante para mim, pássaros e uma luz branca
No fundo da minha mente para me guiar...*

Louis MacNeice, *Prayer Before Birth*

Deméter moderna

É difícil confundir Deméter. Ela é aquela rodeada de crianças; aquela à qual bebês parecem se agarrar como a uma árvore robusta; aquela que faz e distribui pão com manteiga, café com leite e bolo de fubá; aquela que *sabe* onde estão as fraldas; aquela cuidando dos joelhos esfolados; aquela feliz em cozinhar para os seis amigos que o marido trouxe do futebol sem a avisar; aquela que passa a noite inteira acordada cuidando da febre de um filho; aquela com reservas aparentemente inesgotáveis de energia.

Em suma, na tipologia das deusas, a mulher-Deméter é a mãe. Mas ela é mais do que uma simples mãe biológica. Não é ter filhos que faz uma verdadeira mãe; é uma atitude, uma maneira instintiva de cuidar de tudo o que é pueril, pequeno, carente e sem defesa. O amor de Deméter é uma forma totalmente dedicada e generosa de doação e acalento que todos nós reconhecemos, ainda que vagamente, quando dizemos *carinho de mãe*.

É claro, nem todos tivemos esse carinho de mãe quando criança; talvez só o conheçamos através do arquétipo que Erma Bombeck chama de Mãe de Todos os Outros. Mas o anseio de recebê-lo existe em nós, mesmo que não tenha sido parte da nossa vida: é aquela fantasia profunda, perene, de um abraço terno, meigo, envolvente e absolutamente gratificante.

É importante compreender o que há de tão singular no carinho materno de Deméter. Não estamos dizendo que as outras deusas não podem ser mães, e sim que ser mãe é o princípio norteador fundamental na vida de Deméter. Todas as deusas podem ter, e têm, filhos, cuidando deles e acalentando-os à sua própria maneira. Afrodite é uma mãe sensual e leniente, que adora vestir os filhos e mimá-los com gostosuras, e que gosta de ir com eles ao cinema. As mães Ártemis têm uma meiguice meio selvagem, e tratam os filhos mais como filhotes de fera do que qualquer outra coisa. Atena mal pode esperar que os seus aprendam a falar e possam se expressar para conversar com eles e estimular a sua educação e aprimoramento mental. Perséfone também é profundamente envolvida com os filhos, mas de uma maneira mais psíquica e intuitiva do que em termos do bem-estar físico deles. A mãe Hera é tão cheia de regras, censuras e expectativas que resta pouca ternura na sua maneira de criar os filhos.

E, todavia, é somente Deméter que se identifica plenamente com todas as atividades da maternidade, quase à exclusão dos outros interesses. A energia inexaurível que observamos nela provém da sua total dedicação de propósito: ela vive quase que inteiramente para os filhos, estando literalmente disponível 24 horas por dia, sete dias por semana.

A mulher-Deméter está tão envolvida com o fato de ser mãe que não tem nem arranja tempo para comprar um vestido novo ou ir ao cabeleireiro (interesses de Afrodite). Não tem o menor desejo de passear sozinha (Ártemis) e basicamente detesta a idéia de ter de sair de casa. Ela tem pouco ou nenhum interesse em ler livros ou jornais, ou em acompanhar o noticiário da televisão (obsessões de Atena), nem dá a mínima para os horóscopos ou vidas passadas de seus filhos (aspectos fundamentais para Perséfone). Fazer parte da comissão municipal de planejamento (prioridade de Hera) é algo que lhe empolga tanto quanto o emprego monótono de seu marido.

Naturalmente, a mulher-Deméter poderia achar tempo para essas ou quaisquer outras atividades e interesses em que as outras deusas tanto se apresam – já ouviu falar em *baby-sitters*, afinal – mas o fato é que ela simplesmente não quer. Ela se sente feliz e profundamente realizada fazendo exatamente o que está fazendo, sendo mãe.

Nada ilustra melhor a noção junguiana segundo a qual os arquétipos são fontes impessoais de energia do que a mulher-Deméter. Embora esteja constantemente se doando para os filhos, para o marido e para toda amiga desgarrada que estiver perambulando pela vizinhança, ela nunca parece se cansar ou pensar em si mesma. Isso é absolutamente instintivo e desprendido nela, sem qualquer participação do ego. Se houver uma boca vazia, ela a enche; se uma criança chora, ela a conforta; se um dedo estiver machucado, ela faz um curativo. Quando se entrega dessa maneira, sua personalidade é tão individualizada quanto a da mamãe-passarinho ou da mamãe-gata para seus filhotes; a mulher-Deméter é simplesmente *mãe*.

Deméter, a que nutre e acalenta

Outras deusas costumam ficar pasmadas com a prodigiosa energia para nutrir e acalentar de Deméter, e com sua dedicação aparentemente desinteressada para com os filhos e a família. "Não estaria ela fingindo?", uma Atena pode se perguntar. "Será que ela é realmente assim tão serena e imperturbável diante desse caos de bebês, barulhos e bagunça?", uma Hera talvez se indague. "Como que ela consegue sempre preparar as refeições, as roupas, as lancheiras e as pílulas na hora certa?", Perséfone se questiona, perplexa.

É compreensível que haja um certo grau de cinismo em torno da aura ligeiramente santificada de algumas mulheres-Deméter. Os Estados Unidos dos anos 50 criaram um estereótipo imaculado da mãe Deméter em comédias de TV como *Ozzie and Harriet* e *Leave It to Beaver*, que pode ter se tornado um modelo sentimental para muitas mães, mas que certamente foi motivo de irritação para aquelas que não conseguiam imitá-lo. E, no entanto, como tantos estereótipos dos meios de comunicação, esses programas descerraram um aspecto fundamental do arquétipo, a devoção generosa da madona.

O que as outras deusas talvez não compreendam, se nunca sentiram dentro de si o inacreditável poder do arquétipo da Mãe, é o sentimento profundamente instintivo e natural de plenitude que há em tudo o que Deméter faz. Não se trata da plenitude do ego que Atena e Hera talvez compreendessem, nem da satisfação espiritual que Perséfone conhece, mas de algo bastante desconhecido de todas elas.

Mais próxima, por temperamento, de Afrodite, que é a sua oposta na Roda das Deusas, Deméter é regida pelo amor – não pela independência, como Atena ou Ártemis, nem pelo poder, como Hera e Perséfone. Assim como Afrodite, ela vive para o outro, ela se dá para o outro, ela se perde no outro. O outro é a fonte da sua plenitude, não ela mesma. A única diferença entre Deméter e Afrodite em relação ao amor é que para Afrodite o outro é um ser amado adulto, ao passo que para Deméter é a criança.

Simbolicamente, Deméter representa tudo que se relaciona com a terra e com a natureza vegetativa; para os gregos, ela era a deusa dos cereais e do mistério da semente que, ao ser plantada, transforma-se em nova vida e alimento. Mais adiante, quando examinarmos sua formação mítica, veremos em quantos níveis os gregos compreendiam este mistério. Mas, por ora, notemos apenas como era profunda a ligação entre Deméter e todos os aspectos da *força vital*, particularmente no que tange àquilo que é pueril, carente e em crescimento.

Uma mulher-Deméter saudável estará sempre ligada à realidade física, o que vale dizer, às realidades e necessidades do corpo, quer se trate de alimentos, agasalhos, sono suficiente, doenças ou ferimentos, e – nos bebês pequenos – das necessidades de eliminação. Ela parece compreender todos os instintos básicos que fazem parte da nossa natureza animal e corporal. Neste aspecto, é bastante diferente de Atena, cuja percepção é predominantemente mental e muitas vezes alienada do corpo.

Deméter cresce

O instinto para acalentar que existe em Deméter pode ser facilmente identificado em meninas brincando com bonecas. Estará presente naquelas irmãs mais velhas que tanto prazer obtêm ajudando a mãe a cuidar de um novo bebê. Pois o mesmo não ocorre com Ártemis, sempre brincando com os meninos, nem com Atena, com o nariz o tempo todo enfiado num livro, nem com Hera, que vive organizando clubes dos quais será líder. Quando Deméter desponta com força em uma menina, esta terá um temperamento doce e meigo que agradará a todos os que a conhecerem.

Uma vez que a jovem Deméter é tão identificada com a mãe, haverá uma relação quase simbiótica entre ambas. Os valores da mãe serão totalmente os seus, e os sonhos dela inquestionavelmente os seus também. Qualquer que seja a deusa preponderante na mãe, a menina Deméter a tomará como modelo. Se a mãe adora cozinhar, a filha será exímia cozinheira; se a mãe cria filhotes de cachorro com *pedigree*, é o que ela também fará. Mas, acima de tudo, a filha Deméter idealizará o estilo de a mãe cuidar da casa e de criar os filhos, mal podendo esperar o dia em que poderá reproduzir um lar e filhos para si mesma. (Se, como às vezes acontece, a mãe não proporcionar modelo algum para a jovem Deméter, esta irá se tornar mãe da própria mãe e acabará "carregando" a mãe emocionalmente, amadurecendo e tornando-se séria demais antes do tempo. Por ter vivido muito cedo um pouco da "perda da mãe" que é típica de Perséfone, compensará isso casando-se e tendo filhos ainda bastante jovem. Este é um padrão que fica evidente no número cada vez maior de adolescentes grávidas ou mães.)

Todavia, os horizontes do mundo de uma jovem Deméter saudável serão bastante limitados em virtude das suas idéias fixas sobre o lar e a família. Embora meiga e simpática, por ser uma pessoa caseira, ela parecerá na adolescência um pouco maçante aos olhos de suas outras irmãs mais ambiciosas. Enquanto Afrodite estará absorta em revistas de moda para adolescentes e preocupada em namorar, e Atena estará fazendo campanha em prol dos direitos humanos e Ártemis estará em algum lugar participando de eventos atléticos, Deméter continuará basicamente em casa trocando casos sobre a vizinhança com a mãe.

A adolescente Deméter não é aversa ao sexo oposto. Sua sexualidade, ao florescer, geralmente é bastante natural e descomplicada, ardente mesmo, embora às vezes corra o risco de ser excessivamente solícita às necessidades do parceiro em detrimento de suas próprias necessidades. É simplesmente o seu lado acalentador colocando sempre os outros em primeiro lugar. Ela tenderá a ser tão atraente quanto suas irmãs Afrodite, mas de uma maneira bastante espontânea e despreocupada; horas em frente do espelho não são o seu estilo. "Seja você mesma" é o seu lema.

No final da adolescência, a jovem Deméter talvez já esteja namorando firme alguém com quem acabará se casando – que provavelmente será um rapaz responsável e de confiança que pretende trabalhar num negócio local de vendas que não o obrigará a ir para longe de sua cidade natal. A menos que a própria jovem Deméter tenha intenções de tornar-se enfermeira ou de trabalhar numa creche ou escola para crianças, entrar numa faculdade raramente faz parte de seus planos. Vez por outra, ela aprende alguma habilidade prática – assar pães, organizar bufês, costurar vestidos ou fazer objetos de cerâmica – que lhe será possível desenvolver em sua própria casa. Porém, com igual freqüência, não terá qualquer ambição vocacional neste estágio da vida. Em seus sonhos, ela basicamente imagina um lar aconchegante não muito distante da mãe e, é claro, cheio daqueles bebês adoráveis que, ao que tudo indica, ela parece ter nascido para criar.

Ao contrário da jovem Hera, Deméter não se casará para adquirir posição e prestígio na comunidade; aquele considerado por todos o "jovem de maior futuro" não a atrai necessariamente. O que ela está buscando é um pai digno e confiável para sustento seu e de seus filhos, podendo mostrar-se bastante ingênua no que concerne a trabalho e dinheiro para si mesma, e preferindo deixar essa questão toda para o seu companheiro. Simplesmente não faz parte da sua estrutura mental querer ser independente e ter uma carreira, como é tão natural para Atena, Ártemis e Hera.

Muitas jovens mães-Deméter cujos casamentos fracassam acabam se vendo em grandes dificuldades como mães solteiras, pois não conseguem se enquadrar num sistema econômico para o qual não foram treinadas e que em princípio favorece os homens. São questões que as suas irmãs feministas influenciadas por Atena concebem em termos teóricos, mas há um hiato enorme e não-reconhecido entre os mundos de Deméter e Atena. A mulher solteira profissional, sempre ocupada com o trabalho, e a dona de casa, sempre levando crianças daqui para lá, têm pouco ou nada em comum na sociedade moderna. De modo que as percepções de Atena, por mais brilhantes e precisas que possam ser, chegam tarde demais para a Deméter divorciada que se depara com as duras realidades de um sistema social que, para todos os efeitos, pune as mães que não são parte de uma unidade matrimonial.

Parte da chaga da Deméter moderna é que *não há lugar no mundo* para mães solteiras ou descasadas, ou mesmo para uma mulher com seus filhos; elas foram efetivamente banidas a fim de se preservar para os homens uma abstração sentimental chamada "meu lar e minha família". Em termos históricos, este é um acontecimento relativamente recente, mas configura um estado lamentável de coisas (voltaremos a isso mais adiante neste capítulo).

Deméter e a consciência matriarcal

Na Grécia antiga, Deméter era a Deusa Mãe proeminente e tinha a função especializada de presidir sobre todas as formas de reprodução e renovação da vida, especialmente da vida vegetal. Figura complexa e bem elaborada, historicamente ela se situa entre os antigos cultos neolíticos da Grande Mãe – que floresceram na Suméria, na Ásia Menor, no Egito e na ilha de Creta entre aproximadamente 4000 e 1000 a.C. – e a era cristã no Ocidente, preservando muitas das características desses cultos anteriores: ela é a deusa da fecundidade, da fertilidade e da regeneração; possui uma identidade mística com sua irmã sombria do mundo avernal, a Rainha dos Mortos; dá à luz um Filho Divino, que permanece como seu jovem consorte em vez de transformar-se em marido ou em alguém de igual maturidade.

O símbolo principal de Deméter era o feixe de trigo – e, em seus mistérios em Elêusis, uma única espiga de milho. Teremos muito a dizer sobre os simbolismos da flor, do fruto e da semente, que a transforma, verdadeiramente em Nossa Senhora das Plantas. Seu animal sagrado terrestre era o porco – que costumava ser um sacrifício de fertilidade em todo o mundo por causa de seus múltiplos úteros; seu animal sagrado marinho era o golfinho.

Acredita-se que o culto de Deméter tenha chegado à Grécia vindo de Creta, por meio da cultura micênica da península do Peloponeso. Se isso for verdade, então ela é descendente direta da Deusa-Mãe cretense, que – com suas virgens consagradas, sacerdotisas que empunhavam serpentes e que prestavam culto ao touro – floresceu durante o terceiro e o segundo milênio a.C. Em outras palavras, Deméter representaria a sobrevivência da religião e dos valores matriarcais durante a cultura patriarcal guerreira dos gregos clássicos. O milagre é que o tolerante pluralismo religioso da época não a tenha suprimido. Pelo contrário, como o historiador da religião Mircea Eliade descreve, a religião de Deméter chegou mesmo a complementar o espírito patriarcal dominante do culto olimpiano de Zeus.

O santuário de Deméter em Elêusis, onde seus mistérios eram celebrados, permaneceu ativo durante quase dois mil anos. No ano 396 d.C., este que era o "mais antigo e mais importante centro religioso da Europa" foi destruído por Alarico, o Gordo. Em seguida, vieram os "homens de negro", os monges cristãos. Todavia, uma certa não-canonizada "Santa Demetra" da região sobreviveu à supressão cristã, e é conhecida ainda hoje. Eliade especula que o espírito dos Mistérios não desapareceu por inteiro, enquanto Ezra Pound estava convencido de que tanto as celebrações de *kalenda maia* dos trovadores na primavera quanto a sua adoração

OS MISTÉRIOS DE ELÊUSIS

O que segue abaixo é um resumo bastante claro do que os pesquisadores conhecem atualmente sobre os Mistérios de Elêusis, tirado de *The Road to Eleusis*, de R. Gordon Wasson, Carl A. P. Ruck e Albert Hofmann. De acordo com eles, a grande visão dos iniciados talvez envolvesse o uso de alguma droga psicotrópica. O excerto abaixo foi escrito por Ruck.

[Todo novo iniciado] percorria o Caminho Sagrado, atravessando a ponte estreita que ainda hoje pode ser vista submersa no pântano salobro que outrora separava Atenas do território de sua vila vizinha, a cerca de 22 quilômetros, uma região sagrada por sua afinidade especial com a esfera dos espíritos dos mortos, que se acreditava garantiam a fertilidade da planície onde se plantavam cereais. A procissão de peregrinos passava simbolicamente pela fronteira entre os dois mundos, uma jornada momentosa caracterizada pela sua dificuldade.

Todos os anos, novos candidatos à iniciação caminhavam pelo Caminho Sagrado, pessoas de todas as classes, imperadores e prostitutas, escravos e homens livres, numa celebração anual que perduraria por mais de 1500 anos, até a religião pagã finalmente sucumbir ao intenso ódio e à rivalidade de uma seita mais nova, os recém-legitimados cristãos do século IV da nossa era. O único requisito, além de um conhecimento da língua grega, era o preço de um porco sacrificial e as taxas dos diversos sacerdotes e guias, e um pouco mais de um mês de salário, além das despesas da estada em Atenas.

Cada passo do caminho relembrava algum aspecto de um mito antigo narrando como a Mãe Terra, a deusa Deméter, perdera sua única filha, a donzela Perséfone, que fora raptada enquanto colhia flores, pelo seu futuro noivo, Hades, o senhor da morte. Os peregrinos invocam Iacos [Dioniso] enquanto caminhavam. Acreditavam que era ele que os guiava, que através dele poderiam chamar de volta Perséfone ao reino dos vivos. Quando finalmente chegavam a Elêusis, dançavam noite adentro ao lado do poço onde Deméter pranteara a sua Perséfone perdida. Ao dançarem em honra a essas duas deusas sagradas e ao seu misterioso consorte Dioniso, o deus dos inebriantes, as estrelas e a lua e as filhas de Oceano pareciam unir-se na exultação. Em seguida, atravessam os portões dos muros da fortaleza, além dos quais, protegido do olhar dos profanos, era consumado o grande Mistério de Elêusis.

Era chamado mistério porque ninguém, sob pena de morte, podia revelar o que acontecia no interior do santuário. [...] Autores antigos indicam unanimemente que algo era visto no grande *telesterion* (a câmara iniciática) dentro do santuário. Dizer isso não era proibido. A experiência era uma visão depois da qual o peregrino se tornava "alguém que viu", um *epoptes*.

[Deméter] era a Grande Mãe e o mundo inteiro era a sua Criança. O evento essencial nessas religiões [agrárias] era o Matrimônio Sagrado, no qual a sacerdotisa periodicamente entrava em comunhão com o reino dos espíritos no interior da terra para renovar o ano agrícola e a vida civilizada que florescia sobre a terra. Seu consorte era um espírito vegetativo, ao mesmo tempo o seu filho que brotara da terra e o parceiro que iria raptá-la para outro reino – um reino que seria fecundado quando ele, ao morrer, a possuísse. [...]

A solução final [para a perda de Deméter] era tornar sadio o universo no qual a morte se introduzira admitindo-se também a possibilidade de um retorno à vida. O renascimento após a morte era o segredo de Elêusis. No Hades, Perséfone, como a própria terra, toma uma semente em seu corpo e desse modo retorna eternamente à sua extática mãe com o seu novo filho – apenas para morrer eternamente em seu abraço fecundante. O sinal de redenção era uma espiga de cevada, o cereal que medra e que, após o Mistério, seria devolvido novamente à terra fria na semeadura da grande planície perto de Elêusis.

The Road to Eleusis, pp. 35-44

cortesã da "dama" baseavam-se em resquícios do culto eleusiano que sobrevivera entre os povos camponeses da Europa (veja quadro, "Os Mistérios de Elêusis").

Outro vestígio da antiga consciência matriarcal da Deusa-Mãe foi transmitido na devoção católica popular da Virgem Maria entre os povos do Mediterrâneo. Quase certamente há uma continuidade psíquica, se não cultural, entre Maria, a Mãe de Deus, as antigas deusas da Grande Mãe no Mediterrâneo e no Oriente Próximo, e a deusa Deméter. Mas embora conheçamos muitas representações medievais de Maria com cereais e flores, ela carece do poder emocional das antigas Mães da Terra e suas filhas.

Como tudo o mais cristão, a Virgem Santíssima foi vítima de um grave afastamento da terra; seu título honorífico, Rainha dos Céus, indica que sua natureza divina era considerada espiritual num sentido "superior" e não ctônico ou terreno.[1] Mesmo assim, estritamente falando, sua condição continuou sendo a de uma mulher escolhida divinamente, não a de uma deusa. Quaisquer ligações com a terra que porventura possa ter tido há muito haviam desaparecido.

É difícil para nós hoje imaginar o que seria haver uma deusa e os mistérios da terra no cerne da vida cultural e espiritual. Mais de dois mil anos de cultura judeu-cristã nos acostumaram a pensar em tudo o que é divino como masculino, estando de alguma forma "lá em cima" no céu. Como resultado, nós praticamente esquecemos o que significa considerar a terra em que pisamos como sagrada, como verdadeiramente a nossa mãe, como local onde habitam deusas e deuses.

---

1. Diversos deuses e deusas da Grécia merecem o atributo *cthonios*, que significa "subterrâneo" ou "habitando debaixo da terra". Algumas, como Perséfone (que nasceu numa fonte), são portanto "autoctônicas", que significa "nascido da terra".

Fora de nossas cidades, com sua consciência supostamente superior e "civilizada", determinados lugares, geralmente de estonteante beleza natural – cavernas, nascentes, bosques, montanhas –, sempre foram tidos como sagrados em virtude da energia espiritual que deles emana. Delfos, onde Apolo era adorado, é um desses locais que sobreviveu virtualmente intacto até os nossos dias. Por toda a Irlanda, originalmente uma cultura matriarcal, existem muitas "fontes sagradas" que, embora mais tarde benevolentemente cristianizadas, eram outrora vistas como os órgãos genitais da Mãe Terra de onde a força vital, ou *woivre* ou "poder da serpente", fluía. O santuário de Deméter em Elêusis era construído sobre uma nascente sagrada, onde indubitavelmente energias telúricas ou geomagnéticas se acumulavam, sendo captadas pelos mais sensíveis dentre os iniciados nos mistérios.

Embora Deméter não seja em rigor uma Mãe Terra – este título pertence a sua avó, Gaia ou Ge, cujo nome significa "terra" –, o seu mito e culto dizem respeito ao que acontece em cima e embaixo da terra. Ela e a filha simbolizam os ciclos dinâmicos da natureza que ocorrem no interior do corpo da terra e, em decorrência do princípio místico de correspondência, também *no interior do corpo de toda mulher*.

As representações de Deméter na realidade não são de uma figura enorme, prenhe, rotunda, como muitos ícones antigos da deusa Mãe Terra que nos chegaram do Neolítico. Em todas as suas lendas e em todos os vasos pintados em sua homenagem, Deméter é representada como reconhecivelmente humana, numa iconografia quase moderna. De acordo com *O hino homérico a Deméter*, a deusa é alta, de uma beleza radiante, "de tornozelos finos" e com cabelos dourados (como os cereais). Enquanto deusa, seu aspecto é terrível de contemplar se for inteiramente desvelado, embora não haja nada primitivo nessa imagem dela. Como todas as deusas clássicas gregas, seu retrato é altamente elaborado, com múltiplas facetas psicológicas e simbólicas.

Eternamente mãe e eternamente filha

Quando falamos de Deméter conforme era imaginada pelos gregos, deveríamos na realidade falar de duas deusas, não uma. O cerne do mito e do culto a Deméter – os chamados Mistérios de Elêusis – era o fato de ela ter perdido sua filha adorada, Coré (cujo nome significa simplesmente "donzela" em grego), pranteada por ela e, por fim, reunindo-se novamente a ela. Praticamente todas as estelas de pedra e todas as pinturas em vasos que chegaram até nós mostram duas mulheres maduras: Deméter e Coré juntas, segurando feixes ou espigas de trigo, flores ou archotes, ou combinações de ambos – e às vezes serpentes (veja quadro, "Robert Bly Fala Sobre Deméter").

A intimidade entre mãe e filha ressalta o caráter profundamente feminino dessa religião e constelação mitológica. Deve remontar à época neolítica quando, na consciência matriarcal, o homem era totalmente à parte e secundário. Como afirma Erich Neumann em seu livro *A Grande Mãe*:

> A íntima ligação entre mãe e filha, que constituem o núcleo do grupo feminino, é refletida na "relação primordial" entre elas. Aos olhos do grupo feminino, o homem é um estranho, que vem de fora e toma a filha da mãe (pp. 305-6).

ROBERT BLY FALA SOBRE DEMÉTER

O conhecido poeta e tradutor Robert Bly tem feito muito para promover a consciência das deusas nos Estados Unidos. Durante muitos anos, ele patrocinou uma conferência chamada "The Great Mother and the New Father" em ambientes campestres por todo o país. Segue abaixo uma das primeiras entrevistas sobre as deusas gregas vistas como "transformadoras" da consciência da mulher:

Tomemos então Deméter em primeiro lugar. Alguma garota na Grécia antiga possivelmente constatou que a sua mãe fora a sua primeira transformadora, tendo tomado sua energia de menina, concentrando-a na área do sentimento. Esta mãe também a ensinou como fazer bebês e panelas, e apresentou a energia da filha a todo o círculo da comunidade, que talvez fosse uma grande família. A energia lúdica é energia privada, e era elevada a uma intensidade maior. Mas a energia ainda permanecia dentro da casa. É possível que o pai também agisse como transformador, mas pressinto que, com as mulheres-Deméter, o poder principal permanece com a mãe. Sua segunda transformadora, ainda humana, talvez tenha sido alguma sábia anciã, uma avó, um tipo de mulher como Meridel Le Seuer, essas velhas da tribo que sabem das coisas e instruem as jovens acerca dos fundamentos. A segunda intensificação leva diretamente a Deméter. Se a mulher houver tomado esse caminho, Deméter há de surgir. Suas estátuas mostram-na como uma mulher forte de rosto tranqüilo, mas poderoso e alerta. Ela traz próximo aos ombros hastes de trigo e serpentes. As serpentes sobem do chão; embora não as esteja segurando, elas estão muito perto, mas não há nenhum medo nesta proximidade, porque o trabalho foi completado. Deméter não é exatamente uma esposa, ela não está preocupada com a instituição do casamento (como Hera); ela traz consigo a energia das cavernas em forma não-diluída. A história de Deméter também estava ligada de uma maneira intensa (e que ninguém compreende inteiramente) com a capacidade de deixar de ser menina. [...] Deméter era evidentemente útil nesta área. Ela perdeu sua filha. Sua filha foi para baixo, *não para cima*, da terra. As mulheres passavam os três dias dos festivais de Deméter chorando pela garotinha que perdiam ao se tornarem adultas. Evidentemente, isso significava que, se aceitassem ser transformadas por Deméter, teriam que deixar para trás a condição de filha, e esta é uma dor terrível. Uma parte da mulher ia para baixo da terra. Deméter ensinava as mulheres a chorar por isso. Tão logo se chora, já se está embaixo da terra, tornando-se parte de todas as coisas criadas que crescem e florescem com as perdas. E ao mesmo tempo troca-se energia com as serpentes e o trigo e os porcos.

"The Great Mother and the New Father"
East West Journal, agosto 1978, p. 27

Coré, a filha, mais tarde passou a ser conhecida como Perséfone. Estudiosos contemporâneos não conseguem chegar a um acordo se esta Perséfone, que era rainha do mundo avernal, foi originalmente uma deusa diferente, cujo culto teria sido assimilado pelo de Deméter, ou se era meramente um outro aspecto da própria Deméter. Neste livro, tratamos Perséfone como uma deusa diferente somente no sentido em que ela, em sua forma madura ao tornar-se rainha do mundo avernal, adquiriu poderes e atribuições específicas. Em termos psicológicos, consideramos artificial, ou mesmo perigoso, que uma mulher trate a deusa da morte separada da deusa da vida. Na realidade, como mostra o capítulo sobre Deméter, quando uma mulher se identifica exageradamente com Perséfone (e com a proximidade desta com os espíritos dos mortos e com o próprio reino da morte), à exclusão das outras deusas, especialmente Deméter, distúrbios psíquicos são o resultado previsível. Por ora, ao falar de Deméter, iremos nos referir à sua filha simplesmente como Coré, a donzela, de maneira a distinguir as diferentes perspectivas.

Qual foi, então, a história de Deméter e de sua filha, na qual os célebres Mistérios de Elêusis se baseavam? Esta é uma das histórias centrais mais elaboradas de todos os mitos gregos, cujos principais temas e dinâmica psicológica iremos apenas resumir. Quanto aos Mistérios propriamente ditos, embora muito se tenha escrito a respeito, a maior parte dos comentários dos pesquisadores são, a nosso ver, especulativos e inconclusivos (veja quadro, "Os Mistérios de Elêusis"), embora às vezes ricamente sugestivos.

O mito, em sua forma mais completa contida em *O hino homérico a Deméter*, é o seguinte:

Enquanto colhia flores com suas outras irmãs donzelas, filhas de Oceano, Coré, filha de Deméter, é raptada por Hades, deus do mundo avernal, e levada para o além-túmulo. Durante nove dias, chorando inconsolavelmente, Deméter vaga pela terra, mas nem deuses nem homens ousam contar-lhe o verdadeiro destino de sua filha. Finalmente, Hélios, o que vê tudo, explica a ela que foi Zeus quem conspirou com seu irmão Hades para permitir que o Senhor das Trevas se casasse com a virgem.

Com a sua dor agora ampliada em ira contra Zeus, Deméter abandona o Olimpo e esconde-se entre os mortais disfarçada de anciã. Ela vai para Elêusis, onde se senta perto do Poço das Donzelas. Quando a filha do rei aparece para interrogá-la, diz que acabara de escapar de piratas que a haviam levado à força de Creta. Oferece então os seus serviços de ama-seca, e as filhas do rei Keleos arranjam para que ela ajude a cuidar do bebê Demófon, filho da rainha Metaneira.

Mas Deméter não amamenta o bebê Demófon. Em vez disso, esfrega-o com ambrósia e, à noite, esconde-o secretamente no fogo, a fim de torná-lo imortal e eternamente jovem. Porém, antes de completar o ritual, Metaneira, horrorizada, descobre o filho no fogo. Deméter repreende Metaneira pela estreiteza da sua visão, dizendo-lhe que agora a seu filho foi negada a imortalidade. A deusa abandona então seu disfarce e revela-se em toda a sua grandeza e esplendor, de modo que a casa inteira é invadida por uma luz estonteante. Ela exige que se construa um templo em sua homenagem, com um altar embaixo, e promete que irá ensinar os seus ritos aos seres humanos dali para frente.

Uma vez concluído o seu templo, Deméter retira-se para o seu interior e permanece "longe dos deuses bendios, definhando de dor pela filha". Ela envia uma terrível seca sobre a terra, que ameaça destruir a espécie humana, e rejeita todos os mensageiros de Zeus, recusando-se a pôr os pés no Olimpo ou a permitir que qualquer fruto brote sobre a terra até ver sua filha mais uma vez.

Finalmente, persuadido por Zeus, Hades cede, mas não sem antes dar a Coré a doce semente de uma romã, que ela come. Isso indica que Zeus concordou que ela permanecerá um terço do ano com seu marido, Hades, no mundo avernal, e o restante com sua mãe, Deméter, e os outros imortais. Mãe e filha são reunidas num clima jubiloso de festa no templo do Deméter em Elêusis, e Deméter miraculosamente envia frutos e folhagem por sobre toda a terra. Por fim, antes de retornar ao Olimpo, Deméter instrui os habitantes de Elêusis nos seus ritos sagrados e secretos.

"Bendito é aquele dentre os mortais que testemunha tais coisas", conclui *O hino a Deméter*, "mas aquele que não for iniciado nelas ou morrer sem elas, desce sem bênção para as lúgubres trevas. [...] É muito bendito sobre a terra aquele a quem os deuses amam, pois enviam Ploutos com sua abundante riqueza para a grande mansão desse homem."

A Deusa Tríplice e a psicologia da perda

De acordo com a tradição antiga, a Grande Deusa era sempre tríplice. Sua triplicidade podia ser vista na lua – crescente, cheia e minguante – e no fato de ela reger o mundo superior, a terra e o mundo inferior. Em termos humanos, ela era a Donzela ou Virgem, a Mãe e a Anciã. São estas três fases principais da vida de uma mulher – e, por analogia, também outras triplicidades – que a história de Deméter abrange. Pois Deméter se vê como uma *Donzela* virginal e intocada em sua filha, Coré. Ela é a *Mãe* desta filha e de tudo o que brota e cresce. E, ao perder Coré, torna-se uma velha, a *Anciã*, cujos anos férteis ficaram para trás e que se situa perto do término do ciclo, a morte.

Correspondendo a cada fase tradicional do ciclo estão três grandes perdas vividas por toda mulher que tem filhos, e especialmente por toda mulher que tem pelo menos uma filha. As três perdas são insinuadas de forma altamente condensada neste mito extraordinário:

Primeiro, ao entrar na puberdade, a jovem tem que sofrer a perda da sua inocência infantil; esta é a "morte da donzela" interior que toda mulher vivencia em maior ou menor grau (e que toda mãe precisa ter em mente quando vê o mesmo acontecendo em sua filha). Esta fase é simbolizada pela *flor*.

Segundo, existe a perda que a mãe sofre quando a filha (ou filho) é tomada em casamento ou deixa o lar para sempre. O casamento de uma filha primogênita querida é sempre uma experiência dolorosa e cheia de angústia, como toda mãe sabe. Quando todos os filhos, de ambos os sexos, deixaram o lar, ela poderá sentir a chamada depressão do "ninho vazio". Esta fase é simbolizada pelo *fruto* maduro.

Terceiro, existe a perda biológica que toda mãe sofre na menopausa, quando não pode mais gerar filhos. Muitas mulheres se deprimem nesta ocasião, tenham ou não sido mães. A fase fecunda da vida ficou para trás, tenha ou não se tornado manifesta, e uma certa tristeza é pertinente. Todavia, depois de bem atravessada, esta perda pode tornar-se um rito de passagem de iniciação na sabedoria madura da mulher idosa, que os antigos designavam como Anciã. Esta fase é simbolizada pela *semente*.

Por mais plangentes que sejam essas três perdas e suas variantes, o mito também mostra que cada uma delas é uma oportunidade de se despertar para um novo tipo de consciência; na realidade, cada uma é uma iniciação para a fase seguinte da vida. Quando a donzela morre, torna-se uma jovem nubente que logo também será mãe, abençoada com seus próprios filhos. Muitas das estelas de pedra de Elêusis mostram a jubilosa reunião de Coré com sua mãe, Deméter. Mas Coré não é mais uma menina, e sim uma mulher madura que traz consigo um filhinho. A donzela da flor tornou-se uma mãe com frutos.

Quando a mãe não pode mais conceber, passa a tocha da maternidade para a filha, transferindo a ela o pleno poder da fecundidade. Ao morrer para a mãe que existe dentro de si, a mulher idosa tem agora o potencial para ingressar na comunidade espiritual das anciãs, guardiãs do mistério da morte.

Hoje em dia, essas fases raramente são completadas com sucesso na vida de muitas mulheres, em parte por restar tão pouca consciência delas numa cultura predominantemente masculina e agressiva. Em lugar algum encontraremos uma concepção da maternidade e do ciclo feminino que seja ao mesmo tempo espiritual e fundamentada no corpo, capaz de alimentar, nutrir e inspirar as mulheres como na época do florescimento de Elêusis.

Deméter está hoje ferida na mesma medida em que toda a nossa cultura está alienada dos ciclos maiores da terra e dos ciclos menores de cada mulher. Conseguimos reduzir a mãe a uma conveniente máquina biológica de reprodução, ainda que um pouco imprevisível, que favorece ou prejudica (como nos países do Terceiro Mundo) a nossa avidez desenfreada de poder e riqueza. Retiramos a mãe da comunidade e dos ambientes de trabalho em geral, para confiná-la numa abstração sentimental chamada família. Houve pouco ou nenhum espaço para a consciência de Deméter em nossas práticas religiosas e culturais até recentemente, e mesmo hoje as mães e suas proles tendem a ser as últimas prioridades de qualquer planejamento econômico ou social.

Entretanto, sinais como o movimento defendendo o parto natural, a terapia familiar, toda uma nova percepção da alimentação e o despertar da consciência de "Gaia" (em que a terra é vista como uma única entidade orgânica – uma visão que Deméter partilha com Ártemis), talvez estejam anunciando o ressurgimento lento e doloroso de Deméter em nosso mundo. Talvez estejamos muito distantes da concepção dos gregos em Elêusis e que inspirou o mundo clássico por quase dois mil anos, mas esperamos que o comentário que segue, sobre as três fases do ciclo de Deméter, ajude as mães modernas a compreenderem um pouco mais a fundo a dignidade sagrada de seu chamado.

O primeiro ciclo de Deméter: donzela e flor

O início dO *hino homérico*, o registro mais antigo do mito de Deméter que dispomos, não perde tempo com imagens da intimidade doméstica da deusa com as filhas. Este enfaticamente não é um mito sobre uma mãe no lar; trata mais da maternidade conforme se reflete e é desfrutada na abundância da natureza. Concordamos que, para uma mãe moderna na cidade, isso deve parecer um pouco estranho. Todavia, não é difícil compreender o conteúdo emotivo do mito. À medida que a narrativa se desenrola, não podemos senão ficar pasmados diante da intensidade do amor e da dedicação de Deméter por sua filha. Uma dor de tamanha magnitude que chega a contemplar um fim para toda a vida na terra só pode surgir de um amor além do comum.

O amor entre Deméter e Coré é um belo e tácito segredo que somente uma mãe e uma filha podem realmente partilhar; os homens não participam dele e, na realidade, são totalmente estranhos a ele. Não importa o quanto um pai possa adorar e ser adorado pela filha, ele ainda está longe do amor da mãe pela menina.

SEMPRE DONZELA E SEMPRE MÃE

O trecho abaixo é o relato completo de uma nobre mulher da Abissínia registrado pelo etnólogo alemão Leo Frobenius e citado por Carl Kerényi em seu famoso ensaio "Kore".

Como pode um homem saber o que é a vida de uma mulher? A vida da mulher é muito diferente da do homem. Deus ordenou que fosse assim. O homem é o mesmo desde o momento da sua circuncisão até o fim de seus dias. Ele é o mesmo antes de ter conhecido uma mulher pela primeira vez, e depois. Mas o dia em que a mulher goza o seu primeiro amor divide-a em dois. Ela se torna uma outra mulher nesse dia. O homem é o mesmo depois do seu primeiro amor como era antes. A mulher é, a partir do dia do seu primeiro amor, outra. Isso continua para o resto da vida. O homem passa uma noite com uma mulher e vai embora. Sua vida e seu corpo são sempre os mesmos. A mulher concebe. Como mãe, é uma outra pessoa que a mulher sem filhos. Ela traz consigo o fruto da noite por nove meses no corpo. Algo brota em sua vida que jamais a deixará. Ela é mãe. Ela é e permanecerá mãe mesmo que seu filho morra, mesmo que todos os seus filhos morram. Pois em um momento ela carregou um filho sob o seu coração. E jamais volta a deixar o seu coração. Nem mesmo quando está morto. Nada disso um homem conhece; ele nada conhece. Ele não sabe a diferença entre antes do amor e depois do amor, antes da maternidade e depois da maternidade. Ele nada pode saber. Somente uma mulher pode saber e falar disso. É por isso que não aceitamos que nossos maridos nos digam o que fazer. A mulher só pode fazer uma coisa. Ela pode se respeitar. Ela pode se manter decente. Ela deve sempre ser como a sua natureza é. Ela deve ser sempre donzela e sempre mãe. Antes de cada amor ela é donzela, depois de todo amor ela é mãe. Nisso se pode ver se ela é uma boa mulher ou não.

Essays on a Science of Mythology, p. 101

Não foi ele que a concebeu e, portanto, não há como ele vivenciar este grande mistério.

Parte deste segredo é uma semelhança, um espelhamento, é o fato de que quando a mãe dá à luz uma filha (ao contrário de um filho, que é diferente), ela se vê a si mesma na inocência, pureza e beleza daquele pequenino ser feminino. Jung diria que a beleza e maravilha que uma mãe vê em sua filha é a percepção do seu próprio Self feminino transcendente, a perfeição do ser feminino. As meninas que são assim adoradas inevitavelmente crescem cumuladas com toda espécie de fantasias de "princesa" sempre que este arquétipo puder fluir naturalmente da mãe para a filha. Os habitantes da ilha de Báli, na Indonésia, parecem compreender um pouco desse mistério. Eles insistem que as meninas pré-pubescentes são as mais adequadas a assumir o papel das jovens deusas nas representações sagradas de seus mitos.

Grande parte do antagonismo que, infelizmente, existe entre tantas mães contemporâneas e suas filhas decorre do fato de a mãe ver na filha todas as coisas que nunca teve quando criança – a sua própria carência de carinho materno. E o seu amor transforma-se em rancor e inveja. Falamos desse relacionamento fraturado no capítulo sobre Hera, tão vigorosamente identificada com os valores patriarcais em decorrência de seu casamento com Zeus, que acabou desgraçadamente se alienando da sua verdadeira natureza feminina. As chagas maternas de Hera provêm em parte do fato de ela ter perdido contato com os mistérios de Deméter e Coré. Esses mistérios remetiam outrora à unidade e amor primordiais entre mãe e filha, e a uma solidariedade entre mulheres que remonta à plenitude e atemporalidade da consciência matriarcal (veja quadro, "Sempre Donzela e Sempre Mãe").

Na verdade, o mito começa com uma imagem idílica desta unidade primordial: mãe e filhas divertindo-se numa campina em meio a uma abundância de flores. Mas, como no paradisíaco Jardim do Éden, esta unidade será logo estilhaçada com o advento do Senhor da Morte. Esta é a primeira perda, a perda de uma unidade beatífica, quase simbiótica, entre mãe e filha, uma unidade que começa no próprio útero onde, desde os primórdios do tempo, ambas estão unidas na própria fonte da vida em si.

Carl Kerényi, em seu excelente ensaio "Kore", comenta como é semelhante à das flores a existência dessas meninas; como, em sua beleza e inocência, elas estão fadadas, qual botões de flor, a logo cair e murchar. Ele cita o poema "Fidelity" de D.H. Lawrence:

> Ó flores que murcham por se moverem ligeiras; uma pequena torrente de vida
> Chega até a crista do talo, reluz, dobra-se sobre a volta da parábola de luz curvada
> afunda, e desaparece, como um cometa recurvando-se para o infinito.

Quantas vezes as mães não se pegam lamentando em silêncio o crescimento por demais rápido dos filhos? Como nós todas perdemos depressa aqueles instantes inestimáveis da infância: aqueles olhares angélicos de partir o coração, aquelas palavras, gestos, expressões, dons, que acabam se esvaindo. Tentamos desesperadamente imortalizá-los em fotografias, filmes caseiros, cachos de cabelos, recordações, histórias e casos contados cem vezes. Neste aspecto, somos a Deméter que tenta imortalizar o menino Demófon no fogo. Isso, porém, não funciona no plano humano, qualquer que seja a motivação. Ser mãe é, portanto, conviver incessantemente com um certo tipo de perda, é nunca parar de aprender a sacrificar o momento enquanto o fluxo da vida prossegue sem cessar.

O despertar de Coré: o mensageiro sombrio que vem de baixo

E o que acontece com Coré neste momento de separação? O botão de flor cai da árvore, por certo. Não mais plenamente ligada à mãe, a infância chega ao fim e tem início um profundo despertar. Prosseguindo com nossa analogia da flor, poderíamos atribuir tudo ao aparecimento da figura masculina, Hades. Um desfloramento seria uma metáfora pertinente no nível externo e social, e de fato ela acabará sendo parte da iniciação da jovem ao casamento e à sexualidade.

No entanto, algo ocorre antes da perda da virgindade, algo pelo qual praticamente todos os comentadores da história de Deméter passaram em silêncio, algo que irá modificar a consciência que a jovem tem de si mesma de maneira mais profunda do que qualquer homem seria capaz: ela começa a menstruar.

É claro que este fato não é explicitado assim nos *Hinos homéricos* ou em qualquer outra parte; a maioria dos mistérios que se referem aos órgãos genitais são removidos ou expressos simbolicamente. Porém, dizer que Coré tornou-se ciente da terra abrindo-se debaixo de si é na realidade dizer que profundos movimentos começam a ocorrer *no interior do seu próprio corpo*. A função de Hades é, portanto, arrastá-la para baixo a uma nova consciência dos movimentos internos de seu corpo enquanto mulher, enquanto veículo de criação. O grande ciclo da vida e da morte, que até então pertencera vagamente ao mundo exterior, agora proclama-se dramaticamente dentro do seu útero sob a forma do primeiro sangramento.

Um filme de fantasia pouco conhecido produzido na Tchecoslováquia, chamado *A semana de maravilhas de Valerie*, capta essa memorável experiência subjetiva. O filme começa com Valerie, uma garota pubescente, caminhando por uma trilha no campo e subitamente descobrindo gotas de sangue caindo de entre suas pernas e molhando a relva. Esta visão estarrecedora inicia uma série de fantasias semigóticas, de histórias de fadas que incluem um vampiro que a persegue atrás do seu sangue e bruxas que tentam engodá-la para as suas práticas.

O vampiro de Valerie é claramente uma versão de Hades. Por mais sinistro que possa parecer a Valerie, do nosso ponto de vista ele é uma figura muito útil e prestimosa que ilumina a parte obscura do mito grego, a saber, que Hades é o arauto dos mistérios do sangue. Independentemente de a menina na puberdade haver sido preparada ou não para a primeira menstruação, sua primeira reação quase sempre é de choque, especialmente se não foi instruída a esperar um grande fluxo de sangue. Um temor bastante compreensível que poderá surgir é ela acreditar que foi ferida e que poderá sangrar até a morte. É isso o que o inconsciente capta e personifica sob a forma de figuras tenebrosas e ameaçadoras que muitas vezes portam armas e sempre estão atrás de sangue de alguma forma sinistra. Outra versão clássica deste tema é a história de Chapeuzinho Vermelho, onde a figura de Hades é o lobo, Deméter é a avó e Coré veste a cor que revela o significado menstrual da história.

Nossas clientes vivem relembrando suas reações de horror diante da primeira menstruação. "Acordei na cama com sangue em todos os lençóis e pensei que estava morrendo", é uma lembrança típica. Em retrospectiva, podemos rir de nós mesmas, mas esta compreensão inicial cala fundo na psique de toda mulher, por mais que ela depois a racionalize e a sanifique. Infelizmente, essas reações primitivas e bastante significativas também podem ser muito confundidas e distorcidas pelas atitudes complexas da mãe. Pode ser que nossa mãe tenha feito pouco ou nada para nos preparar porque ela própria não recebeu nenhuma orientação nessa idade. Ou pode ser que ela reaja com aquela auto-aversão pelo corpo tão profundamente arraigada, característica da nossa cultura puritana. Se tivermos sorte, o acontecimento será recebido com um mero silêncio embaraçado, ou talvez com algum jargão pseudomédico que pretende de algum modo explicar o fato de sermos "uma mulher agora".

Infelizmente, para a maioria das mulheres, o rico manancial de significados femininos que flui com a primeira menstruação é deixado sem qualquer explicação, destituído de qualquer bênção, e permitido submergir confusamente de novo ao inconsciente. O que deveria ter sido a primeira grande iniciação nos mistérios atemporais da maternidade – uma identificação mística com o corpo da Grande Mãe que é vida, morte, terra e cosmos – torna-se ao invés um momento de vergonha e alienação de si mesma.

Por mais bem-intencionada que seja a mãe, é difícil para a maioria das adolescentes se esquivar do medo coletivo e da aversão coletiva pelas funções femininas que caracterizaram milhares de anos de consciência patriarcal no Ocidente. Se houvessem sobrevivido, os mistérios de Deméter e sua filha certamente teriam colocado essas questões todas sob uma ótica bastante diferente; desgraçadamente, porém, não temos nenhum equivalente deles hoje em dia. Pelo contrário, somos obrigadas a conviver, nas palavras de Jung, com a "falta de higiene psíquica que caracteriza a nossa cultura".

Ouvindo o que essa chaga profunda tem a dizer

Concordando com Jung e com os muitos autores que ele inspirou, nós também achamos que a maioria das perturbações menstruais e ginecológicas podem ser, em última análise, atribuídas às atitudes profundamente negativas com que tantas mulheres aprenderam a considerar os seus corpos em geral e a função menstrual em particular – o que resumidamente poderíamos chamar de um denegrir dos mistérios femininos do sangue. Quaisquer que sejam as origens precisas de a menstruação ser chamada de *"the curse"* ["praga" ou "maldição"] nos países de língua inglesa, esta e muitas outras expressões depreciativas para o período menstrual revelam diante do corpo feminino uma atitude que seria considerada profundamente patológica em qualquer outra cultura que não a nossa.

Foi, portanto, um acontecimento de considerável importância a publicação na Inglaterra em 1975 do primeiro livro a emergir da experiência *interior*, o que vale dizer *psíquica*, da menstruação. Este livro foi *The Wise Wound*, de Penelope Shuttle e Peter Redgrove. No início dos anos 70, Shuttle se consultara com o finado John Layard, um analista junguiano, em busca de alívio para as suas graves e crônicas depressões pré-menstruais. Depois de vários meses de anotar cuidadosamente e de analisar diariamente com ele os seus sonhos, ela constatou que as imagens oníricas refletiam de perto as oscilações do seu ciclo menstrual. Redescobriu também no ciclo lunar mensal da sua vida onírica o aparecimento repetido daquela figura interior que, da puberdade em diante, é o arauto da menstruação, a figura que acreditamos tenha sido cultuada no mito de Deméter e que era conhecida pelas mulheres gregas por Hades.

O extraordinário é que os sintomas pré-menstruais de Penelope Shuttle foram pouco a pouco desaparecendo à medida que ia aprendendo a ouvir e a seguir a temática interior de seus sonhos, entrando espontaneamente em harmonia com o seu ciclo mensal lunar, algo que Erich Neumann considera fundamental para a "consciência matriarcal" (veja quadro no capítulo 6, "Erich Neumann Fala Sobre a Consciência Matriarcal"). Inspirada por essas percepções, ela e o marido colocaram subseqüentemente por escrito esta singular psicologia da menstruação que é *The Wise Wound*. Eles constataram, entre outras coisas, que uma figura masculina interior (identificada com o "animus" de Jung) mantém uma relação específica com o período menstrual e com a identidade da mulher madura como um todo. Os próprios autores tentam descrever esta idéia difícil e estranha:

> A energia que toma conta da mulher em certas circunstâncias, [é] muitas vezes personificada em seus sonhos – como um homem sombrio, misterioso, criminoso – ou em seus sentimentos, quando aparece como uma energia masculinizada. Mostramos que essa energia tende a aparecer durante o paramênstruo da mulher e que representa "a outra dimensão" da sexualidade feminina. [...] Poderíamos dizer que, como a natureza polarizou os sexos em macho e fêmea, a qualidade desconhecida numa mulher será provavelmente representada por uma figura masculina. Ou, em outras palavras, talvez pudéssemos afirmar como Bettelheim que as crianças são "deutras", masculinas e femininas, e que na puberdade o componente masculino das mulheres torna-se oculto e dissimulado, por assim dizer. Se este último modelo estiver próximo da verdade, será lícito então dizer que toda menstruação recorda as circunstâncias da primeira, a menarca, a ocasião em que o nosso outro eu tornou-se subterrâneo (p. 119).

O que Penelope Shuttle parece ter descoberto é que, deixando de rejeitar o movimento descendente de seus períodos menstruais e aceitando a energia da morte implícita no sangramento mensal, ela transformou o que foi tantas vezes chamado de maldição numa bênção. Os autores, por exemplo, constataram que a libido geradora que poderia ter sido dirigida a uma gravidez torna-se disponível para fins eróticos e criativos.

Em algum nível, as mulheres gregas que se consagravam a Deméter e à sua filha em Elêusis devem ter compreendido a alegoria menstrual de Coré ser levada para os mundos inferiores, pois era comum sacrificar-se um porco na purificação preparatória para os grandes festivais eleusinos. A porca, com seus diversos úteros, e o derramamento de seu sangue sobre a terra – havia um grande fosso sacrificial em Elêusis – certamente permitiam que a mulher reverenciasse o seu próprio sangramento e, por analogia ritualística, participasse do sangramento sagrado da própria Mãe Terra.

O nosso mito diz que Coré acabou retornando para a mãe e que a terra tornou-se novamente fértil. Os seres humanos, e as mulheres em especial, têm uma grande lição a aprender com a suspensão do grande ciclo das estações. Esta interrupção ensina-lhes que a morte, na forma de Hades, e Deméter, em sua ira e dor, têm que ser *ambas* propiciadas para que o grande ciclo prossiga. O que é verdadeiro para o ciclo maior das estações é também verdadeiro para o ciclo menor da menstruação da mulher.

Pois, na realidade, não há apenas uma perda anual, mas também uma mensal. O grande ciclo solar do nascimento e morte das estações é reproduzido numa dimensão mais íntima no ciclo de 28 dias da lua, que cresce, fica cheia e lentamente míngua. A última fase lunar corresponde simbólica e fisiologicamente ao ciclo menstrual da mulher. Uma médica de quem ouvimos falar descreve a menstruação para suas alunas numa aula de saúde feminina como as "lágrimas de um útero decepcionado". Ela acerta em cheio na atitude mais positiva diante do que é, para todos os efeitos, uma morte em miniatura todos os meses.

Um dos ensinamentos de Deméter é que toda mulher, tenha tido filhos ou não, deve reverenciar a morte e renovação mensais que ocorrem em seu corpo. Esta é uma parte integrante da sua natureza cíclica enquanto mulher, o fato de a terra estar misteriosamente ligada à lua. Cada mês um óvulo é liberado dentro de si que, exceto em algumas raras ocasiões da sua vida (talvez nunca), se desprenderá e será devolvido à terra. Eis aqui o significado da romã para Coré; quando desce aos mundos inferiores, ela descobre neste exuberante fruto vermelho, com seus cachos de uvas semelhantes ao sangue, uma imagem perfeita de uma ovulação plenamente sazonada. Trata-se de um sacramento de sangue com a terra, não mais, não menos.

O segundo ciclo de Deméter: mãe e fruto

A beleza do mito está no seu infindável movimento de retorno. Coré retorna à mãe, as estações sempre retornam; o ciclo interior, com seu potencial de fecundidade, retorna todos os meses com a ovulação e a preparação do útero.

E quando um dia dá-se a misteriosa união interna da semente masculina e do óvulo feminino, a terra pessoal da mulher começa a lhe dar avisos da segunda grande incisão em Deméter: a gravidez. Variantes posteriores do mito, bem como relatos dos Mistérios, afirmam que Coré, ao retornar do mundo avernal, traz consigo uma criança, um pequeno menino. A donzela tornou-se mãe; a união com Hades, arauto interior da menstruação e arauto exterior da sexualidade, está completa, e tem início a fase seguinte da consciência de Deméter. Numa passagem citada por Jung e nos comentários de Kerényi sobre Coré em *Essays on a Science of Mythology* (veja também quadro, "Sempre Donzela e Sempre Mãe"), uma mulher da nobreza de uma tribo da Abissínia descreve esse despertar com uma dignidade raras vezes encontrada nos escritos das mulheres européias:

A mulher concebe. Como mãe, é uma pessoa diferente da mulher sem filhos. Ela traz consigo o fruto da noite por nove meses no corpo. Algo brota em sua vida que jamais a deixará. Ela é mãe. Ela é e permanecerá mãe mesmo que seu filho morra, mesmo que todos os seus filhos morram. Pois em um momento ela carregou um filho sob o seu coração. E ele jamais volta a deixar o seu coração. Nem mesmo quando está morto. Nada disso um homem conhece; ele nada conhece.

A nobre mulher abissínia expõe dois fatos fundamentais sobre este estágio da consciência de Deméter que facilmente se perdem em meio a todo o jargão técnico da ginecologia científica moderna. Primeiro, a gravidez reorienta e reorganiza totalmente o senso de corpo da futura mãe. Segundo, um relacionamento sensível tem início com o pequenino ser que ainda é invisível mas que, num grau cada vez maior, será literal e figuradamente sentido "sob o coração".

Como não é nosso propósito estudar os modos e meios da ginecologia e da obstetrícia, não será necessário insistir nas transformações orgânicas da gravidez e do parto como tal, exceto quando evocam imagens subjetivas para a própria mãe. Internamente, ela sentirá com intensidade sempre crescente que encerra algo em si, que se tornou um recipiente maior, que há em seu interior uma enormidade até então inconcebível. Se alguma vez existiu terra como mãe, é ela agora. Seu corpo também é tomado por transformações físicas: ela se sente transbordando de leite, repleta de novos fluidos e sumos, assolada de estranhos apetites, sobrepujada por um enjôo debilitante; pele, cabelo, cútis, tudo fica diferente. Tudo é parte do grande despertar da consciência de Deméter, agora como mãe prenhe de um fruto.

Para muitas mulheres, a primeira gravidez é um choque tão grande quanto a menarca. Subitamente, o seu corpo bem arranjado e bem disciplinado passa a obedecer leis inteiramente distintas de crescimento e estética. Quando Jennifer, a co-autora deste livro, ficou grávida de nossa filha num período de sua vida dominado por Atena, ela sonhou certa noite que estava no sótão experimentando roupas quando encontrou uma antiga e outrora confortável armadura. Quando a experimentou, verificou que *não lhe servia mais*.

Nada mais serve na gravidez: nem roupas, nem alimentos, nem ambições, nem a imagem de si tão cuidadosamente cultivada. Citamos abaixo as memórias de Isadora Duncan, a célebre dançarina, a quem a deusa Deméter afastou temporariamente de uma existência regida principalmente por Ártemis e Afrodite. A despeito de todas as suas concepções radicais sobre filhos fora do casamento, quando Isadora efetivamente ficou grávida de uma criança ilegítima, ela foi tomada por uma considerável ambivalência, também em relação à sua auto-imagem física:

> Agosto chegava ao fim. Veio setembro. Meu fardo tornara-se muito pesado. [...] Mais e mais o meu lindo corpo abaulava-se diante de meu olhar estupefato. Meus pequeninos seios rijos cresceram, tornaram-se moles e caíram. Meus ágeis pés ficaram lentos, meus tornozelos incharam, meus quadris ficaram doloridos. Onde teria ficado a minha linda e jovem forma de Náiade? Onde a minha ambição?

Depois de um doloroso parto com fórceps, Isadora deu à luz. Ela descreve sua reação ao fato de se ter tornado mãe da seguinte maneira:

> Bem, eu não morri com isso. Não, não morri – nem também a pobre vítima isentada em momento oportuno de seu tormento. E então, poder-se-ia dizer que quando vi meu bebezinho eu me senti recompensada. [...]
>
> Nas primeiras semanas, eu costumava deitar longas horas com a criança nos braços, vendo-a dormir; às vezes captando um olhar em seus olhos; sentindo-me muito próxima do limiar, do mistério, talvez do conhecimento da Vida. [...]
>
> Pouco a pouco, minhas forças voltaram. Muitas vezes me pus diante da maravilhosa Amazona, nossa estátua votiva, com um entendimento solidário, pois também ela nunca mais estaria tão gloriosamente apta para a batalha.
>
> Citado em *Ever Since Eve*, de Nancy Caldwell Sorel, p. 82

As auxiliares internas de Deméter

O outro grande despertar da consciência de Deméter durante o ciclo de nove meses dá-se no plano psíquico. Potencialmente, esta é uma grande oportunidade de introversão, de voltar para si a energia psíquica, o que pode se manifestar em momentos tranqüilos de reflexão ao fazer tricô, preparar o quarto do bebê, cuidar do jardim, ouvir música. Esta é uma época em que fantasias sobre a criança que vai chegar brotam espontaneamente, fantasias que devem ser incentivadas, pois contêm muito material rico para o que se chama "acalento psíquico" – um acalento que é prelúdio do elo físico e emocional que ocorrerá logo após o nascimento.

Até recentemente, pouco havia se escrito ou estudado a respeito da interação entre a consciência da mãe e a do feto, em parte porque não se considerava o feto capaz de consciência. No entanto, notáveis trabalhos experimentais resumidos no livro do dr. Thomas Verney, *The Secret Life of the Unborn Child*, deixam bastante evidente que, desde muito cedo, a criança ouve e absorve da mãe toda espécie de mensagens e sentimentos. A mãe, portanto, precisa ser muito franca com seus pensamentos nessa fase; incertezas e medos virão à tona, por certo, mas podem e devem ser enfrentados e aceitos como fantasias sobre o desconhecido, não como previsões literais.

É útil perceber que, da perspectiva da psicanálise e da mente inconsciente, é virtualmente impossível para uma mãe meditar sobre o parto sem que também surjam imagens do seu contrário arquetípico, a morte. Pois o inconsciente coletivo das mulheres, ao qual a mulher grávida tem acesso em seus devaneios, é repleto de tragédias de filhos perdidos (veja o final do capítulo sobre Ártemis). Imagens de crianças mortas e de nascimentos monstruosos, medos de deformidades, e muito mais, emergem involuntariamente como fantasmas vindos do reino avernal de Perséfone, resíduos acumulados de milênios de experiência feminina – não precognições pessoais.

Contrabalançando esses presságios mais sombrios, surgem também sonhos e fantasias de guardiães angélicos, guias espirituais e ancestrais benevolentes, especialmente avós e bisavós há muito falecidas que, não obstante, parecem vigiar o grande evento. A extraordinária obra coletiva de Judy Chicago, *The Birth Project*, é repleta de imagens dos movimentos internos sentidos durante a gravidez e das forças guardiãs que atuam antes e durante o nascimento.

Como um exemplo da natureza benéfica dessa fase introvertida da consciência de Deméter durante a gravidez, podemos citar Barbara, uma de nossas clientes, carregada de angústias durante sua terceira gestação. Incentivá-la a anotar os seus sonhos trouxe à tona inúmeras imagens de ladrões invadindo a sua casa, mudando os móveis de lugar e roubando artigos diversos como roupas. Essa parte foi fácil de interpretar: eram imagens das mudanças psicológicas interiores que perturbavam seu equilíbrio corporal e a impediam de usar certos vestidos.

Mas então, por volta do segundo trimestre de gravidez, Barbara decidiu ir patinar com uma amiga. Acabou caindo e ferindo gravemente o cóccix, embora não tenha havido absolutamente nenhum dano ao feto. Suspeitando que o acidente tivesse algum tipo de indução inconsciente, nós a incentivamos a explorar seus sentimentos em relação a ele: "Eu me senti completamente perdendo o controle por um ou dois instantes", disse. "Agora tenho medo de perder completamente o controle do meu corpo." A mensagem simbólica para os terapeutas era clara; ela perdera contato com sua terra interior e com a sua terra exterior, algo exacerbado pelo seu acidente ao patinar.

Quando solicitada a explorar as sensações de tombar e cair, Barbara produziu espontaneamente esta notável fantasia em estado de vigília:

Caio num buraco na entrada de carro da nossa casa e, de repente, me vejo debaixo da terra, onde é escuro. Quando meus olhos se acostumam à luz tênue, vejo uma mulher muito, muito velha, parecida com uma bruxa. Diz que estava me esperando há bastante tempo. Embora seja medonha, sou estranhamente atraída por ela. Ela então me mostra um enorme caldeirão borbulhante, e diz que está preparando bebês e que tem poder sobre a vida e a morte – mas que este lhe foi tomado. Está tramando vingança. Quer que eu mexa o caldeirão, o que me deixa um pouco enojada; tem cheiro ruim e pedaços de corpos boiando.

A velha está planejando recuperar seu poder, mas precisa da minha ajuda. Eu tenho de encher um pequeno pote de bronze com a poção e enterrá-lo no parque público, perto do jardim das ervas, sob a lua cheia. A mistura lança uma espécie de feitiço em volta, e constato que o medo que normalmente sinto de ser atacada por homens nesse parque havia desaparecido por completo.

Quando volto para a bruxa, ela parece mais contida e amistosa. Está contente que eu tenha enterrado o que tinha para enterrar. Mas torno-me estranhamente ciente de que há algo vivo na terra, como se emanações saíssem de lá. Ela diz que eu deixei de pagar minhas dívidas, e quando pergunto, "Que dívidas?", mostra-me uma árvore no fundo da casa em que morava quando tinha oito anos. Eu costumava acreditar que havia fadas morando numa fenda dessa árvore.

A bruxa diz para eu entrar na fenda da árvore e, de novo, estou debaixo da terra, embora tenha de ficar de barriga no chão para descer. Lá embaixo há uma multidão de pessoas pequeninas que me mandam tirar toda a roupa e me banham numa enorme banheira de um material macio como o bronze. Sinto-me como Branca de Neve, pois são todos anõezinhos. Sinto-me maravilhosamente bem cuidada, como um bebê.

Em seguida, os anões me mandam embora, dizendo que eu preciso encontrar algo que estava perdido, algo numa caixinha dourada guardada por um terrível dragão. Vejo-me agora diante de outra árvore, uma árvore encantada desde a minha infância onde certa vez enterrei um bracelete e uma moedinha de prata. Noto que essa árvore fica perto de alguns arbustos onde eu costumava me esconder quando era garota para defecar, sem que minha mãe soubesse. Mas ela acabou descobrindo e me castigou severamente. Percebo que minha mãe era o dragão e que eu de algum modo perdi minhas ligações "naturais" com o mundo "mágico" exterior quando me castigou e me obrigou a defecar dentro de casa.

Finalmente, a bruxa me faz lembrar o nascimento da minha irmã quando eu tinha seis anos. "O conhecimento dos mistérios lhe foi negado quando você tinha seis anos", diz ela. (Lembro que fiquei profundamente decepcionada porque minha mãe se recusara a explicar sua roupa de gravidez para mim na época.) "Mas agora você deve meditar sobre o processo de entretecimento no útero. Entre dentro do seu próprio útero e observe os mistérios que lá se desenrolam. Voltarei a falar com você."

Sem sombra de dúvida, esta fantasia provocou em Barbara um sentimento totalmente novo a respeito da sua gravidez e da sua ligação com o corpo. A bruxa interior, provavelmente uma imagem avernal de Deméter-Perséfone como vida e morte combinadas, com efeito a iniciara ao lembrá-la de suas antigas ligações com a terra, quando ainda criança defecara para a Deusa e conversara com os espíritos das árvores, e quando o seu centro de energia inferior estava totalmente aberto e ligado à imagem da árvore. Os anões subterrâneos assemelham-se bastante ao antiqüíssimo culto grego da Grande Deusa-Mãe, longinquamente associado ao de Deméter, em que ela é assistida por pequeninos e grotescos servos chamados *Kabiroi*. Os mistérios avernais do útero preservam sua qualidade ambivalente, mas Barbara agora mantém uma ligação com eles através de sua imaginação criativa.

Como adendo, podemos dizer que Barbara teve o seu bebê, uma menina, sem nenhuma complicação, e depois nos escreveu dizendo o quanto se sentia ligada a ela em decorrência de suas fantasias e o quanto se sentia diferente em relação à gravidez e a si mesma.

A plenitude de Deméter como mãe fecunda

Se a futura mãe terá tempo ou a inclinação para, como Barbara, mergulhar dentro de si durante a gravidez, fantasiar a respeito de seu filho e "meditar sobre o processo de entretecimento no útero", dependerá de diversos fatores. A segurança econômica é, por certo, um dos principais; se tiver que trabalhar até quase o dia do parto, haverá pouca oportunidade para introversão, embora alguns serviços manuais e repetitivos possam na realidade ser favoráveis a esse estado de espírito. Uma mulher-Atena ou -Ártemis esperando um bebê tende a ficar tão envolvida nos esquemas extrovertidos da vida que esta possibilidade geralmente será ignorada ou considerada desnecessária.

Porém, qualquer que seja o estilo da gravidez, o parto e a chegada da criança marcarão um fim abrupto para esse período de ponderações ou de alvoroçada inconsciência. As dores do parto costumam ser um tipo de transição iniciática que põe fim ao idílio da gravidez e anunciam as árduas exigências da verdadeira maternidade.

A partir do momento em que se vê com o seu bebê, o poder arquetípico da consciência atemporal de Deméter é plenamente despertado. As dores do parto desaparecem como uma noite intranqüila, e uma súbita irradiação de amor maternal, daquele amor demétrico que a tudo abrange, refulge carinhosamente sobre o pequenino e indefeso ser que carregou sem ver sob o coração durante todos esses longos meses. Muitas mulheres mudam radicalmente com o nascimento do primeiro filho, a despeito de todos os medos e inseguranças anteriores. Outras, Deméter por natureza, despertam para a maternidade de maneira tranqüila e confiante, como se tudo em suas vidas tivesse conduzido para este momento.

Quando a consciência de Deméter emerge neste importante ponto de ruptura da vida da mulher, sua energia adquirirá contornos de generosa extroversão, por assim dizer: todos os seus pensamentos, todos os seus sentimentos e reflexos tornam-se agora inteiramente adaptados às necessidades da criança, não mais às suas próprias ou às de quem quer que seja. Seu sono e seus sonhos acompanham agora os ciclos do bebê, e seus ouvidos ficarão superaguçados a qualquer gemido ou balbucio. Divertir-se, ler romances, arrumar a varanda (a menos que seja um

ALGUMAS EXPERIÊNCIAS CONTEMPORÂNEAS DE PARTO

Eunice Brinkley, Plainfield, New Jersey:
Pouco depois de eu dar entrada no hospital, o médico chegou e disse, "Vamos acabar logo com isso antes que seu marido chegue". E eu disse, "O que você está fazendo?" Ele disse, "Estou rompendo a bolsa d'água. Isso vai melhorar a qualidade das contrações".

As contrações triplicaram e quadruplicaram. Eu estava tremendo na cama. Era um tipo de dor que atravessa a gente e reverbera por todo o corpo.

Por volta das quinze para as seis, comecei a empurrar. Estava absolutamente encantada. A sensação de empurrar era muito gostosa – quase orgásmica. Eu estava me deleitando empurrando, quando eles anunciaram que iam fazer uma cesariana.

Comecei a gritar que eu *não* ia fazer uma cesariana. O que poderia estar errado? Eles disseram, "Sra. Brinkley, o batimento cardíaco de seu bebê está ligeiramente alterado. Nós o classificamos como um caso de risco."

Eu disse, "Mas eu estou empurrando! Eu *já* estou tendo o bebê!"

Ninguém me respondeu. Começaram a fazer um monte de coisas numa correria, desligaram todos os fios e instrumentos de monitoração, tiraram as minhas roupas e rasparam a minha barriga, enquanto eu protestava o tempo todo.

Eu protestei o tempo todo que eles me empurraram pelo corredor – nua em cima da maca – até a sala de operações. Protestei até o momento em que me apagaram com a anestesia.

Citado em *Mother Jones*, julho de 1980

Helen Bagshaw, escritora e educadora de parto inglesa:
Minha primeira filha e eu fomos ambas física e emocionalmente maltratadas quando ela nasceu num hospital inglês. O medo reduzira o meu limiar de dor a tal modo que a tecnologia acabou intervindo, e minha filhinha foi arrancada do meu corpo. [...]

Minha segunda filha nasceu em casa... em minha própria cama, sendo recebida ao mundo por uma parceira gentil e alguns bons amigos.

Citado em Judy Chicago, *The Birth Project*, p. 195

Caterine Milinaire, cantora:
O momento milagroso foi quando comecei a cantar como um prolongamento da respiração. Eu ganho a vida cantando, e cantei como eu nunca cantara antes para trazer essa criança ao mundo. Imaginem uma sala de parto com mulheres cantando, que belo coro seria! Cantar é uma grande válvula de escape para as emoções durante a gravidez e o parto. Substitui a autocomiseração. De modo que, quando em dúvida, não pare de cantar.

Ibid, p. 197

local de brinquedo), ajudar a planejar a próxima campanha de vendas do marido – *tudo* vai por água abaixo.

A partir do instante em que a energia de Deméter toma inteiramente conta da sua mente – ou melhor, de seus instintos – a mãe aprenderá uma maneira inédita de ser consciente. Como no Zen ela desenvolverá a capacidade de estar no "aqui e agora", de largar a tigela de sopa para amparar a criança caindo, por exemplo, ou de tornar-se capaz de malabarismos incríveis segurando o bebê, esquentando a mamadeira, atendendo ao telefone e preparando a lancheira, tudo ao mesmo tempo e sem erro. Ela passa a funcionar em "multipistas", na expressão de uma mãe amiga nossa, e perde jovialmente o interesse por acabar o que quer que seja – fazer panquecas, preencher cheques, conversar ao telefone ou assistir sua novela favorita.

Para a mulher que estamos chamando de "Deméter natural", boa parte disso vem facilmente ou é rapidamente aprendido. Somente uma tensa mãe-Atena temendo fracassar terrivelmente ou uma mãe-Hera que dogmaticamente insiste na maneira "certa" de pôr fraldas é que lê o dr. Spock com tanta diligência e sofreguidão. A Deméter natural nunca leu muito, e certamente não recorrerá a livros agora que tem filhos. Ela parece "saber" o que é necessário na maioria dos casos; ela tem uma espécie de sabedoria popular, geralmente advinda da sua própria mãe-Deméter. Num nível mais profundo, o suprimento aparentemente incansável e inesgotável de paciência, devoção e acalento pelos filhos provém do fato de toda mulher-Deméter, como mãe, identificar-se com o arquétipo da Grande Mãe em si. De maneiras que jamais lhe passaria pela cabeça colocar em palavras, ela se sente próxima às fontes físicas e emocionais da própria vida.

Convém lembrar que o mundo de Deméter é antes e acima de tudo o mundo de uma criança, não de um adulto. Ela está em sintonia primordialmente com as fases pré-verbais e pré-egóicas dos filhos, o que vale dizer, com as suas necessidades predominantemente físicas e emocionais, não com o seu desenvolvimento intelectual. Bebês e crianças pequenas deixam-na fascinada pelo que são, não pelo que virão a ser. Além disso, adora identificar-se com a consciência infantil dos pequeninos. Sua total empatia com as agruras de um nariz escorrendo, de uma fralda transbordando ou de um joelho esfolado é totalmente sincera.

A gestalt criança-adulto da consciência de Deméter, comparada com a de todas as outras pessoas, é na realidade invertida. Para a maioria dos adultos, o barulho das crianças é um ruído de fundo que abstraem; em Deméter, acontece justamente o contrário. Não poucos maridos e amigas já se consternaram quando uma exultante Deméter recebe as boas novas de um novo incentivo fiscal, de novas leis antipoluição ou de uma tremenda liquidação no *shopping center* com a mesma exclamação calorosa ("Que maravilha!") que usara momentos antes para a última gracinha de seu bebê.

É preciso que se diga que a infindável engenhosidade, tolerância e generosidade que certas mães-Deméter parecem adquirir depois de dois ou três filhos provoca uma atitude bastante cética e não pouco cínica por parte das outras deusas. Muitas mulheres, nas quais Deméter está ausente ou bem oculta porque ferida, se sentem tentadas a ridicularizar a "santidade" da Deméter natural ou a desprezar o que parece ser uma falta de inteligência. É extremamente difícil para Atena, Ártemis e Hera, que têm egos tão desenvolvidos e maneiras tão pragmáticas/racionais de agir, colocarem-se no estado de espírito sem ego de Deméter.

O fato é que a maternidade oferece pouca ou nenhuma gratificação para o ego. As mesmas tarefas sempre têm que ser feitas repetidamente, sem qualquer congratulação; o prato do bebê cai no chão pela nonagésima vez e tem que ser limpo; a cama encharcada tem que ser trocada pela centésima primeira vez. Mas adivinhe o que acontece logo que a criança está um pouquinho maior? Exato, lá vem outro bebê a caminho, e Deméter recomeça tudo de novo. Infelizmente, para a pobre Atena, que mede tudo em termos de realização pessoal, isso não confere diploma nenhum; e a pobre Hera terá que aceitar não haver qualquer reconhecimento público por serviços prestados além do estrito cumprimento do dever.

Qual é, então, a recompensa de Deméter? Será que ela é realmente tão generosa, uma verdadeira santa de avental? Claro que não. Se é isso o que pensamos, estaremos esquecendo que o cerne da consciência de Deméter é o crescimento de seus filhos. Como indica o mito de Deméter e Coré, a consciência de Deméter é dual, abrangendo mãe e filho; e, como vimos, remete para o modelo do contínuo crescimento e da incessante transformação. A realização de Deméter está inquestionavelmente em maravilhar-se com os filhos – nos quais vive, se move e justifica sua existência. Sua maior satisfação é, de longe – mais do que qualquer riqueza, posição social, diploma, realização profissional, poder, fama, beleza ou *glamour* –, ver os lindos frutos de seu ventre bem criados e transformados em jovens adultos felizes.

Como não poderia deixar de ser, há um lado de Deméter que gostaria que seus filhos nunca crescessem, que permanecessem sempre com ela no ninho – foi por isso que, a nosso ver, a deusa Deméter tentou imortalizar o bebê Demófon. Porém, na maior parte das vezes, o anseio perpétuo de Deméter querer ter filhos significa simplesmente que ela adoraria ter outros. (Toda a tendência de famílias menores e de um controle rigoroso da natalidade na sociedade moderna não foi instituída por Deméter, mas quase certamente por Atena e Hera.)

Quando está grávida ou criando filhos, a mulher-Deméter atinge o ápice da sua plenitude enquanto mãe. Ela orgulhosamente proporcionou vida nova e novas esperanças para a sua comunidade. No antigo simbolismo de seu ciclo, ela corporifica agora a lua cheia, e também o verão abundante com os frutos da terra. O cálice da força vital dentro de si está transbordante.

O complexo de inferioridade de Deméter

Por mais belo que seja este quadro de Deméter realizando-se como mãe, ele está longe de ser universal para a maioria das mães modernas nas sociedades avançadas industrializadas e urbanas do Ocidente. As pressões físicas e econômicas da mera subsistência tendem a exigir que as mulheres grávidas trabalhem até o dia do parto. Exames pré-natais em hospitais ou clínicas médicas concentram-se exclusivamente nos aspectos físicos, nunca nos emocionais, do nascimento. O parto em si costuma ser tratado não como um processo natural, mas como uma emergência que demanda uma variedade desconcertante de especialistas impessoais e de tecnologia intrusiva.

Depois de se submeter ao pesadelo das práticas modernas das salas de parto – amniocentese, monitoração fetal interna, indução do trabalho de parto com drogas, cesarianas – que podem facilmente deixar a mulher com cicatrizes físicas e emocionais para o resto da vida, a nova mãe em geral é forçada (novamente por motivos econômicos) a voltar ao trabalho quase de imediato. A menos que seja privilegiada em termos financeiros, ela raramente poderá pedir licença do serviço para estabelecer aquela ligação tão preciosa com o bebê recém-nascido. No geral, a licença-maternidade é vergonhosamente limitada; nenhum país "civilizado" é pior que os Estados Unidos neste aspecto.

E caso a mãe possa ficar em casa com a criança a maior parte do dia – com ou sem um marido trabalhando fora – ela poderá vir a sentir-se terrivelmente solitária, deprimida e desesperada, isolada, em sua casa ou apartamento, de outras mulheres para a apoiarem ou partilharem com ela das alegrias e vicissitudes de criar um filho. Na maioria das sociedades ocidentais, tornar-se mãe é, como ressaltou Germaine Greer em seu livro *Sex and Destiny*, cair consideravelmente de condição econômica e social e tornar-se, sob muitos aspectos, uma espécie de pária.

Mesmo em algo tão tipicamente mundano quanto uma novela de televisão, ter um bebê significa estar fora de ação, cair fora do jogo. As principais protagonistas desta versão da realidade contemporânea são Atena, Hera e Afrodite, com suas infindáveis altercações, disputas e competições. Sem um forte elemento de Atena para manter coesa a sua constituição mental enquanto mães que trabalham, para muitas mulheres engravidar equivale a serem sentenciadas ao que hoje se tornou a prisão contemporânea de Deméter: o lar – onde, como espectadoras de novelas na televisão, o máximo que podem fazer é olhar saudosamente para o mundo que deixaram para trás.

Como que as funções sagradas de Deméter acabaram assim tão denegridas e desprezadas no mundo moderno? Para responder a essa pergunta temos de voltar mais uma vez à história social das deusas na ascensão do Ocidente.

Na Grécia clássica, Deméter era inquestionavelmente a descendente mais próxima das deusas mais antigas da Grande Mãe, adoradas com nomes diferentes até o segundo milênio a.C. no Egito, no Oriente Próximo e na bacia do Mediterrâneo. Por que não chegou até nós mais desse poder telúrico primordial dos gregos, como chegaram até nós as suas outras criações tão louváveis como a democracia, a filosofia e a arte? Parte da resposta é que o tipo de energia de Deméter era muito menos compatível com as metas do patriarcado ascendente. Atena e Hera tinham muito mais a oferecer aos homens daquela época, com suas imagens, respectivamente, de filha obsequiosa e esposa (mais ou menos) obediente. As mães eram necessárias para a produção de filhos, por certo mas, naqueles tempos como hoje, eram relegadas ao lar e ocupavam pouca ou nenhuma outra posição na sociedade.

Apesar da enorme e indiscutível popularidade do seu culto na Grécia antiga, Deméter praticamente não é mencionada em Homero. É verdade que ela recebeu uma posição no Olimpo mas, da mesma forma como aconteceu com Ártemis, sua inclusão é meramente emblemática comparada com as honras conferidas a Hera e Atena por Pai Zeus.

Por que isso? A resposta é relativamente simples. O poderio dos gregos concentrou-se a princípio na cidade-estado de Atenas, sendo essencialmente uma hegemonia guerreira. As terras em torno de Atenas eram, e ainda são, extremamente pobres para a agricultura, e boa parte dos alimentos que consumiam tinha que ser importada do resto da península grega. Ao final da Segunda Guerra do Peloponeso no quinto século a.C., o solo cultivável havia perdido tanto a sua fertilidade que os atenienses tiveram de partir para a pirataria e a colonização a fim de assegurarem um suprimento constante de comida, de acordo com a William H. McNeill em *The Rise of the West*.

Uma nítida divisão foi lentamente se acentuando entre os deuses e deusas urbanos (Zeus, Apolo, Hera, Atena), que refletiam os valores de um patriarcado guerreiro em ascensão, e as divindades mais tradicionalmente rurais (Ártemis, Dioniso, Cronos, Deméter, Posêidon e Afrodite), todas elas essencialmente matriarcais e ligadas à terra. Para os atenienses em particular, a tensão desta divisão era simbolizada nos seus dois principais festivais religiosos: um eram as Panatenéias em homenagem a Atena, nas quais milhares de pessoas *entravam* na cidade em procissão a fim de celebrarem a padroeira e protetora guerreira da cidade; o outro era a celebração dos Mistérios de Deméter, quando quase toda a população ateniense *saía* da cidade em procissão para caminhar até o que era então o vilarejo rural de Elêusis.

Essa tensão entre psique urbana e psique rural ainda está presente em nós hoje no nível psicossocial. Na linguagem das deusas, esta tensão poderia ser descrita em termos de nosso modo de vida valorizar mais Atena e Hera, ou Deméter e Ártemis. Desde o século XIX, em todo o mundo ocidental, a maioria da população tem se afastado da terra. A cultura urbana de Atena tornou-se portanto a força cultural dominante; hoje, mais de 80 por cento da população americana vive nas cidades.

Deméter que, poderíamos dizer, rege a gravidez, a maternidade e a cultura agrária, tem pouco poder hoje em dia. As parteiras e os partos feitos em casa vão rapidamente se tornando uma coisa do passado, graças às estruturas altamente patriarcais da profissão médica. No mundo de Atena, a maternidade é vista mais como um acidente do que como uma bênção. A agricultura vem sofrendo capitalização semiindustrial intensiva há mais de um século, desintegrando a maioria das antigas comunidades do campo. Os grandes espaços abertos de Ártemis estão sendo ininterruptamente destruídos e poluídos; também ela é hoje basicamente impotente (veja capítulo sobre Ártemis).

Deméter, em particular, sofre com o eclipse em nossa civilização dos antigos modos matriarcais outrora praticamente universais nas comunidades rurais da Europa e das Américas. Individualmente, as mulheres que representam o modo de ser de Deméter não têm como se expressar e como competir com as mulheres-Atena bem instruídas que detêm influência política. A Deméter natural não é uma intelectual; via de regra, ela não lê livros nem participa de reuniões de eleitores ou de grupos políticos. Ela tende a ser uma pessoa quieta que não gosta de se expressar em público quando precisa defender suas necessidades e seus direitos como mãe e principal educadora natural dos filhos no lar. Sua identificação maior com a terra e com os valores cíclicos da terra foi perdida há tanto tempo que nem ela nem ninguém – exceto talvez algumas de suas irmãs Ártemis preocupadas com a ecologia – sequer se lembram de mencionar (veja capítulo sobre Ártemis).

Incapaz de articular essas coisas, a mulher-Deméter, que adora apenas criar os filhos, acaba sendo sentimentalizada, tratada com condescendência e destituída de poder até por suas irmãs feministas, cuja postura intelectual é previsivelmente a de Atena. Os planos que são concebidos para devolver as mães de volta à força de trabalho e torná-las economicamente independentes dos homens são concepções de Atena, e deixam a mulher-Deméter sentindo-se traída e aproveitada. Uma mulher-Deméter, se pudesse escolher, optaria por no mínimo cinco anos de licença remunerada para criar os filhos. E por que não, dirá ela, numa sociedade que realmente respeitasse a maternidade?

Deméter traída: sua função destituída de poder na sociedade patriarcal

É tentador, partindo da caricatura da Deméter contemporânea e seus filhos, considerar que o seu domínio é exclusivamente o lar. Mas esta é uma distorção insidiosamente moderna. Como é natural, o lar é parte essencial da base segura que torna a criação dos filhos possível e proficiente, mas foi só em épocas relativamente recentes que Deméter se viu quase como que confinada nele. Na maioria dos países africanos, asiáticos e sul-americanos, e em muitos países do Mediterrâneo, mulheres e crianças ainda são vistas nos mercados, nos campos e no seio da comunidade e da vida social. Muitas cidades do Terceiro Mundo seriam inviáveis se não fosse o envolvimento profuso – no comércio, na agricultura e na produção – de grupos de crianças que zelosamente contribuem para suas famílias de diversas maneiras inestimáveis.

O mesmo não ocorre nos países da América do Norte e do noroeste da Europa. Deméter é muito menos respeitada, e suas filhas foram relegadas ao lar. Isso é parte do que Germaine Greer, em *Sex and Destiny*, chama de "ímpeto anticriança do estilo de vida do Ocidente". Como muitos jovens casais com seu primeiro filho logo aprendem, seus antigos restaurantes prediletos tornam-se subitamente bastante inóspitos quando eles aparecem com carrinho de bebê e sacolas de fraldas em punho. De repente, restaurantes mais simples e o cartaz ubíquo do MacDonald's passam a ser acolhedores, por mais que desdenhassem esse tipo de comida antes de se tornarem pais. Como contraste, nos restaurantes da Itália e da Grécia, famílias inteiras podem ser vistas jantando à noite, e as crianças são sempre bem-vindas e freqüentemente conhecidas pelo nome. Nas regiões agrícolas e nas pequenas cidades italianas, a *passegiata* ou "footing" antes do jantar é uma ocasião tradicionalmente familiar; muitas vezes três gerações – filhos, pais e avós – saem para passear juntas quase todas as noites nos meses mais quentes.

Mas há séculos que a Europa urbana e os Estados Unidos têm sido regidos conjuntamente pela ética protestante de Atena (trabalho duro e realizações materiais) e pelas pretensões burguesas de Hera. Deméter, a mãe, e todos os aspectos da criação dos filhos são sutil ou ostensivamente controlados e denegridos. Para todos os efeitos, a mãe e seus filhos são hoje afastados daquelas áreas da vida social a que outrora pertenciam. Como escreve Germaine Greer:

> O acesso ao mundo adulto é severamente racionado em termos de tempo e, seja como for, aquilo no qual a criança ingressa não é a realidade dos adultos e sim uma espécie de terra-de-ninguém de comunicação fática. Mães profundamente interessadas em explorar o desenvolvimento da inteligência e personalidade infantil estão certas em achar tal generalização injusta, mas devem refletir que mesmo elas partilham da condição ostracizada das crianças. Ninguém quer ouvir a última coisa fascinante que o bebê fez ou disse hoje, especialmente numa festa. A mãe percebe que está se tornando tão chata quanto seus filhos, e pode perturbar-se com isso. A atitude abominável de levar uma criança ou bebê para uma reunião social de adultos é praticamente inimaginável. A mãe pode apresentar e mostrar um bebê momentaneamente, mas em seguida ele terá de desaparecer. De outra forma, os bem-intencionados começam a insinuar que já é hora de ir para a cama; quanto mais um bebezinho gurgulha e balbucia e puxa colares e brincos, mais provável é que venha a ser chamado de "coitadinho". Restaurantes, cinemas, escritórios, supermercados e até os leilões da Harrods não são lugares para crianças. Na Inglaterra, os restaurantes indicados no *The Good Food Guide* impudentemente aconselham os pais a "deixarem as crianças menores de catorze anos e os cachorros em casa": o objetivo é aumentar o número de clientes ao proclamarem a sua condição de isentos

de crianças. A nivelação de crianças e cachorros é considerada maliciosa, mas engraçadinha (p. 3).

É como se, ao ser banida junto com os filhos da comunidade maior, Deméter recebesse uma incumbência extra: a de cuidar e manter o lar e a família. Em termos da psicologia das deusas, poderíamos dizer que de Deméter foi exigido assumir um papel que, estritamente, pertence a outra antiga deusa grega, Héstia (a Vesta romana). Sob muitos aspectos, Héstia representa uma necessidade importantíssima das mulheres modernas, a saber, a necessidade de concentrarem no que poderíamos chamar de fogo sagrado do lar a fim de compensarem a correria frenética e o ganhar-para-gastar da vida contemporânea.

No entanto, devemos notar que, arquetipicamente, esta não é a função primeira de Deméter, que não pertence ao lar necessariamente dessa maneira e que a sua verdadeira relação com a vida da comunidade era originalmente muito mais dinâmica.

Nas antigas comunidades rurais que antecederam a industrialização do Ocidente, a mulher-Deméter era feliz sendo uma parte integrante da colheita, da sega, da joeiragem, do armazenamento, da preparação de conservas. Sua vida era um constante preparar e processar alimentos e verduras, para consumo da família e venda no mercado. Além disso tudo, ela tradicionalmente tinha a tarefa de criar os filhos e cozinhar para todos.

Por mais difícil que fosse esse estilo de vida, ela era uma peça indispensável, um pivô de toda a estrutura social e econômica de sua pequena comunidade. A mulher-Deméter das antigas comunidades rurais (junto com sua irmã caçadora mais rude, Ártemis) tinha dignidade, autoridade e uma vida amplamente gratificante. Isso se perdeu numa sociedade onde tudo é subserviente às exigências econômicas do monolito do consumo.

Os métodos frenéticos da produção industrial urbana, que desconhece qualquer ciclo sazonal, há muito já rompeu os antigos modos comunais de trabalho familiar. Hoje, o trabalho moderno obriga trabalhadores a percorrerem distâncias absurdas todos os dias, atravessando as gigantescas cidades modernas. Este tipo de viagem obrigatória aliena fisicamente maridos, esposas e filhos uns dos outros exceto por alguns poucos dias por ano. No ínterim, submetidas a duas gerações de lavagem cerebral pela propaganda consumista, exauridas e esgotadas por terem que levar e buscar os filhos na escola, no clube, nas aulas de música, as mulheres das cidades e dos subúrbios perderam todo o interesse pelo cultivo da terra; e, exceto em estados mais agrícolas como Vermont, as antigas artes demétricas de colher e processar os alimentos praticamente desapareceram.

A chaga mais profundamente íntima de Deméter: a negação do direito de nascer

Poderíamos pensar que se à mulher-Deméter, enquanto mãe, educadora por natureza e produtora, foi assim negado qualquer papel mais importante na comunidade ou na sociedade, então pelo menos a ela, e àqueles próximos dela, seria concedido o prazer de criar os filhos sem interferências. Mas, infelizmente, nem mesmo esta função permanece sagrada num mundo de especialistas que se aprazem em roubar de Deméter mais esta habilidade matriarcal tradicional.

Apesar de toda a dor e risco que acompanham o nascimento de uma criança, o testemunho de toda mulher que já deu à luz é, sempre, que foi "o maior acontecimento da minha vida". Trazer uma criança ao mundo é certamente a maior realização e alegria de Deméter. E, no entanto, uma função que há milênios era competência natural das mulheres passou a ser, no mundo moderno, cada vez mais assumida pela profissão médica e pelos homens.

Esta invasão de território teve início no século XIX com a profissionalização da medicina. Até então, os partos eram realizados basicamente pelas parteiras. A maioria delas, porém, tinham pouca instrução e não eram organizadas politicamente – uma situação que não mudou muito até hoje. Nos Estados Unidos em especial, o sistema médico masculino agiu, com grande sucesso, para minimizar o poder e o papel das parteiras, transformando o parto essencialmente numa especialidade médica em vez de um processo natural.

O número de nascimentos por cesariana quase triplicou nos últimos anos. De acordo com um artigo pungente de Gena Corea na revista *Mother Jones* intitulado "The Caesarian Epidemic", existe um intenso movimento por parte dos obstetras para que todos os nascimentos sejam "pelo abdômen" – pelo corte cesáreo. O tradicional parto vaginal é visto como inferior, imprevisível e, portanto, incontrolável. Dois entusiastas da cesariana, o dr. John Suthurst e a dra. Barbara Case, escreveram recentemente que "talvez nos próximos 40 anos, permissão para o parto vaginal ou para se tentar o parto vaginal, tenha de ser justificado em cada caso particular" (*Clinics in Obstetrics and Gynecology*, Londres, abril de 1975).

As perspectivas são, portanto, lúgubres; e o ato e experiência de dar à luz, apesar dos movimentos associados aos médicos Grantly Dick Read, Fernand Lamaze e Frederick Leboyer, estarão cada vez mais sob o efeito das drogas, de uma tecnologia intrusiva e, é claro, da intervenção cirúrgica. Aceitando-se, como todos os críticos sérios desta corrente aceitam, que existem razões legítimas para a intervenção médica, a sensação geral é a de que se perdeu completamente o controle da coisa. Parece haver cada vez menos possibilidade de um parto relativamente indolor, festivo e descomplicado, embora esta seja uma descrição do que é de fato natural e normal. A despeito do aumento de salas de parto em muitos hospitais, a tendência geral é a de se mecanizar e despersonalizar exageradamente o processo de nascimento, e de denegrir a mulher em trabalho de parto. *Immaculate Deception*, uma forte coletânea de experiências hospitalares de mulheres reunidas por Suzanne Arms, deve ser lida por toda mulher que pensa em dar à luz num hospital.

Judy Chicago, em *The Birth Project*, oferece-nos um excelente resumo do contraste entre o parto em casa e no hospital, claramente favorecendo a maneira de Deméter:

> Os que defendem o parto em casa consideram a atmosfera dos partos hospitalares inumana, patológica e desnecessária na grande maioria dos nascimentos. A profissão médica como um todo tende a considerar perigosos os partos em casa. O único estudo que se fez de populações comparáveis que optaram pelo parto em casa preparado, em vez do parto hospitalar, constatou que as taxas de mortalidade infantil foram basicamente as mesmas nos dois grupos, mas que os bebês do hospital sofreram cerca de trinta vezes mais ferimentos natais (basicamente pelo uso do fórceps), quatro vezes mais infecções, 3,7 vezes mais ressuscitações artificiais (devido

principalmente à grande proporção de nascimentos durante os quais a mãe está sedada) (p. 196).

O movimento em prol do parto em casa, devido às manobras deliberadas do sistema médico para tirar todo e qualquer poder das parteiras, parece estar naufragando. Infelizmente, ao escrevermos isso, este antagonismo apresenta alguns sinais de uma moderna caça às bruxas em certos estados americanos. A profissão médica soa muitas vezes como o último e pior bastião do autoritarismo patriarcal. Uma instituição teoricamente dedicada à proteção da vida parece freqüentemente preocupada apenas em proteger o seu próprio poder sem lustro.

Sendo a mais meiga das deusas, Deméter em geral pode fazer pouco mais do que sofrer em silêncio essas indignidades. Ela só pode ter esperanças e rezar para que, à medida que todos vão se tornando mais cientes da presença das deusas, suas irmãs Ártemis e Atena venham em seu socorro no fronte político e profissional. Talvez parteiras bem-qualificadas e experientes consigam um dia recuperar seu lugar primordial e tradicional ao lado de toda mãe em trabalho de parto. Talvez as mães venham a redescobrir a harmonia mútua de trabalharem juntas em pequenas comunidades cooperativas, onde poderão dar apoio umas às outras ao darem à luz e cuidarem dos filhos. Talvez o próprio nascimento volte a ser reverenciado como o grande mistério da mulher que efetivamente é. Até então, a Deméter desperta – mas ferida – que existe no fundo de toda mãe pode apenas chorar diante da enormidade do que se perdeu.

O terceiro ciclo de Deméter: de avó para Grande Mãe

Ao nos aproximarmos do fim deste capítulo, ocorreu um evento sincronístico, o que vale dizer, ficamos cientes de uma coincidência de significação simbólica. Uma família mudou-se para um apartamento perto de nossa casa, uma jovem família de indianos: mãe, pai, filho pequeno – e uma *avó*, cuja tarefa era cuidar do garotinho enquanto filha e genro trabalhavam fora o dia todo.

Quando conhecemos esta admirável mulher indiana de idade, que sempre vestia o tradicional sari e tinha no meio da testa a ritualística marca cinzenta das mulheres idosas, fomos lembrados de uma dimensão do ciclo de Deméter que a família média americana e ocidental perdeu por inteiro: nós esquecemos o papel importantíssimo que uma geração mais antiga de mulheres pode desempenhar no terceiro e último estágio que completa o grande ciclo da vida de uma mulher.

Nos Estados Unidos, a tradição de os avós morarem junto com a jovem família é preservada em algumas comunidades negras e hispânicas, e também em algumas famílias de ascendência italiana. Mas à medida que mais e mais dessas famílias adotam o "jeito americano de ser", esses resquícios de estilos familiares mais antigos, tradicionais e amplos vão desaparecendo. Infelizmente, o jeito americano de ser que acaba se tornando modelo é predominantemente o jeito de ser dos anglo-saxões bem-sucedidos, com seus valores urbanos típicos de Atena, sua implacável ética de trabalho protestante, e sua estrutura redutora e muitas vezes fragmentada de família nuclear. Para serem economicamente eficientes, essas famílias teriam de morar em unidades cada vez menores e dedicar cada vez menos tempo aos pais ou à comunidade familiar como um todo.

Por esse motivo, a maioria das jovens mães exasperadas hoje em dia raramente conhecem o conforto e o apoio amigo de terem a própria mãe por perto ajudando

OS AVÓS

Moviam-se como rios com suas meias remendadas,
Suas saias, seus coques, seus corpos
Redondos como árvores. Sobre o fogo da cozinha
Elas escondiam tesouros, e as tigelas pesadas
Do pão de domingo que crescia fiel como a luz.
Sorríamos para elas, embora nunca falassem.
Salientes como pedras, simplesmente olhavam quando pássaros
Caíam nas folhas, ou vassouras se desgastavam, ou crianças
Esfolavam o joelho e choravam. Na minha vila,
Não achávamos estranho nem pedíamos que falassem;
Em seus vastos braços sabíamos que éramos amadas.
Lembro da sua alegria no nascimento de crianças.
Lembro de suas mãos, inchadas e duras como madeira;
E às vezes no verão quando a noite
Era repleta de estrelas, elas se reuniam no jardim.
Quase dormindo, eu as espiava despejando o vinho,
E pendurando lanternas de papel nas bétulas.
Uma delas pegava então uma pequenina sanfona
E a embalava em seu avental enorme,
Até que a música pendesse como fitas das árvores
E em torno da minha cama. Ó, ainda em meus sonhos
Suavemente elas se reúnem sob as estrelas de verão
E cantam do longínquo Danúbio, de Viena,
Puras como um revoar de garotas esguias e selvagens!

Mary Oliver, *No Voyage Out and Other Poems*

a cuidar das crianças e a dirigir o lar. Houve época em que uma jovem mãe se sentia segura e confiante sabendo que poderia contar com a figura mais idosa e freqüentemente mais sábia da mãe sempre que surgisse alguma crise no lar. Hoje, contudo, uma tal solidariedade entre duas gerações é relativamente rara porque, como vimos, as mães vêm sendo alienadas de suas mães há várias gerações.

Acreditamos que essa alienação entre mães e filhas pode remontar, ao menos no nível da sociedade, à Revolução Industrial na Europa, quando muitas comunidades camponesas foram expulsas da terra e semi-escravizadas nas cidades industriais – e quando as mulheres conseqüentemente deixaram de ser o centro emocional e produtivo da vida familiar. Até essa época, os laços entre mães, filhas e avós permaneciam quase sempre intactos porque todas viviam juntas nas mesmas pequenas comunidades. A vida para a maioria da população transcorria perto da terra, dos animais, da natureza. E mesmo se não houvesse qualquer mistério visível em torno da maternidade, o grande ciclo das estações ainda era celebrado numa mistura de antigos festivais pagãos e semicristãos – festival do fogo no inverno, celebração da primavera em maio, comemoração do fim da colheita, e assim por diante.

Era a solidariedade entre as três gerações de mulheres que os Mistérios de Deméter e sua filha, Coré, celebravam entre os gregos. A continuidade das gerações era ritualisticamente reiterada na morte e renascimento místico da donzela dos cereais e de sua mãe pesarosa, que personificavam os grandes ciclos da terra e das estações. O que isso significava em termos psicológicos para as mulheres que participavam dessas cerimônias foi descrito com grande perspicácia por Jung:

> Deméter e Coré, mãe e filha, ampliam a consciência feminina para cima e para baixo. Acrescentam-lhe uma dimensão "mais velha e mais jovem", "mais forte e mais fraca", e estendem as fronteiras estreitas da mente consciente limitada no espaço e no tempo, insinuando-lhe uma personalidade maior e mais abrangente que partilha do curso eterno das coisas. [...] Portanto, poderíamos afirmar que toda mãe contém em si a filha, e toda filha contém em si a mãe, e que toda mulher se estende para trás em sua mãe e para frente em sua filha. Essa participação e entremesclagem geram uma incerteza peculiar em relação ao *tempo*: a mulher vive antes como mãe, depois como filha. A conscientização desses laços gera nela o sentimento de que sua vida se estende ao longo de gerações – que é o primeiro passo rumo à experiência imediata e à convicção de estar fora do tempo, que por sua vez provoca uma sensação de *imortalidade*. A vida individual é elevada a um tipo, tornando-se na realidade o arquétipo do destino da mulher em geral. Isso leva a uma restauração ou *apocatástase* das vidas de suas predecessoras – que agora, através da ponte do indivíduo momentâneo, penetram as gerações do futuro. Uma experiência deste tipo confere à pessoa um lugar e um significado na vida das gerações, de modo que todos os obstáculos desnecessários são retirados do caminho do fluxo vital que deve correr através dela. Ao mesmo tempo, ela é salva do seu isolamento e restaurada na sua inteireza. Toda preocupação ritualística com arquétipos possui derradeiramente esta meta e este resultado.
>
> "Psychological Aspects of the Kore",
> em *Essays on a Science of Mythology*, p. 162

Quando uma mulher passa da idade de ter filhos, ela está fisicamente pronta a tornar-se avó. Isso significa que poderá, não apenas dar apoio a sua filha nas tarefas de criar os filhos, mas também estabelecer um tipo especial de relacionamento com os netos e, particularmente, com as netas. Esse relacionamento não envolve acalento físico – que verdadeiramente é tarefa da mãe – mas, potencialmente, de coisas espirituais. Por estar um passo além da mãe, ela pode, por assim dizer, personificar um elo com as ancestrais, as "anciãs".

Ao refletir sobre suas filhas e netas, poderá enxergar as fases sucessivas da sua própria vida. E, nas reminiscências de sua infância, poderá recordar-se da *sua* avó com histórias de gerações já passadas. Desperta-se assim o grande mistério do tempo das gerações que Jung insinua, as fantasias e sonhos das antepassadas, os vislumbres momentâneos do domínio atemporal das Mães (veja quadro, "As Avós").

O mistério final: a forma da semente eterna

Tudo isso é parte da psicologia semi-esquecida da terceira fase do ciclo de vida de Deméter, quando ela descobre a Anciã, a mulher sábia que existe dentro de si. Isso é parte da psicologia interior não-escrita da menopausa. Nós raciocinamos que é neste nível mais profundo que têm origem muitas das tribulações da menopausa: depressão, tensão conjugal, histerectomia. Isso porque a mulher na qual Deméter, embora forte, se encontra ferida ou de alguma outra forma não-realizada, não está pronta para efetuar a segunda grande transição, para renunciar à mãe fecunda e seguir adiante até a fase seguinte, a da Anciã.

Sendo a última das três fases do ciclo de vida de Deméter, a Anciã estará inevitavelmente mais próxima daquele aspecto da Grande Deusa que rege o mundo avernal e a morte, e que nós chamamos de Perséfone madura (veja capítulo sobre Perséfone). Porém, estritamente falando, não nos parece que a mulher-Deméter precise ela mesma identificar-se com esta aterradora forma de Perséfone na fase final da vida, a menos que seja acometida por alguma tragédia ou por uma depressão permanente.

Vale lembrar que, no mito, a deusa Deméter se disfarça de velha em Elêusis. Ao prantear a perda da filha, ela compartilha com todas as mulheres a experiência de perder a fecundidade e a amplia, projetando-a sobre a terra inteira para que seja sentida por todos como uma esterilidade universal. Desse modo, mostra a todos a profundidade da raiva e da dor que pode tomar conta de qualquer mulher cuja fertilidade se estanca e que se vê diante do fato irreversível de ser agora uma Anciã. Dor, raiva e desnorteamento podem, portanto, surgir como parte de uma transição natural entre a segunda e a terceira fase do ciclo de Deméter, especialmente naquelas mulheres nas quais a deusa tem presença forte e que transformaram os filhos no centro emocional de suas vidas.

Parece-nos que a mulher-Deméter que atravessa a menopausa sem aflições ou desespero terá mais chances de encontrar o espírito de uma energia arquetípica diferente, a da deusa lunar Hécate, que foi uma espécie de mentora prestativa para Coré quando esta desceu ao mundo avernal e tornou-se noiva de Hades.

É Hécate que ajuda uma Coré amadurecida a retornar do mundo avernal e a trazer consigo archotes acesos – outro tema importante nos Mistérios de Elêusis. Hécate pode ser vista, primeiro, como a "iluminadora" simbólica da jovem mãe que renasce ao abdicar de sua virgindade, passando de lua nova para lua cheia. Hécate, de acordo com Carl Kerényi, completa a tríade de Donzela, Mãe e Anciã. É, portanto, a velha sábia que a mulher-Deméter se torna ao completar o seu ciclo.

Além disso, como Anciã e deusa lunar, Hécate efetivamente supervisiona e integra todos os aspectos das diversas transformações de Deméter-Coré. Isso porque é na verdade a Deusa Tríplice em si e, portanto, o elo mítico com a totalidade da própria Grande Mãe. Concordamos com Kerényi que é esta, provavelmente, a razão de Coré ter que passar um terço de sua vida no mundo avernal. Ela tem de incluir em sua consciência ampliada a morte e o mundo espiritual, por certo. Mas isso não significa que tenha que se identificar totalmente com esse domínio e tornar-se unicamente Perséfone, rainha do além-túmulo.

Ao estudar o mito de Deméter, vimos como o ciclo da flor da Donzela cede simbolicamente lugar ao ciclo do fruto da Mãe. Agora este deve ceder lugar à terceira e última fase do ciclo, quando o fruto se torna semente. Em ambas as transições existe uma morte psíquica e uma grande perda; ambas são, portanto, ocasiões de um certo luto.

Tão pouco se sabe sobre o que efetivamente acontecia durante os Mistérios de Elêusis que preferimos não especular, evitando escolher um dentre os muitos comentários eruditos disponíveis. Porém, como mostra a nossa interpretação, não acreditamos que Elêusis abrangesse simplesmente a renovação da fertilidade agrícola. A agricultura era por certo a linguagem simbólica dos Mistérios mas, na nossa opinião, ela aponta para o mistério maior da vida em si, um mistério que está derradeiramente enunciado nas imagens agrárias femininas.

Em um fato, porém, a maioria dos comentadores concorda: no ápice do drama sagrado secreto que se representava em Elêusis, uma única espiga de trigo era erguida ao alto em silêncio. Para os iniciados, deve ter sido o símbolo máximo daquilo que buscavam, sendo em alguns aspectos a garantia simbólica daquilo que perdura depois da morte do fruto. O grande poeta místico indiano Kabir estava sem dúvida próximo do significado interior deste ato no poema que transcrevemos abaixo (magnificamente traduzido por Robert Bly, um de nossos intérpretes favoritos dos mistérios da Mãe):

> Estudante, efetuai esta simples purificação.
> Sabes que a semente está dentro da castanheira-da-índia
> e que dentro da semente estão os brotos da árvore, e as castanhas, e a
> sombra.
> Assim também dentro do corpo humano está a semente, e dentro da
> semente, outra vez, o corpo humano...

É um tema constante da literatura mística que a menor de todas as coisas, uma semente ou um grão de areia, contém em si o universo inteiro. Juliana de Norwich, a mística medieval inglesa, teve certa vez uma visão em que a Totalidade era do tamanho de uma avelã, por exemplo. Essa mesma dama notável também ficou famosa por dizer que "Deus é a nossa Mãe" – uma observação que de algum modo conseguiu escapar da censura patriarcal!

O que essas imagens certamente transmitem à iniciada, à avó que se aproxima da morte ou a qualquer pessoa que medite sobre elas, é que cada parte do ciclo contém o todo, assim como o todo contém a parte. Quando, no ocaso da vida, a mulher finalmente morre e seu espírito parte para o mundo avernal, os Mistérios parecem dizer que uma parte dela irá retornar personificada em suas descendentes do sexo feminino. Não se trata de uma reencarnação no sentido oriental, nem como os metafísicos contemporâneos a entendem, mas de uma forma genética e ancestral de eterno retorno. Como colocou T.S. Eliot já no fim da vida:

> Morremos com os agonizantes:
> Vê, eles nos deixam, e com eles seguimos.
> Nascemos com os mortos:
> Vê, eles retornam, e nos trazem consigo.
>
> de "Little Gidding", *Four Quartets* (tradução de Ivan Junqueira)

Tudo isso só pode ser vagamente insinuado diante da enormidade do que foi esquecido. Nossa cultura profanou a Mãe Terra de tal maneira que hoje corremos mundialmente o risco de envenenar a nossa própria espécie com a poluição da terra e do ar. Um exemplo comovente é a própria Elêusis: o antigo templo, hoje uma mera curiosidade turística, é rodeado por um porto industrial marítimo e por refinarias de petróleo que a transformaram num dos lugares mais poluídos de todo o Mediterrâneo.

Todavia, há sinais esperançosos de um renascimento da consciência de Deméter. Livros como *The Great Cosmic Mother: Rediscovering the Religion of Earth*, de Monica Sjöö e Barbara Mor, começam a surgir, enquanto mestras como Starhawk, Jean Shinoda Bolen e Jean Houston estão inspirando mulheres em todo o mundo com seus seminários sobre os mistérios femininos. Em toda parte, novas gerações de jovens mães, casadas e solteiras, têm experimentado maneiras novas e criativas para criar e cuidar dos filhos numa sociedade complexa e fragmentada como a nossa. Contra todas as probabilidades, e diante de toda perversão e profanação imaginável, o grande rio da vida que é Deméter continua a fluir. Nossas preces são para que esta força continue sendo sentida e reverenciada no fundo do corpo e do sangue de todas as mulheres.

Parte Dois
Integrando as Deusas

Oito

Por qual deusa você é regida?
Como usar o questionário da Roda das Deusas

Incluímos nesta seção um questionário para você mesma descobrir quais deusas mais influenciam a sua vida no presente.

Mesmo que já as tenha identificado (ou, homens, identificado-as em sua companheira) pela Roda das Deusas, este questionário irá ajudá-la a identificar com maior precisão os diversos aspectos da psicologia das deusas na sua personalidade.

Não pretendemos que seja um teste objetivo, uma vez que se trata de uma simples escala de autoclassificação que só será precisa se você for honesta consigo mesma. Mas será útil para você avaliar quais deusas têm uma presença forte na sua personalidade (ou, homens, na personalidade da sua parceira) e quais estão reprimidas, contidas ou feridas.

Instruções para se auto-avaliar

Mulheres: leia as seis afirmações de cada seção. Em seguida, atribua um valor a cada uma conforme se aplicam mais ou menos a você, e faça um círculo em torno do número apropriado. (Veja o significado desses números no quadro abaixo.)

Homens: simplesmente avalie o quanto cada uma das seis afirmações se aplica à mulher ou ao tipo de mulher que mais o atrai. Faça então um círculo em torno do número apropriado.

SIGNIFICADO DA ESCALA DE AUTO-AVALIAÇÃO

3 = a afirmação aplica-se totalmente a mim
2 = a afirmação aplica-se apenas em parte a mim
1 = a afirmação só se aplica ligeiramente a mim
-1 = a afirmação absolutamente não se aplica

Quando houver completado o questionário, veja a Tabela de Contagem no final para ajudar a determinar o seu "Perfil das Deusas".

QUESTIONÁRIO

Valor atribuído

UM: Aparência *(a minha aparência / a aparência dela)*

A Como não saio muito, roupas e maquiagem não são tão importantes para mim. 3 2 1 -1

B Prefiro usar jeans e uma camisa confortável. 3 2 1 -1

C Minha aparência não é nada convencional. 3 2 1 -1

D Gosto de me vestir bem, mas de maneira conservadora, e de usar pouca maquiagem. 3 2 1 -1

E Gosto de me arrumar e de me mostrar atraente. 3 2 1 -1

F Estar bem vestida e maquiada me dá segurança para enfrentar o mundo. 3 2 1 -1

DOIS: Meu corpo *(como eu me dou com o corpo / como ela se dá com o corpo)*

A Eu me inclino a não pensar sobre meu corpo. 3 2 1 -1

B Meu corpo se sente muito melhor quando estou ativa e fazendo exercícios. 3 2 1 -1

C Gosto que meu corpo seja tocado bastante por quem eu amo. 3 2 1 -1

D Muitas vezes eu absolutamente não me sinto no meu corpo. 3 2 1 -1

E Acho embaraçoso falar sobre o meu corpo. 3 2 1 -1

F Adoro estar grávida/Quero muito engravidar. 3 2 1 -1

TRÊS: Casa e lar *(o que tem importância para mim / para ela)*

A Gosto que minha casa seja elegante e impressione as pessoas. 3 2 1 -1

B Prefiro a cidade; para mim um apartamento está ótimo. 3 2 1 -1

C Minha casa precisa ser aconchegante e ter lugar para todos. 3 2 1 -1

D Preciso de privacidade e espaço para as coisas que gosto de fazer. 3 2 1 -1

E O lugar onde eu moro tem de ser confortável e bonito. 3 2 1 -1

F Prefiro viver no campo ou onde eu possa estar perto de parques e espaços abertos. 3 2 1 -1

QUATRO: Alimentação e comida *(a importância para mim / para ela)*

A Tomo cuidado com a alimentação a fim de manter o meu corpo saudável. 3 2 1 -1

B Gosto de jantar fora em algum lugar romântico. 3 2 1 -1

C Gosto muito de comer fora onde se possa conversar. 3 2 1 -1

D	Eu realmente gosto de cozinhar para os outros.	3 2 1 -1
E	As refeições são momentos familiares importantes.	3 2 1 -1
F	Comer não é uma coisa muito importante para mim.	3 2 1 -1

*CINCO: **Infância** (como eu costumava ser / ela costumava ser)*

A	Eu tinha muitas brincadeiras secretas e muitos mundos imaginários.	3 2 1 -1
B	Eu sempre dirigia as brincadeiras com minhas amigas.	3 2 1 -1
C	Eu gostava de brincar basicamente com bonecas.	3 2 1 -1
D	Eu tinha sempre o nariz enfiado num livro depois de uma certa idade.	3 2 1 -1
E	Eu adorava estar ao ar livre e entre os animais.	3 2 1 -1
F	Eu adorava me vestir e me arrumar como gente grande.	3 2 1 -1

*SEIS: **Os homens** (o que eu preciso em um / o que ela precisa em um)*

A	Quero um homem que me excite sexualmente sempre.	3 2 1 -1
B	Quero um homem que me proteja e me faça mimos.	3 2 1 -1
C	Gosto de um homem que seja independente e me proporcione bastante espaço.	3 2 1 -1
D	Preciso de um homem que me desafie intelectualmente.	3 2 1 -1
E	Preciso de um homem que compreenda o meu mundo interior.	3 2 1 -1
F	Quero um homem de cuja posição no mundo eu possa me orgulhar.	3 2 1 -1

*SETE: **Amor e casamento** (o que significam para mim / para ela)*

A	O casamento só dá certo quando houver uma ligação espiritual maior.	3 2 1 -1
B	O casamento é o alicerce da sociedade.	3 2 1 -1
C	O amor é mais importante que tudo; sem ele meu casamento seria vazio.	3 2 1 -1
D	Tudo bem com o amor e o casamento, desde que eu tenha bastante liberdade.	3 2 1 -1
E	O casamento protege os filhos; amor apenas não é suficiente.	3 2 1 -1
F	Meu casamento às vezes tem que ser sacrificado em função do meu trabalho.	3 2 1 -1

*OITO: **Sexualidade** (como eu sou na cama / como ela é na cama)*

A	Às vezes é difícil eu me soltar completamente quando faço sexo.	3 2 1 -1
B	Eu me excito facilmente com o homem certo.	3 2 1 -1
C	Às vezes leva um certo tempo até eu de fato entrar no meu corpo.	3 2 1 -1
D	No sexo, adoro tanto dar quanto receber.	3 2 1 -1
E	Eu sou meio tímida sexualmente, mas posso me tornar quase selvagem.	3 2 1 -1
F	O sexo pode ser extático e quase místico para mim.	3 2 1 -1

NOVE: Os filhos (o papel deles na minha vida / na vida dela)

A Sinto-me mais feliz quando estou fazendo alguma coisa ao ar livre com meus filhos.   3 2 1 -1

B Meus filhos são a maior realização da minha vida.   3 2 1 -1

C Eu espero que meus filhos venham a ser um grande crédito a meu favor.   3 2 1 -1

D Prefiro não ter filhos para me dedicar à minha carreira.   3 2 1 -1

E Eu amo os meus filhos, mas a minha vida amorosa é igualmente importante.   3 2 1 -1

F Eu amo os meus filhos, e quero sempre saber o que estão sentindo ou pensando.   3 2 1 -1

DEZ: Passatempos (coisas que eu gosto de fazer / que ela gosta de fazer)

A Metafísica, leitura de tarô, astrologia, diário de sonhos, seminários da Nova Era, arte e rituais pessoais.   3 2 1 -1

B Colecionar jóias, objetos de arte e roupas bonitas; moda, música, teatro.   3 2 1 -1

C Esportes, atletismo, correr, acampar, pescar, velejar, montar a cavalo.   3 2 1 -1

D Serviços comunitários, clubes sociais, grupos de voluntárias, igrejas paroquiais.   3 2 1 -1

E Campanhas políticas, apoio a minorias, museus, séries de conferências, leituras.   3 2 1 -1

F Cozinhar, jardinar, bordar, tecer, costurar.   3 2 1 -1

ONZE: Festas (como eu me comporto / como ela se comporta nelas)

A Eu geralmente me envolvo em discussões políticas ou intelectuais.   3 2 1 -1

B Costumo ser atraída por pessoas com problemas.   3 2 1 -1

C Prefiro ser a anfitriã de minhas próprias festas.   3 2 1 -1

D Não consigo deixar de querer localizar o homem mais sensual do lugar.   3 2 1 -1

E Gosto de ter a certeza de que todos estão se divertindo.   3 2 1 -1

F Festas me deixam tensa; não vou muito a elas.   3 2 1 -1

DOZE: Amizades (o lugar que ocupam em minha vida / na vida dela)

A A maioria das minhas amigas tem filhos da mesma idade que os meus.   3 2 1 -1

B Escolho as minhas amizades com muito cuidado, e elas são muito importantes para mim.   3 2 1 -1

C Gosto de partilhar minhas últimas idéias e projetos com minhas amigas e meus amigos.   3 2 1 -1

D Minhas amizades tendem a ser amizades mágicas.   3 2 1 -1

E Minhas amigas são basicamente as esposas dos amigos de meu marido.   3 2 1 -1

F Meus amigos são geralmente mais importantes para mim do que minhas amigas.   3 2 1 -1

TREZE: Livros (que tipo de livros eu trago por perto / ela traz por perto)

A	Livros de receitas, de artesanato, de como cuidar de crian-ças.	3	2	1	-1
B	Literatura séria, biografias, livros de viagem, história ilustrada.	3	2	1	-1
C	Livros da Nova Era, psicologia, metafísica, livros de "canalização" [mediunidade contemporânea], I Ching.	3	2	1	-1
D	Livros de esportes e saúde, manuais de ioga, livros de animais, de vida selvagem, de como fazer coisas.	3	2	1	-1
E	Livros de arte, biografias populares, romances, poesia.	3	2	1	-1
F	Política, sociologia, livros intelectuais recentes, literatura *avant-garde*, livros feministas.	3	2	1	-1

QUATORZE: O mundo aí fora (minha atitude / a atitude dela perante ele)

A	Eu sempre procuro me manter informada sobre o que acontece no mundo.	3	2	1	-1
B	A política só me interessa pelas intrigas de bastidores.	3	2	1	-1
C	Eu conheço mais do mundo através dos meus sonhos do que pela TV ou pelos jornais.	3	2	1	-1
D	Eu raramente sei – ou quero saber! – o que está acontecendo no mundo.	3	2	1	-1
E	O mundo é basicamente dos homens; eles que se virem.	3	2	1	-1
F	É importante para mim ter um papel ativo na comunidade.	3	2	1	-1

Marcação dos pontos: como determinar o 'Perfil das Deusas" em você

1. Recorte ou tire uma cópia da Tabela de Pontos na página 252.

2. Preencha a tabela, redistribuindo as seis notas de cada seção nas colunas das respectivas deusas. Você encontrará as seis letras, A a F, dispostas sob o nome da deusa correspondente.

Basta copiar no espaço ao lado de cada letra o número que você atribuiu a cada afirmação. Veja o exemplo abaixo:

Atena	Deméter	Etc.
1 = D: 2	1 = C: -1	
2 = F: 1	2 = A: -1	
3 = B: 3	3 = C: 1	
etc.	etc.	

3. Agora some os valores de cada coluna, obtendo assim um coeficiente para cada deusa. As deusas que tiverem uma presença forte em sua vida (ou na vida da sua companheira) terão naturalmente coeficientes mais elevados, ao passo que as deusas repudiadas ou rejeitadas terão coeficientes baixos ou negativos.

4. Finalmente, copie os coeficientes de cada uma das deusas na Roda das Deusas, obtendo uma representação gráfica das deusas que existem dentro de você (ou da sua companheira). Este é o "Perfil das Deusas" em você.

Tabela de Pontos das Deusas

Atena	Afrodite	Perséfone	Ártemis	Deméter	Hera
1 = F—	1 = E—	1 = C—	1 = B—	1 = A—	1 = D—
2 = A—	2 = C—	2 = D—	2 = B—	2 = F—	2 = E—
3 = B—	3 = E—	3 = D—	3 = F—	3 = C—	3 = A—
4 = C—	4 = B—	4 = F—	4 = A—	4 = D—	4 = E—
5 = D—	5 = F—	5 = A—	5 = E—	5 = C—	5 = B—
6 = D—	6 = A—	6 = E—	6 = C—	6 = B—	6 = F—
7 = F—	7 = C—	7 = A—	7 = D—	7 = E—	7 = B—
8 = C—	8 = B—	8 = F—	8 = E—	8 = D—	8 = A—
9 = D—	9 = E—	9 = F—	9 = A—	9 = B—	9 = C—
10 = E—	10 = B—	10 = A—	10 = C—	10 = F—	10 = D—
11 = A—	11 = D—	11 = B—	11 = F—	11 = E—	11 = C—
12 = C—	12 = F—	12 = D—	12 = B—	12 = A—	12 = E—
13 = F—	13 = E—	13 = C—	13 = D—	13 = A—	13 = B—
14 = A—	14 = B—	14 = C—	14 = D—	14 = E—	14 = F—

Totais —   —   —   —   —   —

Quando tiver somado os totais de cada coluna, copie-os na Roda das Deusas abaixo.

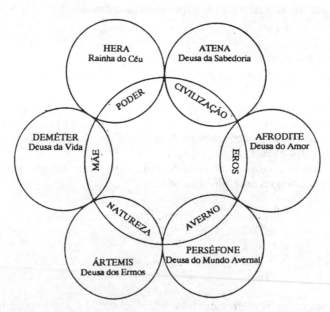

Como interpretar o seu perfil da Roda das Deusas

Agora que você completou o questionário e tem o seu Perfil das Deusas diante de você, o que isso significa? O que ele revela a seu respeito?

Nesta seção, iremos apresentar as histórias e perfis de algumas mulheres que participaram de nossos seminários como exemplos da maneira de nós interpretarmos um perfil.

Observe, ao estudar o seu próprio perfil e os exemplos a seguir, que a pouca proeminência da esfera de influência de alguma das deusas não implica necessariamente que essa deusa esteja ferida em você. É natural que, ao longo da vida, seja dada maior ou menor importância a uma ou outra das deusas. Hera raramente se manifesta na juventude, ao passo que Ártemis está mais presente na primeira do que na segunda metade da vida. Afrodite, por outro lado, pode ir e vir durante toda a vida.

O questionário reflete um processo dinâmico. Você não é exatamente a mesma pessoa que era dois anos atrás. Por estar se transformando constantemente com novas experiências e informações, o seu Perfil das Deusas será diferente em diferentes épocas da vida.

O importante sobre o questionário não são os números absolutos, mas a *relação* entre as deusas do seu Perfil. Por exemplo, veja o perfil de Terry (nº 2): com uma diferença de 30 pontos entre Atena e Deméter, parece explícito que uma parte não consegue dialogar com a outra. Logo, se Terry examinar as questões relativas ao trabalho e à maternidade, encontrará uma rica fonte de compreensão e cognição de si mesma.

No caso de Sara (perfil nº 3), a proeminência de Hera, de Deméter, de Ártemis e de Afrodite sugere uma vida rica e plena na qual a independência e o interesse pelas coisas do mundo característicos de Atena, e as meditações avernais e ctônicas de Perséfone estão perceptivelmente ausentes. Foi ao indagar sobre essas duas deusas que descobrimos o quanto elas haviam sido importantes anteriormente. Para Sara, o pouco envolvimento com Atena e Perséfone representava uma oportunidade para as outras poderem emergir.

No caso de Mary (perfil nº 4), a diferença de 28 pontos entre Hera e Perséfone, associada à pouca intensidade de Afrodite, sugeriu-nos a existência de alguma questão ainda por resolver com a sua mãe. E estávamos certos.

O que as mulheres e os homens de nossos seminários aprendem é que podem usar o perfil e as deusas como mapas para explorar as paisagens interiores da psique. O objetivo é tornar-se ciente das qualidades e das chagas de cada uma das deusas, trazê-las à consciência e trabalhar com elas a fim de desenvolver essas qualidades e curar as chagas.

Perfil das Deusas nº 1

Ellen é uma advogada de 38 anos casada com um pediatra. Eles têm dois filhos, de dois e quatro anos, pelos quais muito esperaram. A família mora numa casa moderna e confortável, nos arredores de uma grande cidade da costa leste dos Estados Unidos. Se há alguns anos atrás o principal interesse de Ellen era preparar citações judiciais, hoje ela está absorta na maravilha de criar os filhos e de cuidar do jardim e de um pequeno galinheiro. Há alguns meses, sua mãe lhe contou que estava com câncer, tornando-se desde então dependente da filha para apoio emocional. Na época de nosso seminário Ellen sentia-se confusa, não sabendo como relacionar-se com a mãe, que sempre fora do tipo forte e dominador, e agora mostrava-se vulnerável e insegura.

Depois de completar o questionário de auto-avaliação, o Perfil das Deusas de Ellen apresentou os seguintes valores:

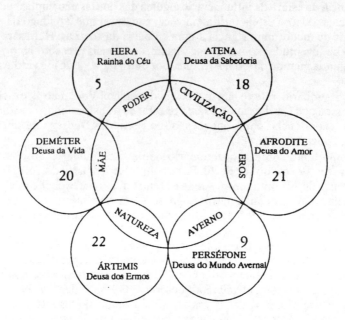

O Perfil da Roda das Deusas reflete a força e confiança que tem no seu trabalho de advogada; revela também o quanto ela se apraz na maternidade e como adora a vida tranqüila no campo, fora da cidade. Mas indica um desequilíbrio no que chamamos de "díade de poder" da Roda, ou seja, no diálogo entre Hera e Perséfone. Na época do seminário este diálogo vinha se expressando no relacionamento de Ellen com a mãe. Como a meia-idade geralmente é o momento em que temos que começar a enfrentar o que deixamos pendente na primeira parte da vida e chegar a um acordo com nossa mãe, a experiência de Ellen era relativamente comum. Nossa sugestão foi que ela refletisse sobre o seu relacionamento com a mãe a fim de resolver as questões emocionais pendentes.

Seguindo a nossa sugestão, Ellen dedicou-se à obra de Perséfone. Começou por enviar uma série de cartas para a mãe, nas quais coloca tudo aquilo que nunca conseguira dizer quando criança ou adolescente. Por esse processo, pôde começar a compreender as chagas de Hera que havia na solidão que sua mãe sempre sentia no casamento com o pai de Ellen. E começou também a ver como aprendera a imitar o hábito materno de esconder uma baixa auto-estima sob uma máscara de autoconfiança e bom comportamento. Pouco a pouco, Ellen conseguiu se desemaranhar emocionalmente da mãe o suficiente para perdoá-la por ter sido tão exigente e tão crítica. Como resultado, descobriu-se capaz de oferecer-lhe apoio emocional que tanto precisou durante o prolongado tratamento contra o câncer.

Perfil das Deusas nº 2

Terry tinha 42 anos quando procurou um dos nossos seminários. Ela era uma bem-sucedida fotógrafa *free-lancer* que passava grande parte do tempo viajando a trabalho pelo mundo, deslocando-se com facilidade entre sua base em Nova York e os lugares mais ermos do mundo. Recentemente, seu trabalho a levara até o oeste da China, onde fotografara mesquitas ao longo da antiga Estrada da Seda. Ela contou ao grupo que nunca se casara e que achava até mesmo os casos amorosos difíceis por causa do seu estilo de vida.

Até cerca de um ano antes, Terry jamais questionara as suas escolhas. Afinal, era bem remunerada para fazer um trabalho interessante e criativo. Todavia, nos últimos meses começara a se sentir deprimida e solitária. Estava cansada de chegar sozinha todas as noites numa casa vazia. Na semana anterior, ela havia sonhado que estava sozinha numa cidade estranha olhando dentro da janela iluminada de uma casa e observando uma família grande e ruidosa reunida em torno da mesa de jantar. Disse-nos que acordou com uma terrível sensação de solidão.

Quando completou o questionário, a Roda das Deusas de Terry tinha o seguinte aspecto:

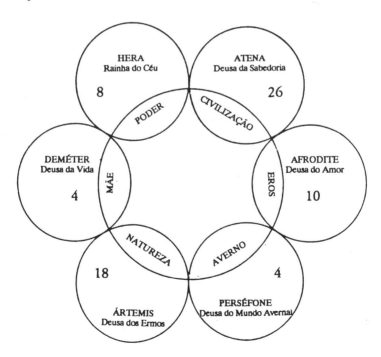

A independência e confiança em si mesma de Terry, tanto na cidade como nos lugares mais inóspitos, ficam evidentes pelo relevo relativo em que Atena e

Ártemis aparecem na sua Roda. Por causa do coeficiente acentuadamente baixo de Deméter e Perséfone (-4 e 4, respectivamente), nossas primeiras perguntas abordaram seu relacionamento com a mãe (Deméter/Perséfone) e suas atitudes em relação às crianças e à vida em família. Terry admitiu que lastimava agora o fato de não ter tido filhos, e que passara a reconhecer isso como algo permanente em sua vida. Admitiu também que a mãe fora alcoólatra durante boa parte da sua infância, deixando-a prematuramente sobrecarregada com responsabilidades domésticas e com a determinação de nunca ter uma família. Aos dezoito anos, Terry saíra de casa e nunca mais voltara.

O principal trabalho sugerido pela Roda de Terry foi estabelecer um diálogo entre Atena e Deméter. Como a Atena do mito, Terry psicologicamente não tem mãe. E como acontecera com o braço da guerreira que empunhava a espada, Atena tornou-se muito forte para compensar a vulnerabilidade da garotinha órfã de mãe que vive dentro de Terry. Seu desafio é encontrar um meio de incorporar à sua vida a acalentadora energia materna de Deméter para não precisar viver sempre a existência espartana de uma Atena independente.

Perfil das Deusas nº 3

Aos 54 anos de idade, Sara afirma que sua vida nunca esteve melhor. Depois de criar sozinha a filha por longos anos após o término do seu primeiro casamento, Sara está agora bem casada com um homem que é louco por ela e que despertou sua sexualidade há muito adormecida. Por vinte anos, ela se debatera com um emprego de escritório que odiava para poder sustentar-se e à filha. Foram anos duros e solitários, durante os quais seu relacionamento com a filha foi repleto de tensões, especialmente após o divórcio, quando Kitty, a filha, tinha dez anos de idade.

"Mal posso acreditar como minha vida está diferente agora", ela contou ao grupo em um dos nossos seminários. "Desde que conheci Rick há dois anos, tudo mudou. Para começar, pude finalmente sair daquele meu emprego horroroso. Rick realmente me incentivou a parar e a pensar no que eu quero fazer agora, de modo que nestes últimos dias tenho passado a maior parte do tempo trabalhando no meu jardim de ervas e flores. Eu sempre quis ter um jardim, mas nunca tive tempo. Também estou aprendendo a secar as minhas ervas e flores para usá-las na cozinha e como cosméticos. A outra coisa que mudou foi o meu relacionamento com a minha filha; depois de anos de luta, somos como irmãs. Nunca me senti tão feliz e tão realizada."

Depois de completar o questionário e refletir sobre a Roda, Sara comentou: "Se eu tivesse feito este teste dez anos atrás, quando tinha 44 anos, os resultados teriam sido bem diferentes. Eu estava sozinha, deprimida e com excesso de peso. Kitty tinha vinte anos e saíra de casa definitivamente, e minha mãe havia falecido. Não restava nada na minha vida exceto meu trabalho, e a minha miséria e infelicidade. Vendo este perfil, percebo a riqueza da minha vida em termos de Afrodite, Deméter e Ártemis."

O Perfil das Deusas de Sara tinha o seguinte aspecto:

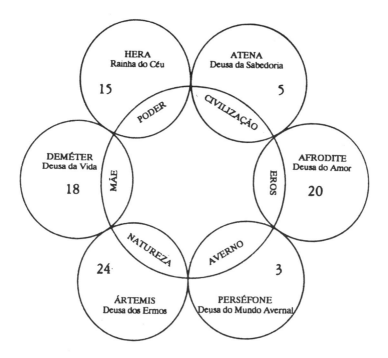

Para alguém como Sara, que passou anos trabalhando num serviço árduo e solitário, o destaque para aqueles aspectos da vida relacionados com o amor, a abundância e o contato sereno com a natureza refletem o caráter curativo da compensação. Em algum momento do futuro, é possível que certas questões não-resolvidas venham à tona para serem completadas (Perséfone), ou que um novo curso de atividades tenha início (Atena). Por ora, nossa sugestão para Sara foi aproveitar ao máximo os bem merecidos prazeres da sua vida atual.

Perfil das Deusas nº 4

Para Mary, é muito difícil falar num grupo e expressar seus pensamentos. Tímida e recatada na presença de estranhos, ela por outro lado é meiga e generosa com pessoas amigas. Aos 41 anos, Mary é uma artista que trabalha com colagens e escultura, tomando inspiração da natureza, com suas imagens de nuvens, árvores e montanhas. Filha de um pai frio e distante e de uma mãe alcoólatra, ela decidiu cedo na vida evitar o casamento e os relacionamentos íntimos. "O maior problema", revelou ao grupo em um dos nossos seminários, "não é tanto a solidão, mas a sensação de se estar fora do mundo. A maioria das pessoas não entende a minha arte, de modo que fica difícil ganhar a vida. O que eu preciso é de uma galeria ou um agente que me ajude a vender as minhas obras."

O Perfil das Deusas de Mary era o seguinte:

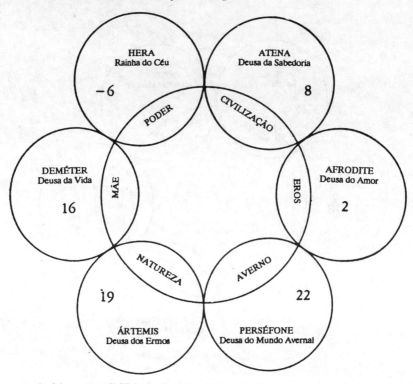

A timidez e sensibilidade de Mary ficam evidentes no peso dado a Perséfone e Ártemis, em detrimento de Afrodite e Atena. Sua falta de confiança no mundo externo de Hera é patente na diferença entre Perséfone (22 pontos) e Hera (-6 pontos). Sugerimos que ela examinasse a sua maneira de se relacionar com o poder e investigasse a sua baixa auto-estima neste aspecto. Mary descobriu num exercício de dramatização que sua atitude perante donos de galerias e outras pessoas em posição de autoridade era de juízo crítico exacerbado por sua relutância em conviver socialmente com as pessoas. Ela se deu conta de que torna-se muito mais fácil comunicar-se com as pessoas quando se está "mais leve".

Perfil das Deusas nº 5

Joanne é uma avó de 68 anos de idade que, depois de enviuvar alguns anos atrás, entrou em contato com o trabalho por um albergue assistencial – tendo se tornado desde então uma voluntária ativa neste programa, dando apoio às famílias de doentes e moribundos. "Eu estava tão envolvida com meu marido e com a nossa vida juntos que não tinha muito interesse por outras coisas. Criamos quatro filhos – o mais jovem está agora com 36 anos – e dirigíamos nosso próprio negócio. Jim era um empreiteiro de encanamentos e aquecedores e eu cuidava da contabilidade. Quando ele morreu de câncer, pensei que meu mundo se despedaçara, e fiquei tão deprimida que achei que ia morrer. Até que alguém sugeriu que eu ingressasse nessa organização que dava assistência a famílias com pessoas à beira da morte. Hoje eu ajudo várias dessas famílias, cuidando das crianças e preparando refeições se a mãe ou o pai estão no hospital. Sob muitos aspectos, minha vida nunca foi tão triste mas também nunca foi tão plena."

Eis o Perfil das Deusas de Joanne:

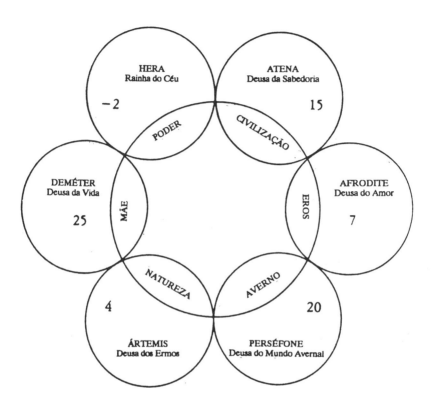

O devotamento de Joanne ao trabalho realizado nesse albergue e a atenção que dedica às famílias desconsoladas ficam evidentes na ênfase dada a Deméter (25 pontos) e Perséfone (20). Ela proporcionou muito consolo ao seu próprio coração agoniado com este trabalho. Mas Hera (-2) sofreu. Nossa sugestão foi a de que Joanne concedesse um pouco da mesma compaixão que oferecia às famílias do albergue para a Hera desolada e furiosa que havia dentro dela escrevendo um diário e trabalhando com psicodrama. Tendo seguido nossas sugestões, ela descobriu emoções fortes e poderosas que nunca conseguira expressar associadas ao sentimento de ter sido abandonada pelo marido.

Nove

Para conciliar suas deusas interiores (para mulheres)

Como reconhecer as diferentes deusas em você

Ao estudar as principais deusas na Parte Um deste livro, você talvez tenha começado a reconhecer duas ou mesmo três delas em si mesma e nas mulheres da sua vida – sua mãe, suas amigas, suas colegas, suas irmãs. Partes das descrições talvez não se apliquem, é claro, mas deve ter sido possível ver como as diferentes deusas se expressaram através de você nas diferentes épocas de sua vida. Eis, por exemplo, como as mulheres dos seminários descrevem as fases de suas vidas utilizando a linguagem das deusas:

> "Fui uma menina-Ártemis, sempre na minha, sempre ao ar livre pelos campos, detestando ficar dentro de casa. Mas a faculdade fez brotar muito de Atena em mim, e agora estou sempre indo e vindo da cidade para um lugar maravilhoso que comprei no Caribe há alguns anos."

> "Afrodite sempre foi forte em mim desde criança, e me foi muito útil no mundo da moda; mas agora estou casada com a pessoa certa e quero continuar casada. Abri minha própria agência de modelos. Eu não sabia que possuía tanto de Hera dentro de mim; mas, realmente, aprendi a valorizá-la."

> "Ter filhos era tudo o que eu sonhava quando menina. Acho que se poderia dizer que Deméter sempre esteve no alto da minha lista. E foi a coisa certa para mim: nunca me senti tão realizada como ao ver meus filhos crescerem. Mas o fato de ter perdido minha mãe quando era garota nunca deixou de me corroer um pouco no fundo. De modo que, agora que todos os meus filhos já saíram de casa, sinto-me deprimida. Tenho precisado muito enfrentar o mundo de Perséfone."

Exemplos como esses, de mulheres que conhecemos em nossas vidas, apontam para um fato óbvio: toda mulher possui uma ou duas deusas dominantes na sua constituição. É improvável que chegue a trocar inteiramente de deusa num ponto de transição da sua vida; pelo contrário, toda nova fase a deixa aberta para novas energias e novas perspectivas. As energias básicas e a perspectiva da deusa permanecerão, mas serão modificadas pelo mundo específico em que passar a viver ao longo das mudanças da vida.

Por exemplo, não importa qual deusa nos diz respeito fundamentalmente; o fato de termos um bebê nos levará ao mundo de Deméter e à consciência maternal de uma ou de outra maneira. Isso é tão inevitável que poderíamos dizer que Deméter é a energia arquetípica que *rege* a maternidade. É a sua área específica.

Porém, se pararmos para pensar, toda mulher pode ser mãe de seis maneiras basicamente distintas. A mulher fundamentalmente Ártemis será uma mãe bastante instintiva mas pouco convencional; roupas e horários não serão grandes prioridades, mas ela será carinhosa e boa companheira. Quer que a criança seja ativa e independente, como ela. E, assim, embora esteja vivendo uma fase Deméter da sua vida, ela a viverá num estilo artemisiano.

Em contraste, a mãe Afrodite adora dar aos filhos brinquedos, roupas bonitas, festas. A aparência das suas crianças será muito importante para ela, que tenderá a enfatizar nelas os dons sociais e o bom relacionamento. Inversamente, o estilo maternal de Hera será baseado na hierarquia e no bom comportamento, ensinando aos filhos que "existe uma maneira certa e uma maneira errada para tudo". Não é difícil ver que cada deusa atua de maneira distinta como mãe, apesar de estarem todas firmemente plantadas no domínio de Deméter.

Este modelo é importante e extremamente proveitoso porque, uma vez encontrada nossa deusa fundamental – aquela que estará presente por quase toda a nossa vida – poderemos discernir como ela nos influencia em cada estágio específico. As experiências infantis de Ártemis são muito diferentes das de Deméter ou de Afrodite. A adolescência é mais difícil para Perséfone do que para Afrodite ou Atena. Hera mal começa a viver quando Deméter e Afrodite já lamentam a perda da sua juventude de mulher.

Todas nós temos que atravessar as diversas etapas arquetípicas e vivenciais da vida – bebê, criança, adolescente, adulta e velha. O relevante para nós aqui é *como* vivenciamos esses estágios. O *como* os vivenciamos indicará, de maneiras óbvias e sutis, as deusas que estão se expressando em nós.

Em nossos seminários usamos um jogo para ajudar as participantes a começarem a trabalhar com suas deusas interiores. O jogo se chama "Remembering" ["Recordando"] (veja apêndice A) e consiste num exercício de escrever num diário todas as coisas que mais se destacam na memória ao longo dos diferentes estágios da vida. Quando a lista está completa, ela é analisada e nós podemos identificar quais deusas estão representadas nesta ou naquela experiência ou atitude em particular. O exercício revela quais deusas foram destacadas em nossa vida e quais deusas nós evitamos, sugerindo assim uma espécie de intercâmbio dinâmico.

Por exemplo, num de nossos seminários, uma mulher de 51 anos apresentou a seguinte lista para a sua adolescência: andar de barco, pescar, nadar, leituras debaixo do sol, brigas com a mãe, magra e sem peito, devaneios heróicos de salvar o mundo. No exame da lista, ficou evidente de imediato que Ártemis e Atena eram muito fortes na sua psique, e que Afrodite e Deméter estavam ausentes. "Mas isso iria modificar-se drasticamente, quando me vi casada e mãe de três filhos apenas doze anos depois!"

261

As vezes o poder de uma determinada deusa desponta cedo na vida, às vezes tarde. Se formos dotadas da energia juvenil de Atena ou Ártemis mas tivermos que criar uma família logo a partir dos vinte anos, ainda assim constataremos que uma ou outra nos será extremamente valiosa na segunda metade da vida. Ou, de uma maneira completamente diferente, poderemos descobrir que a energia madura de Hera nos permite assumir, ainda bem jovem, serviços de grande responsabilidade.

Portanto, o importante ao refletir sobre nossas relações e vivências pessoais com cada deusa é descobrir qual delas é a que mais se sobressai e qual está ausente. É possível que a mais destacada esteja compensando de algum modo uma que está em segundo plano ou ausente. Existirá algum padrão ou modelo que se reflete atualmente em sua vida? Você esteve sempre ciente de determinados padrões? O que esses padrões dizem de suas mágoas e ferimentos? Reconhecer os padrões do comportamento inconsciente é o primeiro passo no processo de conciliação e cura.

As energias das deusas ausentes

Responder ao questionário pode ser uma experiência bastante provocante. Como devemos entender aquelas duas ou três deusas com coeficientes baixos ou negativos? Se formos honestas com nós mesmas, verificaremos que se tratam de áreas nossas que ainda não exploramos. Talvez seja uma boa prática ler agora os capítulos que você pulou e verificar se *reconhece amigas ou familiares que personificam as energias das deusas que estão ausentes em você*.

Por exemplo, você poderá reconhecer na sua mãe uma Hera que dirige todos os clubes femininos da sua cidade natal. Ou talvez tenha uma irmã que na verdade é uma Atena frustrada, esforçando-se para completar a faculdade mas já com marido e filhos; ela absolutamente não é uma Deméter, a despeito de todas as aparências. Talvez a sua filha seja uma jovem Ártemis, com um quarto cheio de camundongos, cobaias, gatinhos, louva-a-deus e retratos de cavalos. Talvez se lembre de alguma colega de quarto na faculdade que era uma Perséfone tímida mas inacreditavelmente perspicaz. E, é claro, nós todas conhecemos algumas Afrodites, gostemos ou não do seu estilo descontraído de vida. E Deméter? É difícil deixar de ver aquelas mulheres de ar satisfeito e reluzente que parecem estar sempre de bom humor carregando seus bebês.

As deusas não estão apenas dentro de nós e ao nosso redor; seus estereótipos podem ser vistos nas novelas de TV, nos jornais sensacionalistas e nas mais recentes sagas públicas que se desenrolam em Washington e em Hollywood. As deusas estão em toda parte, e podemos observá-las a nosso bel-prazer agora que dispomos da chave. A pergunta a ser feita é, "Com qual delas eu ainda tenho coisas para resolver?"

A deusa com a qual ainda temos questões pendentes provavelmente não será nem aquela que teve menos voz ativa em nossa vida até o momento, nem aquela cuja voz "passiva" sempre ouvimos mas nunca queremos escutar. A tarefa aqui é descobrir quais são as questões que precisamos resolver com ela e resolvê-las de uma vez por todas. Em nossos seminários, temos um psicodrama dinâmico chamado "Having It Out With Your Shadow" ["Pondo as Coisas em Pratos Limpos com a sua Sombra"] que visa explorar algumas das questões fundamentais entre as deusas. Leitoras desacompanhadas podem fazer o mesmo exercício por escrito (veja apêndice A). No seu diário, ou numa folha grande de papel, faça seis círculos, um para cada deusa. Dentro e fora de cada círculo escreva palavras ou frases que você associa a essa deusa. Reflita depois sobre o diagrama, e comece a observar as frases e imagens que sugerem algum tipo de chaga ou ferimento em uma deusa específica. Você começará a ver que as chagas dessa deusa influenciam a sua vida no dia-a-dia.

O ciclo de vida da perspectiva das deusas: um novo tipo de esclarecimento de valores

Ao descrever as deusas, nos referimos diversas vezes a certas qualidades fundamentais que se destacam em cada uma delas: juventude, senso de realização, independência, capacidade de se relacionar, paixão e poder foram especificamente mencionados. Uma maneira de ver o desabrochar e a evolução dessas qualidades é observá-las em termos do ciclo de vida da mulher.

Tradicionalmente, o ciclo de vida da mulher era dividido em três estágios essenciais: *Donzela*, *Mãe* e *Anciã*. Por óbvios motivos biológicos, Deméter – enquanto princípio maternal – se inclinou a dominar a meia-idade das mulheres na maioria das sociedades até bem recentemente. Mas o controle da natalidade e os ensinamentos anticoncepcionais modificaram isso. Hoje, a fase tradicionalmente reservada para Deméter pode estar disponível com igual intensidade para a energia jovem de Ártemis ou de Atena, ou pode ser expressa no deleite que Afrodite sente nos contatos e relacionamentos pessoais. Para mostrar melhor essa rica e importante modificação, apresentamos o quadro abaixo indicando as quatro energias das deusas como co-iguais no desenrolar do ciclo de vida.

Perséfone (como Donzela) *rege a infância e a juventude*

Ártemis e Atena *regem a adolescência, o início da idade adulta e a transição*

Deméter e Afrodite *regem a maternidade, os relacionamentos e a maturidade*

Hera *rege a segunda metade da vida, a mulher enquanto "dignitária"*

Perséfone (como Anciã) *rege a velhice e a morte, a mulher "sábia"*

Entretanto, o fato de haver quatro deusas competindo pela nossa lealdade – isso sem falar no que Hera e Perséfone exigem, caso sejam as deusas dominantes em você – pode nos deixar exauridas. Mas é justamente neste conflito que tantas mulheres se encontram e que a Roda das Deusas almeja esclarecer. Por esse motivo, às vezes chamamos isso de "esclarecimento arquetípico dos valores".

Tomemos as quatro deusas agrupadas acima com as mais atuantes hoje em dia na vida de toda mulher a partir do final da adolescência: Deméter, Afrodite, Atena e Ártemis. De diversas maneiras, elas parecem estar agindo na psique de quase todas as mulheres – Deméter quer bebês, Afrodite busca romance, Atena deseja uma carreira e Ártemis quer simplesmente ficar sozinha. Como podemos estancar suas exigências conflitantes? Como optar entre elas?

Primeiro, você tem de decidir de qual é a voz interior mais forte, o que vale dizer, qual é o seu tipo dominante? A essas alturas, já deve ter ficado óbvio qual é a sua deusa dominante; será aquela cujo nome aparecer mais freqüentemente no jogo "Remembering" e que provavelmente também apresentará o maior coeficiente no Perfil da Roda das Deusas.

Segundo, você deve examinar as influências *externas* que a estão aproximando ou afastando dos domínios das outras deusas. Dê uma boa olhada na sua *mãe*, se puder. Qual é a deusa dominante nela: Deméter, Hera, Perséfone? Você tem obsequiosamente seguido aquilo que ela lhe desejou, ou tem reagido de maneira forte e incisiva contra ela?

Se você for uma Atena com uma mãe Hera, estará provavelmente envolvida em inúmeras questões de poder e sentirá a necessidade de atuar no mundo – geralmente para provar algo a sua mãe, e nesse caso o mundo de Deméter não irá atraí-la nem lhe parecerá ter serventia direta. Por outro lado, se sua mãe nunca lhe proporcionou um bom acalento demétrico, parte de você ainda anseia por esse embalo maternal sob a forma de uma criança. É preciso ter isso bem claro na sua cabeça antes de casar-se afoitamente e engravidar.

Entretanto, invertendo um pouco as coisas, se você for uma Afrodite ou Atena com uma mãe Deméter, poderá sentir-se obrigada a ter filhos e a reproduzir o lar delicioso e aconchegante no qual foi criada. E isso apesar do fato de saber que está buscando aventuras ou realização profissional – empreendimentos em que, é impossível não admitir bem no fundo, não há muito espaço para filhos.

Ou, invertendo mais uma vez, você pode ser uma Deméter natural com uma mãe Atena que insistiu que você entrasse na faculdade, onde pouco a pouco foi descobrindo que se sente desesperadamente infeliz. Talvez fosse melhor abandonar a escola e ter aqueles filhos tão desejados em vez de ficar engravidando "acidentalmente" o tempo todo.

Você também deve atentar para o seu *pai*. Aquilo que ele, consciente ou inconscientemente, deseja para você pode ter uma influência enorme. Talvez ele sempre quisesse ter filhos homens, mas foi forçado a se contentar com você e com suas irmãs. Secretamente, ele pode ter sempre desejado que vocês fossem todas Atenas bem-sucedidas com quem pudesse manter um relacionamento intelectual. Ou, no caso de ser um tipo mais terra-a-terra, as fantasias dele talvez envolvam tê-la como companheira para pescar e velejar, novamente substituindo o filho que nunca teve. A questão é: qual é o *seu* tipo legítimo? Você não estaria se moldando para agradá-lo, traindo assim a sua verdadeira natureza?

Às vezes, a jovem acaba sugada pela sombra da vida sexual infeliz do pai, tendo aprendido quando criança a absorver muitas das fantasias femininas dele. E, na vida adulta, poderá se comportar promiscuamente, desconfiando da sua verdadeira natureza Afrodite – pois na realidade estará sendo impelida, de maneira bastante inconsciente, pela vida secreta e nunca expressa do pai. Será ela realmente uma Afrodite ou não? Ela terá que buscar dentro de si aquilo que lhe é mais importante, qual deusa é verdadeiramente aquela que a dirige.

E, indo além de seus pais, você deve examinar os valores gerais da comunidade em que foi criada e como estes influenciaram ou distorceram o seu tipo fundamental de deusa. Você cresceu numa cidade universitária onde as mulheres-Atena eram tidas em alta consideração? Ou sempre viveu junto com pessoas do meio artístico, que esperam das mulheres um comportamento ostensivo de Afrodite? Ou será que achar um homem digno e ter filhos eram as prioridades da sua cidade natal – valores de Hera e Deméter?

Esses são todos valores coletivos, uma espécie de parâmetro médio ou norma de feminilidade que você pode ter absorvido. Tente recuar um pouco, e verificar se você os aceitou sem questionar e se eles realmente lhe são pertinentes.

Qual deusa rege? Alguns exemplos da vida real

Em nossos seminários, incentivamos as mulheres a explorarem as diversas deusas até ficar claro qual é a deusa dominante. Fazemos isso por meio de um jogo chamado "Everything You Ever Wanted to Know About the Goddess" ["Tudo Que Você Sempre Quis Saber Sobre a Deusa"]. Neste jogo são criadas seis seções – uma para cada deusa – num grande círculo, formando uma Roda das Deusas. Cada participante senta-se no lugar da roda onde se sente mais à vontade. Todas são solicitadas a dizer algo sobre a deusa em cujo lugar estão sentadas. Por exemplo, uma mulher sentada na seção de Deméter da roda poderá dizer, "Como Deméter, eu adoro assar biscoitos com meus filhos e deixar a casa com um cheiro bom". Outra, uma Atena, talvez diga, "Meu trabalho me mantém tão ocupada que não tenho tempo para comprar e preparar minhas refeições". Uma mulher, falando sobre Hera, poderá dizer em seguida, "Eu não entendo esses penteados esquisitos que os jovens estão usando hoje em dia". Depois que todas as seções se manifestaram, convidamos as pessoas a permanecerem onde estão e fazerem perguntas para alguém em outra seção. Desse modo, uma mulher na seção de Ártemis poderá perguntar à seção de Afrodite, "Como é que você agüenta viver sempre rodeada de pessoas?" A seção de Afrodite responderá à pergunta. Ou então alguém na seção de Deméter perguntará à seção de Hera, "Por que é tão importante manter a casa limpa e que todos jantem juntos? E por quê, *por quê*, as crianças têm que comer tudo que está no prato?" Ao que a seção de Hera terá diversas respostas.

O jogo vai se tornando mais complexo, e às vezes fica engraçadíssimo quando as mulheres na seção de uma deusa se sentem impelidas a responder a perguntas feitas a uma outra seção. Se quiserem participar do diálogo, as participantes devem passar para aquela seção; logo todas estão se movendo pela Roda das Deusas, fazendo e respondendo perguntas em diversas seções. Não demora muito até começar a haver um certo reconhecimento: "Ah! Ela é exatamente como minha irmã", ou "Puxa vida, esta é a descrição exata da minha mãe", ou "Então é por isso que eu não gosto da minha chefe". Vamos aprendendo umas com as outras e, lentamente, vamos tecendo o nosso próprio feitio das deusas.

Eis agora alguns exemplos tirados de nossos seminários de como as mulheres descrevem as suas vidas sob a ótica das deusas:

1. *A história de Margy: uma Ártemis descobre Afrodite*

"Minha mãe foi uma típica Hera frustrada, sempre achando que sabia o que era melhor para todos os filhos. Nunca me dei muito bem com ela, desde o começo. Todas aquelas idéias de como uma menininha bonita deve ser, e, bem... Acho que se poderia dizer que fui uma tremenda decepção para ela. Devo ter sido uma Ártemis durante a maior parte da infância e da juventude. Estava sempre brincando com os garotos, e o meu jeito era meio de moleque. Eu tinha o maior respeito por eles, e queria merecer a sua aprovação.

"O que mais me marcou foi que, aos olhos da mamãe, os garotos nunca estavam errados. Eles eram meio maravilhosos, fazendo todo tipo de coisas que ela própria nunca pôde fazer, liderando para vencer e vencendo para liderar – ou pelo menos era isso o que ela esperava. Era uma verdadeira duplicidade de parâmetros, vejo agora, uma maneira de se esquivar da sua própria feminilidade. Éramos quatro em casa, na verdade: eu tinha dois irmãos mais velhos e uma irmã mais jovem.

"Papai nunca estava por perto. Sempre senti que eu também o desapontei. Ele se mostrou muito solícito quando minha irmã engravidou, mas parece nunca ter me compreendido. Minha irmã, Sue, foi uma Afrodite desde o início, o que deixava mamãe furiosa, mas de um jeito diferente, pois gostava de vesti-la e enfeitá-la quando era garotinha. Sue costumava me procurar quando éramos adolescentes para me fazer toda espécie de perguntas sobre sexo – eu ficava meio horrorizada porque era tão diferente do modo como eu me relacionava com os rapazes. Eles me respeitavam porque eu era durona como eles, participava de diversos times, conhecia muito sobre carros e parecia *não* me interessar por sexo ainda.

"Na faculdade, as coisas continuaram mais ou menos as mesmas. Acho que posso dizer que desenvolvi um pouco de Atena para sobreviver, mas a minha turma ainda eram os rapazes que participavam de rachas de automóveis e que gostavam da minha companhia como a de uma irmã. Tive um ou dois encontros sexuais meio esquisitos. Os garotos eram tão tímidos e inexperientes que eu conclui que o negócio todo havia sido muito superestimado. Creio que, em retrospectiva, eu realmente não deixei que entrassem. E tudo aquilo que Sue costumava falar, sexo oral e coisas assim, só me desestimulava.

"Afrodite só entrou na minha vida quando conheci Jane. Na época, eu estava trabalhando na cidade como programadora de computador. Jane era uma consultora organizacional fora de série que encontrei numa conferência. Admirei sua energia nos negócios, o modo como se vestia, o fato de estar a par de todos os mais recentes livros, filmes e discos. Isso tudo era a sua Atena vitoriosa à qual eu aspirava, embora não tivesse a mesma ambição. Praticamente me pirou a noite na sua casa em que ela disse que eu era uma mulher linda e nós simplesmente começamos a fazer amor. Aquela noite modificou totalmente a minha vida. Descobri a mim mesma e ao meu corpo de uma maneira inteiramente nova. Entendo agora a minha irmã, Sue, um pouco melhor, em quem Afrodite era instintiva. Para mim, Afrodite permanecera bem oculta; eu precisei ser iniciada.

"Mamãe detesta a minha relação com Jane, é claro, mas Jane tem me ensinado como enfrentá-la. Estou apenas começando a ver o pouco de Afrodite que havia no casamento de mamãe e, imagino, o pouco de Deméter. Deméter ainda é um grande mistério para mim. Jane e eu estamos juntas há seis anos, e às vezes falamos em adotar uma criança, mas nós duas sabemos que não estamos prontas ainda. Nós acalentamos muito uma à outra. É triste constatar como nós duas tivemos pouco amor de Deméter quando garota. Mas dou grande valor à independência que aprendi quando menina. O meu lado Ártemis me dá muita força para enfrentar o mundo, mesmo que eu me sinta um pouco deslocada."

2. *A história de Pat perdendo Deméter, enfrentando Perséfone*

"Tendo sido criada numa família de seis filhos, seria de se esperar que eu tivesse me fartado de crianças e famílias. Mas, por eu ser a mais velha, e minha mãe uma Deméter inteiramente dedicada, não pude senão adotar o mesmo modo de vida. Casei-me aos dezenove anos. Bill era um oficial de carreira da força aérea, parecia uma pessoa bastante estável e previsível, e eu queria ter os meus bebês; o que haveria de nos impedir?

"Tive todos os filhos que era para ter antes dos 25 anos. Se não fosse uma complicação com Kevin, meu quinto, eu teria tido outros. Mas o médico me convenceu a amarrar as trompas. A vida militar era ótima para uma Deméter como eu. É muito fácil conhecer outras mães e seus filhos, e de uma forma ou de outra a força aérea oferece tudo que a gente precisa.

"Ou pelo menos era isso o que eu pensava. Eu não havia levado Bill em conta. Engordei bastante cada vez que fiquei grávida e acho que fiquei acomodada – acomodada demais, poderíamos dizer. Mal reparei que a nossa vida sexual tinha esfriado completamente, embora ela n nca houvesse sido muito excitante. Em casa, Bill era do tipo meio recatado. Suponho que eu fosse a sua mãe também. Eu deveria ter desconfiado quando encontrei uma pilha de revistas de mulheres em seu escritório um dia. Mas eu ainda vivia num sonho, rodeada por todos os filhos.

"No dia em que ele avisou que tinha uma outra mulher e que pretendia sair de casa, o meu mundo desmoronou. Na época eu não achei que fosse por qualquer tipo de deficiência minha. Eu havia lhe dado tudo. Ou pelo menos achava que sim. Se senti raiva, não me permiti senti-la. Eu tenho essa fachada muito calma, tranqüila, imperturbável. Continuei como se nada houvesse acontecido. Mas comecei a beber. Uma ou duas doses de *bourbon* para começar. Só que na época de acertar os papéis com os advogados já era quase um litro por dia. Tentei continuar agindo como sempre, mas me sentia deprimida, deprimida de verdade. Ficava sentada em frente da TV quase o dia inteiro, fumando e bebendo, totalmente perdida naquele lixo, até a hora de ir pegar as crianças. Eu queria apenas desaparecer, nada mais. É assim que fiquei conhecendo Perséfone. Meus filhos sofreram muito nessa época. Eu fui ruim para eles, apoiando-me neles num instante, surrando-os no momento seguinte.

"A pensão que o juiz estabeleceu foi decente, mas eu precisava mais para viver, de modo que fui trabalhar em diversos lugares como secretária. Estava enfrentando o mundo pela primeira vez, agora que tinha de me manter. Constatei que tinha um certo talento para organização e vendas, e acabei fazendo uma sociedade com uma outra mulher que tinha um pequeno restaurante. Ela entrou com a maior parte do dinheiro, eu concordei em administrar o negócio. Eu sempre fora uma boa cozinheira – toda aquela Deméter em mim – mas agora estava descobrindo também um pouco de Hera. Antes, eu simplesmente deixara que meu marido dirigisse o espetáculo.

"Algumas amigas me empurraram para a A.A. [Alcoólicos Anônimos], e eu já quase cheguei lá, mas tem sido um verdadeiro inferno. Quisera ter compreendido melhor Afrodite e o que saiu errado. Será que eu estava me escondendo por trás dos filhos? Será que eu realmente achava que poderia partir de uma grande família aconchegante diretamente para outra? Acho que só fui amadurecer depois que Bill foi embora. Perséfone tem sido uma verdadeira mestra para mim. Nunca mais vou ver o mundo da mesma forma depois da minha depressão e do meu alcoolismo."

3. A história de Trish: de Perséfone a Atena e Deméter

"É tão difícil falar sobre mim mesma. Eu costumo sentir como se simplesmente não existisse e como se somente a dor me fizesse lembrar que eu sou real. Entrar em contato com o mundo nunca foi fácil. Vocês poderiam dizer que eu com certeza sou uma Perséfone.

"Até o meu nascimento me fez sentir deixada de lado, ignorada. Eu fui a segunda de um par de gêmeos. Eles nem haviam percebido que eu estava lá. De modo que eu já apareci atrasada. É assim que eu passei a ver a minha vida: como uma espécie de reflexão tardia. Acho que devo ter sido uma criança muito difícil.

"Minha mãe era o que vocês chamariam de Ártemis. Nós vivíamos no campo, e ela estava sempre absorta em suas plantas, suas esculturas, seus cachorros e seus milhares de gatos. Nós éramos alimentadas de vez em quando, junto com os bichos! Eu gostava muito mais de papai. Ele era meigo e atencioso, e tinha sua própria vida de sonhos em alguma parte. Eu gostava de imaginar que ele me compreendia, mas creio que isso não passava de um desejo.

"Eu era tão desligada das coisas em criança que, mesmo aos sete anos, quando um garoto de doze anos de uma família das proximidades começou a mexer comigo sexualmente, eu não me dei inteiramente conta do que estava acontecendo. Fiquei muito confusa e cheia de culpa, por certo, mas isso só me fez sentir ainda mais deslocada que antes.

"Me fechei ainda mais na adolescência. Perdi muito peso e fiquei obcecada com Jesus de uma maneira semimacabra. Eu meio que amava a Crucifixão. Não posso explicar. Havia uma espécie de aura sexual em torno dela. Escrevi diários secretos, fazia desenhos elaborados meio à maneira de Bosch. Sentia-me deprimida e não comia quase nada. Meus pais acertadamente me mandaram procurar um psiquiatra – que foi extremamente gentil, mas que abanou a cabeça quando lhe mostrei meus desenhos e depois tentou conversar sobre rapazes comigo de um jeito todo avuncular. Tomei bem docilzinha todas as drogas que ele receitou, e aprendi a me adaptar. Dali para frente foi como se houvesse duas de mim mesma, uma que estava lá e outra que não.

"Vendo em retrospectiva a minha adolescência, parece que parte de mim foi permanentemente para o mundo avernal – e isso é Perséfone, não é? Mas pude compreender coisas de uma perspectiva bem diferente. Quando me esforçava, conseguia escrever até que com um certo brilho. Comecei a ler mais. Adorava Emily Dickinson, Camus, Dostoievski, os existencialistas. Como eu era estranha! Minha Atena estava vindo à tona. Comecei a ser reconhecida na escola e fui naturalmente impelida para a literatura e a filosofia. Surpreendia-me por continuar escrevendo trabalhos incrivelmente maduros e desenvoltos. Havia ocasiões em que eu me perguntava de onde vinham essas coisas que eu escrevia.

"A faculdade foi uma espécie de porto seguro natural para mim, e acabei me especializando em literatura, tendo defendido minha tese de doutorado sobre o *Frankenstein* de Mary Shelley. Sentia uma afinidade natural com a imaginação gótica, na qual me tornei especialista. Durante a pós-graduação, conheci Hank, um pós-graduado de francês medieval, muito gentil e introvertido, com quem acabei me casando. Ele foi perfeito para mim na época, deixando que eu continuasse vivendo no casulo da minha imaginação. A vida acadêmica – nós dois nos tornamos professores numa pequena faculdade da Nova Inglaterra – não é ameaçadora.

"Tornar-me mãe aos trinta e poucos anos trouxe um pouco de Deméter à tona, mas não muito. Devo ter sido uma mãe meio distante, como nos livros de texto. Mas tive uma ligação muito simbiótica com meu filho, Marc. Quando meu segundo filho morreu aos dezoito meses de um problema no coração – uma operação anterior não dera certo – entrei em depressão mórbida. Comecei a me sentir a própria Mary Shelley e tive fortes ímpetos suicidas durante um tempo.

"Felizmente, encontrei uma boa analista junguiana, que me obrigou a percorrer o meu próprio averno gótico, repleto de cadáveres de crianças. Achei que fosse enlouquecer, mas a sua sábia tolerância e as leituras que me sugeriu proporcionaram-me um certo tipo de objetividade. Quando terminou, iniciei treinamento para eu mesma me tornar analista. É o que ainda estou fazendo. É algo que realmente fortalece a Atena dentro de mim, a Atena que quer compreender este mundo sombrio para não ser sugada por ele outra vez."

Quando uma mulher começa a narrar a sua história dessa maneira, tanto ela quanto quem a ouve ou a lê pode notar a importância do aparecimento de determinadas deusas em certos momentos de sua vida. Que revelação foi para uma Ártemis sexualmente tímida como Margy encontrar Afrodite na forma de sua amante Jane! Ela conseguiu estabelecer uma ligação com sua natureza erótica, algo que muitas mulheres-Ártemis lutam em vão para conseguir ou simplesmente ignoram durante a maior parte da vida. Os antigos chamariam um momento assim tão carregado de "epifania", ou seja, uma "aparição" da deusa capaz de curar ou transformar. (Foi precisamente este fato que levou Jung a chamar os arquétipos de "transformadores de energia".)

E que poderoso encontro com Perséfone quando Pat entrou em depressão e começou a beber depois que o marido a deixou! Viver sozinha e freqüentar a A.A. forçou-a subseqüentemente a descobrir que possuía um pouco de Atena e muito de Hera dentro de si, tendo até começado a trabalhar por conta própria.

Acertando as contas com suas deusas excluídas

Oposição é verdadeira amizade
William Blake

Nenhuma das histórias acima oferece soluções mágicas para as mágoas ou deficiências dessas mulheres, mas foi imensamente útil para cada uma delas ser capaz de reconhecer que seus padrões pessoais eram parte de uma ou outra deusa em particular. Pat perdera completamente a noção do quanto se deixara absorver pelo mundo de Deméter, com todos os seus filhos, até que o marido a deixou. Margy começara a aceitar o estilo de vida solitário de Ártemis sem questionar, até encontrar sua amante.

Foi esclarecedor para cada uma delas perceber que vinham se deparando com energias de deusas pouco familiares por ocasião das crises e transições de suas vidas. Vimos como a amante de Margy despertou-a para todos os dons amorosos de Afrodite. E vimos como, de uma maneira bem diferente, Trish encontrou consolo para suas depressões e fantasias mórbidas aprendendo a refletir criticamente sobre a literatura gótica e os filósofos existencialistas, um processo que exigiu muito da sabedoria de Atena e da capacidade de essa deusa objetivar experiências complexas.

Porém, além disso, simplesmente poder narrar suas histórias para um círculo de mulheres que incorporam *todas as deusas* foi muito fortalecedor para essas três mulheres. Ajudou-as a superar sentimentos de alienação e estranheza, a descobrir quais de suas lutas não são apenas suas, mas lutas que unem todas as mulheres umas às outras das mais variadas maneiras encorajadoras. Algumas mulheres deste grupo em especial partilharam com Pat e Trish histórias similares sobre seus problemas com o álcool e a depressão. Outras comoveram-se profundamente com a revelação do despertar sexual de Margy, procurando-a mais tarde para lhe dizerem isso pessoalmente. Coisas assim acontecem com freqüência no interior deste poderoso receptáculo que é a Roda das Deusas.

Temos constatado que às vezes é particularmente útil ritualizar o encontro com uma deusa ferida ou alienada. Em tais casos, podemos sugerir a uma participante do seminário que seja carente de Afrodite, por exemplo, que se sente ao lado de alguma mulher que encarne fortemente essa deusa e mantenha com ela um diálogo. Pode ser um bom começo para se curar esta chaga em particular da deusa. Teremos mais adiante outras sugestões sobre como estruturar suas próprias conversas com as deusas.

Exercícios como esses são valiosos por um motivo muito simples: se uma deusa está ausente ou for deficiente na vida de uma mulher, talvez seja apenas porque nunca houve um modelo desta energia específica que pudesse trazê-la à tona. Uma mulher-Afrodite muito extrovertida, por exemplo, pode passar a vida inteira sem se deparar com a energia de Ártemis dentro de si se ninguém da sua família gostar de solidão e se ela própria nunca foi atraída por atividades solitárias. Pode ser necessário que uma amiga a convença a fazer um retiro de meditação ou que uma grave doença a obrigue a ficar ciente do poder da solidão. Mas na Roda das Deusas é possível gerar encontros ou diálogos ritualísticos com a sua Ártemis excluída.

As mulheres-Hera, por terem a vontade tão forte, costumam controlar de tal modo suas vidas que excluem qualquer intrusão de Afrodite, Ártemis ou Perséfone. Elas têm medo particularmente do domínio desta última, Perséfone; com isso, os seus últimos anos de vida e a proximidade da morte podem ser uma época crucial. Mas, novamente, com a Roda das Deusas elas podem pôr para fora seus medos e preconceitos em relação a Perséfone no contexto do seminário ou num diálogo escrito.

Muitas vezes, a própria vida irá nos impelir a intensos e agonizantes conflitos entre as deusas e os seus valores – e de maneiras que talvez nunca tenhamos antes questionado. Subitamente uma mãe Atena descobre que a filha de catorze anos está grávida; o que fazer se, como Deméter, ela acredita na santidade da vida mas se ela própria anteriormente já fez vários abortos? Ou, numa outra possibilidade, a esposa de um respeitado pastor se vê tendo um caso clandestino com um viúvo da paróquia do marido; como resolver o conflito agonizante entre Hera e Afrodite que se desenrola em seu interior?

É muito comum um conflito com uma determinada deusa emergir às claras sob a forma de algum encontro intensíssimo com uma mulher ou tipo de mulher. O que em termos práticos quase sempre significa que há algum trabalho importante a ser desenvolvido com essa pessoa, que representaria as energias da deusa da qual estamos alienadas ou com a qual estamos em conflito.

Um lugar onde muitas mulheres encontrarão suas deusas excluídas é, naturalmente, a sua constelação familiar, onde poderá reconhecê-las na mãe, na filha ou na irmã. Talvez a versão mais conhecida desta possibilidade seja o relacionamento que temos com nossas mães e nossas filhas, que pode assumir diversas formas da perspectiva das deusas: uma filha Atena alienada de uma mãe Hera ou Deméter, ou uma filha Afrodite em profundo desacordo com sua pudica mãe Ártemis, ou uma mãe Deméter totalmente incapaz de se comunicar com sua filha Perséfone, e assim por diante.

Livros como *My Mother, My Self*, de Nancy Friday, ou *Fierce Attachments*, de Vivian Gornick, têm explorado as complexidades labirínticas do relacionamento mãe/filha com grande perspicácia e compaixão. São exemplos gritantes dos diálogos que mantemos a vida inteira com as deusas. Também na literatura temos enredos altamente significativos baseados no mesmo tema; por exemplo, em *'Night, Mother*, de Marsha Norman, uma filha Perséfone suicida tem o seu derradeiro diálogo com uma mãe Deméter incapaz de compreendê-la (veja também Videografia e Filmografia).

Um bom exemplo cinematográfico de diálogo entre duas deusas alienadas pode ser encontrado no filme *Momento de Decisão*, a saga franca e sincera de duas mulheres, Emma e Deedee, que tomam rumos diferentes na vida. Outrora amiga íntima e rival de Deedee na escola de balé, Emma decide dedicar-se inteiramente à dança, abandonando assim qualquer idéia de família ou filhos. Deedee, por outro lado, engravida na mesma época e, duvidando da sua capacidade de vencer como dançarina, tenta criar uma típica família de subúrbio americano, embora continue dirigindo uma pequena academia de dança com o marido.

Vinte anos depois, elas se reúnem para celebrar o "debute" da filha de Deedee, uma bailarina talentosa e de futuro. Nesse momento, a rivalidade oculta entre as duas mulheres vem à tona – mas, junto com ela, uma mútua inveja mal-disfarçada pelo estilo de vida da outra: carreira bem-sucedida num caso, família e filhos em outro (veja quadro, "Atena e Deméter às Turras: *Momento de Decisão*"). É um diálogo muito comum entre Deméter ferida e Atena ferida, um diálogo cheio de nuances sutis e paradoxos amargos.

Deedee tornara-se uma dona de casa, isolada e não-realizada, que utilizara sua função de Deméter para evitar o ritmo desgastante do mundo da dança. A Atena ambiciosa que havia nela nunca chegou a ter sua prova de fogo neste cenário altamente competitivo e, frustrada, fica alimentando antigas rusgas e ciúmes da rival, Emma – que, ao que tudo indica, era a mais talentosa das duas. Emma, por sua vez, viveu a sua Atena ao máximo, mas ao preço de nunca ter sido mãe. Em sua psique, a Deméter não-realizada é tremendamente atraída pela filha de Deedee, Emilia, a quem gostaria de tornar sua *protégée*. Deedee pressente

ATENA E DEMÉTER ÀS TURRAS: *MOMENTO DE DECISÃO*

Neste excerto, Deedee se sente rejeitada quando sua filha Emilia divide o foco das atenções com uma antiga amiga e rival, Emma, numa estréia beneficente de gala. Deedee está enfurecida também porque Emma se ofereceu para assessorar Emilia quando esta se mudar para Nova York. Deedee mal pode conter seus ciúmes, como se a munificente Emma estivesse agora "roubando" a sua filha e recebendo todos os louros pela florescente carreira dela. Seus ciúmes saltam à vista, nas palavras de Deedee, "como um bando de sapos verdes" [em que *toad*, "sapo", também significa uma pessoa desprezível ou repulsiva]:

EMMA: Você está tentando me culpar pelo que fez, Deedee. A escolha foi sua, agora é tarde demais para se arrepender.

DEEDEE: O mesmo vale para você, Emma querida.

EMMA: Eu não me arrependo da minha.

DEEDEE: Então por que está tentando se tornar mãe na sua idade?

EMMA: Ah, isso certamente não é nenhum sapinho [*little toad*], e sim um enorme sapo-boi. Eu não quero ser mãe de ninguém. Penso em Emilia como uma amiga. É um dos motivos pelos quais tentei ajudá-la – idiota que sou! – foi que achei que você ficaria feliz se a sua filha se tornasse o que você queria ser mas nunca conseguiu.

DEEDEE: Ou seja, você! Será que é tão maravilhoso assim ser você, Emma?

EMMA: Bem, é óbvio que você acha que sim.

[...]

EMMA: Deedee, estou por aqui com as suas asneiras. [...] Só não me culpe pela sua droga de vida. Foi você que a escolheu.

DEEDEE: *Você* a escolheu. Você tirou de mim a minha escolha. Nunca me deixou descobrir se eu era realmente boa.

EMMA: Você não era e sabia. Foi por isso que se casou com Wayne.

DEEDEE: Eu amava Wayne!

EMMA: Amava tanto que mandou sua carreira para o inferno?

DEEDEE: Mandei!

EMMA: E ficou grávida para provar que falava sério?

DEEDEE: Fiquei!

EMMA: Ora! Você mente para mim como mente para si mesma. Você se casou porque era de segunda ordem. E ficou grávida porque Wayne era um bailarino, e naqueles dias isso queria dizer veado. Você tinha que provar que ele era homem, e por isso teve um bebê!

DEEDEE: Isso é uma maldita mentira!

EMMA: Essa é a maldita verdade e você sabe! Você lhe jogou uma criança nas costas e acabou com a carreira dele, e agora que ela é adulta e melhor do que você jamais foi, está com ciúme!

[...]

DEEDEE: E você usa as pessoas. Você sabe disso. Sempre usou as pessoas, a vida inteira... e agora Emilia.

EMMA: Como Emilia?

DEEDEE: Como Emilia! Isso ficou claro lá em cima cinco minutos atrás. Você estava usando Emilia para que todos na sala dissessem, "Emma é maravilhosa, não é? Emma é maravilhosa". [...] Sabe de uma coisa? Você é maravilhosa. Você é verdadeiramente fantástica! É incrível como ainda consegue ir adiante. Você é maravilhosa. Você é verdadeiramente fantástica! É incrível como ainda consegue ir adiante. Você já cruzou a linha e sabe disso. Está aterrorizada. Tudo o que tem são os seus recortes, seus amigos *posters* e aqueles cachorrinhos idiotas. Bem, e vai preencher a sua vida com o quê, Emma? Não com a minha filha. Mantenha suas mãos imundas longe da minha filha!

A briga se degenera numa rápida luta física carregada de ódio. Finalmente, ao que parece, as duas mulheres conseguem liberar toda a inveja acumulada que fervia dentro delas. E como tantas vezes acontece em brigas onde existe uma ligação mais profunda, as duas acabam rindo, abraçadas uma à outra. Nas sábias palavras de William Blake, "Enraiveci-me com meu amigo; contei-lhe minha raiva, minha raiva teve fim".

instintivamente os motivos escusos e, com brutalidade, espicaça Emma no seu ponto mais sensível.

A conversa das duas merece ser vista na tela, é claro, mas o trecho que apresentamos aqui nos dá alguma idéia da intensidade do intercâmbio. Acreditamos que a tremenda força deste diálogo reside no fato de serem na realidade duas deusas que, por assim dizer, estão expressando seus ressentimentos mais profundos *através* das duas mulheres. Não importa a qual carreira uma mulher como Deedee tenha aspirado, ela irá identificar-se com estas chagas em Atena; e toda mulher que, como Emma, renunciou à maternidade sentirá as pontadas de arrependimento de Deméter nesta história.

Alguns diálogos típicos entre deusas

Em nossos seminários temos observado os mais variados diálogos espontâneos brotando das diversas seções da Roda das Deusas. É claro que não possuem a especificidade pessoal que encontramos no filme *Momento de Decisão*, mas uma temática arquetípica muito semelhante nunca deixa de aparecer, sejam as Atenas desafiando as Ártemis e as Perséfones a deixarem suas elucubrações, a revelarem de fato o que sentem e a se envolverem mais com a vida; seja uma Afrodite ferida e magoada desafiando uma Hera farisaica a respeito do seu casamento vazio; seja uma Hera com raiva de uma Perséfone que suga as energias do grupo com suas histórias de vitimização.

Quando diálogos como este surgem num grupo, uma enorme quantidade de energia começa a ir e vir no receptáculo sagrado da Roda das Deusas. Quase todas as participantes acabam se envolvendo na energia polarizada dos debates à medida que as deusas vão se tornando mais francas e diretas ao falar de suas mágoas, suas convicções, suas sabedorias esquecidas. Às vezes é como se séculos de argumentos sutis fossem varridos com o sopro revigorante de uma palavra.

No final, é claro, toda mulher precisa descobrir qual diálogo é o mais premente para si. Mas, almejando ao menos estimular este processo, apresentamos abaixo alguns trechos reconstituídos dos tipos mais comuns de intercâmbio que a Roda das Deusas provoca.

Hera e Perséfone: psique versus mundo "real"

A maioria de nós raramente se dá conta do quanto estamos presas à perspectiva da nossa própria deusa até sermos confrontadas com uma visão radicalmente diferente do mundo. Não há perspectivas mais diferentes do que as de Hera, com sua confiança aparentemente inabalável em como o mundo "real" funciona, e de Perséfone, com sua rejeição quase petulante de tais questões em favor das realidades "interiores".

No diálogo abaixo, uma mulher-Hera mais idosa decidiu que já agüentara o suficiente do que chamou "baboseira psíquica" de uma jovem Perséfone. Incidentalmente, a presença de uma mulher-Hera num seminário é um acontecimento relativamente raro, pois via de regra ela não aprova a psicologia. Porém, quando chega a participar de um, tende a provocar um considerável frenesi.

H (mulher-Hera): Posso dizer uma coisa? Tenho estado ouvindo a senhorita falar dessas cartas de tarô e de como as utiliza com seus clientes e de como consegue captar a "energia" deles e trabalhar com seus sonhos e patati e patatá. Acho que nunca ouvi tanta baboseira psíquica junta. Tudo isso é fantasia. Você está só fazendo essas pobres pessoas acreditarem num faz-de-conta. Tudo de que elas precisam são bons conselhos terra-a-terra sobre trabalho e dinheiro e família.

P (mulher-Perséfone): Pois eu acho a sua energia extremamente negativa e você muito metida a condescendente. Alguém já fez uma leitura psíquica de você? Você alguma vez estudou seus sonhos? Acho que você ficaria terrivelmente surpresa.

H: Eu nem sonharia em desperdiçar meu dinheiro nessas bobagens. Quanto aos sonhos, todas nós sabemos que é somente o cérebro funcionando durante o sono. Meu filho estuda psicologia na universidade; ele diz que o cérebro é apenas uma máquina, e eu acho que ele tem razão.

P: Não vá me dizer que você acredita que o que se estuda na faculdade é a totalidade da psicologia? O que você me diz da análise, da meditação, da hipnose?

H: Ah, são apenas modismos que vão e vêm. Não adiantam absolutamente nada. Os problemas da maioria das pessoas são curados pelo trabalho, se você quer saber. Toda essa falação sobre o subconsciente e sei lá mais o quê – tudo isso é mórbido e egoísta.

P: Eu acho que você não ouviu uma única palavra do que eu e outras mulheres-Perséfone aqui presentes disseram. Nossas vidas foram significativamente transformadas pela prática da meditação e pelas conversas que temos com nossos orientadores. Você não parece ter a mínima idéia do que significa confiar em um guia interior. Meus guias nunca me enganaram.

H: Bem, querida, eu confio no meu marido, no meu advogado e no gerente do meu banco – e basta.

Claramente, não houve nenhuma resolução aqui em face de uma Hera tão rigidamente identificada com a estrutura social dominante do seu mundo e com autoridades externas como marido, professores universitários, banqueiros, e outros. Porém, como algumas participantes da Roda das Deusas mais tarde apontaram para ambas, Perséfone é muitas vezes tão dependente das autoridades e da "citação de nomes" quanto Hera. A única diferença é que as autoridades de Perséfone são espirituais e desencarnadas, ou então são gurus – figuras igualmente difíceis para se argumentar. E como uma observadora comentou com grande pertinência, Hera e Perséfone gostam ambas de bancar as importantes quando querem. Exercer poder, seja poder mundano ou poder psíquico, é uma grande preocupação de ambas. A diferença é que esta Hera em especial foi mais direta e cara-a-cara, ao passo que a mulher-Perséfone estava usando o poder de maneira muito sutil – mas igualmente dogmática e inflexível.

Hera e Afrodite discutem o amor e o casamento

Nem sempre Hera consegue dar uma de superior nos seminários da Roda das Deusas, por mais autoritária que se mostre. De vez em quando, uma outra mulher consegue pôr o dedo na *sua* ferida, como mostra o diálogo abaixo.

Por certo não existe maior oposição arquetípica do que entre Hera, representando o casamento, a monogamia e a fidelidade, e Afrodite, totalmente dedicada à proposta de que o amor e a paixão transcendem toda e qualquer consideração social ou pessoal. O intercâmbio abaixo pode parecer material de telenovela, mas é representativo da conversa que muitas mulheres de nossos seminários precisam ter, não importa com quais deusas estejam em sintonia.

H (mulher-Hera): Eu estava ouvindo você (uma mulher-Afrodite do grupo) falar do caso que teve durante vários anos com um homem casado, e isso me deixou verdadeiramente *furiosa*! Alguma vez você parou para pensar no que estava fazendo com a coitada da esposa?

A (mulher-Afrodite): O que você sabe sobre a "coitada da esposa"? Você se encontrou alguma vez com ela? Pois olhe, eu sei muito a respeito dela, como ela nunca queria dormir com o Fred, como se grudava nele, como ele agüentava tudo por causa dos filhos.

H: Mas se não fosse por você, eles talvez tivessem conseguido consertar as coisas. Seja como for, eu acho que ele teve muita coragem ficando do lado da esposa e dos filhos. Isso é algo que você não compreende – fidelidade!

A: Pelo contrário. Eu diria que sou fiel à minha própria maneira. Na realidade, eu diria que sou muito mais fiel do que você; sou fiel aos meus verdadeiros sentimentos. Você parece disposta a sacrificar seus sentimentos verdadeiros só para se ater a algum *ideal*, a família perfeita, e dane-se os sentimentos e a felicidade! É isso que me deixa fula sobre o seu tipo de casamento – é uma farsa! É totalmente hipócrita.

H: Você fala como se tivesse alguma missão divina de sair por aí salvando os homens de suas horríveis esposas Hera. No passado, isso se chamava destruir casamentos. Agora você quer dar um toque de *glamour* à coisa chamada de "casamento aberto" e essa besteirada toda. Eu acho que o que você e todas as Afrodites têm na realidade é inveja da estabilidade, da felicidade, e no fundo o que querem é destruir isso.

A: Bem, talvez haja um pouco de verdade nisso. Minha mãe com certeza odiava a minha sexualidade quando eu era uma adolescente fogosa. Lembro-me de ter dito, "Dane-se você, mamãe, com esta porcaria de casamento chato que é o seu!" Acho que tenho que admitir isso; eu ainda *tenho* raiva dela. Ela é uma Hera, sem a menor dúvida. [...] Mas se você também é uma Hera, me ajude a entender por que Afrodites como eu são tão ameaçadoras. Não é apenas a nossa destruição de casamentos, como você diz. O que você me diz da sua sexualidade?

H: Não há nada de errado na minha vida sexual, muito obrigada!

A: Isso soa como "não se meta onde não foi chamada". Olhe, eu fui bastante sincera sobre a minha sexualidade neste seminário. E acho que você está apenas se escondendo. Você finge muito mais do que está disposta a admitir.

H (*agora em lágrimas*): Não é justo. Eu *tento*. Eu *sempre* tentei tanto. Fiz exatamente o que minha mãe queria que eu fizesse. Casei-me com a pessoa certa. Tínhamos tudo, tudo. Era tudo tão perfeito. [...] Mas agora, é tão vazio, tão mecânico. Eu realmente não sei se ele me ama. Não desse jeito. Pelo que sei, ele pode até estar dormindo com alguém como você (*mais lágrimas*). Eu simplesmente não o conheço mais.

A (*aproximando-se para consolá-la*): Sabe, você é muito mais parecida comigo do que pensa. Eu consigo ver esse lado seu. Aposto que você também já foi cheia de fogo por dentro.

H (*dilacerada entre uma careta e um sorriso*): Acho que você não sabe o quanto eu me sinto sozinha aqui dentro.

A: Ah, eu sei. Eu realmente sei. (*Elas se abraçam, as duas em lágrimas agora.*)

Na maioria de nossos seminários, Hera começa mostrando-se superior e sendo atacada pelas outras deusas. São tantas as mulheres que vêem Hera nas suas mães que uma Hera num seminário é obrigada a agüentar o repuxo de todas as suas mágoas e reclamações acumuladas. E a única maneira que Hera conhece de se defender e tornar-se ainda mais superior. Mas, como mostra esse diálogo, quase sempre há uma fenda na sua couraça no que tange ao casamento. Isso é inevitável, pois, para adaptarmos o título extremamente feliz do livro de Marion Woodman, ela é "viciada em perfeição". Como ninguém pode ser perfeita, ela tende a desmoronar quando se põe frente a frente com suas imperfeições. – O que na realidade lhe é extremamente proveitoso. – Ela precisa descer um pouco da superioridade olimpiana de um casamento pretensamente perfeito e humanizar-se. Nesse instante, Afrodite conseguiu se comunicar com ela, e pôde ter compaixão de uma mulher tão igual à sua própria mãe Hera.

Afrodite e Ártemis falam sobre sexo e sensualidade

Nada engana mais do que as aparências e nada revela mais depressa divergências entre as deusas do que falar da nossa aparência e de como nos sentimos em relação ao nosso corpo. No trecho abaixo, uma mulher-Afrodite, meio gordinha, mostrou-se encafifada pelo modo de uma mulher-Ártemis descrever seu relacionamento com o corpo.

ART (*mulher-Ártemis*): Realmente, não sei como agüentaria viver se não pudesse correr e fazer aulas de danças regularmente. Eu me sinto tão bem quando meu corpo está em forma. Fazer amor, trabalhar, tudo fica vibrante. Eu adoro sentir o meu corpo teso.

AFR (*mulher-Afrodite*): Para mim é justamente o contrário. Eu gosto de me desmanchar quando faço amor. Não consigo imaginar todos esses músculos tesos espalhados pelo corpo. Eu poderia agüentar um pouco de aeróbica talvez, mas correr me parece algo como treinamento militar. Toda essa disciplina atrapalharia o sexo. Eu simplesmente não conseguiria me soltar.

ART: Mas fazer amor para mim não significa me soltar. É mais uma dança incrível, uma mescla extática de energias. O orgasmo é uma espécie de explosão.

AFR: Espero não estar perdendo alguma coisa! Eu gosto muito mais de ser tocada, acariciada, mimada. Sobe-me um calor gostoso quando ele fica todo excitado ao ver e sentir o meu corpo. E você não adora todas aquelas coisas românticas e sentimentais, jantares, música suave, roupas bonitas?

ART: Sabe, para falar a verdade eu nem penso muito sobre isso. As pessoas, e os homens especialmente, me dizem que eu sou muito atraente, mas isso não significa grande coisa para mim. Não dou muita atenção a roupas, embora saiba do que gosto. Não consigo entender todo esse seu interesse por coisas românticas e sedutoras. Francamente, elas me deixam até um pouco embaraçada. Acho que no fundo sou meio tímida – mas isso não quer dizer que não consiga ficar superexcitada. Você me fez perceber que eu estou muito mais no controle do meu corpo do que você.

AFR: Hmm. Pelo que você diz, acho que simplesmente devemos *habitar* nossos corpos de maneiras muito diferentes. Acho que se poderia dizer que eu sou muito sensual. E estou sempre fantasiando sobre as coisas gostosas que meu corpo gostaria.

ART: Eu acho que de fato não tenho esse tipo de fantasias. Aventuras meio loucas, certos tipos de encontros com homens nos quais sou muito ativa (*enrubesce*), mas não dedico muita energia ao meu corpo no que se refere ao sexo. Nunca compreendi as revistas femininas, os salões de beleza e coisas assim. Não que eu desaprove. Eu apenas não pareço me encaixar nisso. É tudo muito voltado para si mesmo, meio constrangedor.

277

A maioria das outras mulheres do grupo se identificaram com um ou outro lado deste diálogo. Algumas Perséfones, porém, não tinham a menor idéia sobre o que as duas estavam falando, tentando elas próprias descrever sua sexualidade inteiramente em termos espirituais – o que deixava todas as outras desconcertadas. Mas, dentre as pessoas que observaram o confronto entre Ártemis e Afrodite, as mais intrigadas foram os *homens* do grupo. Para eles foi uma revelação ver e ouvir duas mulheres manifestamente atraentes revelarem como vivenciavam o corpo de maneiras tão diferentes. E tiveram que admitir que suas projeções sobre beleza e sexo talvez estivessem redondamente equivocadas.

Deméter e Perséfone e os filhos

Vimos na cena do filme *Momento de Decisão* como a questão de ter ou não ter filhos pode afetar profundamente uma Atena cuja energia vital é dirigida à sua carreira, e como isso é difícil para toda mulher em quem Deméter e Atena são igualmente fortes. A Roda das Deusas mais de uma vez já trouxe à tona esta e outras questões angustiantes a respeito dos filhos – aborto (espontâneo ou intencional), infertilidade e filhos não-desejados. Mulheres nas quais Deméter é uma presença forte e plena tendem a ser bastante ingênuas sobre como as outras encaram esta área dolorosa, o que ficou claro no diálogo abaixo.

> **D** (*mulher-Deméter*): Você ficou tão terrivelmente quieta durante toda essa discussão sobre bebês e maternidade. Alguma coisa lhe perturbou?
>
> **P** (*mulher-Perséfone*): Não, na realidade não, pelo menos não mais. É difícil para mim falar sobre isso... é tão doloroso, embora tudo já tenha acabado. É que eu me sinto uma droga quando se trata de ser mãe.
>
> **D**: Sei como você se sente, querida. Eu também fracassei com meus filhos em muitos aspectos...
>
> **P** (*num sussurro*): Duvido que você possa realmente saber o que eu sinto (*suspira profundamente*).
>
> **D**: Você não poderia nos falar um pouco a respeito? Eu nem sei se você tem ou não tem filhos, de tão pouco que falou até agora.
>
> **P** (*lutando contra as lágrimas*): Você acha que falhou. Bem, isso no meu caso seria mais do que um eufemismo. Minha mãe casou-se pela segunda vez quando eu tinha dez anos. Você poderia dizer que ela era uma verdadeira Afrodite; sempre tinha homens por perto. E eles costumavam me provocar.
>
> **D**: Mas, então, o que aconteceu?
>
> **P**: Bem, este com quem ela se casou entrou no meu quarto um dia quando eu tinha catorze anos. Eu meio que gostava dele, c, bem... aí tudo aconteceu. Ele fez amor comigo. Isso durou vários meses até mamãe descobrir. Ela o expulsou de casa. Mas o mal estava feito. Eu estava grávida.
>
> **D**: Nossa! Coitada de você!
>
> **P**: "Coitada" coisa nenhuma! Mamãe e uma assistente social me obrigaram a ter a criança. Nós éramos católicas, você sabe. Foi como um castigo. Eu a odiei durante toda a gravidez. E imagino que tenha odiado o bebê. Só que as coisas não foram tão simples quando ele nasceu. Mas foi logo adotado. Era um garotinho. Eu até hoje penso nele, como ele deve

estar agora, como seria encontrá-lo. Ele me vem em sonhos o tempo todo. É como se eu o conhecesse. Eu tentei dizer isso àquele psiquiatra idiota que eu tive que ver durante anos. Até que decidi me fechar. Afinal, o que é que ele sabia? O que é que alguém pode saber? [...] De modo que, sim, podemos dizer que eu me sinto um fracasso como mãe!

    D: Eu gostaria apenas de poder abraçar você, isso tudo é tão, tão terrível. Não posso sequer imaginar.

    P: Não, exatamente. A maioria das pessoas não consegue imaginar. É por isso que eu não digo nada. Foi a *minha mãe*, droga, que me obrigou a dar a criança. É por isso que não consigo falar sobre maternidade. Eu simplesmente não acredito no seu tipo, eu simplesmente não acredito – lamento!

    D (*aturdida*): Desculpe, eu nem sei o que dizer. Eu também lamento.

Diálogos como este – particularmente os que giram em torno dos temas de Perséfone (perda, abandono, morte) – geralmente não têm solução. Deméter precisa sair de vez em quando do seu casulo aconchegante e ensimesmado, e ninguém consegue isso mais do que uma Perséfone infeliz. O impulso demétrico de salvar, acertar, consertar e acalentar é, evidentemente, muito louvável quando apropriado, mas não é a maneira correta de reagir a tudo.

Esta Deméter recebeu mais do que esperava quando convidou a recatada Perséfone a entrar na discussão. Ela ficou genuinamente chocada com o que ouviu, pois jamais estivera numa posição de não querer ter filho e certamente nunca concebeu que se pudesse odiá-lo. De modo que Perséfone a instruiu um pouco sobre o mundo avernal.

Ser arrancada de si mesma por Deméter também foi bom para Perséfone, trazendo à tona muito da amargura que ela vinha afagando em silêncio há anos. Pôde também perceber que vinha se comparando negativamente com mães bem-sucedidas e assumindo a culpa de tudo. Uma raiva saudável contra a traição de sua mãe começou a surgir mesmo com este breve intercâmbio.

Atena, Ártemis, Deméter e Perséfone falam sobre as mudanças no mundo

A Roda das Deusas oferece amplas oportunidades não apenas para o diálogo mas, teoricamente, para intercâmbios sêxtuplos. Na prática, a discussão raras vezes chega a ficar tão generalizada, pois a maioria das mulheres se identifica com um ou outro pólo do debate. Eis um excerto de um "quadrálogo", no qual a questão discutida é menos pessoal do que nos diálogos anteriores, mas nem por isso menos intensa. Tudo começou com uma menção a valores e estilos de vida, mas toda a dinâmica subjacente acabou estando mais ligada às diferenças fundamentais – o que vale dizer arquetípicas – de postura diante do mundo e dos relacionamentos humanos.

    ATE (*mulher-Atena*): Acho que o único jeito de mudarmos alguma coisa nessa sociedade é todas nós assumirmos a responsabilidade e lutarmos pelo que desejamos. Vejam o que conseguimos em nossa cidade: centros de saúde para mulheres, representação feminina em nível estadual,

279

legislação contra estruturas salariais discriminatórias – mudanças reais, efetivas, palpáveis.

ART (*mulher-Ártemis*): Isso é ótimo, e tenho certeza de que todas nós aprovamos. Mas acho que, se pusermos toda a nossa energia em mudanças políticas, nosso estilo de vida é que irá sofrer. Acho que as mulheres precisam experimentar com estruturas comunitárias inteiramente novas *longe das cidades*. As cidades estão se deteriorando tão depressa que são como um abismo sem fundo. Pequenas cidades, talvez, mas podemos esquecer as grandes.

D (*mulher-Deméter*): Eu meio que concordo com você. A minha índole simplesmente não está voltada para a política, mas acredito que posso contribuir para a qualidade de vida da minha comunidade imediata, *com minha família*. Se eu fizer as coisas certas na família, meus filhos irão passar isso adiante.

ATE: Sim, é claro, mas as estruturas familiares e comunitárias estão se despedaçando em toda parte, os índices econômicos deixam isso bem claro –

ART: Ah, vamos, deixe disso, Atena. Não comece com essa história de "nossos estudos mostraram que" outra vez. Você mesma admitiu antes que vive sozinha, sem companheiro e sem família, de modo que tudo isso é mera teoria.

ATE: Sim, mas é *possível* legislar mudanças –

P (*mulher-Perséfone*): Posso dizer uma coisa? Eu sou uma conselheira profissional, e já atravessei uma situação bem maluca com a minha família e um casamento fracassado – estou agora criando minha filha de oito anos sozinha. Estou tão afastada da ação política que tudo isso me parece meio irreal. A dor das pessoas, no entanto, é bem real. Eu ouço essa dor todos os dias, e ela tem pouco que ver com as estruturas salariais ou mesmo com o amor familiar. Tem que ver com existirmos de verdade, tem que ver com alienação. Ah, sim, claro, um pouco mais de dinheiro, mais empregos, controle da natalidade e outras coisas assim podem ajudar, mas só na superfície. As pessoas são tão, tão solitárias – elas só precisam ser um pouco mais honestas umas com as outras. Me desculpe, Atena, não tenho nada com isso, mas toda essa atividade política é só uma máscara. Você está sozinha, e eu diria que está sofrendo.

ART: É por isso que eu acho que devemos começar com as questões fundamentais. Não acho que suas propostas sejam verdadeiramente radicais, Atena. Não são mais do que curativos superficiais. Toda a estrutura apodrecida está prestes a desabar. Por que se preocupar em escorá-la? O negócio é *sair* das cidades.

ATE: Mas será que você não vê que é nelas que está o poder, a influência? As sociedades mudam a partir do centro, não da periferia.

D: Talvez seja apenas uma questão de perspectiva, mas o meu centro é o meu lar – não teve um poeta que disse, "Lar é de onde partimos"?

Obviamente, essa disputa não se encerra com nenhuma espécie de acordo simples, mas no caso conseguiu despertar sentimentos bastante intensos. Termos como *introvertida* e *extrovertida*, *conservadora* e *liberal* não parecem nem um pouco adequados para transmitir as sensibilidades altamente complexas e contrastantes que essas mulheres trouxeram para a discussão.

Quando o patriarcado suprimiu a Deusa, deixou as deusas menores amarguradas, feridas e divididas. A conseqüência, com a qual temos sofrido desde então, foi que as mulheres passaram a existir profundamente alienadas de si mesmas e do cerne da sua feminilidade. Diálogos como os citados acima almejam ser um pequeno começo para se sanar essa divisão no seio da própria Grande Deusa. É por isso que recomendamos o diálogo como o primeiro passo da nossa reconciliação – seja exteriormente como mulheres, seja interiormente como seres humanos íntegros e completos.

Sabendo que todas essas deusas menores estão ligadas primordialmente à Grande Deusa, verificamos que tremendo ato de redenção é o fato de concedermos a elas a oportunidade de voltarem a se unir, de narrarem suas histórias, de falarem francamente e de ouvirem com compaixão umas às outras. E o milagre é que elas podem se reunir *dentro* de nós, mulheres individuais, ou *entre* nós, em grupos, quando exploramos os padrões e conflitos em nossas vidas e relacionamentos. A Roda das Deusas torna-se então um pequeno reflexo do mundo maior. Se o diálogo interior ou em pequenos grupos pode proporcionar entendimento e cura em pequena escala, o mesmo será possível numa escala muito mais ampla. A dinâmica atuando em ambos os casos é idêntica.

Quando nós mulheres conseguirmos enxergar o quanto nossas divergências e rivalidades interiores provêm das chagas de deusas que foram destituídas de poder, saberemos usar a Roda das Deusas como um instrumento poderoso de esclarecimento dos valores femininos. É ouvindo compassivamente umas às outras e atendendo à nossa luta comum para nos tornarmos unas e íntegras que iremos nos diferenciar plenamente como mulheres modernas, mais bem capacitadas a enfrentar um mundo árduo e complexo.

Também os homens, depois de ouvirem esses ardorosos debates psicodramáticos, conseguirão alcançar um entendimento radicalmente novo de suas companheiras, colegas, mães, filhas e irmãs. No capítulo seguinte, mostraremos como a deusa pode ajudar os homens a compreenderem *as suas próprias* reações nesta antiga e complexa dança dos sexos que é a psique feminina vista pela ótica das deusas.

Dez

Vivendo com as deusas (principalmente para os homens)

A grande pergunta que jamais foi respondida, e que eu não fui capaz de responder apesar de meus trinta anos pesquisando a alma feminina, é: O que uma mulher quer?

Sigmund Freud

As mulheres: um eterno mistério para os homens

A despeito de todos os enormes avanços alcançados pelo feminismo e pela psicologia, a maioria dos homens ainda se aflige com a célebre pergunta de Freud: "O que as mulheres realmente querem?" Talvez não tenha sido dado aos homens realmente saber. Talvez tenham que viver para sempre com este grande e tantálico enigma. Entretanto, temos constatado que quando a psique feminina é vista pela ótica das deusas, torna-se muito mais possível aos homens se aproximarem um pouco do âmago deste mistério.

Para começar, acreditamos que existe não apenas uma, mas pelo menos seis maneiras de se formular esta pergunta – seis maneiras que correspondem a cada uma das deusas e, subseqüentemente, tantas combinações quantas forem as energias que as deusas precisarem para compor a psique de cada mulher. O simples fato de, com um pouco de atenção, podermos reconhecer mais de uma deusa em toda mulher dá-nos a perceber que evidentemente inexiste uma resposta única para esta pergunta desconcertante. Se houve algum engano, foi Freud querer generalizar excessivamente.

Tomemos, por exemplo, a velha resposta padrão de que toda mulher quer *amor*. Mesmo uma resposta de aparência tão segura assume um significado inteiramente novo se a fizermos percorrer as seis deusas. Afrodite quer amor, é claro, mas será que o tipo de amor ela deseja – sensual, extático, passional – adequa-se a todas as deusas? Certamente não a Hera. Hera quer um tipo bastante diferente de amor – dedicado, reverente, fiel, doce, talvez, mas não particularmente sensual; este não é do seu feitio. Ela gosta de ser colocada num pedestal, de ser admirada, respeitada por sua autoridade, suas opiniões e sua pessoa. Acima de tudo, Hera quer que o homem concretize plenamente o seu amor num casamento que faça dela uma esposa respeitada e membro proeminente da comunidade.

E qual o tipo de amor que Perséfone quer? Algo muito mais espiritual, matizado pelo êxtase místico e não pelo sensual de Afrodite, e certamente não pelas necessidades materiais e sociais de Hera. A mulher-Perséfone quer que ela e seu homem entrem numa comunhão que não é inteiramente deste mundo. Existe em Perséfone um certo anseio pelo inefável que jamais será satisfeito pelos esplêndidos espólios de Hera ou mesmo pelas adoráveis crianças de Deméter.

As necessidades amorosas de Deméter são igualmente distintas. Ela quer ser amada pela sua capacidade de se dar. Sob muitos aspectos, graças ao seu enorme potencial para a maternidade e o acalento, Deméter quase sente ela própria o amor, dando-se não apenas a seus filhos mas a todos. É possível que diga que não precisa de amor por já ter tanto amor em sua vida, refletido na felicidade de seus filhos. Por outro lado, como vimos no capítulo dedicado a ela, talvez esteja tão ocupada se dando que acabe sentindo-se profundamente carente em seu interior e não saiba mais pedir.

Quanto a Atena e Ártemis, não é nada certo que o amor seja a primeira coisa a lhes vir à mente em resposta à célebre pergunta de Freud. Reconhecimento, realização, direitos iguais, justiça, independência, solidão ou uma visão salutar da terra e da humanidade – qualquer um ou todos poderiam ser citados como mais importantes que o amor. Tanto uma como a outra são idealistas, buscando sempre enxergar além de si mesmas. Os relacionamentos não são prioridade para elas; na realidade, tendem a se esquivar da intimidade. De modo que toda a questão do amor provoca-lhes ambivalência e incerteza. Via de regra, ambas preferem deixar isso de lado e levar adiante as coisas práticas que têm em mãos. Se perguntarmos a uma mulher-Atena sobre o amor, o mais provável é obtermos uma digressão filosófica ou um epigrama brilhante, mas não necessariamente uma réplica pessoal; e Ártemis provavelmente achará a pergunta embaraçosa e até de mau gosto.

Todavia, mesmo revisando a pergunta de Freud para "O que cada uma das deusas quer?" não nos ajuda muito. Reconhecer as deusas isoladas nas mulheres que conhecemos é apenas o início para entendermos a psique feminina pela ótica das deusas. Conforme temos enfatizado desde o primeiro capítulo, *toda mulher possui todas as deusas dentro de si, mas em proporções diferentes.*

De modo que, ao formularmos essa pergunta a uma mulher, ouviremos diversas respostas freqüentemente contraditórias ao mesmo tempo. Por exemplo, podemos achar que certa mulher aparenta dedicar todas as suas energias para vencer no mundo através do trabalho. Mas, logo em seguida, com um suspiro, ela talvez admita, "O que eu realmente quero é ter filhos". Estamos testemunhando aqui o ir-e-vir de seu diálogo interior entre Atena e Deméter, diálogos descritos no capítulo 9. É tentador para a mulher tomar partido nesta dialética – que, aliás, tende a ser excruciante – mas em geral é igualmente proveitoso reconhecê-la como tal e contribuir para o próprio processo do diálogo. No final, a mulher terá que reconhecer que a sua verdade é uma tensão dinâmica entre essas diferentes vozes interiores que nós chamamos de deusas.

A deusa e seus consortes

Conforme mostramos nos capítulos dedicados individualmente às deusas, podemos dizer com base na evidência de seus mitos que cada uma delas é atraída (ou repelida) por um tipo distinto de parceiro, amante ou companheiro. Os mitos podem oferecer às mulheres modernas pistas importantes para compreenderem como as deusas, que habitam em diferentes proporções dentro de cada uma, influenciam seus relacionamentos com os homens. O inverso também é válido: conhecer esses padrões arquetípicos de relacionamento pode ajudar os homens de hoje a obterem uma certa perspectiva do que os diversos tipos de mulheres esperam em relação a um marido, amante ou amigo.

Aos homens que estiverem lendo este capítulo, será útil completar antes o questionário a fim de identificarem por quais deusas são predominantemente atraídos. Talvez queiram então ler os capítulos das deusas que obtiveram maior coeficiente. Neste capítulo, contudo, como uma referência prática para homens e mulheres, oferecemos resumos dos seis padrões de relacionamento que identificamos como pertencendo a cada uma das deusas, seguindo a ordem da Roda das Deusas.

Mais uma vez queremos lembrar que, em contraste com a astrologia dos signos solares em que se é Áries ou Escorpião, nenhuma mulher é exclusivamente uma única deusa. Pelo contrário, toda mulher possui dentro de si uma mistura complexa de todas as deusas, que poderá ou não reconhecer.

Entretanto, é inevitável que uma ou duas deusas se destaquem mais do que as outras. Por isso, provavelmente é melhor que homens e mulheres comecem com essas características mais atraentes e mais óbvias da personalidade. À medida que o homem vai compreendendo os diversos tipos de deusas, poderá até mesmo espelhar para a mulher certas características de deusas das quais ela está apenas parcialmente ciente, tornando-se um fator importante para despertar este lado dela. Contudo, todo homem precisa antes tornar-se ciente de quais são as expectativas conscientes da mulher em relação a ele, e de onde se originam. É aqui que o estudo da psique feminina pela ótica das deusas pode ser extremamente útil.

Atena e os homens

Atena é uma intelectual. Ela tende a respeitar somente aqueles homens cuja força é mental, nunca os *macho men*. Nisso é nitidamente diferente de Afrodite. Por certo, no mito grego Atena era padroeira de heróis, mas era a argúcia, a inventividade e a ousadia deles que ela mais amava – Ulisses foi um de seus prediletos sob este aspecto. Tais qualidades estão presentes em inúmeros jovens ambiciosos que moram hoje nas cidades. Atena era também deusa das artes, que os gregos chamavam de *techné* e que significa "fazer". De modo que homens de espírito prático e criativos na ciência, tecnologia e pesquisa são os que mais agradam a mulher-Atena moderna.

Se pender para a vida acadêmica, a política ou o mundo editorial, a mulher-Atena irá geralmente querer um companheiro que esteja em sintonia com estes seus interesses e com a sua mente brilhante e inquiridora. Embora não haja nenhum respaldo mítico preciso, acreditamos que a Atena moderna seja fortemente atraída pelas qualidades de Hermes – conhecido entre os romanos como Mercúrio, o mensageiro dos deuses. Às vezes Hermes é visto como representando o intelecto, a mente e a comunicação em geral, o que hoje incluiria todos os meios de comunicação de massa (jornalismo, televisão, rádio, editoração, publicidade) e o mundo acadêmico, as pesquisas e a política. Os homens mercuristas conseguem facilmente refletir e partilhar da intensa atividade mental de Atena. Tomemos um outro exemplo de nossos seminários:

> Sally conheceu Don numa palestra sobre a política da América Central quando os dois eram estudantes de direito. Pressentindo um espírito irmão um no outro, começaram a ir juntos a muitas palestras, e também a filmes e concertos. E, ao se prepararem para os exames, resolveram formar um grupo de estudo. Depois de formados, arranjaram empregos em firmas diferentes, mas na mesma cidade grande. Embora houvessem dormido juntos algumas vezes no decorrer da sua amizade, nunca viveram juntos nem consideraram seriamente o casamento. "Era mais como se nós fôssemos grandes amigos", Sally disse ao grupo. "Podíamos conversar sobre tudo; mantínhamos a honestidade intelectual do outro desafiando-o constantemente. Foi uma perda terrível para mim quando Don foi morto por um motorista embriagado. Acho que nunca mais terei um amigo que me compreenda tão bem. Ainda sinto falta dele, embora já faça cinco anos que ele morreu."

Atena é sempre aventureira e competitiva, e gosta de homens com as mesmas qualidades. Ela sente-se estimulada pelo debate e, como aconteceu com Sally e Don, gosta de desafiar e ser desafiada. Se chegar a casar-se, seu companheiro terá que estar sempre disponível como um *sparring* mental. Mantendo-se sempre atualizada sobre os mais recentes filmes, peças de teatro, músicas, acontecimentos políticos e pesquisas científicas, ela é uma leitora ávida que precisa de alguém com quem discutir inteligentemente opiniões, críticas e pontos de vista. Às vezes a sua carreira a levará ao mundo dos altos negócios ou a alguma organização internacional, onde terá que conviver com diplomatas, funcionários públicos e políticos, quando então dará grande valor a um companheiro ou amigo íntimo com quem possa divagar sobre as intrigas e meandros desses mundos complexos.

Os relacionamentos, como tal, não a fascinam, como também não a fascina a idéia de casamento e família nos termos tradicionais. Se acontecer de casar, será com um colega de trabalho ou com alguém cuja carreira ascendente e acelerada seja parecida com a sua própria em diversos aspectos. Portanto, ela não está buscando um homem de família com quem ter filhos. Se chegar a tê-los, serão a princípio considerados mais um fardo e um impedimento, até que consiga colocá-los numa escola a maior parte do dia. Citando princípios feministas, ela quer que o seu marido sacrifique uma parte equivalente da carreira dele para ajudar na criação dos filhos. Os papéis e valores tradicionais estarão sob artilharia pesada nessa época, a menos que seja acometida por uma onda inesperada de energia maternal de Deméter e se distancie de suas preocupações mentais e profissionais. Mais tarde, quando os filhos estiverem crescidos e souberem se expressar, poderá ser uma boa amiga deles. Mas as coisas podem ficar feias por alguns anos. Seu companheiro terá que ser muito flexível e tolerante durante esses primeiros anos de maternidade.

Com igual freqüência, porém, as mulheres-Atena preferem permanecer solteiras, dedicando a maior parte de suas energias criativas à carreira ou ao trabalho criativo – escrever, pesquisar, editorar, organizar, fazer campanhas, pintar, projetar. Uma grande parte da sua energia sexual é sublimada no trabalho, e tenderão a se contentar com relações puramente platônicas com os homens.

Por motivos que exploramos mais a fundo no capítulo dedicado a ela, Atena também sentirá forte atração sexual por homens mais velhos. É parte do seu complexo de Zeus, uma idealização de figuras paternas, cujo reflexo é a intimidade da Atena mitológica com o seu pai. Hoje, uma mulher-Atena moderna pode ter um pai marcante a quem idealiza e ao qual nenhum homem mais jovem se equipara; ou pode ter um pai que a decepcionou, e que tentará compensar na imaginação buscando sempre determinados ideais nos homens que nunca poderão se realizar.

Seja como for, a capacidade de alguns homens projetarem uma autoridade paternal é algo que tende a impressioná-la profundamente. Por este motivo, não raro uma mulher-Atena solteira entre vinte e quarenta anos manterá uma relação duradoura e bastante profunda com um homem mais velho, em geral divorciado, e que refletiria um Zeus idealizado. Esta pode muito bem ser uma oportunidade para ela explorar parte da sua natureza Afrodite. Anne, que participou de um dos nossos seminários, contou o seu caso com um homem muito mais velho:

> "Eu tinha 25 anos quando conheci J., um banqueiro internacional extremamente bem-sucedido que administrava os investimentos de clientes multimilionários. Nunca esquecerei a primeira vez que o vi, num *vernissage* de uma galeria de arte. Eu estava lá cobrindo o evento para o jornal em que trabalhava e minha primeira impressão dele foi a de um homem de suprema sofisticação e confiança em si mesmo. Estava vestindo um terno de caimento absolutamente impecável e uma camisa de seda. Seus cabelos grisalhos fartos eram um contraste marcante com o bronzeado do rosto. Ele parecia ao mesmo tempo jovem e maduro. Quando lhe perguntei se poderia fotografá-lo e entrevistá-lo para o jornal, ele recusou, mas me convidou para tomar um drinque depois da inauguração. Aquela noite foi o começo de um caso que durou três anos e percorreu mais de uma dúzia de países. Ele era quarenta anos mais velho que eu, mas a sua energia era maior que a da maioria dos homens com metade dessa idade."

Afrodite e os homens

Há mais a ser dito sobre Afrodite e seus relacionamentos com os homens porque estes lhe são mais importantes e porque ela geralmente os tem em maior número do que Atena ou Ártemis.

Afrodite quer de seus homens uma aparência forte e um comportamento forte. Ela gosta de líderes, aventureiros, detentores de poder, atletas, esportistas e até mesmo daqueles que as outras deusas tendem a desprezar como "machões". No mito grego, ela tem um caso ardente e passional com Ares, deus da guerra e epítome do tipo guerreiro. Músculos, e a determinação e força de vontade que os produzem, agradam profundamente a mulher-Afrodite, muito mais do que cérebro ou uma renda garantida. Ela admira os homens aventurosos, extrovertidos e viajados, qualidades que juntas constituem o que chamamos no capítulo dedicado a ela de "homem fálico-narcisista", um homem de ego forte e um saudável amor-próprio. Ou, em termos menos elegantes mas nem por isso menos apropriados, um homem com colhões.

Como é também a deusa da beleza, Afrodite admira homens bonitos, sofisticados, de gosto requintado e com vasta experiência de vida. Nada comove mais uma mulher-Afrodite do que jantares à luz de velas e música suave. Ela adora presentes, encontros glamourosos e toda e qualquer oportunidade para vestir-se de maneira estonteante. Todo homem que cortejar uma Afrodite deve aceitar logo de início a necessidade de ela ser a *prima donna*. Hollywood e os jornais sensacionalistas gostam de retratar mulheres-Afrodite ao lado de *playboys* e milionários. James Bond, embora seja predominantemente um estereótipo para os homens, incorpora muitas das qualidades que agradam a Afrodite, por sua urbanidade, seu charme e seu incansável espírito de aventura.

Um homem não pode ser o amante ou marido de Afrodite se não se sentir bem consigo mesmo, o que vale dizer, com o seu poder, sua capacidade de realização e sua masculinidade essencial. Tudo isso se refletirá na cama, quando a sua autoconfiança fálica será testada ao máximo. Por mais instruído ou rico que seja, nenhum homem conseguirá impressionar uma mulher-Afrodite se não souber atuar satisfatoriamente com o corpo – que, no que tange a ela, é onde está a base da sua sensibilidade. Como dissemos no capítulo dedicado a ela, esta deusa quer o coração – ela não se satisfaz com nada menos que isso – e o homem que escolher terá que estar plenamente aberto à sua própria capacidade para a sensualidade, a beleza e o amor em todas as formas.

A mulher-Afrodite torna manifestos os extremos do homem que ama. Ela o desafia a ser o mais heróico e viril possível no mundo externo, e ao mesmo tempo o mais meigo e feminino em seu relacionamento íntimo. O espírito de Afrodite surge com freqüência em culturas guerreiras, como as da Grécia e Roma da antiguidade, como que contrabalançando o espírito fundamentalmente bélico da época. Os romanos costumavam representá-la com alegoria como um complemento meigo e pacífico do fogoso Marte, deus da guerra. Na Europa medieval, durante a época brutal das Cruzadas, ela surgiu como padroeira dos trovadores, sendo uma das grandes inspirações no movimento do amor cortesão que amenizou e civilizou as artes brutais da guerra.

A mulher-Afrodite adora trazer à tona o outro lado do homem superempreendedor e ativo: o seu sentimentalismo, a sua meiguice, a sua paixão. Todavia, ela nunca assumirá ares condescendentes nem sufocará esse homem; é sempre o mistério da virilidade fálica que ela venera. Afrodite adora incentivá-lo a entregar-se por inteiro no grande ato de amor a fim de fundir-se com a sua explosão extasiante de energia no momento transcendente do orgasmo.

Pelo seu próprio exemplo de total entrega erótica, Afrodite ensina o homem a ser o que D.H. Lawrence chamou de *"love-submissive"* [submisso ao amor] da mulher que ama. Quando, como Tristão, um homem consegue entregar-se "inteiramente ao amor", ele sofre uma espécie de morte no momento do orgasmo. Os franceses, especialistas autoproclamados nessas questões, chamam isso de *la petit mort* – "a morte menor" – na qual um homem e uma mulher se entregam momentaneamente a um poder maior e renascem. Este é um dos mistérios de Afrodite, uma das maneiras pelas quais ela abre o seu coração ao divino Eros – que, como dizem os gregos, foi o criador de tudo.

Todo homem deve estar ciente do grande desafio que tem diante de si quando uma mulher-Afrodite se entrega totalmente às artes de Eros. É quase correto afirmar que muitas vezes ela estará tão apaixonada pelo amor quanto pelo amante. O deus Eros não era um deus constante, e costumava espalhar suas setas de amor por toda parte, de tal modo que o homem precisa ter um ego muito forte para suportar as alterações e inconstâncias afetivas de Afrodite. Ela poderá amar por uma noite, um ano ou uma vida, mas nunca de maneira previsível. Sua existência, ao contrário da de Hera, não é regida pelas convenções sociais. E, ao contrário de Atena, pactos mentais e ideais partilhados não significam muito para ela. Afrodite enternecerá tantos corações quantos acabará partindo – como Peter, um participante de nossos seminários, narrou:

"Meu casamento estava indo por água abaixo já há algum tempo. Eu preferia ficar trabalhando até tarde e sair com os colegas a ir para casa. Conheci Jane num bar certa noite. Ela era uma atriz de razoável sucesso que afirmou trabalhar regularmente para uma agência de modelos. Estava sempre viajando a serviço, e deveria ter amantes por toda parte, como mais tarde fui me dar conta. Seja como for, quando me procurou naquela noite e me levou de volta ao seu apartamento, pensei que meus circuitos iam estourar. Percebi que até então eu não sabia de fato o que era fazer amor.

"Como vocês podem imaginar, isso acelerou o fim do meu casamento. Fiquei totalmente obcecado por Jane e ela comigo. Eu nunca conhecera uma mulher que parecia estar tão dentro de mim, que fosse tão meiga e afetuosa e tão absolutamente natural na cama. Ela deve ter adorado ver como eu desabrochei depois do estado de depressão em que ela me conheceu.

"Eu mais ou menos vivi com ela por uns seis meses, enquanto meu pedido de divórcio corria na justiça. Sentia-me andando nas nuvens a maior parte do tempo. Até que, um dia, Jane voltou de algum serviço fotográfico no Caribe e anunciou sem meias palavras que conhecera um homem mais velho que tinha um negócio por lá e que lhe oferecera um emprego. Coisas assim. Eu entendi a mensagem – foi como se houvessem me dado um soco no estômago! Fiz as malas e parti. Precisei de meses para me recompor. Estive nas alturas e nas profundezas mais abissais, mas não há dúvida que aprendi muito."

Afrodite representa a paixão nos relacionamentos; no seu sentido original, paixão significa também sofrimento. Portanto, o homem que é atraído por uma Afrodite deve estar preparado para sentir uma certa dose de dor – dor de separação, de perda, de ciúme, de mágoa, de rejeição – quando se entrega aos modos do coração. Estas são algumas das provações que os antigos romanceiros medievais consideravam parte da iniciação do verdadeiro cavaleiro do amor. Afrodite em geral exige de um homem que ele se torne forte tornando-se antes fraco, que ele sofra com as mágoas da própria imaturidade de sua natureza sensível antes de tornar-se verdadeiramente digno do amor. Mas ao conhecer de fato a sua natureza sensível, o homem também descobre a sua feminilidade interior, a sua deusa interior.

Mencionamos acima que, além de deusa do amor, Afrodite era deusa da beleza e, portanto, padroeira espiritual de todas as artes. De modo que pintores, escultores, poetas, dramaturgos, romancistas e músicos estarão sempre gravitando em torno da mulher-Afrodite por ela ter uma compreensão intuitiva e natural dos ideais internos que eles estão tentando expressar em suas criações. Afrodite sabe melhor do que as outras deusas o que significa para um homem expor a sua alma no ato criativo. Ela também sabe o que Jung viu tão claramente, que a alma do homem é essencialmente feminina. De modo que Afrodite sabe não apenas como abrir e cativar o coração de um homem, mas também como refleti-lo de volta na

288

beleza e harmonia de suas criações. Ela sabe ser a sua *femme inspiratrice*, a sua musa, a inspiração inexaurível da sua alma.

Perséfone e os homens

Como a vida da mulher-Perséfone está ativamente voltada para o entendimento das questões espirituais – ocultismo, metafísica, mensagens do "lado de lá", cura psíquica e misticismo – ela quer um companheiro que também busque as coisas espirituais, alguém que tenha genuinamente empatia com a noção e a realidade das influências espirituais. Homens primordialmente extrovertidos – materialistas e empreendedores – raramente serão atraentes aos seus olhos, nem ela aos deles. Como boa parte da sua energia está enfocada no não-físico, os interesses sensuais de Afrodite serão secundários; para ela, eros só existe como um caminho para o espírito, não vice-versa.

Os sentimentos da mulher-Perséfone em relação aos homens serão muitas vezes profundamente conflitantes. Ela talvez traga dentro de si lembranças semi-obscurecidas de abuso sexual na infância, ou a suspeita aparentemente inata de que os homens são traidores e de alguma forma perigosos. Como resultado, tenderá a manter-se afastada do sexo oposto durante a infância e adolescência. Mais tarde, quando sentir-se mais confiante de que está no controle da situação, optará por relacionar-se com homens introvertidos de propensão espiritual, homens meigos e gentis, com uma certa qualidade feminina que poderíamos chamar de "protetividade".

Lewis já fazia parte de um grupo de estudos espirituais há vários meses quando Janet ingressou no grupo. Um homem tímido e pouco dado aos esportes, ele se interessava por assuntos como astrologia e numerologia desde o colégio, quando os estudos esotéricos lhe proporcionaram uma saída para a sua tendência solitária. Filho de um pai dominador e espalhafatoso, ele jurara nunca tratar as mulheres como vira tantas vezes a sua mãe ser tratada. Janet sentiu-se atraída por Peter pela sua meiguice e seriedade de propósitos.

No fundo, Perséfone encara todo relacionamento com certo grau de ternura. Ela tem um radar aguçado para captar sinais de alerta de conflitos e dificuldades. Ela de tal forma abomina o conflito que usará seus talentos mediúnicos para antevê-lo e sua natureza doce e conciliatória para amainar as coisas muito antes de elas chegarem perto de qualquer tipo de ponto de explosão.

Por causa deste medo sempre presente e quase habitual, a mulher-Perséfone tende a ser manipuladora em todos os seus relacionamentos, seja com homens ou com mulheres. Aos seus olhos, ela não faz mais do que orquestrar harmonia e bons sentimentos, e esforçar-se para que tudo seja visto pela ótica da "luz"; na realidade, porém, o destaque exagerado que dá à luz em geral é uma negação da existência de qualquer escuridão, de qualquer possível negatividade. Ela consegue deixar ocultas quaisquer dissensões ou expressões de raiva ou violência. Todavia, como espera uma "atitude positiva" semelhante do homem que escolheu para confiar, ela poderá muitas vezes, e com a melhor das intenções, estar suprimindo sua individualidade, sua masculinidade. Nos casos extremos, talvez não veja que o companheiro se encontra em muitos aspectos totalmente sob o seu poder – igual ao marido dominado por uma mulher-Hera despótica.

Os relacionamentos satisfatórios para Perséfone podem ter uma forte qualidade ilusória, da qual ela não estará ciente. Por causa da intensa teia de preocupações psíquicas que obsessivamente partilha com seu amante ou companheiro, ela muitas vezes contribuirá para criar uma autêntica *folie à deux* psíquica entre ambos. O enfoque comum que os une – uma base comum em metafísica e um caminho espiritual partilhado – é extremamente sedutor porque os dois de fato falam a mesma língua. Uma mulher-Atena, em contraste, provavelmente insistiria que o seu mestre e o seu companheiro fossem duas pessoas distintas a fim de poder discutir e comparar os diferentes sistemas, mas este não é o caso com Perséfone.

Devido à sua crônica falta de limites, é fácil para ela deixar-se absorver completamente pelas questões psíquicas daquele que ama, transformando-se em suas. Como resultado, ele em geral se mostrará profundamente grato e comovido com a incomum capacidade de ela conhecer o seu eu interior. Enquanto o caso amoroso espiritual estiver no auge, os dois estarão constantemente conversando e trocando as mais sutis percepções e nuances espirituais. Ele se sentirá enlevado por esta mulher capaz de enxergar tão a fundo em sua alma. É uma espécie de beatitude quase destituída de ego que surge na fusão das duas psiques, uma espécie de união mística em que a mulher se torna a alma-mãe da evolução interior do homem.

Uma relação tão simbiótica pode durar um certo tempo, mas mais cedo ou mais tarde torna-se intolerável para o ego do homem e ele terá que se afastar de alguma maneira. Às vezes, aparentemente do nada, surgirão ataques violentos de fúria, provocando angústias e desavenças. É inevitável que tais ocasiões deixem a mulher-Perséfone sentindo-se incompreendida e amargamente traída. Pois eis aqui toda a negatividade que ambos haviam concordado em negar vindo subitamente à tona. Mas é preciso que veja que, de modo bastante inconsciente, ela acabou se firmando como uma espécie de mãe psíquica para ele, seu filho divino. Os dois vinham representando juntos a parte do mito de Perséfone em que a deusa, nas profundezas do averno, dá à luz o filho dos mistérios.

Em linguagem arquetípica, este filho é Dioniso, o deus que morre e renasce através da mãe. Em termos religiosos, representa a qualidade eterna do espírito, o princípio da vida renovando-se perpetuamente. Na arte grega, o jovem Dioniso geralmente é representado muito meigo e efeminado, quase andrógino. Enquanto filho, está freqüentemente rodeado de amas-secas; enquanto jovem, é perseguido por seguidoras extáticas, as mênadas – que, segundo o mito, o matam e sacrificam.

É evidente que o modelo de Dioniso como companheiro da mulher-Perséfone não é facilmente adotável por um homem. Para começar, o mito sugere que ele deve permanecer sempre criança ou então sacrificar-se constantemente ao poder maior do princípio materno. Nenhum homem pode trazer consigo este arquétipo por muito tempo sem grave perturbação mental – e Dioniso era de fato o deus da loucura do êxtase.

A nosso ver, esse tipo de relacionamento é mais adequado ao intercurso de Perséfone com o poder misterioso do espírito do que à sua ligação com qualquer homem de carne e osso. Um dos maiores desafios para Perséfone é justamente distinguir entre um guia interior e um amigo exterior. Somente então ela estará apta a relacionar-se adequadamente com os homens – o que muitas vezes exigirá a colaboração de um guia ou mestre treinado.

E, mesmo então, Dioniso representa apenas um lado da dinâmica masculina com a qual Perséfone tem que lidar em sua vida exterior e em sua vida interior. Pois assim como Dioniso representa o princípio da vida, Hades, senhor do mundo avernal, representa o princípio da morte – e é com ele que Perséfone acaba se casando no mito. Mais cedo ou mais tarde, a mulher-Perséfone terá que se deparar com o sombrio Senhor das Trevas para ser plenamente iniciada em seus mistérios.

Às vezes, Perséfone confundirá uma *persona* bondosa com traços psicopáticos bastante graves, e acabará presa em um relacionamento de horror baseado apenas no poder e na brutalidade. De repente, por causa do alcoolismo, da depressão, do desemprego, da síndrome do choque traumático do pós-guerra ou da simples perversidade da parte do homem, ela se verá vivendo os seus piores pesadelos de violência, abuso sexual e até mesmo morte. Terá atraído para si uma encarnação de Hades e um inferno sem saída de destrutividade. Talvez tenha sentimentalmente acreditado, por um breve período de tempo, que poderia ajudá-lo e curá-lo, assim como ele genuinamente viu nela compreensão e salvação; mas este momento passou, e ela se descobre num mundo de terror quase sem salvação.

> Aos 36 anos, Brad nunca se casara e parecia ter dificuldades para manter um relacionamento firme com as mulheres. Durante um tempo, ele teve um amante homossexual, mas isso também não dera certo. Quando viu Melanie pela primeira vez, ela estava alimentando os patos no laguinho de um parque da cidade. Durante vários dias, ele voltou ao lago no mesmo horário na esperança que ela reaparecesse. E quando ela finalmente voltou, Brad conseguiu superar a sua timidez e conversar com ela. Nas semanas subseqüentes, os dois se encontraram diversas vezes à beira do lago e depois iam até uma lanchonete das proximidades para conversar. Brad encontrou em Melanie uma ouvinte solidária que parecia compreender o sofrimento da sua infância isolada e atormentada como filho único de uma mãe psicótica que o rejeitara desde o nascimento e de um pai perturbado que não tinha tempo para dedicar-se às necessidades emocionais de um garoto. Alguns meses depois de se conhecerem, Brad convidou Melanie para ir morar com ele em seu apartamento, e ela concordou. Tudo parecia correr bem, e Melanie realmente acreditava que a sua influência estava ajudando Brad a apagar as dores da infância. Foi quando descobriu que estava grávida. Antecipando o entusiasmo do companheiro, preparou um jantar especial para comemorar as boas novas. Porém, em vez de reagir com alegria à notícia, Brad teve um ataque. Quebrou todos os pratos e copos da casa, e enfureceu-se contra a falta de cuidado dela. Melanie sentiu o seu mundo desmoronar; duas semanas depois, após um aborto, ela se mudou para o apartamento de uma amiga. "Fiquei aterrorizada", contou para o grupo num seminário. "Ele subitamente se transformou de um homem meigo e amoroso num louco furioso. Lembrei-me de meu pai e do inferno que foi a minha infância."

Nem toda mulher-Perséfone terá de passar por isso, se tiver sorte; mas não conseguirá escapar de períodos de sua vida em que ouvirá falar ou estará perto de acidentes, suicídios, doenças terminais ou mortes súbitas de um ou outro tipo. É como se ela se transformasse num pára-raios para acontecimentos fatais, desastres e calamidades. Se conseguir aceitar isso e trabalhar com essa energia tenebrosa, em vez de ser meramente vítima dela, poderá acabar encontrando profunda satisfação na enfermagem, trabalhando em albergues, consolando os moribundos ou na psicoterapia de traumas profundos. Poderá casar-se com um médico, um cirurgião ou com algum outro tipo de terapeuta – um colega profissional com o qual poderá partilhar e objetivar o mundo do sofrimento, da tragédia e da morte ao qual parece estar constantemente atraída e para o qual está singularmente bem preparada para compreender.

Ártemis e os homens

Durante a maior parte do tempo, a mulher-Ártemis não pensa nem dá muita importância aos seus relacionamentos com os homens – ou a qualquer relacionamento como tal. Os jantares à luz de velas de Afrodite pouco ou nada significam para ela. O desejo de Perséfone encontrar uma alma irmã com vibrações compatíveis não lhe surte o menor efeito. Ártemis, provavelmente a mais independente das deusas, seguida de perto por Atena, prefere fazer quase tudo por si só; na realidade, a solidão a atrai – e muito.

No mito antigo, a atividade predominante de Ártemis era caçar sozinha pelas florestas. Hoje em dia, a mulher-Ártemis ainda ama as florestas, os ermos, o alto-mar, o grande mundo intocado da natureza. Hoje a caça tornou-se uma das principais metáforas para o seu vigor e a sua incansável energia em busca de alguma meta ou objetivo. Assim como a sua irmã mais próxima, Atena, Ártemis é uma empreendedora e realizadora nata: ela gosta de fazer coisas, seja um projeto de conservação da natureza, seja lançar uma revista de vida natural, seja participar de uma maratona.

Para que Ártemis consiga tolerar um homem por perto, ele deve ser como ela, ou seja, alguém que gosta de fazer coisas, de empreender, de viver ao ar livre, alguém que adora deixar-se absorver por atividades práticas e projetos concretos que o mantenham fisicamente ocupado. O único homem que a Ártemis do mito permitia perto de si era seu irmão, Apolo (veja capítulo sobre Ártemis), que era caçador e dotado de uma índole sabidamente distante e arredia. A mulher-Ártemis irá sempre preferir o tipo de homem que, como Apolo, mantém uma certa distância emocional. Ela respeita esse tipo de reserva e auto-suficiência, e o modo de ele levar adiante seus projetos e atividades. Quando o homem for independente assim e não lhe fizer qualquer exigência, Ártemis sentirá grande prazer fazendo coisas ao seu lado.

Entretanto, a princípio a atitude da mulher-Ártemis em relação aos homens pode parecer um tanto enigmática. Ela se sentirá perfeitamente feliz ao lado de um homem ou de um grupo de homens caminhando por uma trilha na floresta, ou como parte de uma tripulação masculina num veleiro. Ela não quer ser tratada de maneira diferente por ser mulher; na realidade, ficará insultada se a tratarem com condescendência ou como menos competente que um homem. E, todavia – eis a parte que desconcerta os homens –, embora admire genuinamente os homens taciturnos e competentes, ela provavelmente se sentiria igualmente feliz com um grupo de mulheres que também se interessassem por atividades ao ar livre!

Qualquer homem que queira exibir sua resistência, sua agilidade física ou sua rijeza para uma mulher-Ártemis deve estar preparado para uma tremenda deflação do ego, pois a mulher-Ártemis possui ela mesma todas essas qualidades. "O que", ela poderia perguntar, "isso tem que ver com o corpo masculino?" A resposta é, evidentemente, nada – se ela for uma Ártemis sempre em forma, ativa e desembaraçada, ocupada, fazendo coisas, treinando, consertando, subindo em montanhas, correndo. O homem que quiser ter seus peitorais admirados está em busca de uma mulher-Afrodite, não de Ártemis. Afrodite de fato adora corpos bonitos e músculos rijos por suas qualidades visuais e sensuais, mas ela própria tem poucos interesses pelas atividades atléticas que os produzem – exceto, talvez, para manter a figura ao ir envelhecendo.

Os homens fariam bem em observar com um pouco mais de atenção as semelhanças e diferenças entre mulheres-Ártemis e -Afrodite. Ambas podem ser fisicamente muito atraentes para homens ativos e viris; e tendem a permanecer figuras esbeltas; e ambas parecem bastante à vontade com seus corpos. Afrodite será naturalmente graciosa e bem integrada ao seu, enquanto o de Ártemis terá grande agilidade e flexibilidade de movimentos. Ambas gostam de dançar, adoram o ritmo e a música. Muitos homens já foram levados a um estado de semifrenesi pela eroticidade de seus movimentos ao dançarem. Mas logo aí, na dança, surge uma grande diferença: Ártemis dança para si mesma, Afrodite dança para si e para seu parceiro. A dança de Afrodite pode levar ao leito, pois é parte do seu ritual de corte. Mas Ártemis talvez acabe dançando sozinha noite adentro, alheia a tudo exceto, talvez, à lua.

Todos os cuidados de Afrodite ao se vestir e cuidar do corpo são perfeitamente conscientes e intencionais. Ela sempre visa um efeito. Basicamente, ela quer se fazer atraente para um homem e é por isso que passa tanto tempo em frente de espelhos. Ártemis, por outro lado, odeia espelhos; ela provavelmente nem sequer possui um. O seu eros é tão absolutamente pleno em si mesmo que não precisa de um parceiro para completar o circuito energético. Homens bonitos ocupam pouco ou nenhum espaço em sua constituição psíquica. É por isso que raramente se veste com roupas que não sejam práticas. Atitudes especiais para conquistar um homem não têm a menor importância para ela e são totalmente estranhas à sua natureza.

Por causa disso tudo, a mulher-Ártemis estará mais bem acompanhada por homens emocionalmente contidos em si mesmos, homens que se aprazem na introversão. Ártemis dá-se igualmente bem com fazendeiros, artífices, pesquisadores ou escritores, e também com colegas de exploração, marinheiros ou aventureiros como ela própria. Homens que precisam de uma mãe, de compreensão espiritual ou apoio para o ego devem procurar Deméter, Perséfone ou Afrodite.

Ártemis quer um parceiro sexual livre de toda e qualquer carência narcisista, e que exija pouco dela exceto estar sempre livre para ir e vir quando quiser. Timidez e recato em relação ao sexo são muito bem aceitos por Ártemis. Ela mesma não quer ser nunca apresentada, e em geral prefere tomar a iniciativa. Ártemis é extremamente modesta e discreta sobre este mistério dos mistérios, e absolutamente não se impressiona com exibições de machismo ou bazófia. Ela só respeitará o homem que, com ela, esteja espontaneamente em contato com a sua natureza sexual instintiva.

Conforme especulamos no capítulo sobre Ártemis, o verdadeiro parceiro sexual da deusa talvez tenha sido outrora Pã, o deus sempre fálico da natureza. Eis aqui portanto um *verdadeiro* desafio para o homem: abandonar as muitas camadas da *persona* masculina que foram se acumulando ao longo de séculos de patriarcado e recuperar o homem selvagem que existe dentro dele!

Deméter e os homens

A mulher-Deméter tem muito para oferecer em qualquer relacionamento. Doar-se e amar são praticamente sinônimos para ela. Aquele que conquistar seus favores irá se sentir um homem de sorte e terá orgulho desta mulher. Deméter possui reservas aparentemente indefinidas e está de tal maneira em contato com as mais profundas necessidades dos outros que ele não poderá senão sentir-se amado e plenamente acalentado em termos emocionais.

Se a mulher-Deméter está tão em contato com o que os outros querem e precisam, o que será que ela própria quer e precisa do seu homem? Para começar, sólido apoio financeiro; seu homem deve ser um provedor constante e confiável. Desde que, séculos atrás, a mulher-Deméter foi afastada da produção imediata de alimentos e comida, ela tornou-se profundamente dependente de seu companheiro como a principal fonte de recursos materiais.

Nos tempos em que a maioria da população vivia no campo ou perto da terra, a mulher-Deméter teria se sentido plenamente realizada, vivendo e trabalhando integrada ao ciclo de plantar, cultivar, colher, preservar e alimentar. Hoje, a maioria dessas funções diretas lhe foram negadas, de modo que ela precisa de dinheiro que possa ser convertido nos bens materiais que a possibilitam cuidar da família. Embora as circunstâncias possam obrigá-la a trabalhar num escritório ou numa fábrica, geralmente ela prefere ficar em casa com os filhos. No mundo moderno isso só é possível se o marido trabalhar fora e desempenhar o papel de provedor.

Por estar tão concentrada no lar e na família, para ela não tem muita importância quais são os meios efetivos pelos quais seu parceiro lhe provê o sustento. Ele pode ser o que quiser, de banqueiro a motorista de ônibus a *disk jockey*, desde que traga o pão de cada dia. Nesse aspecto ela é completamente diferente da outra deusa poderosa no lar, Hera, que tem um enorme interesse pelo trabalho e posição social do marido, que ela vê como um reflexo seu. O homem que se casar com uma mulher-Deméter na esperança de que ela vá se interessar de perto pela sua carreira e lhe proporcionar um *feedback* construtivo ficará desapontado tão logo os bebês começarem a chegar. Se estiver buscando uma parceira comercial na esposa, é com Hera que ele deveria ter se casado.

A distinção intelectual em si, para Deméter, é tão importante quanto um bom faro para negócios. Da sua perspectiva, um e outro são apenas meios para o fim da segurança e fartura material. Um escritor ou professor universitário pode bem casar-se com uma Deméter meiga e afetuosa, mas se quiser companhia intelectual terá que buscá-la entre os colegas de trabalho. Em geral, o máximo que obterá de uma Deméter ao anunciar a publicação de seu último artigo ou um título que acabou de receber é, "Que maravilha, querido. Fico tão contente por você". Dificilmente ela irá querer ler o artigo ou saber o nome do seu novo cargo. Para obter apoio solidário dessa natureza ele precisaria uma Atena ou Hera como esposa.

Todo homem que casa com uma mulher-Deméter deve ter em mente que o verdadeiro centro do mundo dela é, em todos os aspectos, o lar e os filhos. E dizemos "centro" num sentido que poucos homens podem realmente compreender. Nada, *absolutamente nada*, vem antes da sua apaixonada dedicação ao bem-estar e à criação dos filhos. O trabalho do marido, mesmo que ele seja o presidente de uma gigantesca companhia ou um ator de renome mundial, é essencialmente secundário para ela. O mundo externo vai se tornando menos e menos importante quanto mais afastado estiver do seu lar ou dos filhos. Por isso o homem talvez se sinta um tanto incomodado com aquele sorriso meigo mas vítreo que costuma cobrir-lhe o rosto quando ele fala do serviço, de política ou de esporte. Tudo isso é muito distante e muito, muito trivial para ela – "brincadeiras dos homens", é como poderia se referir a tais interesses, nunca conversa com outra amiga Deméter.

Como a mulher-Deméter é antes e acima de tudo uma mãe, é difícil para ela deixar de ver quase todos – ou todos – os homens como filhos em vez de adultos do sexo masculino. Ela evidentemente tem a sua fantasia de como seria um homem adulto, mas é mais uma imagem meio sentimental do jovem e corajoso herói que supera os obstáculos do mundo para retornar fielmente ao lar e à sua adorada esposa cheio de prêmios. Uma tal visão dos homens naturalmente reflete a sua própria inexperiência de mundo. E, de fato, a mulher-Deméter permanece imatura na medida em que jamais estende os seus horizontes além do lar e em que jamais chega a desenvolver o seu lado Atena ou Hera, por exemplo. Não obstante, para o homem que ostentar as qualidades de um jovem herói, Deméter possui amor e admiração ilimitados.

Do ponto de vista do homem, uma mulher-Deméter é capaz de satisfazer necessidades profundas de segurança e de um lar. O quadro aconchegante de uma vida familiar cheia de tortas de maçã, cães perdigueiros e ceias no Dia de Ação de Graças, que nós conhecemos tão bem através da mídia e do artista Norman Rockwell, é parte de um anseio que os homens modernos sentem por Deméter. Muitos homens se agrilhoam a empregos enfadonhos e repetitivos para o resto da vida em troca disso. Infelizmente, porém, eles via de regra não amadurecerão em termos emocionais, pois o peso da mãe e do lar é essencialmente regressivo.

Consciente ou inconscientemente, o que muitos homens buscam no aconchego e na segurança do amor de uma mulher-Deméter é um carinho de mãe. E, em tais relacionamentos, tendem a confundir esses anseios com suas necessidades sexuais – o que não chega a surpreender, pois Deméter é tão generosa com o seu eros quanto com tudo mais. Porém, num nível profundo, homens assim talvez realmente queiram ser mais um dos filhos de Deméter, só que com privilégios de gente grande! Alguns estarão até mesmo dispostos a pagar o preço de verem suas realizações mais mundanas e aparentemente viris delicadamente "matronizadas".

Mais comum é o parceiro da mulher-Deméter viver uma espécie de vida dupla: uma com os outros homens e colegas de serviço, outra com a esposa e a família no lar. Homens assim gostam de ter um mundo masculino à parte, pois satisfaz uma necessidade de perpetuarem um relacionamento adolescente com outros homens iguais a si. E também serve para protegê-los do poder avassalador do arquétipo da mãe que vivenciam na companheira. Uma parte desses homens nunca consegue efetivamente superar a juventude emocional; eles permanecem profundamente ligados à esposa enquanto figura materna.

Às vezes Deméter será atraída por um homem mais velho, respeitável e taciturno, uma espécie de figura paterna e geralmente uma pessoa de espírito prático – engenheiro, construtor, carpinteiro, jardineiro, mecânico; na tipologia de Jung, um tipo sensação, alguém com muitas qualidades terra-a-terra, alguém que gosta de fazer coisas. Ele agradará profundamente a parte de Deméter que deseja ser cuidada e mimada como uma criança e que raramente se expressa. Poderíamos quase chamá-lo de Pai Terra, mas este é um arquétipo raramente visto em nossa cultura, tendo sido possivelmente mais comum nas antigas culturas agrárias que desapareceram com o êxodo para as cidades. Naquela época, o fazendeiro e sua esposa viviam mais ou menos próximos da segurança proporcionada pelos grandes ciclos da terra e da reprodução. Muito disso se perdeu, conforme apontamos no capítulo de Deméter, mas o anseio (ao menos em parte) permanece em muitas mulheres-Deméter – assim como ainda existem muitos homens que têm esta qualidade sólida, repeitável e terra-a-terra que a complementa magnificamente bem.

Hera e os homens

Como uma grande parte do capítulo sobre Hera foi dedicada ao seu relacionamento difícil e complexo com o marido e os filhos, não precisaremos nos repetir aqui. Todavia, talvez valha a pena recapitular certos pontos-chave e examinar Hera um pouco mais do ponto de vista da psique masculina.

A mulher-Hera busca no casamento e na aliança conjugal primordialmente satisfazer as suas principais ambições, que são *status* social e poder. Embora amor e filhos possam estar incluídos em seus planos, não são nem de longe tão importantes quanto para Deméter ou Afrodite. Como Deméter, ela quer um bom provedor para a família, mas no seu caso é essencial que seja alguém importante na comunidade e não apenas alguém que ganhe o pão. Porém, ao contrário de Deméter, que vê quase tudo em termos do que é bom para os filhos e que tende a ser modesta e discreta em público, Hera quer ser admirada como esposa de um homem conhecido e respeitado. Ela quer ser alguém, e não apenas a mulher que fica em casa.

Hera gosta de homens ambiciosos e poderosos, e estará sempre gravitando em torno daqueles que têm potencial de liderança e talento empreendedor. Quando for mais velha, perceberá que na juventude escolheu instintivamente administradores de sucesso, banqueiros ou políticos. Não importa, a princípio, se o seu homem é do tipo intelectual ou pragmático, desde que chegue ao topo da profissão que escolheu e exerça poder e influência. Portanto, ela exigirá de um marido intelectual que ele seja mais que um mero professor universitário; estará de olho na diretoria da faculdade ou na reitoria da universidade. Da mesma forma, ela espera de um companheiro pragmático que ele saiba fazer mais do que inventar novos implementos de jardinagem; pretenderá que ele transforme as suas habilidades em um negócio altamente lucrativo.

Para um homem com esse tipo de ambição, ela pode ser a mais devotada e leal das companheiras, estando sempre disposta a lutar ao seu lado até ele atingir o topo e querendo sentir que foi parte integrante de todas as batalhas. Se ele abrir sua própria empresa, ela irá provavelmente querer participar do conselho de diretores. Hera não aprecia homens muito independentes que seguem seus próprios caminhos profissionais e pretendem que suas esposas sigam os delas; estes seriam bons maridos para uma Atena ou Ártemis. "Aliança" para a mulher-Hera significa muito mais do que o casamento em si; implica metas de vida partilhadas por ambos.

Desnecessário dizer que a mulher-Hera não tolera moleza, preguiça ou o tipo de dependência que Deméter pode até incentivar no marido. Ai do homem que fizer promessas para uma esposa Hera e não cumpri-las! Ela tornará a sua vida um martírio, espezinhando-o quase até a morte. Hera espera coragem, perseverança e tenacidade do companheiro; qualquer fraqueza da parte dele fará o seu sangue ferver.

Quando jovem, a mulher-Hera pode superficialmente parecer-se um pouco com Deméter por sua devoção ao lar e aos filhos; estes, porém, nunca serão o pólo central das suas atenções. À medida que os filhos vão crescendo, ela começa a envolver-se cada vez mais em sua comunidade ou na carreira do marido – e acertadamente, pois é justamente aí que poderá melhor satisfazer seus instintos de poder. Se o marido confundiu-a com uma dócil e meiga Deméter aconchegada ao ninho quando se casou, é melhor que se prepare para um grande choque. Toda a sua masculinidade ficará abalada até as raízes quando ela desafiá-lo a deixar de ser dependente da mãe e a buscar dentro de si um impetuoso Zeus. É nesse momento que muitos casamentos naufragam, quando o marido começa a ter casos com mulheres mais jovens para tentar reconstituir o seu ego fraturado e Hera se enfurece porque o companheiro não se revelou à altura do potencial que enxerga nele.

Portanto, o homem que decidir viver com uma esposa-Hera deve estar preparado para uma aliança que será freqüentemente dolorosa e para o resto da vida, uma aliança na qual ele cessará de existir de modo plenamente individual. A partir do instante em que se casam, ele e sua esposa Hera formarão uma unidade: ela será parte dele e ele parte dela. Uma certa perda de ego é exigida deste homem, mas os ganhos que ele pode esperar obter abrindo-se por inteiro a uma Hera apaixonada são imensuráveis. Somente quando ele, ao invés de partilhar o poder, tenta guardá-lo para si é que seu casamento se tornará um inferno de rusgas, brigas e atritos – como o de Zeus e Hera. Se ambos conseguirem suportar firmes as mágoas e as ofensas que acompanham qualquer batalha de poder, haverão de adquirir, ao longo dos anos, personalidades muito mais fortes e íntegras.

Um pouco do que esta intensa transformação psicológica pode significar é descrito no poema de William Carlos Williams que citamos no capítulo sobre Hera. Aqui, porém, queremos encerrar com um de nossos poemas prediletos sobre a fusão quase mística que pode acontecer num bom casamento. Foi escrito por uma poetisa chinesa (Kuan Tao-sheng) do século XIII:

> Você e eu
> Temos tanto amor,
> Ardendo qual fogo,
> Que nele cozemos um torrão de argila
> Modelado numa figura minha
> E uma figura sua,
> Que tomamos
> E quebramos em pedaços,
> E misturamos com água,
> E novamente modelamos
> Uma figura sua
> E uma figura minha.
> Eu estou na sua argila.
> Você na minha argila.
> Na vida dividimos um só manto.
> Na morte dividiremos uma só cova.
>
> De *The Orchid Boat*: *Women Poets of China*,
> traduzido para o inglês por Kenneth Rexroth

Em prol de se respeitarem as "mudanças de estação" na vida de uma mulher

No capítulo 9, "Para conciliar suas deusas interiores", chamamos a atenção das mulheres para a importância de se respeitarem as múltiplas faces das deusas ao longo dos diferentes períodos que se sucedem na vida de qualquer uma. Isso é importante também para os homens. Por mais que nós, homens, queiramos que a mulher pela qual nos apaixonamos permaneça como a conhecemos para o resto da vida, isso é pouco realista e bastante ingênuo quando a psique feminina é vista pela ótica das deusas.

As descrições de cada uma das deusas e de seus relacionamentos são necessariamente limitadas e artificiais. No mundo moderno, as mulheres atravessam toda espécie de mudanças ao longo da vida. Deusas que uma mulher conheceu intimamente na adolescência – Atena ou Ártemis, digamos – podem ter desaparecido aos trinta anos, quando o casamento e a constituição de uma família fazem surgir novos entendimentos e novas energias – talvez as de Deméter ou Hera.

Os homens precisam ser tolerantes com aquilo que, no processo de autodescoberta da mulher moderna, nós chamamos de "estações" da vida – estações essas que correspondem ao aparecimento natural das diversas deusas em diferentes momentos do ciclo de vida de uma mulher e que correspondem também às deusas que surgem aparentemente por força do destino (Perséfone, por exemplo, pode surgir em conseqüência de um falecimento, um acidente grave ou uma doença).

Quando, em nossos seminários, os homens falam abertamente sobre as mulheres, eles não raro admitem que a mulher pela qual se apaixonaram deixou-os chocados ao se transformarem inesperadamente em uma pessoa quase desconhecida. Eles, que pensavam ter se casado com uma Ártemis amante da vida ao ar livre, longas caminhadas e passeios de barco, agora não conseguem tirá-la de dentro de casa para nada. Por quê? Talvez seja Deméter despontando – e, considerando-se o seu modo predominantemente artemisiano de ser, nem passa pela cabeça da mulher explicar o que está acontecendo.

A maioria dos homens vê, ou pelo menos projeta, muito de Afrodite na mulher com quem pretendem se casar. Isso é natural. Toda a nossa sociedade incentiva o ritual de "apaixonar-se" que é típico de Afrodite – e que então nós legalizamos e santificamos com a instituição mais permanente de Hera, o casamento. O fulgor do êxtase afrodítico da lua-de-mel pode perdurar por meses, e às vezes anos, mas nada extinguirá o ardor esmorecente do eros mais depressa do que uma gravidez.

Talvez não haja transição mais difícil para um novo marido do que ao ver a Afrodite que havia na mulher amada esvair-se lenta mas inexoravelmente e ser substituída por uma imagem muito diferente, a de Deméter. Aquela cinturinha graciosa torna-se protuberante e os seios rijos e firmes pendem como frutos maduros agora que ela vai se tornando inconfundivelmente rotunda como a Grande Mãe. O eros transbordante da lua-de-mel começa a secar, freqüentemente em ambos. A libido dela parece até mesmo desaparecer para dentro de si de alguma forma misteriosa. O que está acontecendo é que toda a energia erótica, que outrora se dirigira para fora e para o marido, transmuta-se aos poucos em energia demétrica, ocultando-se para alimentar a nova vida que está se incubando no interior de seu corpo.

Quando o homem se apaixona e Afrodite passa a reger o seu coração, ele talvez seja visto pela mulher que ama como uma entidade fálica poderosa e heróica.

Mas agora, de maneiras sutis, ele tende a diminuir aos olhos dela, tornando-se menos poderoso, mais pequenino. As necessidades sexuais do homem despertarão nela um eros maternal, corroendo o seu senso de virilidade e fazendo-o sentir-se mais dependente e menos fálico. Este é o motivo de tantos homens terem casos extraconjugais durante a gravidez da esposa. A Deméter emergente ameaça gravemente a identidade masculina, reduzindo-a à de um garotinho, fazendo com que o homem busque de alguma forma reafirmá-la nessa época.

A melhor maneira para um homem evitar isso é, antes de mais nada, reconhecê-lo. A segunda coisa que todo homem precisa fazer nessa época é encontrar uma energia ainda mais poderosa, a sua energia paterna. É *disto*, da força e proteção do Pai Terra, que uma esposa grávida precisa agora. A mulher está firmemente plantada em Deméter e o homem tem que ser o terreno que contém aquilo que crescerá dentro dela. Ele tem que mudar junto com ela. Esta talvez seja a primeira grande lição que o homem deve aprender para acompanhar as estações da deusa. Talvez Afrodite retorne quando a mulher recuperar a sua figura original; mas ela pode igualmente passar a viver com o corpo farto de Deméter, rendendo homenagem às maravilhas desta deusa.

Outra deusa emergente que muitos homens acham difícil reconhecer e aceitar em suas esposas é Hera. Como Hera só desponta plenamente na idade adulta, o homem pode não perceber a presença dela em sua companheira no início do casamento. A mulher admirável com quem se casou poderá ter opiniões e idéias firmes sobre como criar os filhos, dirigir o lar e celebrar as festas familiares, às quais ele raramente fará objeção. Afinal, estará mais preocupado em fazer progredir a sua carreira e talvez se sinta culpado por ela passar o tempo todo em casa, aparentemente sacrificando a própria carreira em prol da família que ambos desejam.

Entretanto, depois que seus filhos já estão em plena adolescência, aquela vontade férrea e aquele vigor que ele sempre admirou nela começam a parecer um pouco exagerados. Sua esposa tornou-se mais argumentativa, interferindo nas decisões mais delicadas dos negócios, o que começa a irritá-lo. Ela parece estar sempre na sua cola e, de repente, o marido descobre a sua própria eroticidade divagar. Mulheres jovens começam a lhe parecer cada vez mais atraentes – pelo menos elas o admiram mais! O que este homem está presenciando, se se der ao trabalho de olhar, é o portentoso despontar de Hera em sua esposa – e de todos os tremendos problemas e desafios da verdadeira estação dessa deusa: a idade madura.

Os maiores desafios ao casamento estão apenas começando. O homem tem agora que aprender a dividir o poder, fomentar as tremendas habilidades da esposa e concebê-la inteiramente no mundo, e não apenas em casa ou organizando festas no clube de golfe. Toda uma nova pessoa começa a surgir, uma que não tem mais tempo para adular-lhe o ego frágil – e que, pelo contrário, cada vez mais exige que ele ande na linha. Ele talvez busque refúgio em casos com lindas Afrodites ou jovens Atenas não-comprometidas, mas estará apenas fugindo. A verdade é que ele se casou com Hera, sua verdadeira companheira, para o resto da vida – mesmo que possa parecer um erro inconsciente vinte anos depois. Não houve erro, porém, apenas o planejamento a longo prazo da sua mente inconsciente! Hera está surgindo agora para arrostá-lo e obrigá-lo a encontrar sua verdadeira maturidade.

Às vezes, é uma deusa completamente diferente que surge na segunda metade da vida da mulher. A incansável esposa Deméter que se dedicou integralmente a criar e educar os filhos descobre agora que quer voltar à faculdade, embora sentindo-se terrivelmente insuficiente em termos acadêmicos. O seu lado Atena nunca foi muito incentivado na escola, e acabou largando a faculdade sem terminar, pois nunca foi um tipo muito estudioso. Agora, porém, certas coisas começam de fato a lhe atrair intelectualmente e ela vê surgir diante de si possibilidades profissionais inteiramente novas: serviço social, enfermagem ou professora numa escola Waldorf, por exemplo. O seu marido poderá ajudá-la a superar seus sentimentos de inferioridade para que consiga desta vez completar o curso superior – e isso talvez signifique ter que assumir muitas tarefas domésticas. Deméter já não estará por perto para preparar-lhe o jantar; quatro tardes e duas noites por semana ela estará assistindo aulas na faculdade, e passará a maioria dos seus fins-de-semana estudando!

Outra mudança que deixa certos homens perplexos ocorre quando, depois de estarem casados ou vivendo juntos há muito tempo com uma Atena ou Ártemis, essas duas mulheres independentes e inventivas subitamente descobrem a sua natureza Afrodite inexplorada. Seus parceiros talvez acreditassem haver encontrado o arranjo ideal: nem um nem outro queria filhos, e ambos haviam optado por um companheirismo intelectual e criativo, carreiras paralelas, um grande círculo de amizades e férias passadas em locais de veraneio cuidadosamente escolhidos e condizentes com um estilo de vida igualmente ativo. A vida sexual dos dois era boa, quando havia, mas ambos têm de admitir que nunca foi algo muito dominante na relação.

Mas agora, súbita e inesperadamente, esta brilhante e energética companheira ou esposa descobriu os prazeres do sexo como nunca antes conhecera. Sua mente liberada começa a encontrar alternativas nos valores monogâmicos, e ela se vê tendo não apenas um mas vários casos concomitantes. É Afrodite que chegou pedindo desforra, transformando-a em alguém menos séria, mais aberta e mais atraente que nunca. Sua sensualidade floresceu de uma maneira totalmente nova, e o homem poderá sentir-se sem garbo e abandonado. A antiga relação paralela e intelectual de ambos sofreu um grave revés. Talvez a lição que o homem deva aprender é que chegou a hora de ele examinar o que está faltando em seu próprio eros, de descer das alturas mentais que habitou por tanto tempo e descontrair-se um pouco.

Respeitar todas as mudanças que a mulher que ama atravessa ao longo dos anos é certamente um grande desafio para qualquer homem. É fácil reagir virando as costas para tudo e buscando uma outra companheira. Às vezes esta talvez até possa ser a atitude apropriada; o casal pode ter se esgotado mutuamente, e o homem talvez nada tenha em si capaz de complementar as novas energias que brotam na mulher. Porém, na maioria dos casos, chegar a esta conclusão é negar-se a aceitar a possibilidade de se transformar enquanto homem.

Dentro de cada homem existe algum tipo de herói, amante, pai, líder, ouvinte e protetor, e nunca é demais pedir que ele faça o que já deveria ter feito há muito tempo: sacrificar o garotinho choramingas que impede que todas essas figuras apareçam. Quando um homem está forte e seguro em sua masculinidade, ele também pode olhar de frente a deusa que existe dentro de si. E aqui os homens têm um desafio ainda maior que as mulheres, pois assim como as deusas foram suprimidas e mantidas dormentes nas mulheres, elas ao longo de milênios também permaneceram adormecidas em todos, exceto nos mais criativos dos homens.

Quando as deusas começam a despertar num homem – o que geralmente ocorre em atrações intensas nas quais a mulher lhe espelha determinadas qualidades de uma deusa – elas a princípio não são facilmente aceitas. Um homem que subitamente descobre que um bebezinho lhe desperta um forte instinto maternal (Deméter) poderá sentir-se bastante embaraçado de início. O mesmo acontece com o homem que descobre um talento para desenhar roupas femininas (Afrodite) ou um dom que lhe permite servir de canal psíquico [médium] (Perséfone). Todavia, depois que o homem entrou efetivamente em contato com uma das deusas dentro de si, outras começarão lentamente a surgir – e seus próprios diálogos, que pouco irão diferir dos diálogos das mulheres, poderão ter início.

Se os homens conseguirem aprender a fluir um pouco mais com as suas próprias estações, talvez aprendam a participar do verdadeiramente maravilhoso redespertar, do processo de cura e renovação das deusas que se processa em toda à sua volta. Nada semelhante ocorreu antes em toda a história da humanidade – e a energia masculina consciente é imprescindível para que seja de fato bem-sucedido.

Parte Três

Algumas conclusões

Onze

As transformações das deusas

Para nós do Ocidente, essas coisas são mistérios só vagamente pressentidos. Não podemos falar delas com certeza, mas ao mesmo tempo não podemos ignorar o fato da arte e poesia modernas, e dos sonhos e fantasias de muitas pessoas concordarem com os mitos e com os ensinamentos religiosos do passado. Os símbolos, que aparecem hoje, e o seu desenvolvimento revelam movimentos abaixo do plano consciente que se assemelham, em aspectos fundamentais, aos movimentos imortalizados nos ensinamentos do passado. Falam-nos de um caminho de renovação que é novo em nossos dias mas antigo de fato, de um caminho de redenção através das coisas mais baixas que é o ensinamento fundamental das religiões lunares e da adoração do princípio feminino.

M. Esther Harding,
Women's Mysteries, Ancient and Modern

Plus ça change...

Não muito tempo atrás, a *Utne Reader*, um periódico que publica o que chama de "melhor da imprensa alternativa", apresentou uma matéria chamada "What's With Feminism These Days?" ["O Que Há com o Feminismo Hoje em Dia?"] (maio/junho, 1987). A capa desta edição foi um cartum espirituoso de Lynda J. Barry resumindo o estado de coisas do movimento feminista conforme visto pela revista em 1987. O desenho mostrava uma típica jovem moderna em estado de perplexidade sendo estrangulada por uma faixa em torno do pescoço estendendo-se de 1967 a 1987. A faixa, claramente simbolizando o movimento das mulheres, está sendo puxada em direções opostas por duas mulheres em tamanho menor. A da esquerda, presumivelmente a feminista, tenta arrastar a faixa – e a cabeça em torno da qual está enrolada – *de volta* para 1967. A outra mulher faz força na extremidade 1987 da faixa.

O que nos fascinou neste retrato dos apuros da mulher moderna é que as duas mulheres menores do cartum também estão gritando palavras de ordem do que "todamulher" quer – e esses slogans correspondem exatamente às preocupações de nossas deusas, com exceção de Perséfone (que aprendeu a manter a boca fechada a respeito de suas visões apocalípticas). No cartum, a feminista está proclamando a respeito de "todamulher":

- Ela quer independência total!! Quem precisa dos homens?!
- Ela quer uma carreira excitante e socialmente responsável!
- Ela quer direitos iguais!
- Abaixo as usinas atômicas!

A outra mulher, que se opõe à feminista, diz o seguinte a respeito de "toda-mulher":

- Ela quer um marido astuto e bem-sucedido!
- Ela quer uma casa linda e dois filhos absolutamente maravilhosos!
- Ela quer sapatos finos de salto alto e um corpo perfeito!
- Mais cálcio em nossas dietas!

As leitoras e leitores deste livro não terão dificuldade em discernir as preocupações de Atena e Ártemis nos slogans da feminista. Quanto à outra mulher, mais tradicionalista, fica claro que ela está falando em nome de Hera, Deméter e Afrodite.

Uma imagem de revista como esta é apenas mais um triste lembrete do quanto as deusas se encontram alienadas, refratárias e impotentes no mundo interno e no mundo externo das mulheres modernas. *Plus ça change, plus c'est la même chose* ("quanto mais as coisas mudam, mais elas ficam iguais"), como dizem os franceses. Pois na antiguidade, quando um consenso sacerdotal de gregos criou o célebre panteão "departamentalizado" de deuses e deusas no Olimpo, talvez estivessem apenas constatando a diversidade de suas práticas religiosas. Porém, qualquer que tenha sido a intenção original, o efeito de dividir a Deusa Mãe original da antiguidade em diversas funções especializadas sob um deus pai supremo, Zeus, foi a instituição de uma estratégia de dividir-para-governar que assegurou uma posição de inferioridade para os valores femininos desde aqueles tempos.

Se entre os valores femininos nós incluirmos, ainda que no sentido mais amplo, uma preocupação com os serviços sociais, com a educação infantil e a assistência a crianças, com a habitação e o desenvolvimento urbano, verificamos que os Estados Unidos dedicam menos de um por cento do orçamento federal de pesquisa e desenvolvimento a essas áreas. Em contraste, as atividades de pesquisa e desenvolvimento da área militar receberam 71 por cento das verbas; da saúde, 9 por cento; da agricultura, 2 por cento; dos recursos naturais e meio ambiente, 2 por cento. (Fonte: *Jobs for Peace*, Boston, 1989). Com cifras assim, só podemos pensar na profecia dos índios Hopi que fala de um "mundo fora de equilíbrio" – *koyaanisqatsi* – como um diagnóstico preciso da nossa condição atual. Hoje, um patriarcado tecnológico-militar está mais firmemente em controle do que nunca; os pobres foram traídos, as mulheres desbaratadas.

Entretanto, há sinais de que, por mais limitada e impotente que possa ser em termos políticos, a consciência das deusas está aumentando em toda parte. Ninguém deve subestimar o grau em que o movimento feminista modificou a percepção pública mundial das questões feministas. A própria existência de departamentos de estudos femininos em inúmeras universidades e a intensidade das discussões na mídia oficial (estimuladas por revistas como *Utne Reader* e programas de entrevistas na TV como os de Oprah Winfrey) revelam uma onda de mudanças sem precedentes. Não importa que as deusas internas e externas estejam discutindo e reclamando; o fato é que estão sendo ouvidas, que o seu longo silêncio finalmente foi rompido e que, divididas ou não, estão criando em todos a consciência de que a sua causa é uma causa de todos nós.

O que, então, devemos fazer?

Na parte dois deste livro, nós esboçamos maneiras pelas quais homens e mulheres poderão perceber mais claramente as poderosas influências da Deusa em suas vidas. Sugerimos também maneiras de se usar um diário, a meditação, os jogos das deusas e a conversa com amigos e amigas para incentivar as vozes das deusas a se expressarem.

Não tem importância por qual ponto da Roda das Deusas nós começamos – não há início nem fim em um círculo. O que importa é que comecemos asseverando quais energias das deusas são poderosas em nós para que possamos estabelecer alianças que beneficiem aquelas que estão fracas ou aparentemente ausentes.

Se, como em nós, a voz de Atena for poderosa em você, com certeza você gostará de ler livros e de conversar demoradamente sobre os vários aspectos da vida. Por outro lado, se estiver mais à vontade com Deméter, talvez esteja mais inclinada a refletir sossegadamente sobre as diferenças que vê em suas filhas, sobre o que você sente a respeito do modo como foi criada e sobre a sua sexualidade, por exemplo, do que a ler livros sobre esses assuntos. Se sentir-se próxima de Perséfone, talvez queira dialogar com as suas outras deusas por meio de sonhos, ou evocá-las em meditação ou por meio de rituais. Se próxima de Afrodite, talvez prefira reunir em casa as suas amigas para trocarem casos e histórias.

Como a preocupação de Hera é acima de tudo a família, se você for uma mulher fortemente influenciada por esta deusa poderá começar refletindo a respeito de todas as mulheres de sua família – irmãs, filhas, avós, tias – e verificar o quanto elas diferem ou são parecidas com você, e também como elas têm presentes alguns aspectos daquelas deusas que você não vivencia.

Se o impulso solitário de Ártemis for forte em você, talvez precise superar a tendência de isolar-se do mundo e obrigar-se a passar mais tempo em companhia de mulheres cujas deusas mais influentes sejam diferentes das suas. As mulheres-Perséfone precisam igualmente superar a tendência de se isolarem da realidade cotidiana através da meditação individual.

Talvez fique mais fácil visualizando a Roda das Deusas como um grande círculo de poltronas confortáveis, vagamente dividido em seis seções, e você sentada naquela em que se sentir mais forte ou mais à vontade. Agora imagine outras mulheres que conhece sentadas nos demais lugares, mulheres que lhe vieram à mente ao ler este livro, bem como mulheres que "conheceu" na literatura ou no cinema. Independente de gostar delas ou não, permita que permaneçam na Roda, pois são imagens de todas as outras deusas que existem em você ou em sua comunidade feminina. É possível que constate que tem coisas pesadas a dizer para algumas delas, e certamente haverá algumas que você irá preferir evitar por completo. Mas tente fazer com que a Roda inclua todas elas. Lembre-se das palavras do poeta G.K. Chesterton: "Estamos todos no mesmo barco em mar tempestuoso / e nos devemos mutuamente uma tremenda solidariedade." O "barco" é a Roda, a própria Grande Mãe; ela tem o poder de contar e sustentar juntos todos os fragmentos.

Este e outros exercícios, para processos individuais e grupais, estão descritos no apêndice A. São todos instrumentos com os quais podemos começar ou dar continuidade ao processo extraordinário de promover a nossa consciência de uma deusa emergente. Às vezes o processo provoca sentimentos e impulsos inesperados: uma mulher-Deméter poderá decidir voltar a estudar e formar-se em enfermagem; uma mulher-Ártemis poderá apaixonar-se quando suas ligações com Afrodite se tornam mais intensas. Vozes interiores críticas que reduzem a nossa auto-estima poderão se manifestar sob a forma dos repetitivos refrões de Hera proferidos por mulheres de autoridade em nossas vidas ("Você não deve usar calças compridas porque o seu quadril fica enorme") ou das máximas depressivas de Perséfone ("Não importa o que eu faça, ninguém vai reparar mesmo"), e assim por diante.

Para muitas mulheres, um dos sinais do surgimento das energias de uma deusa são sonhos estranhos em que um ou vários animais desempenham um papel importante. Nas antigas tradições xamanistas, os animais oníricos eram poderosos aliados. Para nós do mundo moderno, esses acólitos do reino animal têm permanecido dormentes há séculos. Mas estão começando a retornar, e poderão ser de grande valia se ao menos nós atentarmos para nossos sonhos. Um desses animais prestativos é a cobra. Antiga companheira da Grande Mãe, a cobra traz mensagens sobre as energias sutis da terra. Tartarugas, ursos, cavalos e *raccoons* [espécie de guaxinim] são todos acólitos que trazem uma ajuda sutil por meio dos sonhos.

Outra imagem vívida do modo como o ressurgimento da consciência das deusas pode se manifestar foi oferecida pela artista californiana Norma Churchill. Ela manteve uma longa série de encontros com um rei do mundo avernal sob a forma de serpente, o primeiro dos quais começou com a imagem de uma gigantesca figura feminina debaixo da superfície da Califórnia estendendo-se para cima até a cidade de São Francisco e enviando ondas de choque por sob a terra. Tratava-se, é claro, de uma imagem de Gaia, a Grande Mãe, captada por meios psíquicos, que despertava no interior e nas profundezas da terra; o rei serpentino era o seu consorte e emissário divino. Todavia, estaríamos errados em tomar literalmente os tremores da terra como previsões de um terremoto. Na realidade, muitas das previsões de Perséfones californianas referentes a perturbações iminentes na terra provavelmente revelam muito mais da trágica avernalidade de suas chagas do que de acontecimentos geofísicos.

Esta e muitas outras imagens de deusas que começam a surgir parecem enigmáticas e até mesmo um pouco assustadoras à primeira vista. No capítulo sobre Ártemis, comentamos sobre as imagens sangrentas da Mãe da Morte que parecem atormentar alguns diretores de filmes de horror em Hollywood. Essas imagens pertencem a uma longa linhagem de imagens góticas ou bárbaras da feminilidade tenebrosa que teve início na poesia e narrativas dos autores românticos alemães, franceses e ingleses dos séculos XVIII e XIX: noivas de Drácula, figuras de Lâmia e da Medusa, a "a belle dame sans merci" (mulher sem piedade) de Keats, e outras. Por mais assustadoras e terríveis que possam parecer, a consciência feminina tão reprimida precisa expressá-las para tornar-se íntegra. Em termos junguianos, elas representam o lado sombrio ou escuro da Mãe, que traz consigo a morte e o aborto sangrentos. O lado feroz de Deméter que desponta na ira e na dor que se sente ao perder uma filha, é um lembrete disso; ela provoca seca, fome, doença e morte quando não é devidamente reverenciada.

E mesmo quando já permitimos que algumas das nossas imagens pessoais das deusas venham à tona e começamos a ouvir suas vozes, não devemos esperar banalidades inconseqüentes ou reconfortantes, nem homilias brandas. As deusas estão feridas e iradas depois de séculos de abandono, desprezo, distorção e subjugação. Assim como o cartum da *Utne Reader* que descrevemos acima, o estado atual de comunicação entre as deusas é extremamente acalorado e porfioso. Isso não é, de maneira alguma, ruim ou lamentável, pois muita energia é gerada na disputa e na discórdia e, portanto, há um grande potencial para uma nova consciência. Ou, conforme citamos William Blake acima, "oposição é verdadeira amizade". De modo que não precisamos temer as discussões, a raiva ou o mal-estar que podem ocorrer quando as deusas entram em erupção dentro de nós. Recomendamos o filme *Momento de decisão* como um bom modelo de liberação catártica de sentimentos há muito tempo reprimidos.

Há muito a ser dito e feito agora que as deusas e seu poder primordial têm condições de vir à tona novamente. Três mil anos de difamações, deturpações e perseguições deixaram atrás de si vastos oceanos de frustração contida na feminilidade coletiva de todas nós. Será uma tarefa gigantesca de reabilitação e cura que dificilmente pode ser subestimada. Não chega a surpreender que o cartum da *Utne Reader* tenha "todamulher" sendo estrangulada; as mulheres acostumaram-se de tal forma a serem silenciadas, que condicionaram-se elas próprias a se calarem! Mas as coisas não precisam se dar desta maneira. O dinâmico agente transformador que oferecemos na Roda das Deusas pode ser um caminho para o entendimento e a expressão – e, um dia, com muito suor e trabalho, para a reconciliação da feminilidade dividida e a reconstrução de uma sociedade mais equilibrada.

As deusas convergentes e divergentes

Talvez de fato seja preciso muitas gerações até que proliferem entre as mulheres novos esquemas e padrões capazes de curar e reconciliar a alienação e o desequilíbrio que descrevemos nos capítulos dedicados a cada uma das deusas. A situação atual levou séculos para se constituir – socialmente, politicamente, psicologicamente – de modo que seria ingênuo esperar que fosse corrigida num breve espaço de tempo. Entretanto, gostaríamos de concluir destacando alguns sintomas esperançosos de mudança que podemos constatar à medida que as deusas emergem e transformam as vidas das mulheres contemporâneas. Pois agora que começamos a compreender a dinâmica que durante tanto tempo manteve separadas as mulheres de si mesmas e de seu verdadeiro poder, podemos também perceber os pontos fortes que elas têm em comum – e estes são tais que poderão constituir novas visões e novas alianças que um dia, talvez, recriem os fundamentos tão terrível e tristemente desgastados da nossa estrutura social.

Parece-nos que é somente restaurando o princípio feminino à sua verdadeira paridade com o espírito masculino em todos os aspectos da vida e dos relacionamentos humanos é que o planeta e a espécie humana poderão evitar os cataclismos e as desgraças que o patriarcado, com a sua ganância pelo controle militar, o seu imprudente esgotamento dos recursos da terra e a sua cruel desconsideração pelas crianças do Terceiro Mundo – incluindo o Terceiro Mundo que brota nas cidades e no meio rural da América do Norte – tem provocado. Retornar à consciência matriarcal implica respeitar a Deusa que está abaixo, acima e em torno de nós, como terra, como criação, como a própria vida em si. Significa dividir harmoniosamente o poder em benefício da totalidade. Significa uma atitude de celebração da vida em sua infinita variedade.

Algumas alianças que começam a surgir: pontos fortes e fracos

Quando a Convenção Constituinte reuniu-se em Filadélfia em 1787 para redigir uma constituição para os Estados Unidos, seus membros elaboraram um documento digno da mais sublime visão de Atena:

Nós, o povo dos Estados Unidos, com o intuito de formar uma União mais perfeita, estabelecer justiça, assegurar tranqüilidade interna, garantir a defesa comum, promover o bem-estar geral e assegurar as bênçãos da liberdade para nós e nossa posteridade, dispomos e estabelecemos esta Constituição para os Estados Unidos da América.

As primeiras palavras do preâmbulo, "Nós, o povo dos Estados Unidos", descrevem a fonte do poder conferido pelo resto do documento. Dentre todas as suas declarações de propósito, o princípio de "promover o bem-estar geral" tem sido da maior importância no século XX na promulgação de leis de cunho social. Todavia, não se atingem visões assim tão amplas e abrangentes com facilidade, como podem atestar todos aqueles que participaram dos muitos movimentos em defesa dos direitos civis neste século. E como muitas mulheres empolgadas com as promessas do feminismo nos anos 60 descobriram, poucos dos ideais que pareciam estar ao seu alcance acabaram se materializando; as mulheres hoje estão mais empobrecidas e mais solitárias do que há vinte anos. Da perspectiva mais ampla da psique feminina considerada pela ótica das deusas, talvez tenha acontecido que a maioria das feministas ainda estavam internamente presas aos antigos mecanismos psíquicos de "dividir-para-governar" característicos de Atena e, portanto, profundamente alienadas daquelas que pretendiam representar: as outras mulheres.

Como o cartum da *Utne Reader* mostrou de maneira vívida, o feminismo dos anos 60 e 70 foi em grande parte uma coalizão entre mulheres-Atena e -Ártemis à exclusão das necessidades e interesses das demais deusas. Na realidade, o princípio fundamental que uniu e fortaleceu as mulheres-Atena e -Ártemis foi o fator comum que observamos nas díades dessas deusas: *independência*. Pois, como parte integrante dos direitos iguais que pretendem para suas vidas e suas carreiras profissionais, as feministas sempre exigiram independência relativa dos homens. E mesmo quando desejaram se tornar mães, muitas mulheres-Ártemis e -Atena optaram por fazê-lo sem apoio masculino. Os relacionamentos com o sexo oposto ficaram lá embaixo na lista de prioridades das feministas.

Infelizmente, uma insistência tão unilateral em um estilo de vida independente acabou por alienar seriamente as Atenas e Ártemis feministas da grande maioria de mulheres que representam uma das principais dimensões psicológicas da feminilidade, a saber, a díade do amor de Deméter-Afrodite. Pois o fato é que, ao buscarem suas obstinadas metas político-intelectuais e seus experimentos comunitários, as feministas muitas vezes deixaram de ver o eros que mantém unidas as pessoas de qualquer sociedade. E esse eros tem que existir e se manifestar nas relações humanas de intimidade com nossos companheiros, nossos filhos e nossa comunidade.

A irascibilidade e estridência freqüentemente presentes nas discussões atenéias das feministas sobre política ou sexualidade revelam-nos mais sobre as chagas das debatedoras do que sobre os temas debatidos. As diatribes de Andrea Dworkin, caracterizando toda a sexualidade masculina como nada mais que uma forma de opressão, beiram o fanatismo e não fazem justiça à vivência profundamente gratificante das bênçãos de Afrodite que milhões de mulheres descobriram em formas perfeitamente tradicionais de relacionamento heterossexual.

Uma área de vital importância, o ecofeminismo de Ártemis, conhecido popularmente como Movimento Verde, envolve a questão premente da poluição planetária. Seria de se esperar que com uma causa comum de tamanho porte – a própria sobrevivência da vida na terra – haveria uma tremenda energia para solidariedade e ação. Infelizmente, porém, algumas das disputas que lemos entre as alas "marxista" e "espiritual" do movimento parecem-nos por demais acrimoniosas e não fazem jus às suas participantes.

Mas poucas questões fizeram as feministas perder mais apoio entre a população feminina em geral do que as suas atitudes face à maternidade, domínio de Deméter. Nada é mais difícil e, na realidade, mais fundamental em todas as disputas entre as deusas do que o conflito entre Atena/Ártemis e Deméter em relação ao papel que a maternidade deve ou não desempenhar na vida de qualquer mulher. Infelizmente, porém, este tem sido um debate unilateral, porque uma das áreas de maior inferioridade da mulher-Deméter é a sua falta de interesse pelas questões intelectuais de Atena. As mulheres-Deméter raramente escrevem livros e artigos sobre questões femininas; e, por causa de suas ocupações familiares, também não têm como freqüentar reuniões ou seminários onde seus sentimentos poderiam ser expressos e suas opiniões ouvidas. As coisas importantíssimas que Deméter tem a dizer não são ouvidas por causa das suas chagas no que tange a Atena. E, inversamente, as mulheres-Atena costumam não dar ouvidos ao clamor de Deméter para ser reconhecida porque elas próprias em geral têm uma profunda chaga em sua função demétrica – como mostramos no capítulo dedicado a Atena.

Uma mulher que tem se esforçado para integrar em si mesma as energias de Atena e Deméter é Sylvia Ann Hewlett, que descreve sua luta no livro *A Lesser Life*:

> O maior problema tem sido a atitude do movimento das mulheres frente à maternidade. Muitas feministas têm alternadamente ignorado, execrado e atacado a maternidade, e com isso o movimento alienou justamente aquelas que deveriam constituí-lo. A grande maioria das mulheres têm filhos em algum momento de sua vida, e poucas delas cessam algum dia de amá-los. Para a maioria das mães, os filhos representam o vínculo mais forte que têm com a vida. É absurdo esperar constituir um movimento feminista coerente, quanto mais um movimento feminista separatista, excluindo-se e denegrindo-se a emoção mais profunda na vida das mulheres (p. 15).

Eis aqui uma voz de Deméter vinda do âmago da questão. De fato, o movimento das mulheres apresenta um enorme ponto cego em seu discernimento ao ostensivamente excluir o amor maternal. Na psicologia das deusas o motivo é claro: mulheres-Atena feridas em sua própria experiência materna encobrem a dor que sentem vestindo a pesada armadura heróica da deusa guerreira, dedicando-se a graves causas políticas e adotando estilos de vida essencialmente independentes em que poderão proteger com segurança a sua vulnerabilidade. Por mais doloroso que seja o diálogo, se o movimento das mulheres pretende curar a sua chaga maior, as mulheres-Atena que dele participam terão primeiro que examinar a sua própria alienação em relação a Deméter em termos do relacionamento que tinham e têm com suas mães.

As mulheres-Ártemis tendem a ser mais indiferentes a Deméter do que alienadas dela. Tendem a valorizar de tal forma o seu próprio isolamento e independência que acham difícil imaginarem-se parte do caos de uma família com pessoas de várias gerações. Mas precisamente aqui está um dos maiores desafios para Ártemis: tolerar e acalentar as necessidades daquelas que são mais vulneráveis e mais dependentes que ela.

Todo movimento político e social com um grande número de participantes tende a enclausurar-se no narcisismo sedutor da sua retórica e do seu sucesso. É particularmente difícil para as mulheres-Atena que lideraram o movimento verificar que foram o seu próprio brilho intelectual e o seu sucesso político que as afastaram de Deméter, Afrodite e Perséfone. Essas outras deusas raramente lêem periódicos radicais ou escrevem neles, e raramente comparecem a reuniões políticas, de modo que são pouco ouvidas no cenário político. Uma parte preciosa do processo de cura das deusas é o aparecimento de autoras como Sylvia Ann Hewlett, que conseguem expressar seu interesse e preocupação por elas, ou como Betty Friedan, que tentou transpor o abismo entre trabalho e maternidade nos horizontes amplos e solidários de sua obra *The Second Stage*.

Quando lhes perguntam o que acham das feministas, as mulheres-Deméter e -Afrodite (e, em nossa experiência, também muitas Heras e Perséfones) descrevem-nas como "exclusivistas", "elitistas", "arredias" e "intelectuais". Mesmo que reações assim revelem um considerável sentimento de inferioridade da parte das críticas, tais descrições, não obstante, são sintomáticas de uma tendência ao auto-isolamento que está presente na aliança feminista Atena-Ártemis – e isso a despeito de nos últimos anos o espírito de Atena-Ártemis ter modificado a face da consciência social moderna mais do que qualquer outro fator do grande despertar da Deusa.

O desafio da nova família

Porém, se algumas mulheres-Atena e -Ártemis estão individualmente começando a perceber e a reagir à Deméter ferida e insegura que trazem dentro de si, a sociedade americana como um todo, feminista ou não, ainda ignora as suas duas maiores e mais cínicas afrontas a Deméter: a ausência de qualquer amparo jurídico à licença-maternidade remunerada; e a incapacidade de oferecer até mesmo os serviços sociais mínimos para mães solteiras que precisam trabalhar e que, por isso, estão se empobrecendo cada vez mais. Quando examinamos esta questão escandalosa, discernimos outra deusa ferida a fundo: Hera, a guardiã do casamento, da família e da comunidade.

Pois, lado a lado com o fato de tantas mulheres-Atena estarem alienadas de Deméter e da maternidade, desenrola-se uma profunda e ininterrupta batalha com Hera. Conforme sugerimos no capítulo desta deusa, muitas mulheres-Atena que seguem carreiras de sucesso depois de formadas estão fugindo de mães que são Heras feridas. Para tais mães, o casamento e a maternidade eram (e são) uma única e eterna prisão, e também uma perpétua fonte de amargura e ira contida. Afastadas do mundo paternal, cujo poder cobiçavam mas não tinham como obter, elas legaram às filhas um modelo falso e subserviente de casamento e um retrato desolador da maternidade. Não chega a surpreender, portanto, que muitas mulheres criadas por mães assim tenham rejeitado no seu âmago a própria instituição do casamento e abominem ter de tratar de qualquer questão que se relacione a ele.

O que estamos querendo dizer é que esta incessante batalha entre Atena e Hera sugere que os antigos estilos de casamento estão rapidamente se deteriorando. A taxa sempre crescente de divórcio, o desprezo pelo casamento manifestado por muitas mulheres-Atena, e a profusão de experiências de relacionamento sexual alternativo e sem compromisso vividas nos anos 70 e início dos anos 80 minaram os próprios alicerces da instituição do casamento conforme nós a conhecemos – embora o número de casamentos esteja no momento em alta e as apologistas de Hera estejam se manifestando de maneira cada vez mais audível, conforme exemplificado pela *Moral Majority* nos Estados Unidos.

O que talvez não seja uma coisa ruim. Na realidade, o que se passa é que, em toda parte, ocorrem muitos casamentos em que um ou ambos os cônjuges trazem filhos de casamentos anteriores, criando famílias misturadas inteiramente novas e complexas. Do isolamento artificial e freqüentemente asfixiante da família nuclear tradicional, está emergindo um tipo moderno de família estendida, um novo padrão social de família que apresenta tremendos desafios criativos para a Hera que existe em toda mulher que casa novamente. A maneira de partilhar o poder, os privilégios e o amor entre os "meus", os "seus" e os "nossos" filhos é algo que levanta questões inéditas de maternidade, paternidade e divisão de poder no domínio de Hera. Se ela conseguir abdicar de suas antigas expectativas, poderá se ver comandando uma revolução na própria natureza e no papel da família para gerações futuras.

Recuperando o corpo, retomando a terra

Por serem as duas deusas historicamente mais próximas da fonte do poder patriarcal, Atena e Hera sofrem de maneira parecida a sua alienação em relação a Deméter (enquanto Mãe Terra) e a Afrodite (enquanto perita em questões do eros e do coração). Essa alienação manifesta-se de maneira dolorosa como alienação de si mesmas enquanto corpo, terra e matéria. Atena, nascida da cabeça de Zeus, e Hera, identificada com a "cabeça [chefe] de Estado", freqüentemente identificam-se com as coisas da mente e acabam relegando o corpo. Hera é a origem do alheamento e do intelectualismo que tanto intimidam as outras deusas. E no caso de uma filha Atena criada por uma mãe Hera, o problema pode exacerbar-se.

Nos movimentos de despertar de mulheres que nós efetivamente conhecemos, verificamos que a energia de Afrodite tende a ser o meio mais suave e mais fácil para as mulheres-Atena e -Hera restabelecerem um elo com os ciclos naturais do corpo. Afrodite, uma poderosa transformadora, pode amenizar a armadura heróica que Atena carrega inconscientemente, ajudando-a a abrir o seu coração e a sua mente. No caso de Hera, Afrodite pode trazer à sua vida tolerância, vivacidade e toda uma nova maneira de se relacionar.

Seria quase desnecessário dizer que, da perspectiva de Afrodite, o que Hera e Atena carecem, estando tão intensamente ligadas à família, à carreira e aos ideais patriarcais, é a linguagem do coração. A solidão e insegurança de Atena tornam difícil para ela desfrutar os prazeres efêmeros do momento presente nos quais Afrodite encontra tanto deleite. E Hera tem a cabeça tão cheia de tradições herdadas, padrões corretos de comportamento, árvores genealógicas e esnobismo que se esqueceu como aceitar a vida e as pessoas exatamente como são. Afrodite (que era *pandemos*, "do povo") tem muito a ensinar para Atena e Hera sobre o encanto, o fascínio e a comunhão, sobre o seu ardor comunal e descomplicado, e sobre o deleite dos pequenos prazeres.

Estamos cientes que a maneira de Afrodite enxergar as coisas é profundamente problemática e perturbadora para pessoas educadas com atitudes tradicionais acerca da sexualidade e do corpo. A idéia de que o corpo é sagrado e de que a terra, como Mãe de toda vida, é a fonte de toda a beleza divina contraria quase dois milênios de condicionamento patriarcal e antimaterialista. Qualquer mulher-Atena ou -Hera que se abrir de verdade a Afrodite poderá se ver reiterando mentalmente injunções profundamente arraigadas sobre o seu corpo, seus impulsos sensuais e suas concepções do que é e não é ofensivo. Muitas vezes, quando Atena e Hera examinam de fato as suas atitudes desabonadoras em relação ao corpo e a toda noção de prazer, descobrem que tais idéias são simplesmente atitudes herdadas, em nada provenientes das suas experiências pessoais com o eros.

Corpo de Amor: Afrodite e Deméter

Ao escrevermos sobre a díade de amor na Roda das Deusas, e sobre Afrodite e Deméter em seus respectivos capítulos, vimo-nos voltando repetidamente ao grande mistério da *personificação* da feminilidade: o corpo como o receptáculo que contém a maravilha de uma criança em crescimento, como a fonte da vida e do acalento em Deméter, e como o lugar mágico de prazer, beleza e êxtase em Afrodite. "Nu sai do ventre de minha mãe, e nu voltarei para lá", afirma Jó na Bíblia, referindo-se ao grande ciclo da vida. Embora a Bíblia não se refira explicitamente, a "mãe" a quem Jó sabia que iria voltar é, evidentemente, a terra.

Para os gregos, ela era a Mãe Terra primordial, Gaia ou Ge, mãe e avó de todos os deuses e deusas que mencionamos neste livro e de muitos outros na mitologia grega. Em termos psicológicos, ela se refere ao princípio derradeiro de corporificação da matéria, sagrada em si e por si mesma. Enquanto Afrodite, ela se fecunda a si própria; enquanto Deméter, ela se reproduz a si própria; enquanto Senhora das Feras e das Plantas, ela cobre a terra com as mais variadas formas de vida: estes são todos mistérios da corporificação de formas que vivem, crescem e expiram.

De Simone Weil a Evelyn Fox Keller, uma tese comum das críticas feministas da ciência moderna tem sido que a mente analítica masculina essencialmente dessacralizou a natureza, a matéria, a substância e o corpo, buscando dominar, controlar e subjugar a partir de uma perspectiva mais "elevada" que foi inicialmente chamada "espírito" e, desde a Renascença, apenas "mente".[1] Tendo abstraído formas intelectuais da substância em que são inerentes, os pensadores científicos alcançaram uma espécie de *insight* divino da estrutura da realidade. Isso lhes permitiu, por meio de complexos esquemas intelectuais formais chamados "teorias" e "princípios", manipular a ordem material e impor a ela modos de ser novos e "aperfeiçoados". A ciência conseguiu, não sem um certo orgulho [*hubris*], recriar o mundo de acordo com seus próprios desígnios.

Este feito extraordinário trouxe consigo um poder quase inacreditável. A descoberta e o uso da energia nuclear, e o desenvolvimento da engenharia genética e da tecnologia espacial, são verdadeiras maravilhas em si mesmas. Contudo, no final, como produtos da mente racional puramente masculina, esses feitos inevitavelmente trouxeram consigo um certo desprezo pela matéria, pelo corpo e por toda a ordem natural – que, em termos estritamente metafísicos, corresponde à dimensão "feminina" da realidade.[2]

---

1. Veja Evelyn Fox Keller, *Reflections on Gender and Science*. Ficamos gratos a Cheryl Southworth por ter nos chamado a atenção para este livro.
2. Veja em *Man and Nature*, de Seyyed Hosein Nasr, uma crítica histórica sem equivalente das inferências metafísicas da ciência moderna. Londres: George Allen and Unwin, 1976.

Os germes deste desprezo pelo corpo e pela dimensão material da existência estiveram fortemente presentes nas primeiras décadas do cristianismo, como vimos no capítulo sobre Afrodite, e infectaram toda a consciência ocidental.* Na realidade, é duvidoso se todos os magníficos empreendimentos da ciência e tecnologia modernas teriam sido possíveis sem a desespiritualização prévia do feminino enquanto *mater*/matéria levada a cabo pelo cristianismo. A capacidade de o ser humano hoje criar vida nos laboratórios, como na desrepressão seletiva do DNA, é típica do desprezo pela matéria enquanto *materia* – simbolicamente a "mãe" da vida – e pelo processo natural de seleção e adaptação.

A ciência só pode fazer experimentos com a natureza se esta for considerada matéria morta, uma mera conglomeração de "átomos", "coisas" ou "objetos" sem alma ou força espiritual. Desse modo, a mente científica conseguiu nos colocar "fora" da natureza, reforçando a persistente alienação do corpo que teve início no começo da era cristã. É desta perspectiva mais ampla que críticas da repressão da feminilidade (como Susan Griffin em sua comovente visão poética *Woman and Nature*, e Carolyn Merchant em sua obra quase erudita *The Death of Nature*) expõem os níveis abissais a que chegou o nosso ódio pela dimensão feminina de Afrodite e Deméter. E é somente desta perspectiva que podemos compreender a mentalidade de ginecologistas de ambos os sexos que pretendem reformular cirurgicamente o parto "natural" e transformá-lo no nascimento mecanizado por corte cesário. Ou que podemos entender a cínica exploração pornográfica de imagens femininas e o tráfico da sexualidade feminina, que alcançou proporções gigantescas na segunda metade deste século.

Não temos pretensões de saber o que será preciso para as mulheres e os homens do presente restaurarem Afrodite à sua plena dignidade no contexto cultural atual, no qual as forças da reação cristã estão mais fortes do que nunca. Basta apenas um único filme experimental, como *A Última Tentação de Cristo*, de Martin Scorcese, em que Jesus fantasia uma vida sexual que jamais viveu, para os fundamentalistas começarem a fazer piquetes em frente aos cinemas.

No entanto, acreditamos que as mulheres-Afrodite, seguras e confiantes em seus corpos e na sua sexualidade, podem ensinar às outras deusas uma espécie fundamental de confiança em si próprias, para que saibam que a sua sensualidade e os seus impulsos naturais não são pecaminosos, e sim um dom divino. Afrodite tem muito a nos ensinar sobre receptividade, vulnerabilidade, sensibilidade e leniência – todas fragrâncias sutis do eros florescente entre duas pessoas.

Mas estamos cientes de como é difícil para a mulher-Afrodite sobreviver no mundo moderno sem ser sugada por todos os tipos de exploração que existem envolvendo a eroticidade. Os meios de comunicação acostumaram-se de tal forma a alimentar os apetites das massas com imagens de lindas mulheres e histórias superficiais de amor, que raramente Afrodite consegue manifestar a sua própria voz; em geral se torna mera porta-voz ou marionete dos infindáveis mecanismos de manipulação das fantasias dos homens. É possível que isso se modifique à medida que mais e mais atrizes começarem a dirigir ou escrever seus próprios filmes.

---

* Na realidade, é errado afirmar que o cristianismo primitivo "desprezava" o corpo. Pelo contrário, o corpo era considerado sagrado por ser a morada do espírito. Disso decorria que toda atividade corpórea, e em particular a atividade sexual, deveria se dar no âmbito do sagrado. São as injunções veementes contra a "fornicação" (isto é, o uso abusivo e dessacralizado do corpo) de certos cristãos primitivos que hoje são erroneamente interpretadas como uma repulsa ao corpo que caracterizaria todo o cristianismo. (N.T.)

Uma história plangente de uma mulher-Afrodite explorada que conquistou o seu respeito próprio e uma nova dignidade no mundo de Atena chamou-nos a atenção num exemplar de 1988 do *Daily News* de Nova York: Endesha Ida May Holland vinha trabalhando como prostituta nas ruas de Nova York desde que deixara a escola na primeira série do segundo grau para ajudar a sustentar a família. No início dos anos 60, ao entrar num prédio atrás de um negro que lhe parecera um possível cliente, ela se viu num escritório do movimento em prol dos direitos civis na época em que Dick Gregory estava organizando uma ponte aérea de alimentos para o Mississippi no intuito de incentivar os negros a se registrarem como eleitores.

Em suas palavras, "Eu espiei pela porta e, pela primeira vez na vida vi uma mulher negra datilografando numa máquina de escrever. Fiquei realmente impressionada, ainda mais porque ela nem estava olhando para o teclado. Aí o funcionário que eu tomara por um possível cliente abriu a porta e perguntou se havia alguém ali que sabia ler e escrever. Alguém me empurrou para frente e, quando entrei na sala, comecei a anotar nomes de pessoas e a quantidade de comida que cada um ia receber".

O homem que Holland seguira incentivou-a a completar o curso supletivo colegial, e foi o que ela fez. Posteriormente, formou-se pela Universidade de Minnesota e, mais tarde, obteve o seu mestrado e doutorado. Hoje ela é professora efetiva de estudos negros na State University de Nova York em Buffalo. Já escreveu cinco peças de teatro e estava ocupada escrevendo outras duas. Uma delas, *Delta*, estava sendo representada em todo o estado de Nova York na época da reportagem.

Os desafios do poder

Muitas mulheres-Perséfone devem ter ficado surpresas ao ver que, no panorama geral da Roda das Deusas, nós as incluímos na idade de poder junto com Hera. Isoladas da comunidade das maneiras mais sutis, elas tendem a se sentir fracas e ineficazes. Em casos extremos, acreditam ser vítimas de forças além de seu controle. A maioria das mulheres-Perséfone se vêem como o extremo oposto de poderosas. No entanto, em sua busca de práticas como canalização mediúnica, leituras psíquicas e diversos tipos de cura espiritual, estão na realidade exercendo um poder enorme – não o poder mundano de Atena ou Hera que dirige instituições e movimentos políticos, mas um poder não obstante.

O mundo profundamente materialista da cultura de massa vê com desprezo práticas como astrologia, leitura psíquica, visualização criativa, cura espiritual e equilíbrio de auras. O pensamento ortodoxo não confere a Perséfone e seus dons intuitivos uma posição de "poder". A American Psychological Association, por exemplo, tem se recusado obstinadamente a reconhecer a pesquisa parapsicológica como uma disciplina científica. Quanto à mídia propriamente dita, ela raramente perde a oportunidade de dar seus "golpes psíquicos" ou de trivializar a Nova Era. Entretanto, como pioneiros notáveis na área da saúde como Elisabeth Kübler-Ross, Stephanie e Carl Simonton, e Bernie Siegel demonstraram, as formas de pensamento são dotadas de poder de cura; as imagens e o espírito desempenham um papel fundamental no processo de transformação de nossa vida psíquica e de nossa vida física.

Médiuns, clarividentes e outros mestres espirituais constituem um grande segmento do movimento da Nova Era, no qual muitas mulheres-Perséfone começaram ultimamente a se sentir em casa. Entretanto, embora seja um movimento em acelerada expansão, a comunidade da Nova Era ainda permanece completamente fora do universo acadêmico, sendo desprezada pela comunidade científica e pelos grupos religiosos mais tradicionais. Uma tamanha rejeição institucional serve apenas para reforçar o senso de alienação de Perséfone.

Um dos motivos de Perséfone ainda ser tão profundamente rejeitada pela cultura ocidental está na ortodoxia que prevalece na ciência e na psicologia materialistas. Com um dogmatismo digno da Igreja medieval, o meio científico e a maioria dos psicólogos acadêmicos confiantemente negam a atuação de qualquer fator psíquico no universo. Outro motivo é o medo do oculto e de Satanás que os fundamentalistas cristãos não cessam de proclamar. Mas possivelmente o mais forte é o motivo histórico a que aludimos nos capítulos sobre Perséfone, Afrodite e Ártemis: o terror medieval da bruxaria.

É difícil para nós hoje imaginar o terror absoluto e a abominação que os clérigos medievais sentiam pelas ditas feiticeiras. Entretanto, durante vários séculos, como atestam os registros históricos, mulheres dotadas de poderes psíquicos, mulheres de sexualidade extravagante ou libertina, mulheres que viviam sozinhas à margem da sociedade, mulheres que curavam com ervas e até mesmo parteiras habilidosas, foram em toda parte consideradas como estando de liga com o Diabo. Esta fantasia paranóica predominantemente masculina em relação à bruxa levou, como vimos, a uma das perseguições mais aterradoras da história de qualquer civilização, cujas conseqüências psíquicas, como diria Jung, ainda não desapareceram por completo.

Quando um grupo qualquer é perseguido ou vitimizado, aprende a sentir-se impotente e culpado por aquilo que pode ou não ter cometido. Isso é sem dúvida o que aconteceu no final da Idade Média com os milhões de mulheres-Perséfone/Ártemis que eram curandeiras, parteiras, xamanesas, videntes ou simplesmente excêntricas. Coletivamente, como resultado da experiência agônica de muitas gerações, essas mulheres passaram a se considerar e a seus dons como hediondos, acreditando que praticá-los sob qualquer forma seria uma violação da lei de Deus. Os poderes psíquicos, particularmente nas mulheres, foram declarados demoníacos e frontalmente contrários à lei pelos patriarcas da Igreja medieval. Enquanto sociedade, nós ainda operamos sob a influência desta antiga proibição – que, poderíamos dizer, nunca foi revogada.

Embora o espiritismo, a tremenda influência da Sociedade Teosófica de Madame Blavatsky e o renascimento do ocultismo no século XIX na França tenham feito muito para restaurar as mulheres mediúnicas ou com dons psíquicos a um lugar respeitável, ainda que ligeiramente excêntrico, na sociedade comum, a antiga paranóia cristã ainda paira na consciência patriarcal, disfarçada de desprezo racionalista.

Não resta a menor dúvida, concluiu Norman Cohn em sua obra extraordinariamente bem pesquisada, *Europe's Inner Demons*, que todo o quadro medieval de bruxas lançando feitiços e entrando em comunhão com o Diabo foi uma projeção paranóica de uma Igreja ginofóbica. Mas isso não significa que essas mulheres vitimizadas não tivessem outros bem-guardados segredos. Na realidade, muitas das mulheres medievais que foram perseguidas provavelmente eram xamanesas ou curadoras espirituais, praticantes da arte tão malcompreendida e tão caluniada de Wicca – "o caminho das sábias". E, como nós estamos finalmente começando a perceber, essas mulheres tinham que atuar bem fora dos limites da ortodoxia cristã, provavelmente praticando artes de cura não muito diferentes daquelas que muitas mulheres-Perséfone estão recuperando hoje nos centros da Nova Era e redesco-

317

brindo nas tradições xamanistas nativas da América do Norte e do Sul, e também de outras partes – algo que poderíamos chamar de a ligação perdida entre Ártemis e Perséfone.

Portanto, são profundas e complexas as raízes do isolamento cultural em nossa sociedade de Perséfone enquanto curandeira, médium e vidente, e de Ártemis enquanto xamanesa. O resultado desse isolamento foi a ausência residual de uma posição dentro da sociedade e a desgastante inferioridade que sentem em relação a seus dons e interesses. Consideramos o surgimento de centros e comunidades da Nova Era – como Findhorn na Escócia, Omega Institute e Open Center em Nova York, ou centros de cura psíquica como o Esalen Institute na Califórnia – tremendamente importante para restaurar às mulheres-Perséfone e -Ártemis um pouco do seu verdadeiro poder e dignidade enquanto curandeiras e acólitas espirituais.

Tem sido difícil para a mulher-Perséfone sentir-se poderosa sem um grupo social ou uma comunidade que lhe dê apoio e lhe confira auto-estima e uma posição na sociedade. No mundo antigo, as sacerdotisas tinham uma posição de respeito servindo os deuses e deusas em seus templos. Mesmo hoje, naquelas culturas tribais que ainda não foram aniquiladas pela "civilização" ocidental, o curandeiro ou curandeira, o xamã ou xamanesa, continuam a desempenhar um papel fundamental na saúde psicofísica de toda a comunidade. Cientes disso, mais e mais mulheres-Perséfone estão recuperando o respeito próprio e a segurança formando suas próprias comunidades, centros e grupos especializados em questões psíquicas e metafísica popular.

Todavia, por mais valiosas que sejam essas comunidades a curto prazo, a nosso ver o maior desafio para as mulheres-Perséfone será encontrar comunidades que diversifiquem as energias das diversas deusas. Temos observado que comunidades habitadas exclusivamente por mulheres-Perséfone não funcionam bem, pois a dimensão espiritual e psíquica é exacerbada, enquanto questões práticas do dia-a-dia imiscuem-se com mensagens irrealistas e freqüentemente grandiloqüentes vindas "do lado de lá". Muitas vezes, quando uma mulher-Perséfone passa a dirigir uma comunidade, a sua sombra de poder, Hera, emerge do lado oposto da Roda das Deusas, cheia de presunções de realeza! A mulher-Perséfone já sente a tentação de fazer afirmações portentosas e proféticas para compensar os seus próprios sentimentos de impotência; o que ela não percebe é que seus pronunciamentos serão tomados literalmente por suas seguidoras espirituais, totalmente pasmadas diante do arquétipo raro e incomum da Suma Sacerdotisa.

Em qualquer comunidade dedicada à metafísica ou à cura espiritual, o realismo de Deméter, a consciência física de Ártemis e até a apreciação crítica de Atena são particularmente necessárias para complementar e fundamentar as visões e revelações de Perséfone. Diversas mulheres-Perséfone têm aprendido muito com mestres espirituais africanos, sul-americanos ou de tribos nativas de índios norte-americanos, visitando as suas comunidades e observando um líder espiritual ou curandeiro plenamente respeitado por um grupo social. Esta é uma das maneiras pelas quais o espírito de Ártemis que reside em Perséfone pode ajudá-la a redescobrir modelos antigos e salutares fora das tradições psíquicas do Ocidente, cujo esoterismo freqüentemente carece do solo rico de uma autêntica transmissão tradicional.

Em sociedades tradicionais, como as da África, da Indonésia ou dos índios norte-americanos, a personalidade do xamã e da xamanesa é uma mistura complexa das visões de Perséfone, das habilidades de Ártemis e do recato de Deméter. Em outras palavras, nos curandeiros tradicionais as energias das deusas estão integradas, não tendo sofrido o tipo de fragmentação a que foram submetidas na sociedade ocidental e que temos descrito no decorrer de todo este livro. Vemos em tais culturas um modelo para uma poderosa aliança entre Perséfone, Ártemis e Deméter, uma aliança que poderá potencialmente ocorrer com as mulheres modernas. Pois as três deusas têm que estar presentes numa mulher para que seus poderes de cura e regeneração floresçam; juntas, nesta tríplice aliança, elas poderão se fortalecer mutuamente.

É sobretudo a mulher-Perséfone, hoje isolada em nossa cultura, que poderá se beneficiar da fundamentação e centramento que provêm da consciência que Deméter tem do corpo como uma realidade terrena. Sem esta confiança proveniente de Deméter, ela não poderá confiar verdadeiramente em sua descida ao mundo avernal nem em um retorno seguro à realidade deste mundo. Se Deméter não estiver plenamente corporificada nela, Perséfone poderá facilmente ser tentada a viver inteiramente com seus espíritos e apenas para eles.

Inversamente, a mulher-Ártemis que não desenvolver uma sensibilidade como a de Perséfone tenderá a acostumar-se à solidão e compensá-la ocupando-se exageradamente dos aspectos físicos e externos da sobrevivência. Sua psique irá ampliar-se consideravelmente se entrar em contato com a visão interior que Perséfone tem das coisas. Deméter, por outro lado, precisa de Ártemis para libertá-la dos aconchegantes grilhões do lar e da vida familiar, permitindo restabelecer o elo com o mundo natural maior de Gaia. Além disso, Deméter precisa reunir-se com a sua interioridade perdida, precisa de Perséfone para relembrá-la dos mistérios da morte-em-vida e da vida-na-morte que as duas conheceram juntas outrora em Elêusis.

Ártemis, Deméter e Gaia

Nas outras partes deste livro, nós caracterizamos a mulher-Ártemis moderna como uma solitária. Entretanto, para muitas mulheres-Ártemis a questão não é tanto estar sozinha quanto experimentar maneiras alternativas de viver em comunidades e em contato com a terra. Este movimento fica evidente nas inúmeras comunidades agrícolas, comunidades lésbicas e cooperativas de mulheres que brotaram nos últimos anos em regiões remotas dos Estados Unidos e de outros países.

Talvez seja essa procura de comunidades melhores que esteja por trás da atração que o marxismo exerce sobre muitas ecofeministas. E talvez possamos encontrar ecos desta atração nas antigas lendas sobre comunidades de Amazonas. O movimento de criação de novas comunidades expressa um estilo de vida visionário que fundamentalmente ama e respeita a terra e todas as coisas vivas. Muitas mulheres-Ártemis redescobriram um pouco do que procuram entre os índios norte-americanos. E algumas Ártemis e Perséfones visionárias iniciaram experimentos altamente criativos onde reúnem-se representantes de mais de uma cultura tradicional para que partilhem as suas percepções e modos de vida com as mulheres brancas oriundas das cidades. A comunidade Ojai de Joan Halifax na Califórnia constitui um desses experimentos.[3]

---

3. Veja outros exemplos de comunidades inovadoras em *Builders of the Dawn: Community Lifestyles in a Changing World*, de Corinne McLaughlin e Gordon Davidson.

Comunidades inspiradas por Ártemis sem a participação das energias de outras deusas tendem a ser rústicas e austeras. Existe, evidentemente, um lugar importante para comunidades espirituais que enfatizem a simplicidade e até o ascetismo, onde Ártemis pode florescer; mas elas devem, por sua própria natureza, excluir uma consciência mais meiga do acalento e da vida em família que pertencem a Deméter. Levantamos assim a questão se não poderia haver mais alianças entre Deméter e Ártemis na criação de novas formas de comunidade. Um experimento bem-sucedido, mas praticamente único, deste tipo de integração é The Farm, fundada por Stephen e Ina May Gaskin. Esta comunidade agrícola auto-suficiente no Tennessee é famosa também por seu trabalho pioneiro de parturição comunitária.[4]

Na história recente da sociedade ocidental, Deméter contribuiu basicamente nos bastidores. Conforme apontamos no capítulo dedicado a ela, transformações econômicas e sociais acabaram por confiná-la basicamente ao lar. Mas também ela precisa reencontrar o seu lugar na comunidade maior, talvez tendo Ártemis por aliada. Pois, além de salvar nossas ecologias dilaceradas, Ártemis e Deméter podem trabalhar juntas para a restauração de nossas comunidades fragmentadas. O que Deméter pode oferecer, se conseguir reencontrar a sua voz interior, é a sua visão holística do ciclo completo da família humana, fundamental para uma comunidade de bases mais amplas.

A consciência de Deméter anseia desesperadamente por reunir as três gerações – mãe, filhos e avós – *em uma única comunidade*, assim como Ártemis sabe instintivamente que qualquer comunidade precisa ter raízes produtivas, não destrutivas, no meio ambiente. Aqui, ecologia e família, Ártemis e Deméter, poderiam se unir numa visão comum de um relacionamento íntegro e salutar com a terra que alimenta a comunidade humana, física e espiritualmente. Esta é uma das alianças mais importantes entre as deusas que poderia ocorrer, pois ela restabeleceria um elo com o princípio unificador da terra, Gaia, a própria Mãe Terra em si.

Ao examinarmos as seis deusas, somos tentados a dizer que as chagas mais comuns que elas partilham envolvem, em última análise, o fato de estarem alienadas da Mãe e isoladas de qualquer verdadeira comunidade. E como vemos o tempo todo, em termos ideais, a família demétrica acalentadora e a comunidade maior deveriam apoiar-se mutuamente. Portanto, poderíamos dizer que a cura da função materna e a cura da comunidade, para serem eficazes, têm que se processar paralelamente.

O modo como isso pode ocorrer em cada uma de nós individualmente exigirá toda espécie de permutações a fim de que possamos reconciliar, fundir e integrar as diferentes energias das deusas em nosso interior. Aqui e nos capítulos anteriores, só conseguimos esboçar alguns dos movimentos mais comuns que temos observado. Mas, não importa por onde comecemos, é importante lembrar que da mesma forma como quem sustenta toda a vida é Gaia, a Grande Mãe, também o nosso eu corpóreo é "mãe" ou matriz de tudo que existe de inconsciente, de informe e de carente de uma nova vida dentro de nós. As diferentes e multifacetadas expressões desse impulso para a vida constituem a comunidade interior das deusas que habitam em nosso interior. Talvez leve um certo tempo até percebermos e aceitarmos todas elas; mas elas lá estão, aguardando em silêncio. No fundo de nós, em alguma parte, todas as deusas acabam derradeiramente se encontrando.

---

4. Veja *Spiritual Midwifery*, de Ina May Gaskin.

O modo como as deusas vêm até nós para energizar e alumiar diferentes aspectos de nossa vida continua sendo um mistério. Mas podemos nos tornar parte desse mistério atendo-nos a nós mesmas em silêncio, ouvindo e pedindo orientação. Cada uma à sua maneira única e singular, as deusas têm bênçãos e oferendas abundantes para nós – dons que podemos incorporar de maneira criativa em nossas vidas e em nossas relações com as outras pessoas. Quanto mais as conhecermos, mais as ouviremos à nossa própria maneira. Gostaríamos de encerrar aqui com uma prece a cada uma das deusas, que orientam nossas reflexões e meditações:

> Que Atena nos conceda sabedoria, paixão pela verdade e um desejo de justiça para todos os seres.
>
> Que Afrodite nos abençoe com as alegrias do êxtase sensual, com o deleite corpóreo e com a certeza de que em nossa natureza erótica nós tocamos o divino.
>
> Que de Perséfone recebamos a visão e a compreensão profunda dos mistérios ocultos de realidades maiores além da nossa existência terrestre.
>
> De Ártemis pedimos a energia arduosa e abundante para proteger o precioso mundo natural e seus incontáveis benefícios, e que encontremos maneiras de viver em paz com todos os seres.
>
> A Deméter oramos para que a força vital não deixe de nos alimentar e acalentar em todos os níveis do nosso ser e por quanto tempo a nossa tarefa aqui na terra exigir.
>
> E de Hera pedimos receber o pleno poder da vontade feminina para nos tornarmos co-criadoras com os homens de tudo o que escolhermos no destino que partilhamos como homens e mulheres.

As bênçãos da Deusa!

Apêndice A

Os jogos das deusas

Trabalhando interiormente com as deusas: diários, ativação da imaginação e arte

Nesta seção, oferecemos algumas sugestões de práticas de envolvimento com as deusas interiores que poderão ser levadas adiante por conta própria. Será conveniente que você mantenha um diário escrito durante o seu trabalho com as deusas onde poderá anotar sonhos, pensamentos e reflexões que marcam o processo de envolvimento com as deusas dominantes e com as menos enfatizadas, além de desenhos e diálogos. Se você não estiver familiarizada com os processos de um trabalho interiorizante, instamos que você ache (compre ou peça emprestado) *The New Diary: How to Use a Journal for Self-Guidance and Expanded Creativity*, de Tristine Rainer, e *Inner Work: Using Dreams and Active Imagination for Personal Growth*, de Robert A. Johnson.

Jogo 1: Recordando

Em seu diário, faça uma lista dos acontecimentos mais importantes em sua vida até o momento. Se a lista ficar longa demais, poderá subdividi-la em três seções: infância, adolescência e vida adulta. Ao lado de cada acontecimento, escreva o nome da deusa que você associa àquele instante da sua vida. Por exemplo:

Quebrei a perna ao cair de uma árvore	Ártemis
Aprendi o código Morse	Atena
Enterrei meu canário de estimação no jardim	Perséfone
Apaixonei-me – tinha 15 anos	Afrodite

Quando a lista estiver completa, examine-a novamente em busca de temas e padrões. Será que alguma deusa se ressalta sobre as demais em algum momento da sua vida? Ou durante um longo período? Essa mesma deusa ainda é dominante ou ela está ausente? O que esses temas e padrões dizem a seu respeito em termos das seis deusas?

Agora faça o mesmo exercício outra vez, mas em vez de listar os acontecimentos da sua vida, anote os momentos culminantes da vida de outra pessoa, sua mãe, por exemplo. Examinando a segunda lista, como ela se compara ou contrasta com a sua? Que tipo de contexto ou história emerge das deusas dessa outra pessoa? O que os dois perfis sugerem a respeito do seu relacionamento com essa outra pessoa?

Jogo 2: Lista de tipos

Numa folha de papel avulsa ou em seu diário, faça um cabeçalho de lista para cada uma das seis deusas. Sob cada cabeçalho, anote os nomes de todas as mulheres que você conhece pessoalmente e que representam ou manifestam aspectos óbvios desta deusa. Não se esqueça de incluir sua mãe, suas tias e avós, suas chefes e colegas de trabalho, suas amigas, suas filhas. Quando terminar, examine a lista. Qual é a sua primeira impressão? Ela está equilibrada ou pende para algum lado? Há alguma surpresa? Existe algum padrão ou tema semelhante aos encontrados no jogo 1, "Recordando"?

Jogo 3: Encontre a sua deusa perdida

Talvez já tenha ficado evidente qual(is) deusa(s) foi(ram) relegada(s) na sua vida. São aquelas com os coeficientes mais baixos no questionário de auto-avaliação, aquelas cujos nomes não aparecem muito no jogo 1, "Recordando", ou aquelas representadas por pessoas com as quais você teve dificuldades para lidar no jogo 2, "Lista de Tipos". Quando as houver identificado, escreva os seus nomes como cabeçalhos de uma lista. Agora anote embaixo tudo o que conseguir pensar sobre essas deusas, especialmente as qualidades delas que você menos aprecia. Examine agora a lista; reflita sobre essas características como sendo aspectos seus que, juntos, descrevem o que Jung chamou de "sombra". Qual é o aspecto da sua sombra? Que tipo de pessoa ela é?

Jogo 4: Pondo as coisas em pratos limpos com a sua sombra

Comece este jogo imaginando uma pessoa dotada de todas as suas características menos benquistas. Personifique-a; dê a ela um nome e imagine como ela é e como se veste. Seja o mais específica que puder.

Agora que imaginou a sua sombra, você poderá confrontá-la com coisas a respeito das quais ambas discordam: as atitudes dela sobre comida ou política, o modo de ela cuidar da casa e de si própria, os valores que defende, ou seja lá o que for. Uma boa maneira de pôr as coisas em pratos limpos com a sua sombra é escrever a ela uma carta expressando tudo aquilo que você já pensou ou sentiu mas nunca teve oportunidade de manifestar.

Agora que já expressou as suas opiniões, reflita sobre o que escreveu. Será que a sua sombra teria algo a retrucar?

Jogo 5: Imagens e diálogos para fazer amizade com a sua sombra

Um diálogo é apenas uma conversa imaginária em que você percebe um aspecto de si mesma personificado como outra pessoa. O propósito do diálogo é ficar conhecendo melhor esta outra pessoa (no caso, a sua sombra) e estabelecer um relacionamento congenial com ela. Tente entrar no jogo com a atitude de que esta outra personagem tem algo valioso para ensinar-lhe sobre você. Por exemplo, ela poderá ter motivos para agir ou pensar da forma como o faz.

Ao imaginar a sua deusa/sombra, tente visualizar como ela é e quais são os traços físicos dela. Quando conseguir visualizar, faça um desenho com canetas coloridas. Ou procure figuras nas revistas que a façam lembrar dela. Coladas num pedaço circular de cartolina, essas imagens formam uma mandala com a qual poderá meditar e na qual poderá ir acrescentando as novas imagens que encontrar. Preste atenção nas suas mudanças de atitude em face da personagem retratada por sua deusa/sombra.

Jogo 6: Confecção de máscaras

Você precisará da ajuda de uma amiga neste jogo, e terá que ter alguns materiais à mão:

* uma rede de cabelo
* vaselina
* gaze de gesso de secagem rápida, do tipo que os médicos usam para remendar ossos quebrados (encontrável em lojas de material cirúrgico e em algumas farmácias)
* tesoura
* toalha
* lenços de papel
* uma panela de água morna
* cola branca
* tintas acrílicas e enfeites de diversos tipos

Comece prendendo o cabelo com uma rede ou com grampos para que não atrapalhe. Em seguida, passe uma camada generosa de vaselina no rosto para impedir que a máscara grude. Enquanto isso, peça que sua amiga corte a gaze de gesso em tiras de dez centímetros. Deite-se no chão com a cabeça sobre uma toalha e pedaços de lenço de papel sobre os olhos e pestanas (para que seus cílios e pestanas não sejam arrancados quando a máscara for removida). Sua amiga deve mergulhar as tiras de gaze de gesso na água morna, retirar o excesso e colocá-las sobre o seu rosto, cobrindo-o por inteiro com duas ou três camadas de gaze úmida. Seus olhos e boca devem ser cobertos, mas não suas narinas – você precisa respirar!

Depois que seu rosto estiver completamente coberto, deixe que o gesso seque por cerca de vinte minutos. Quando conseguir raspar o rosto no interior da máscara, é sinal que está pronta para ser retirada. Retire-a e deixe-a secando completamente (duas ou três horas, ou uma hora em forno brando).

Quando sua máscara estiver seca, recorte os olhos e pincele os cantos com uma mistura de cola branca e água (para que pedaços de gesso não entrem em seus olhos quando você vestir a máscara). Sua máscara está pronta para ser pintada e decorada à imagem de uma das deusas (a sua preferida, por exemplo, ou a que você menos aprecia). E poderá acrescentar enfeites como penas, fitas, purpurina, folhas, etc. para melhor expressar a deusa que está imaginando.

Exercícios em grupo para se trabalhar com as deusas

O trabalho em grupo oferece oportunidades de interação dinâmica através de exercícios de dramatização e psicodrama; é um poderoso complemento dos processos introvertidos de escrever um diário e fazer máscaras. Os três primeiros jogos exigem que todos, homens e mulheres, encontrem os lugares onde se sentirem mais fortes na Roda das Deusas. Comece esses jogos dividindo o seu espaço (a sala, ou parte de uma sala) em seis seções, uma para cada deusa.

Jogo em grupo 1: O jogo da Ribalta: tudo o que você sempre quis saber sobre as deusas...

Todos devem ir para a seção da Roda designada pela deusa com quem se sentem mais à vontade. Esta é sua oportunidade de perguntar a Hera por que ela *tem que* estar sempre certa, ou de questionar Afrodite acerca do seu pendor para o prazer, ou indagar a Perséfone sobre as "vozes" que a orientam. O jogo começa com alguém fazendo uma pergunta dirigida às pessoas sentadas em alguma seção da Roda. Por exemplo, uma mulher sentada na seção de Afrodite (seu ponto forte) poderá perguntar ao grupo de Ártemis, "Por que vocês gostam de correr no meio do mato, suando feito loucas e sendo picadas pelos insetos?" Qualquer pessoa da seção de Ártemis pode responder, falando como representante da deusa. E assim tem início um diálogo. À medida que mais perguntas vão sendo feitas, as conversas se tornam alternadamente acaloradas, engraçadas, intensas e reveladoras. Qualquer pessoa que queira participar de um diálogo, digamos entre Atena e Deméter, deve ir sentar-se na seção de uma ou de outra na Roda. Desse modo, todos são estimulados a deixarem seus lugares de origem na Roda e moverem-se para onde puderem participar do diálogo e expressar uma opinião, sentindo dessa maneira como é identificar-se com outras deusas.

Jogo em grupo 2: Planejando rituais para as deusas

Assim como o "Jogo da Ribalta", este processo começa com todos encontrando o seu lugar mais forte na Roda. A tarefa de cada um dos seis grupos é preparar separadamente alguma espécie de ritual sugestivo da deusa que representa. O ritual pode ser a criação de um altar grupal (com objetos achados nas proximidades, tais como folhas, pinhas, pedras e flores para Ártemis), ou uma dança (com música sensual para Afrodite), ou um cesto de flores e legumes (para Deméter), ou o que quer que o grupo conceba num curto período de tempo. Cada um dos seis grupos oferece seu ritual aos outros cinco.

Jogo em grupo 3: Declaração solene das deusas

Começa-se com todos em seu lugar mais forte na Roda das Deusas. Cada pessoa de cada uma das seis seções deve preparar uma declaração para a deusa. Por exemplo, "Como Deméter, eu estou em sintonia com os ciclos das estações", ou "Eu gosto de conversar com os animais" (Ártemis), ou ainda "Eu sei como as coisas funcionam no mundo" (Hera). Percorre-se a Roda e todos fazem a sua declaração solene para o resto do grupo.

Díades

As díades oferecem possibilidades de se explorar os relacionamentos pessoais através da dramatização e do que chamamos de *supportive listening* (ouvir o que o outro tem a dizer com uma atitude de atenção e carinho). Para os exercícios relativos às díades, encontre uma parceira ou parceiro, decidindo de antemão quem é "A" e quem é "B". Sentem-se frente a frente com os joelhos quase tocando.

Jogo em grupo 4: "Eu tenho um problema com esta pessoa..."

Neste jogo, você terá a oportunidade de expressar livremente o que sente por alguém com quem tem dificuldades para se relacionar e que será representado por sua parceira ou parceiro de jogo. Comece com "A" descrevendo para "B" em termos das deusas a pessoa com a qual está tendo ou teve problemas (chamemos esta pessoa de "C"). Por exemplo, se "A" (você) vive tendo conflitos de poder com seu chefe ou sua chefe, você a descreveria como um tipo Hera que tem porque tem que estar sempre com a razão. Continue descrevendo "C" até que "B" tenha uma boa noção da personalidade desta pessoa.

Agora "A" começa a falar com "B" *como se* "B" fosse "C": "Meu problema com você, _____, é que você nunca me dá ouvidos." "B" deve tentar responder como se fosse "C": "O que você quer dizer com 'eu nunca lhe dou ouvidos'?" Permita que a conversa prossiga por entre três e cinco minutos. "A" e "B" então param, agradecem-se mutuamente e invertem os papéis, com "B" descrevendo para "A" alguém com quem está tendo dificuldades, e assim por diante.

Quando as duas pessoas da díade já tiveram a sua vez, tomem mais uns dez minutos para analisarem juntas o que ambas aprenderam sobre seus relacionamentos com este exercício.

Jogo em grupo 5: "Como eu me relaciono com os homens..."

Este jogo é uma oportunidade para você examinar como é o seu relacionamento com os homens sob a ótica das deusas.

Decida quem é "A" e quem é "B". Antes de começarem, tomem alguns momentos refletindo sobre o que ambas sabem sobre si mesmas e seus relacionamentos com os homens. Vocês se relacionam como parceiros de luta, à maneira de Atena? Erótica e romanticamente à maneira de Afrodite? Ou será que tratam os homens como garotinhos, à maneira de Deméter?

"A" começa falando sobre os seus relacionamentos com os homens sob a ótica das deusas, fazendo livre associação sobre como uma ou duas das deusas iluminariam e esclareceriam a natureza desses relacionamentos. "B" deve simplesmente ouvir, sem dizer nada, tentando observar temas e padrões na narrativa.

Parem depois de três a cinco minutos, agradeçam-se mutuamente e troquem de papel, com "B" falando e "A" ouvindo. Quando "B" houver terminado, tomem mais dez ou quinze minutos para discutirem os temas e padrões revelados na narrativa.

Jogo em grupo 6: "Como eu me relaciono com as mulheres..."

Da mesma forma que no jogo 5, "Como eu me relaciono com os homens", este exercício oferece a oportunidade de se explorar a natureza arquetípica de seus relacionamentos com as mulheres.

Comece decidindo quem será "A" e quem será "B". Agora siga o mesmo esquema do jogo anterior, com "A" e "B" discorrendo alternadamente sobre seus relacionamentos com as mulheres vistos sob a ótica das deusas.

Apêndice B

Uma breve história do estudo da psique feminina através das deusas

Não pretendemos ter "inventado" a psicologia das deusas. Nós simplesmente demos um nome, uma forma acessível e uma nova abordagem a uma psicologia da mulher que vem sendo desenvolvida há mais de uma geração. Nossa meta foi principalmente resumir e sintetizar a obra brilhante e inspiradora de outros, organizando-a em torno das imagens arquetípicas de seis das principais deusas gregas.

Não obstante, como recorremos aos conceitos de matriarcado e patriarcado, e como baseamos muitas de nossas interpretações em ideais prevalecentes entre autores junguianos e feministas, talvez satisfaça os anseios de nossas leitoras-Atena mais exigentes colocar este campo ainda pouco definido em alguma espécie de ordem. Oferecemos em seguida um breve esboço do desenvolvimento desse campo, suplementando assim a bibliografia principal.

O que segue é, então, uma bibliografia comentada dos principais autores, pesquisadores e teóricos que buscaram reinterpretar a psicologia, a sociologia – e, inevitavelmente, a política e a religião – através dos olhos dos deuses e das deusas. (*Nota*: todas as datas referem-se à primeira edição de uma obra em sua língua original; detalhes editoriais completos são dados na bibliografia.)

* * *

A primeira obra de peso a questionar a idéia de que a monogamia e a família patriarcal são fundamentos naturais de toda sociedade humana foi a do antropólogo e historiador das culturas suíço J.J. Bachofen, *Das Mutterrecht* (1861; as passagens mais importantes foram publicadas numa tradução em inglês dos escritos selecionados de Bachofen, *Myth, Religion and Mother Right*, editada por Joseph Campbell, 1967). Bachofen acreditava, fundamentalmente a partir da interpretação de mitos gregos e romanos, que houve três estágios na sociedade humana: um período de promiscuidade sexual que ele chamou de "heteraísmo ctônico"; o surgimento da ginecocracia, ou governo de mulheres, isto é, o verdadeiro matriarcado; e o patriarcado.

A obra de Bachofen teve enorme influência, dando origem a pesquisas etnográficas, antropológicas e sociológicas durante várias gerações. Até mesmo a obra de Engels, *As origens da família, da propriedade privada e do Estado* (1884) foi assim influenciada. A vasta obra de sir James Frazer, *The Golden Bough* (1890), não trata explicitamente do matriarcado, mas reúne uma quantidade substancial de dados sobre os cultos do Mediterrâneo e do Oriente Próximo dedicados à Deusa Mãe e a seu filho/amante/consorte.

O clássico *Prolegomena to the Study of Greek Religion* (1902) de Jane Ellen Harrison analisa a religião grega em termos da transição social de estruturas matriarcais para patriarcais. A sua abordagem traz a estampa de Frazer e Bachofen.

A primeira aplicação importante do material mitológico à compreensão dos processos psicológicos encontra-se em *Símbolos de transformação* (1912), de C.G. Jung. Ao analisar o conteúdo das fantasias de um caso de esquizofrenia, Jung encontrou abundantes motivos mitológicos paralelos na Grande Deusa-Mãe, em seu Divino Filho e na jornada do Herói rumo ao inconsciente. Aqui, pela primeira vez, Jung desenvolve a idéia de um *arquétipo* da mãe que transcende a imagem materna individual. Ele também explora as profundas implicações psicológicas da Deusa-Mãe Dual que habita nossas mentes inconscientes na Vida e na Morte.

A volumosa obra de Robert Briffault, *The Mothers* (1927) modifica a postulação original de Bachofen acerca da existência de matriarcados puros, e reúne uma enorme quantidade de informações antropológicas contemporâneas sobre o papel e lugar das mulheres, do casamento e da sexualidade em sociedades primitivas e nas primeiras culturas do Ocidente. Inspirada por Bachofen e Briffault, e também por Freud, Jung e Frazer, a autora alemã Helen Diner publicou *Mothers and Amazons* por volta de 1930, que mais tarde recebeu o subtítulo *The First Feminine History of Culture*. Entretanto, este continua sendo um livro controverso e especulativo que tende a ampliar todas as imprecisões de Bachofen e Briffault.

No final dos anos 30, Jung já atraíra para si diversos estudiosos e psicólogos que ampliaram e desenvolveram boa parte da sua obra. A proposta junguiana de basear toda a psicologia na estrutura dos arquétipos teve frutos em diversos campos, inclusive na ciência e na religião. Usando as descobertas de Briffault acerca da Deusa-Mãe Lua e da menstruação, por exemplo, a analista junguiana Esther Harding produziu o seu estudo psicológico *Women's Mysteries* (1955).

Uma íntima colaboração entre Jung e o classicista húngaro Carl Kerényi levou à produção de quatro importantes artigos, mais tarde conhecidos como *Essays on a Science of Mythology* (1949). Os artigos de ambos sobre Coré (Kore) têm sido uma grande fonte de inspiração para muitos autores e autoras que escreveram sobre as deusas, entre os quais nos incluímos. O mentor alemão de Kerényi, W.F. Otto, preparou um belo estudo do significado espiritual da religião grega, *The Homeric Gods* (1929, traduzido em 1974 para o inglês), que também inspirou duas gerações de junguianos e, recentemente, muitos psicólogos dos arquétipos.

Erich Neumann, outro íntimo colaborador de Jung, retornou às idéias de Bachofen em *The Origins and History of Consciousness* (1949). Neumann tomou a teoria original de Bachofen sobre a evolução *social* e adaptou-a a um modelo *psicológico* do desenvolvimento evolutivo da consciência individual partindo de um estágio matriarcal até um patriarcal, recorrendo a paralelos mitológicos. Neumann acrescentou um estágio intermediário, o do Herói, transformando assim o seu livro numa importante reelaboração dos *Símbolos de transformação* de Jung.

Pouco depois, Neumann publicou a sua indispensável análise psicológica multicultural do arquétipo da Mãe, *The Great Mother* (1955), onde apresenta uma compilação exaustiva de ilustrações e exemplos do tema da Deusa-Mãe desde o Paleolítico até o cristianismo, abrangendo variações simbólicas e iconográficas de uma ampla variedade de culturas antigas e contemporâneas. Levando adiante o conceito junguiano de Mãe Dual, ele também isolou *aspectos* e funções específicas da Grande Mãe, a saber: a Senhora das Feras, a Senhora das Plantas, o Feminino arquetípico como Veículo Sagrado de Transformação, o Feminino como Sacerdotisa e Xamanesa, a Deusa como Sabedoria (Sofia). Estas são as principais dimensões da feminilidade arquetípica que abordamos neste livro.

Resumindo de maneira brilhante o crescente entendimento junguiano da psicologia feminina, Toni Wolff, colaboradora mais íntima de Jung por muitos anos, escreveu um curto artigo chamado "Structural Forms of the Feminine Psyche" (1956). Este "esboço", como ela o chamou, teve uma enorme influência – inclusive sobre nós. Nele, Wolff distinguiu quatro grandes tipos de mulheres: a *Mãe* e sua oposta, a *Hetera*; a *Amazona* e sua oposta, a *Médium*. Wolff fez rápida referência aos paralelos gregos da sua quádrupla divisão, mas não os desenvolveu.

De maneira bem independente de toda essa investigação junguiana nos anos 40 e 50, Robert Graves preparou sua obra máxima, *The White Goddess* (1948), concentrando-se especialmente nas ricas fontes celtas de cultura matriarcal. Pouco depois, ele completou o quadro que traçara com o seu idiossincrático e controvertido dicionário, *The Greek Myths* (1955). Suas notas de rodapé, bem ao espírito de Jane E. Harrison meio século antes, são um verdadeiro tesouro de informações sobre o matriarcado e o patriarcado, a religião e poesia grega primitivas, e a complexa interação dos povos da antiguidade.

O despertar feminista do final dos anos 60 produziu uma série de poderosos manifestos e críticas da sociedade patriarcal – seja referente a como ela é hoje, seja ao seu desenvolvimento ao longo da história. *The Feminine Mystique* (1963) de Betty Friedan, *Sexual Politics* (1970) de Kate Millet e *The Female Eunuch* (1970) de Germaine Greer incluem-se entre as obras mais lidas. Mas toda uma revolução de valores estava se processando, produzindo novas formas políticas, nova arte, nova literatura, nova música e novas instituições educacionais e sociais. Em suma, toda uma nova subcultura do feminino havia nascido, permitindo que mulheres de todas as tendências e propensões se tornassem política, social e espiritualmente ativas e conscientes de si como nunca antes na história do Ocidente.

Um belo tributo ao renascimento da cultura feminina foi o extraordinário projeto de Judy Chicago para comemorar os grandes espíritos femininos de todos os tempos em porcelana pintada e toalhinhas de mesa bordadas. Seu registro do projeto, *The Dinner Party* (1979), tornou-se um Quem é Quem em miniatura da feminilidade através da história.

Livros como *The Second Sex* (1949) de Simone de Beauvoir, que havia atraído apenas a curiosidade dos intelectuais quando publicado em inglês pela primeira vez (1953), tornaram-se verdadeiros manifestos. Atacaram-se as distorções patriarcais de todo tipo de instituição social: *Beyond God the Father* (1973), de Mary Daly, propôs uma crítica radical do cristianismo; *Women and Madness* (1972), de Phyllis Chessler, deplorou o triste quadro de preconceito sexual no tratamento psiquiátrico das mulheres; *Of Woman Born* (1976), de Adrienne Rich, reexaminou a maternidade; *Immaculate Deception* (1975), de Suzanne Arms, expôs a insensibilidade e a crueldade das práticas hospitalares rotineiras de parto; e *Woman and Nature* (1978), de Susan Griffin, ofereceu uma crítica visionária de como o patriarcado explorou e abusou da natureza e dos corpos das mulheres. Esses livros e muitos outros criaram todo um novo clima de opinião e debate sobre "o feminino".

Nos anos 70 e 80, surgiram muitas outras vozes defendendo uma abordagem radical da espiritualidade feminina – desde cristãs radicais como Rosemary

Ruether, em *New Woman, New Earth* (1975), a pagãs confessas como Starhawk, em *The Spiral Dance* (1979), e Margot Adler, em *Drawing Down the Moon* (1979). Além disso, *When God Was a Woman* (1978), de Merlin Stone, e *Lost Goddesses of Early Greece* (1978), de Charlene Spretnak, contribuíram para o crescente interesse pelas deusas e levaram adiante a contestação de pressupostos patriarcais acerca da história e da espiritualidade. Numa tentativa de resumir toda a gama de idéias nessa área, Barbara Walker produziu a sua monumental *Woman's Encyclopedia of Myths and Secrets* (1983).

Mais e mais feministas têm descoberto Jung ultimamente, mas não de maneira acrítica. Inúmeras estudiosas e psicólogas têm procurado integrar o pensamento junguiano e o pensamento feminista, em particular Naomi Goldenberg, em *The Changing of the Gods* (1979), e Estella Lauter e Carol Schreier Rupprecht (1985), em *Feminist Archetypal Theory*. Essas autoras foram fortemente influenciadas pela concepção "re-visionada" de Jung apresentada como uma "psicologia dos arqué-tipos" por James Hillman. A obra seminal de Hillman, *Myth of Analysis* (1972) e seu livro *Revisioning Psychology*, defendem com veemência uma psicologia "poli-teísta" baseada numa pluralidade de deuses, mitos e arquétipos. Uma valiosa discussão desse tipo de pensamento pode ser encontrada em *The New Polytheism* (1974), de David Miller.

A antologia *Facing the Gods* (1980) é uma coletânea representativa de artigos e ensaios de Hillman, Kerényi, Murray Stein, Miller e outros sobre a psicologia dos arquétipos e sobre Atena, Hefaístos, Ártemis e outros. Muitos desses ensaios foram extraídos do influente periódico de Hillman, *Spring*, que também publicou outros escritos importantes sobre os deuses e as deusas. Essas obras estabeleceram um novo padrão através do qual examinar o feminino, a psicologia individual e os padrões culturais graças ao sofisticado instrumento de interpretação que a psico-logia dos arquétipos oferece.

Muitas outras obras recentes importantes também são parte da tendência de considerar a psicologia e a nossa cultura através da compreensão arquetípica dos deuses, deusas e mitos, conforme inspirado por Jung, seguidores e revisionistas posteriores, entre as quais poderíamos mencionar, sem nenhuma ordem em parti-cular: *The Goddess* (1981), de Christine Downing; *The Wise Wound* (1978), de Penelope Shuttle e Peter Redgrove; *The Moon and the Virgin* (1980), de Nor Hall; *Descent of the Goddess* (1981), de Sylvia Brinton Perera; *Return of the Goddess* (1982), de Edward C. Whitmont; *Goddesses in Everywoman* (1984), de Jean Shino-da Bolen; e *Addiction to Perfection* (1982), de Marion Woodman. As duas últimas estão entre as obras mais populares e mais influentes que contribuíram para tornar a idéia de uma psicologia baseada na vivência interior da Deusa disponível a um público maior.

Finalmente, é preciso fazer menção a três influentes artigos publicados nos anos 70: um foi "Goddesses In Our Midst" (1974), de Philip Zabriskie; os outros dois foram uma entrevista muito citada com Robert Bly no *East West Journal* intitulada "The Great Mother and the New Father" e o importante artigo "I Came Out of the Mother Naked" em *Sleepers Joining Hands* (1973). Há muitos anos que Bly vem organizando conferências que contribuíram de maneira incalculável para estimular toda espécie de criatividade artística e intelectual em torno das deusas e do feminino emergente.

Bibliografia selecionada

* Estes livros têm excelentes informações bibliográficas e outros recursos.
[ ] Indica a data original de publicação.

I. MITOS E RELIGIÕES DA GRÉCIA: FONTES BÁSICAS E COMENTÁRIOS

Anonymous (trad. Charles Boer). *The Homeric Hymns*. Dallas: Spring, 1979 [1970].
Bly, Robert. "On the Great Mother and the New Father." *East West Journal*, agosto de 1980.
_____. *Sleepers Joining Hands*. Nova York: Harper & Row, 1973.
* Bolen, Jean Shinoda. *Goddesses in Everywoman*. Nova York: Harper & Row, 1984.
Burkert, Walter. *Greek Religion*. Traduzido por John Raffan. Cambridge, Mass.: Harvard University Press, 1985.
Cantarella, Eva. *Pandora's Daughters*. Traduzido por Fant. Baltimore: The Johns Hopkins University Press, 1987 [1981].
Downing, Christine. *The Goddess*. Nova York: Crossroad, 1981.
* Eliade, Mircea. *A History of Religious Ideas*, 3 vols. Chicago: University of Chicago Press, 1978.
Godolphin, F.R.B., org. *Great Classical Myths*. Nova York: Modern Library, 1964.
Grant, Michael. *Myths of the Greeks and Romans*. Nova York: New American Library, 1962.
Graves, Robert. *The Greek Myths*, 2 vols. Nova York: Penguin, 1979 [1955].
Guthrie, W.K.C. *The Greeks and Their Gods*. Boston: Beacon, 1950.
Hamilton, Edith. *Mythology*. Nova York: New American Library, 1942 [1940].
Harrison, Jane Ellen. *Prolegomena to the Study of Greek Religion*. Londres: The Merlin Press, 1962 [2d ed., 1907].
_____. *Mythology*. Nova York: Harcourt, Brace and World, 1963 [1924].
_____. *Themis: A Study of the Social Origins of Greek Religion*. Cambridge, Inglaterra: Cambridge University Press, 1927 [1912].
Hesiod. *Theogony. In Hesiod and Theognis*, traduzido por Dorothea Wender. Londres: Penguin, 1973.
Homer. *The Odyssey*. Traduzido por E.V. Rieu. Londres: Penguin, 1946.
_____. *The Iliad*. Londres: Penguin, 1950.
Jung. C.G., e Carl Kerényi. *Essays on a Science of Mythology*. Princeton, N.J.: Princeton/Bollingen, 1969 [1949].
Kerényi, Carl. *The Gods of the Greeks*. Nova York: Thames & Hudson, 1979 [1951].
Meyer, Marvin W., org. *The Ancient Mysteries*. Nova York: Harper & Row, 1987.
Nilsson, Martin P. *A History of Greek Religion*. Nova York: Norton, 1964 [1952].
Otto, Walter F. *The Homeric Gods*. Traduzido por Moses Hadas. Nova York: Thames & Hudson, 1979 [1929].

Ovid. *Metamorphoses*. Traduzido por Innis. Londres: Penguin, 1946.

Rohde, Erwin. *Psyche: The Cult of Souls and the Belief in Immortality Among the Greeks*, 2 vols. Traduzido por Hillis. Nova York: Harper & Row, 1966 [1920].

Slater, Philip. *The Glory of Hera: Greek Mythology and the Greek Family*. Boston: Beacon, 1968.

Spretnak, Charlene. *Lost Goddesses of Early Greece: A Collection of Pre-Hellenic Mythology*. Boston: Beacon, 1981 [1978].

II. TRABALHO SOBRE AS DEUSAS E O FEMININO EM GERAL

1. Antropologia, História e Ficção Histórica

Bachofen, J.J. *Myth, Religion, and Mother Right*. Organizado por Joseph Campbell. Princeton, N.J.: Princeton/Bollingen, 1967 [1861].

Bernal, Martin. *Black Athena: The Afroasiatic Roots of Classical Civilization*, 3 vols. New Brunswick, N.J.: Rutgers University Press, 1987.

Bradley, Marion Zimmer. *The Firebrand*. Nova York: Simon and Schuster, 1988.

Briffault, Robert. *The Mothers*. Resumido e introduzido por Gordon Rattray Taylor. Nova York: Atheneum, 1977 [1927].

Brindel, June Rachuy. *Ariadne: A Novel of Ancient Greece*. Nova York: St. Martin's Press, 1980.

_____. *Phaedra: A Novel of Ancient Athens*. Nova York: St. Martin's Press, 1985.

De Riencourt, Amaury. *Sex and Power in History*. Nova York: Delta, 1975.

Diner, Helen. *Mothers and Amazons*. Nova York: Doubleday/Anchor, 1973 [c. 1930].

Frazer, Sir James G. *The Golden Bough*. Nova York: Macmillan, 1922 [1890].

Gimbutas, Marija. *The Goddesses and Gods of Old Europe*. Berkeley, Calif.: University of California Press, 1974.

Graves, Robert. *The White Goddess*. Nova York: Vintage Books, 1958 [1948].

James E.O. *The Ancient Gods*. Nova York: G.P. Putnam's, 1960.

Patai, Raphael. *The Hebrew Goddess*. Nova York: Avon, 1967.

Pomeroy, Sarah B. *Goddesses, Whores, Wives and Slaves*. Nova York: Schocken, 1975.

* Sjöö, Monica, e Barbara Mor. *The Great Cosmic Mother: Rediscovering the Religion of the Earth*. Nova York: Harper & Row, 1987.

Stone, Merlin. *When God Was a Woman*. Nova York: Harvest/Harcourt, 1976.

_____. *Ancient Mirrors of Womanhood*, 2 vols. Nova York: New Sibylline Books, 1979.

Thompson, William Irwin. *The Time Falling Bodies Take to Light*. Nova York: St. Martin's Press, 1981.

2. Feminismo Contemporâneo

Daly, Mary. *Beyond God the Father: Toward a Philosophy of Women's Liberation*. Boston: Beacon Press, 1973.

De Beauvoir, Simone. *The Second Sex*. Nova York: Knopf, 1952 [1949].

Demetrakopoulos, Stephanie. *Listening to Our Bodies*. Boston: Beacon, 1983.

Friedan, Betty. *The Second Stage*. Nova York: Summit, 1981.

_____. *The Feminine Mystique*. Nova York: Dell, 1963.

Greer, Germaine. *The Female Eunuch*. Nova York: Bantam, 1970.

Keller, Evelyn Fox. *Reflections of Gender and Science*. New Haven: Yale University Press, 1985.

Kolbenschlag, Madonna. *Kiss Sleeping Beauty Goodbye*. Nova York: Doubleday, 1979.

Millett, Kate. *Sexual Politics*. Nova York: Avon, 1970.

* Morgan, Robin, org. *Sisterhood Is Powerful*. Nova York: Vintage, 1970.

Ruether, Rosemary. *New Woman, New Earth*. Nova York: Seabury, 1975.
* Wynne, Patrice. *The Womanspirit Sourcebook*. São Francisco: Harper & Row, 1988.

3. Psicologia Junguiana e Arquetípica

Bly, Robert. "I Came Out of the Mother Naked", *Sleepers Joining Hands*. Nova York: Harper & Row, 1973.
* Bolen, Jean Shinoda. *Goddesses in Everywoman*. Nova York: Harper & Row, 1984.
Castillejo, Irene. *Knowing Woman*. Nova York: Harper & Row, 1974.
Colegrave, Sukie. *The Spirit of the Valley*. Los Angeles: J.P. Tarcher, 1979.
Goldenberg, Naomi. *The Changing of the Gods: Feminism and the End of Traditional Religions*. Boston: Beacon, 1979.
Hall, Nor. *The Moon and the Virgin*. Nova York: Harper & Row, 1980.
Harding, M. Esther. *Women's Mysteries, Ancient and Modern*. Nova York: Harper & Row, 1978 [1951].
Hillman, James. *Re-Visioning Psychology*. Nova York: Harper & Row, 1975.
_____. *The Myth of Analysis*. Nova York: Harper & Row, 1978 [1972].
Hillman, James, org. *Facing the Gods*. Irving, Tex.: Spring, 1980. [*Encarando os Deuses*, Ed. Pensamento, São Paulo, 1992.]
Hillman, James, et al. *Fathers and Mothers*. Dallas: Spring, 1982.
Jung, C.G. *Symbols of Transformation*. Princeton, N.J.: Princeton/Bollingen, 1954 [1912].
_____. *Aspects of the Feminine*. Princeton, N.J.: Princeton/Bollingen, 1982.
Jung, C.G., org. *Man and His Symbols*. Nova York: Doubleday, 1964.
* Lauter, Estella, e Carol Schreier Rupprecht. *Feminist Archetypal Theory*. Knoxville, Tenn.: University of Tennessee, 1985.
Miller, David L. *The New Polytheism*. Com apêndice de James Hillman, Irving, Tex.: Spring, 1981 [1974].
Neumann, Erich. *The Great Mother*. Princeton, N.J.: Princeton/Bollingen, 1955.
_____. *The Origins and History of Consciousness*. Princeton, N.J.: Princeton/Bollingen, 1954 [1949]. [*História da Origem da Consciência*, Editora Cultrix, São Paulo, 1990.]
Stern, Karl. *The Flight From Woman*. Nova York: Farrar, Strauss, 1965.
Ulanov, Ann. *The Feminine in Jungian Psychology and Christian Theology*. Evanston, Ill.: Northwestern, 1971.
Von Franz, Marie-Louise. *The Feminine in Fairy Tales*. Irving, Tex.: Spring, 1974.
Whitmont, Edward C. *Return of the Goddess*. Nova York: Crossroad, 1982.
Wolff, Toni. *Structural Forms of the Feminine Psyche*. Zurique: C.G. Jung Institute, 1956.
Zabriskie, Philip. "Goddesses in Our Midst." *Quadrant* 17 (1974).

4. Antologias, Referência e Recursos

Barnstone, Alki e Willis, orgs. *A Book of Woman Poets*. Nova York: Schocken, 1980.
* Chicago, Judy. *The Dinner Party*. Nova York: Anchor Press/Doubleday, 1979.
Christ, Carol P., e Judith Plaskow, orgs. *Womanspirit Rising: A Feminist Reader in Religion*. Nova York: Harper & Row, 1979.
Cosman, Carol, Joan Keefe, e Kathleen Weaver, orgs. *The Penguin Book of Women Poets*. Nova York: Penguin, 1979.
Johnson, Robert A. *Inner Work: Using Dreams and Active Imagination for Personal Growth*. Nova York: Harper & Row, 1986.
Rainer, Tristine. *The New Diary: How to Use a Journal for Self-Guidance and Expanded Creativity*. Los Angeles: J.P. Tarcher, 1978.
Ruether, Rosemary Radford. *Womanguides: Readings Towards a Feminist Theology*. Boston: Beacon, 1985.

* Walker, Barbara G. *The Woman's Encyclopedia of Myths and Secrets*. Nova York: Harper & Row, 1983.

Washburn, Penelope, org. *Seasons of Woman*. Nova York: Harper & Row, 1982.

* Weigle, Marta. *Spiders and Spinsters*. Santa Fé: University of New Mexico, 1982.

* Wynne, Patrice. *The Womanspirit Sourcebook*. São Francisco: Harper & Row, 1988.

III. AS SEIS MAIORES DEUSAS: REFERÊNCIAS E OUTRAS LEITURAS

Capítulo Dois: Atena: Mulher Guerreira no Mundo

Fynn. *Mister God, This Is Anna*. Nova York: Ballantine, 1974.

Hall, Nor. *Those Women*. Dallas: Spring, 1988.

Hennig, Margaret, e Anne Jardim. *The Managerial Woman*. Nova York: Anchor/Doubleday, 1977.

Jung, C.G. "Psychological Aspects of the Mother Archetype." In *Four Archetypes*. Princeton, N.J.: Princeton/Bollingen, 1970 [1959].

Kerényi, Carl. *Athene: Virgin and Mother*. Traduzido por Murray Stein. Zurique: Spring, 1978.

Leonard, Linda. *The Wounded Woman*. Boulder, Colo.: Shambhala, 1983.

Lichtenstein, Grace. *Machisma: Women and Daring*. Nova York: Doubleday, 1981.

Moffat, Maryjane, e Charlotte Painter. Part 2: "Work," of *Revelations: Diaries of Women*. Nova York: Random House/Vintage, 1974.

Morgan, Robin, org. *Sisterhood Is Powerful*. Nova York: Vintage, 1970.

Panichas, George A., org. *The Simone Weil Reader*. Nova York: David McKay, 1977.

Pearson, Carol, e Katherine Pope. *The Female Hero in American and British Literature*. Nova York: Bowker, 1981.

Perlingievi, Ilya Sandra. "Strokes of Genius," in *Ms*. Setembro de 1988 [em Sofonisba Anguissola].

Petroff, Elizabeth Alvilda, org. *Medieval Women's Visionary Literature*. Nova York: Oxford University Press [Para Hrotsvit of Gandersheim.]

Pisan, Christine de. *The Book of the City of Ladies*. Nova York: Persona Books, 1982.

Warner, Marina. *Joan of Arc: The Image of Female Heroism*. Nova York: Alfred A. Knopf, 1982.

Weil, Simone. *Selected Essays*, 1934-43. Londres: Oxford University Press, 1962.

Woodman, Marion. *Addiction to Perfection: The Still Unravished Bride*. Toronto: Inner City, 1982.

Capítulo Três: Ártemis: O Coração do Caçador Solitário

Adler, Margot. *Drawing Down the Moon*. Boston: Beacon, 1981.

Andrews, Lynn V. *Medicine Woman*. São Francisco: Harper & Row, 1981.

Auel, Jean. *The Clan of the Cave Bear*. Nova York: Crown, 1980.

Bly, Robert, org. *News of the Universe: Poems of Twofold Consciousness*. São Francisco: Sierra Club, 1980.

Dillard, Annie. *Teaching a Stone to Talk*. Nova York: Harper, 1982.

Ehrenreich, Barbara, e Deirdre English. *Witches, Midwives, and Nurses: A History of Women Healers*. Londres: Writers and Readers Publishing Cooperative, 1973.

Fox, Matthew. *Original Blessing: A Primer of Creation Spirituality*. Santa Fé: Bear, 1984.

Griffin, Susan. *Woman and Nature: The Roaring Inside Her*. Nova York: Harper & Row, 1978.

Kerényi, Carl. "A Mythological Image of Girlhood: Artemis" (1949). In James Hillman, org. *Facing the Gods*. Irving, Tex.: Spring, 1980.

LaBastille, Anne. *Women and Wilderness*. São Francisco: Sierra Club Books, 1980.

LaChapelle, Dolores. *Earth Wisdom*. Silverton, Colo.: Finn Hill Arts, 1978.

Lawick-Goodall, Jane van. *In the Shadow of Man*. Boston: Houghton Mifflin, 1971.

Lichtenstein, Grace. *Machisma: Women and Daring*. Nova York: Doubleday, 1981.

Lovelock, James. *Gaia: A New Look at Life on Earth*. Nova York: Oxford University Press, 1975.

Mahdi, Louise Carus, Steven Foster, and Meredith Little, orgs. *Betwixt and Between: Patterns of Masculine and Feminine Initiation*. La Salle, Ill.: Open Court, 1987.

Malamud, Rene. "The Amazon Problem." In *Facing the Gods*, organizado por James Hillman. Irving, Tex.: Spring, 1980.

Merchant, Carolyn. *The Death of Nature*. Nova York: Harper & Row, 1980.

Michel, John. *The View Over Atlantis*. Londres: Garnstone Press, 1969; edição revista e atualizada: *The New View Over Atlantis*. Nova York: Harper & Row, 1983.

Mowat, Farley. *Woman in the Mists: The Story of Dian Fossey and the Mountain Gorillas of Africa*. Nova York: Warner, 1987.

Paris, Ginette. *Pagan Meditations: Aphrodite, Hestia, Artemis*. Dallas: Spring, 1986.

Petroff, Elizabeth Alvilda, org. *Medieval Women's Visionary Literature*. Nova York: Oxford University Press, 1986. (Para Hildegard of Bingen e Juliana of Norwich.)

Schumacher, E.F. *Small Is Beautiful*. Nova York: Harper & Row, 1975.

Spretnak, Charlene, e Fritjof Capra. *Green Politics: The Global Promise*. Santa Fé: Bear and Company, 1986.

Starhawk. *The Spiral Dance: A Rebirth of the Ancient Religion of the Great Goddess*. Nova York: Harper & Row, 1979.

Stratton, Joanna L. *Pioneer Women*. Nova York: Touchstone, 1981.

Stroud, Joanne, e Gail Thomas. *Images of the Untouched*. Irving, Tex.: Spring, 1982.

Thompson, William Irwin, org. *Gaia: A Way of Knowing*. Great Barrington, Mass.: Inner Traditions Lindisfarne, 1987.

Ywahoo, Dhyani. *The Voices of Our Ancestors*. Organizado por Barbara Du Bois. Boston: Shambhala, 1987.

Capítulo Quatro: Afrodite: Áurea Deusa do Amor

Bedier, Joseph, org. *The Romance of Tristan and Iseult*. Traduzido por Hilaire Belloc e Paul Rosenfeld. Pantheon, Nova York, 1945.

Boswell, John. *Christianity, Social Tolerance and Homosexuality*. Chicago: University of Chicago, 1980.

Cohn, Norman. *Europe's Inner Demons*. Nova York: Basic Books, 1975.

De Rougement, Denis. *Love in the Western World*. Nova York: Pantheon, 1956.

Friedrich, Paul. *The Meaning of Aphrodite*. Chicago: University of Chicago, 1978.

Goldberg, B.Z. *The Sacred Fire*. Secaucus, N.J.: Citadel Press, 1974.

Grigson, Geoffrey. *The Goddess of Love*. Nova York: Stein and Day, 1977.

Janus, Sam, e Barbara Bess. *A Sexual Profile of Men in Power*. Nova York: Prentice-Hall, 1977.

Jung, C.G. *Psychological Types*. Princeton, N.J.: Princeton/Bollingen, 1971 [1921].

Kensington Ladies' Erotica Society. *Ladies' Home Erotica*. Berkeley: Ten Speed Press, 1984.

Lawrence, D.H. *Sons and Lovers*. Londres: Heinemann, 1913.

Marin, Peter. *Provence and Pound*. Berkeley: University of California, 1976.

Moffat, Maryjane, e Charlotte Painter, orgs. Part 1: "Love," of *Revelations: Diaries of Women*. Nova York: Random House/Vintage, 1974.

Pagels, Elaine. *Adam, Eve and the Serpent*, Nova York: Random House, 1988.

———. *The Gnostic Gospels*. Nova York: Random House, 1979.

Paris, Ginette. *Pagan Meditations: Aphrodite, Hestia, Artemis*. Dallas: Spring, 1986.

Qualls-Corbett, Nancy. *The Sacred Prostitute: Eternal Aspect of the Feminine*. Toronto: Inner City, 1988.

Rouselle, Aline. *Porneia: On Desire and the Body in Antiquity*. Nova York: Blackwell, 1978.
Russell, Bertrand. *Marriage and Morals*. Nova York: Liveright, 1929.
Sanford, John A. *The Invisible Partners*. Nova York: Paulist Press, 1980.
Summers, Anthony. *Goddess: The Secret Lives of Marilyn Monroe*. Nova York: Macmillan, 1985.
Taylor, Gordon Rattray. *Sex in Society*. Nova York: Vanguard Press, 1954.
Welwood, John, org. *Challenge of the Heart*. Boston: Shambhala, 1985.
Wilder, Thornton. *The Woman of Andros*. Nova York: Harper, 1958.
Young, Wayland. *Eros Denied: Sex in Western Society*. Nova York: Grove Press, 1964.

Capítulo Cinco: Hera: Rainha e Parceira do Poder

De Rougement, Denis. *Love in the Western World*. Nova York: Pantheon, 1956. [Para Livros V e VI].
Fellini, Federico. *Fellini on Fellini*. Nova York: New Directions, 1976.
Kerényi, Carl. *Zeus and Hera*. Princeton, N.J.: Princeton University Press, 1975.
Lawrence, D.H. *Fantasia of the Unconscious*. Londres: Heinemann, 1923.
Leonard, Linda Schierse. *On the Way to the Wedding*. Boston: Shambhala, 1986.
Lewis, C.S. *Till We Have Faces*. Nova York: Harcourt Brace Jovanovich, 1956.
Moffat, Maryjane, e Charlotte Painter. "Part III: Power", of *Revelations: Diaries of Women*. Nova York: Random House/Vintage, 1974.
Regan, Donald. *For the Record*. Nova York: Harcourt Brace Jovanovich, 1988.
Sanford, John A. *The Invisible Partners*. Nova York: Paulist Press, 1980.
Stein, Murray. "Hera, Bound and Unbound", *Spring* (1977).
Stern, Karl. Capítulo 8: "Hedda and Her Companions", of *The Flight From Woman*. Nova York: Farrar, Strauss, 1965.
Welwood, John, org. *Challenge of the Heart*. Boston: Shambhala, 1985.
Wilde, Oscar. *The Importance of Being Earnest*. In *Plays*. Londres: Penguin, 1954.
Williams, Tennessee. *Suddenly Last Summer*. In *Four Plays*. Nova York: Signet, 1968 [1958].
Woodman, Marion. *Addiction to Perfection: The Still Unravished Bride*. Toronto: Inner City, 1982.
Young-Eisendrath, Polly. *Hags and Heroes: A Feminist Approach to Jungian Psychotherapy With Couples*. Toronto: Inner City, 1984.

Capítulo Seis: Perséfone: Médium, Mística e Senhora da Morte

Adler, Margot. *Drawing Down the Moon*. Boston: Beacon, 1981.
Berry, Carmen Renee. *When Helping You Is Hurting Me*. Nova York: Harper & Row, 1988.
Bradley, Marion Zimmer. *The Firebrand*. Nova York: Simon and Schuster, 1987.
Bryant, Dorothy. *The Kin of Ata Are Waiting for You*. Nova York: Random House, 1971.
Chessler, Phyllis. *Women and Madness*. Nova York: Doubleday, 1972.
Demetrakopoulos, Stephanie. *Listening to Our Bodies*. Boston: Beacon, 1983.
Ehrenreich, Barbara, e Deirdre English. *Witches, Midwives, and Nurses: A History of Women Healers*. Londres: Writers and Readers Publishing Cooperative, 1973.
Garrett, Eileen. *Many Voices: The Autobiography of a Medium*. Nova York: G.P. Putnam's, 1968.
Hillesum, Etty. *An Interrupted Life: The Diaries of Etty Hillesum 1941-1943*. Old Tappan, N.J.: Washington Square Press, 1981.
Hillman, James. *The Dream and the Underworld*. Nova York: Harper & Row, 1979.
Jacobi, Jolande, org. *Paracelsus: Selected Writings*. Princeton, N.J.: Princeton/Bollingen, 1958.
Jung, C.G. *Psychology and the Occult*. Princeton, N.J.: Princeton/Bollingen, 1977.

Klimo, Jon. *Channeling*. Los Angeles: Jeremy P. Tarcher, 1987.

Kübler-Ross, Elisabeth. *Living With Death and Dying*. Nova York: Macmillan, 1981.

Lagerkvist, Pär, *The Sybil*. Nova York: Vintage, 1958.

Lewis, C.S. *Till We Have Faces*. Nova York: Harcourt Brace Jovanovich, 1956.

Neumann, Erich. "On the Moon and Matriarchal Consciousness." In *Fathers and Mothers*, organizado por Patricia Berry. Zurique: Spring, 1973.

Nikhilananda, Swami, trad. *The Gospel of Sri Ramakrishna*. Nova York: Ramakrishna-Vivekananda Center, 1942.

Perera, Sylvia Brinton. *Descent to the Goddess*. Toronto: Inner City, 1981.

Rohde, Erwin. Traduzido por W.B. Hillis. *Psyche: The Cult of Souls and the Belief in Immortality Among the Greeks*, 2 vols. Nova York: Harper & Row, 1966 [1920].

Walker, Barbara. *The Crone: Woman of Age, Wisdom, and Power*. Nova York: Harper & Row, 1985.

Wolkstein, Diane, e Samuel Noah Kramer. *Inanna, Queen of Heaven and Earth*. Nova York: Harper & Row, 1983.

Capítulo Sete: Deméter, Mãe de Todos Nós

Arms, Suzanne. *Immaculate Deception*. Nova York: Houghton Mifflin, 1975.

Berger, Pamela. *The Goddess Obscured: Transformation of the Grain Protectress From Goddess to Saint*. Boston: Beacon, 1975.

Berry, Patricia. "The Rape of Demeter/Persephone and Neurosis." *Spring* (1975).

Bombeck, Erma, *Motherhood: The Second Oldest Profession*. Nova York: McGraw-Hill, 1983.

Chicago, Judy. *The Birth Project*. Nova York: Doubleday, 1985.

Demetrakopoulos, Stephanie. *Listening to Our Bodies*. Boston: Beacon, 1983.

Gaskin, Ina May. *Spiritual Midwifery*. Summertown, Tenn.: The Book Publishing, 1980.

Greer, Germaine. *Sex and Destiny*. Nova York: Harper & Row, 1984.

Hall, Nor. Capítulo 4: "Mothers and Doughters", of *The Moon and the Virgin*. Nova York: Harper, 1980.

Kerényi, Carl. *Eleusis – Archetypal Image of Mother and Daughter*. Princeton, N.J.: Princeton/Bollingen, 1967.

Meyer, Marvin W., org. Capítulo 2: "The Greek Mysteries of the Grain Mother and Daughter", of *The Ancient Mysteries*. Nova York: Harper & Row, 1987.

Rich, Adrienne. *Of Woman Born*. Nova York: Norton, 1976.

Shuttle, Penelope, e Peter Redgrove. *The Wise Wound*. Londres: Penguin Books, 1978.

Sorel, Nancy Caldwell. *Ever Since Eve*. Nova York: Oxford University Press, 1984.

Walker, Barbara. *The Crone: Woman of Age, Wisdom and Power*. Nova York: Harper, 1985.

Wasson, R. Gordon, Carl A.P. Ruck, e Albert Hoffman. *The Road to Eleusis*. Nova York: Harvest/Harcourt, 1978.

IV. OUTRAS OBRAS MENCIONADAS

Hewlett, Sylvia Ann. *A Lesser Life: The Myth of Women's Liberation in America*. Nova York: William Morrow, 1986.

Friday, Nancy. *My Mother/My Self*. Nova York: Delacorte Press, 1977.

Gornick, Vivian. *Fierce Attachment*. Nova York: Farrar, Strauss & Giroux.

McLaughlin, Corinne, e Gordon Davidson. *Builders of the Dawn: Community Lifestyles in a Changing World*. Shutesbury, Mass.: Sirius Publishing, 1986.

Thompson, William Irwin. *Darkness and Scattered Light*. Nova York: Doubleday/Anchor, 1978.

Videografia e filmografia

As videolocadoras são uma rica fonte de informação sobre as deusas. Nesta seção nós incluímos filmes facilmente disponíveis em videocassete que refletem as seis deusas. Estão também incluídos filmes em que podemos presenciar um diálogo entre duas ou mais deusas. Apresentamos esses filmes como sugestões de onde começar a buscar as deusas; temos certeza que muitos outros exemplos podem ser encontrados. As deusas, afinal, estão em toda parte!

ATENA

Nos Bastidores da Notícia – Broadcast News (CBS/Fox)
Uma jovem e brilhante produtora (Holly Hunter) decide preparar um repórter bonitão mas vazio (William Hurt) para o cargo de âncora de um telejornal, e tem também que lidar com suas emoções.

Síndrome da China – The China Syndrome (Columbia)
Jane Fonda interpreta uma repórter que investiga um acidente no reator de uma usina nuclear.

A Educação de Rita – Educating Rita (RCA/Columbia)
Rita é uma proletária inglesa que deseja desesperadamente instruir-se. Para escapar da sua vidinha enfadonha de cabeleireira, ela se matricula na faculdade. Com Michael Caine.

House of Games (Orion)
Um curioso *thriller* psicológico em que nada é o que aparenta ser: uma famosa psiquiatra (interpretada por Lindsay Crouse) é atraída para o perigoso submundo dos vigaristas.

Julia – Julia (CBS/Fox)
Uma história verídica de lealdade, coragem e amor, Julia é o tributo da dramaturga Lillian Hellman à sua amiga. A história narra um incidente em que, a pedido de Julia, Hellman contrabandeou dinheiro pela Alemanha nazista para ajudar na obtenção da liberdade para judeus. Com Jane Fonda, Vanessa Redgrave, Jason Robards, Jr., e Hal Holbrook.

Rede de Intrigas – Network (MGM/UA)
Faye Dunaway interpreta uma implacável vice-presidente de programação de uma estação de televisão.

Norma Rae – Norma Rae (CBS/Fox)
Sally Field interpreta Norma, uma operária da indústria têxtil cuja vida se transforma quando conhece um sindicalista e começa a se esforçar para superar seus medos de uma retaliação por parte dos patrões e passa a se dedicar à causa dele.

O Mundo de Uma Mulher – Plenty (Thorn EMI)
O conflito de atitudes no mundo após a Segunda Guerra entre Susan, uma ex-combatente da resistência dotada de uma vontade férrea, e seu marido irresoluto leva à destruição da sanidade de Susan e da carreira do marido.

O Retrato de Uma Coragem – Silkwood (Embassy)
Meryl Streep é uma mulher divorciada que protesta contra a falta de segurança de uma usina de enriquecimento de plutônio. Baseado na história real de Karen Silkwood.

Uma Mulher Descasada – An Unmarried Woman (CBS/Fox)
Jill Clayburg interpreta Erica numa comédia ambientada nos "liberados" anos 70 sobre uma mulher forçada a se "redescobrir" depois que é deixada pelo marido.

AFRODITE

Anna Karenina – Anna Karenina (Metro-Goldwyn-Mayer)
Greta Garbo e Frederic March na história épica de Tolstói sobre amor não-correspondido ambientada na Rússia e na Veneza do século XIX.

Camila (Embassy)
A trágica história de amor entre uma jovem católica da sociedade de Buenos Aires e um padre jesuíta.

Carmem – Carmen (Media Home Entertainment)
Paixão e dança flamenca.

Os Homens Preferem as Louras – Gentlemen Prefer Blondes (20th Century Fox)
Marilyn Monroe e Jane Russell interpretam dançarinas de um show em busca de amor, romance e dinheiro.

...E o Vento Levou – Gone With the Wind (MGM/UA)
Uma visão fantástica, com Vivien Leigh interpretando Scarlett O'Hara e Clark Gable como Rhett Butler.

Indiscreet (Republic)
Ingrid Bergman e Cary Grant num caso de amor entre uma atriz de renome internacional e um alto funcionário insincero da OTAN.

Madame Bovary – Madame Bovary (MGM/CBS)
Tragédia sobre a revolta de uma francesa do século XIX contra a sociedade convencional em busca de amor, da paixão e da novidade.

A Força do Destino – An Officer and a Gentleman (Paramount)
Debra Winger e Richard Gere numa história ardente de amor tendo os rigores da escola de aspirantes a oficiais da marinha como pano de fundo.

Menina Bonita – Pretty Baby (Paramount)
A jovem Brooke Shields interpreta uma prostituta de doze anos casada com um homem mais velho.

A Filha de Ryan – Ryan's Daughter (MGM/UA)
O amor impossível e o repúdio público de uma garota irlandesa que se apaixona por um oficial alemão durante a Primeira Guerra.

Tudo Bem No Ano Que Vem – Same Time Next Year (Universal)
Ellen Burstyn interpreta uma jovem mulher casada que se apaixona por um homem casado (interpretado por Alan Alda) que conhece por acaso num motel. Eles continuam se encontrando de ano em ano e nós acompanhamos a evolução e o amadurecimento de ambos, nenhum dos quais quer abrir mão de seu casamento.

Quanto Mais Quente Melhor – Some Like It Hot (20th Century Fox)
Uma sátira romântica da época da Lei Seca, com Marilyn Monroe, Tony Curtis e Jack Lemmon.

A Mulher do Tenente Francês – The French Lieutenant's Woman (20th Century Fox)
Meryl Streep interpreta uma mulher ostracizada pela sociedade vitoriana depois de ser abandonada por seu amante francês.

PERSÉFONE

The Bell Jar (Vestron)
Baseado no romance semi-autobiográfico da poetisa Sylvia Plath, esta é a história de uma jovem que sofre um colapso nervoso em sua tentativa de alcançar metas pessoais e profissionais.

Narciso Negro – Black Narcissus (Video America)
Um filme obsessivo sobre o isolamento, a loucura, os fracassos espirituais e as frustrações sexuais de cinco freiras missionárias num convento dos Himalaias. Com Deborah Kerr e Jean Simmons.

Orfeu Negro – Black Orpheus (CBS Video)
A lenda de Eurídice e Orfeu adquire vida num encontro trágico e passional no carnaval carioca.

Carrie, A Estranha – Carrie (MGM/UA)
Sissy Spacek interpreta Carrie, uma adolescente ingênua e solitária que descobre ter o poder mágico de vingar-se das moças que a atormentavam.

Vício Maldito – Days of Wine and Roses (Warner)
Lee Remick e Jack Lemmon interpretam um jovem casal que cai na armadilha do alcoolismo.

Extremities (Paramount)
Farrah Fawcett interpreta uma jovem que escapa por pouco de um estuprador violento, só para vê-lo voltar e tentar completar o que iniciara. Ela revida e acaba sobrepujando-o.

Frances (Thorn)
Jessica Lange é Frances: aos 16, foi uma aluna exemplar; aos 23, uma estrela em ascensão no teatro e no cinema; aos 27, uma série de eventos levam-na à prisão e ao encarceramento involuntário num hospício. Baseado na história verídica de Frances Farmer.

Ensina-me a Viver – Harold and Maude (Paramount)
Uma história inesquecível sobre um adolescente rico e obcecado pela morte que se apaixona por uma octogenária de espírito livre, interpretada por Ruth Gordon.

I Never Promised You a Rose Garden (Warner)
Kathleen Quinlan interpreta uma adolescente emocionalmente perturbada presa no mundo vívido de fantasias que criou como alternativa para as realidades de sua caótica vida familiar.

Long Day's Journey Into Night (NTA Home Entertainment)
Katharine Hepburn, sir Ralph Richardson, Jason Robards, Jr., e Dean Stockwell no relato autobiográfico de Eugene O'Neill sobre a sua explosiva vida familiar. Katharine Hepburn interpreta a mãe viciada em drogas.

'Night, Mother (MCA)
Sissy Spacek e Anne Bancroft num estudo comovente sobre as tentativas de uma mãe para impedir que sua filha cometa suicídio.

Querem Me Enlouquecer – Nuts (Warner Brothers)
Barbra Streisand interpreta uma prostituta que matou um homem e está sendo examinada pelo tribunal a fim de se determinar a sua competência para ser julgada.

Psicose – Psycho (MCA)
Anthony Perkins interpreta Norman Bates neste clássico de suspense de Hitchcock sobre um jovem psicótico obcecado pela mãe falecida. Janet Leigh interpreta sua vítima.

ÁRTEMIS

Alien, O Oitavo Passageiro – Aliens (CBS/Fox)
Sigourney Weaver interpreta uma feroz mulher-Amazona do futuro que faz tudo para liqüidar um monstro espacial programado para matar.

Among the Wild Chimpanzees (National Geographic)
Documentário sobre o extraordinário trabalho realizado por Jane Goodall com os primatas.

The Clan of the Cave Bear (CBS/Fox)
Daryl Hannah interpreta Ayla, uma mulher de Cro-Magnon que perdeu os pais quando criança e foi criada pelos Neanderthalenses que não compreendem a sua inteligência avançada. Exilada, ela acaba se tornando líder do clã dos Ursos da Caverna.

Vestida para Matar – Dressed to Kill (Warner)
Um psiquiatra se vê diante de um enigma mortífero: o súbito e medonho assassinato de uma de suas pacientes com uma navalha tirada de seu consultório. Com Michael Caine, Angie Dickinson e Nancy Allen.

A Montanha dos Gorilas – Gorillas in the Mist (CBS/Fox)
Sigourney Weaver interpreta Dian Fossey, uma mulher do Kentucky que abandona o mundo para viver e proteger os gorilas de uma montanha na floresta tropical de Ruanda.

Killing Heat (Key)
Karen Black interpreta uma mulher independente que mora na África do Sul e decide abandonar sua carreira para se casar com um fazendeiro que luta para sobreviver na selva.

National Velvet (MGM/UA)
Elizabeth Taylor como uma garota inglesa que adora cavalos.

Entre Dois Amores – Out of Africa (MCA)
Com um visual magnífico, este filme é baseado na vida da escritora Isak Dinesen, pseudônimo de Karen Blixen, nascida em 1885. Blixen era uma aristocrata dinamarquesa que se rebelou contra os valores burgueses e decidiu ir cuidar de uma plantação de café no Quênia.

Red Sonja (CBS/Fox)
Brigitte Nielsen interpreta a última guerreira, Red Sonja, que se vinga do assassinato de sua família pela terrível rainha Gedren.

DEMÉTER

Country (Touchstone)
Jessica Lange corporifica o espírito resoluto dos fazendeiros americanos ao lutar para preservar a sua terra e manter a família coesa neste relato agoniento de uma família de fazendeiros do Iowa ameaçada pela falência.

Eleni (Embassy Home Entertainment)
História verídica do amor de uma mãe e da vingança de seu filho, ambientada em 1948 na Grécia. Uma mulher comum é levada a fazer coisas extraordinárias por amor a seus filhos, um dos quais vingará a morte dela.

I Remember Mama (Media Home Entertainment)
Uma recriação nostálgica e sentimental das dificuldades de uma família de imigrantes noruegueses na virada do século.

Marcas do Destino – Mask (MCA)
Cher interpreta uma mãe dedicada a Rusty, um adolescente cujo rosto desfigurado parece uma máscara bizarra. Baseado numa história verídica.

Um Lugar no Coração – Places in the Heart (CBS/Fox)
Uma evocação nostálgica da vida na cidade natal do diretor Robert Benton no Texas durante a Depressão. Sally Field interpreta a mãe.

Raggedy Man (MCA)
Sissy Spacek interpreta uma mãe solitária com dois filhinhos pequenos em busca do amor numa pequena cidade do Texas nos anos 40.

O Bebê de Rosemary – Rosemary's Baby (Paramount)
Um melodrama sobre um bebê concebido pelo Diabo. Com Ruth Gordon, John Cassavetes e Mia Farrow como a futura mamãe.

Momento de Decisão – The Turning Point (CBS/Fox)
Quando sua filha ingressa no National Ballet, Deedee (interpretada por Shirley MacLaine), uma professora de dança que poderia ter sido uma estrela se não houvesse se casado, e Emma (interpretada por Anne Bancroft), uma renomada bailarina com uma vida pessoal vazia, têm que confrontar as escolhas que fizeram anos antes.

HERA

Cleópatra – Cleopatra (20th Century Fox)
Elizabeth Taylor é a rainha do Egito, uma mulher consumida pela ambição de governar todo o mundo civilizado.

Casa de Bonecas – A Doll's House (MGM/UA)
O exame que Ibsen faz da dominação das mulheres de classe média por seus maridos. Julie Harris interpreta Nora e Christopher Plummer, o seu marido.

The Importance of Being Earnest (Paramount)
Uma das grandes comédias de salão de todos os tempos. É a história de Jack, um pretendente apaixonado cuja noiva só consegue amar um homem chamado Ernest. Com Michael Redgrave, Margaret Rutherford e Edith Evans (interpretando lady Bracknell).

Julieta dos Espíritos – Giulietta Degli Spiriti (Embassy)
O filme de Federico Fellini sobre uma dona de casa entediada que começa a ter visões quando seu marido lhe é infiel. Ela descobre para si uma vida muito mais plena.

Macbeth – Macbeth (RCA/Columbia)
A brilhante versão de Roman Polanski de um mundo aterrador de ambição e violência visto por Shakespeare.

Gente Como a Gente – Ordinary People (Paramount)
Mary Tyler Moore interpreta uma esposa de alta classe média cuja existência "comum" [*"ordinary"*] é desintegrada com a morte de seu filho mais velho.

Cenas de um Casamento Sueco – Scenes From a Marriage (Columbia)
Ingmar Bergman esmiúça um casamento de vinte anos. Com Liv Ullmann e Erland Josephson.

De Repente o Último Verão – Suddenly Last Summer (RCA/Columbia)
Um poeta dominado pela mãe é barbaramente assassinado nas Ilhas Galápagos. A mãe tenta internar a sobrinha (Elizabeth Taylor) num hospício por revelar a verdade sobre o incidente.

A Megera Domada – The Taming of the Shrew (RCA/Columbia)
Shakespeare examina o chauvinismo dos homens e o movimento de liberação feminina no século XVI. Uma batalha de sagacidade entre marido e mulher, com Elizabeth Taylor e Richard Burton.

Laços de Ternura – Terms of Endearment (Paramount)
A história do relacionamento entre mãe e filha ao longo de um período de trinta anos. Com Debra Winger, Shirley MacLaine e Jack Nicholson.

Testemunha de Acusação – Witness for the Prosecution (CBS/Fox)
Melodrama de suspense, com Marlene Dietrich como a esposa do réu.

DIÁLOGOS ENTRE DEUSAS

Os filmes abaixo retratam duas ou mais deusas e o relacionamento entre elas.

Gata em Teto de Zinco Quente – Cat on a Hot Tin Roof (MGM/UA)
Hera, Deméter e Afrodite buscam o poder na hierarquia familiar.

...E o Vento Levou – Gone With the Wind (MGM/UA)
Temas específicos de Atena, Afrodite e Deméter entrelaçam-se neste épico.

Hannah e suas Irmãs – Hannah and Her Sisters (Orion)
Irmãs Deméter, Perséfone e Afrodite na comédia social de Woody Allen ambientada em Manhattan.

Julieta dos Espíritos – Giulietta Degli Spiriti (Embassy)
A odisséia de uma tímida Hera ao mundo de Afrodite passando por Perséfone.

O Bebê de Rosemary – Rosemary's Baby (Paramount)
Uma Deméter inocente é sugada ao mundo de Perséfone como vítima sacrificial.

De Repente o Último Verão – Suddenly Last Summer (RCA/Columbia)
Hera e Perséfone/Afrodite numa luta de poder em torno do filho de Hera.

Momento de Decisão – The Turning Point (CBS/Fox)
Deméter e Atena em conflito.

Sobre os autores

Jennifer Barker Woolger é psicoterapeuta e professora. Já trabalhou com mulheres, adolescentes e crianças nos últimos vinte anos. É também uma realizadora premiada de vídeos e presidente da Laughing Bear Productions, uma empresa de multimídia educativa.

Roger J. Woolger, Ph.D., é analista junguiano e autor de *Other Lives, Other Selves*, um relato definitivo sobre a terapia de vidas passadas. Inglês de nascimento, obteve seu treinamento em psicologia e religião comparada nas universidades de Oxford e Londres, sendo também formado pelo Instituto C.G. Jung de Zurique. Foi professor visitante do Vassar College, da Universidade de Vermont e da Concordia University em Montreal. Os Woolgers viajam rotineiramente pelos Estados Unidos dando conferências e organizando os seus populares seminários sobre as deusas. O casal vive na região norte do estado de Nova York.

SEMINÁRIOS DA DEUSA INTERIOR

Jennifer e Roger Woolger oferecem uma variedade se seminários, palestras e festivais sobre as deusas, psicologia junguiana e terapia de vidas passadas. São patrocinados pela Laughing Bear Productions, uma empresa de multimídia educativa especializada em projetos de vídeo, filme, literatura e educação. Para obter maiores informações sobre o seu trabalho, escreva:

Laughing Bear Productions
5 River Road
New Paltz, NY, 12561

O HERÓI
A Verdadeira Jornada do Herói
e o Caminho da Individuação

Lutz Müller

O mito do herói, da pessoa que tem coragem para vencer todas as adversidades e superar todos os medos, que consegue penetrar em esferas até então desconhecidas para adquirir novos conhecimentos, que põe em risco a própria vida para salvar mesmo que seja uma única pessoa, sempre fascinou os homens de todas as culturas e de todas as épocas. E o herói nos fascina porque resume em si todos os desejos e a figura ideal de cada ser humano.

Neste livro, Lutz Müller revela o verdadeiro caminho do herói – o caminho da individuação e da vida criativa; o caminho da mudança que, através do enfrentamento da morte, leva a uma nova vida. E, ao convidar o leitor a refletir sobre a história do seu herói preferido, mostra que esse caminho não está reservado a uns poucos escolhidos, mas que todos nós – homens ou mulheres – nascemos para ser heróis.

EDITORA CULTRIX

O LIVRO DE LILITH
O Resgate do Lado Sombrio
do Feminino Universal

Barbara Black Koltuv, Ph.D.

Lilith, a primeira Eva ou a mulher que tentou Adão com a maçã da Árvore do Conhecimento, é uma das formas do Eu feminino que personifica os aspectos negligenciados e rejeitados da Grande Deusa. Ela é Adamah, o aspecto telúrico da personalidade feminina com que as muleres de hoje precisam se relacionar para poderem viver toda a plenitude da sua feminilidade.

O Livro de Lilith é uma fascinante antologia de contos mitológicos, antigos e modernos, interpretados pela Dra. Barbara Black Koltuv, psicóloga e analista junguiana, que demonstra com brilhantismo como e por que foram feitos tão grandes esforços para banir a figura de Lilith da consciência humana e por que, apesar desses esforços, estamos sentindo outra vez a sua ascensão, agora com novas interpretações e significados.

EDITORA CULTRIX

MEDEIA

A Redenção do Feminino Sombrio como
Símbolo de Dignidade e Sabedoria

Olga Rinne

Na tragédia grega de Eurípedes, Medeia mata a amante do marido, o rei Creonte e os próprios filhos, para se vingar do marido infiel, tornando-se a imagem arquetípica negativa do feminino. A mulher forte e inteligente se converte na esposa ciumenta, em objeto de desprezo. O conflito entre Medeia e o marido, Jasão, que a abandona por uma mulher mais jovem, é a imagem original de um drama que continua atual nos nossos dias.

À luz das reflexões da estudiosa Olga Rinne, Eurípedes é o primeiro autor a defender os direitos femininos, servindo-se de Medeia para mostrar a situação de quase escravidão das mulheres da sua época. A personagem rejeita a imagem de doçura e fragilidade designada à mulher e dá vazão à sua ira, revoltando-se tanto contra a infidelidade do marido quanto contra o papel de "feminilidade" validado pela sociedade patriarcal. Este livro mostra a correspondência entre a figura ambivalente de Medeia, como um símbolo da transição entre o matriarcado e o patriarcado, e a mulher contemporânea: ela rejeita a imagem de feminilidade tradicional e busca uma nova compreensão de si mesma, lutando para reconquistar os seus direitos e a sua dignidade na sociedade atual.

EDITORA CULTRIX

O COMPLEXO DE CASSANDRA
Histeria, Descrédito e o Resgate da Intuição Feminina no Mundo Moderno

Laurie Layton Schapira

Na mitologia grega, a trágica Cassandra era filha do rei de Troia, uma jovem de quem o deus Apolo se enamorou e a quem prometeu o dom da profecia. Porém, quando ela se recusou a ser seduzida, ele, por vingança, amaldiçoou-a para que ninguém acreditasse em suas profecias.

Essa é a tragédia arquetípica não só das profetisas, mas de todas as mulheres, com sua sabedoria e intuição inerentes oprimidas num mundo patriarcal. Através dos séculos, elas foram relegadas ao ostracismo, sofreram toda sorte de aviltamentos e foram condenadas à fogueira, chegando ao ponto de não acreditarem em si próprias.

Em *O Complexo de Cassandra*, a analista junguiana Laurie L. Schapira examina de perto o padrão arquetípico de Cassandra, o modo como ele se manifesta na psique feminina e sua ligação com os sintomas de histeria. Também traça um paralelo entre esse arquétipo e a vida e os problemas da mulher moderna, delineando seu perfil psicológico e descrevendo as fases clínicas do processo analítico que podem levá-la a se transformar numa nova Cassandra, capaz de acreditar no que sabe e no que vê, e de escapar da maldição do Apolo patriarcal, sendo porta-voz de uma nova era para todas as mulheres.

EDITORA CULTRIX

Impresso por:

Gráfica e editora

Tel: (11) 2769-9056